LES VERBES ANGLAIS A PARTICULES

Dans la même collection

Initiation :

Méthode 90 Junior anglais, par C. Cohen-Coudar et B. Lumbroso.
Livre (n° 8083).
Coffret livre + 2 cassettes (n° 9073).
L'Anglais d'aujourd'hui en 90 leçons, par J. Ward et P. Gallego.
Livre (n° 8087).
Coffret livre + 5 cassettes (n° 9075).
Coffret livre + 5 CD (n° 9080).

Grammaire et vocabulaire :

Grammaire active de l'anglais, par M. Delmas (n° 8581).
Vocabulaire de l'anglais d'aujourd'hui, par W. Barrie (n° 8557).

Perfectionnement :

La Pratique courante de l'anglais, par C. Caillate et J. Ward.
Livre (n° 8550).
Coffret livre + 2 cassettes (n° 9229).
La Pratique courante de l'américain, par A. S. Wolf et M. Wolf.
Livre (n° 8559).
Coffret livre + 2 cassettes (n° 9274).

Spécialisation :

L'Anglais des affaires, par M. A. Riccioli et M. P. Grant.
Livre (n° 8541).
Coffret livre + 2 cassettes (n° 9256).
L'Anglais de la communication commerciale, par M. A. Riccioli et G. Selbach.
Livre (n° 8543).
Coffret livre + 2 cassettes (n° 9270).
L'Anglais du marketing, par G. Selbach et M. O'Flaherty.
Livre (n° 8558).
Coffret livre + 2 cassettes (n° 9276).

Dictionnaire :

Dictionnaire anglais français/français anglais (n° 8517).
Dictionnaire de l'anglais des affaires (n° 7940).

LES LANGUES MODERNES

LES VERBES ANGLAIS
A PARTICULES

par

Bernard Bazin
et
Michael A. Riccioli

Le Livre de Poche

Acknowledgements / *Remerciements*

We would like to express our sincere thanks to Mr. D. Goust and Mrs. B. d'Heucqueville for their generous help and encouragement throughout the project.

Our special thanks go to our colleague Mr. B. MacVickar who read over the manuscript and provided helpful comments and corrections, to Mrs. A. Paulian for her meticulous reading of the proofs, and to Mr. G. Berton (IES).

B.B. , M.A.R.

The authors and publishers are grateful to Routledge Kegan Paul for permission to reproduce copyright material from the *Dictionary of Mottoes* by Leslie Pine (1983).

N.B. : In cases where it has not been possible for us to identify the source of material, we would welcome information from the copyright owners.

Table of Contents / *Table des matières*

Introduction 7

Phrasal Verbs / *Les verbes à particules* 11

About 13
Above 15
Across 16
After 17
Against 19
Ahead 21
Along 23
Among(st) 26
Apart 27
Around 28
As 34
Aside 35
At 37
Away 41
Back 46
Before 51
Behind 52
Beneath 54
Between 55
Beyond 55
By 56
Down 59
For 74
Forth 81
Forward 84
From 86
In 91
Into 106
Of 118
Off 122
On 137
Out 156
Over 190
Past 202
Round 203
Through 208
To 213
Together 219
Towards 222
Under 223
Up 225
Upon 258
With 259
Without 263

Revision exercises / *Exercices de révision* 265

1. About, Across, After, Against, Ahead 267
2. Along, Apart, Around, Aside, Away 269
3. Aback, Above, Among, As, At 271

4. Before, Behind, Beneath, Between, Beyond, By .. 274
5. Down, In, Into, Of, Past, Round 276
6. From, In, On, Out, Over, Up 278
7. For, Forth, Forward, From 280
8. Back, Out, Past, Round, Through, To 282

More exercises ! / *Autres exercices* 285

Match up the Proverbs ! / *Proverbes* 291

Mottoes / *Devises* 295

Hidden Phrasal Verbs / *Mots cachés* 297

Cross Phrasal Verbs / *Mots croisés* 303

Multiple-Choice Tests / *QCM* 318

Key to exercises / *Corrigés des exercices* 345

Glossary / *Glossaire* 373

To / *A*
All our students ..... *Tous nos étudiants....*

"A visitor to England, who did not know English very well, was travelling with a friend by train. He was leaning out of the window and his friend saw he might get hurt.
"Look out!" he shouted.
The visitor leaned farther out of the train, and was nearly hit by a tree at the side of the railway line. He turned to his friend and said angrily, "Why do you say 'Look out' when you mean 'Look in'?"

Present Day English for Foreign Students-Book 2 by E. Frank Candlin, University of London Press Ltd, 1965, p. 234.

Introduction

Le présent ouvrage a pour but de faciliter l'acquisition des verbes anglais à particules (*phrasal verbs*). Il suppose un niveau de connaissance de la langue située entre le brevet et le baccalauréat, et s'adresse aux élèves des lycées et BTS, aux étudiants des universités, IUT, grandes écoles, aux candidats aux examens de l'Université de Cambridge (*University of Cambridge Local Examinations Syndicate : First Certificate in English [FCE], Certificate in Advanced English [CAE], Certificate of Proficiency in English [CPE]*), au *TOEFL* et, plus largement, à tous ceux qui souhaitent se perfectionner dans la langue, élargir leur champ lexical et acquérir des tournures de phrases plus authentiques. Trop de francophones se contentent, en effet, d'utiliser des verbes simples (ex. *He STOPPED smoking last year*) au lieu de verbes à particules (ex. *He GAVE UP smoking last year*), privant ainsi leur discours d'éléments de variété et de richesse incomparables. C'est précisément pour ne pas encourager ce réflexe naturel que nous nous sommes abstenus de mentionner pour chaque verbe à particule son équivalent anglais en forme simple, préférant privilégier l'exemple et le réemploi.

Peu d'ouvrages sont, à ce jour consacrés à ce domaine spécifique de la grammaire anglaise à l'exception de notables dictionnaires prenant le verbe comme critère de classement.

L'approche ici est toute différente. Elle est le fruit d'un double constat. Il nous a semblé, tout d'abord, que dans le couple formé par le verbe et la particule, c'est la particule qui est l'élément significatif. C'est elle qui est porteuse de sens et qui donne sa pleine signification à la structure. Il nous est apparu, d'autre part, que chaque particule possède une palette de sens variée mais limitée et assez facilement classifiable. Le parti a été pris de classer lesdites particules par ordre alphabétique et de les grouper au sein de chaque chapitre par famille de sens. Le lecteur trouvera ainsi, pour chaque particule, le sens général, suivi des différents sens particuliers, explicités par de nombreux exemples. Cette approche originale a un triple avantage : elle permet à l'apprenti de mieux comprendre les mécanismes d'une structure qu'il juge souvent complexe, de mieux mémoriser les particules qui entrent dans la composition des verbes et ainsi de mieux les réutiliser.

Plan de l'ouvrage

La première partie est une partie théorique mais facilement accessible grâce à une présentation très imagée et visuelle. Elle comprend 44 chapitres (un par particule). Nous avons pris soin d'insérer de nombreux exemples afin d'aider le lecteur à mieux saisir la complexité de ces verbes à travers un contexte donné.

La seconde partie est composée d'un grand nombre d'exercices diversifiés (exercices à trous, mots croisés et cachés, questions à choix multiples (QCM), proverbes, devises, etc.) pour entraîner le lecteur à se familiariser avec cette structure verbale.

Conseils d'utilisation

La partie théorique peut être utilisée par le lecteur pour un apprentissage systématique ou comme élément de référence afin de mieux cerner les difficultés.

Tout comme en musique, la bonne acquisition de ces verbes

ne pourra se faire qu'après une pratique régulière et répétée. Les phrases permettront aussi au lecteur de s'exercer au thème et à la version rendue parfois délicate par la structure différente des deux langues. Il ne faut pas non plus mettre de côté les procédés mécaniques de mémorisation. Nous conseillons, à cet effet, de se munir d'un cahier pour faire les exercices et d'un carnet-répertoire pour noter les nouveaux verbes.

La lecture des romans simplifiés (*Easy Readers*, *Simplified Novels...*) ainsi que des quotidiens américains et britanniques est vivement encouragée. L'écoute régulière de *BBC World Service* (petites ondes 648 KHz et 463m ,et ondes courtes), *BBC Radio 4* (sur les grandes ondes 200 KHz), *Voice of America* (*VOA*) et, sur le câble, *BBC Prime* ainsi que *CNN* est aussi une nécessité. Ces programmes de radio ou de télévision sont autant de moyens supplémentaires pour parfaire la connaissance des verbes à particules déjà assimilés par l'écrit et la lecture.

L'utilisation d'un dictionnaire (*Dictionnaire de Poche Anglais/Français et Français/Anglais*, Le Livre de Poche) vous aidera également dans vos recherches.

Le glossaire anglais-français (page 373) renvoie à la page de la première partie où se trouvent le verbe et la particule recherchée. Toutefois, nous recommandons de n'utiliser ce glossaire que comme un outil de référence qui donnera accès à la partie théorique afin de mieux comprendre le sens du verbe à particule dans son contexte.

Le corrigé de chaque exercice est proposé en fin de seconde partie de l'ouvrage (page 345).

Les auteurs

Bernard Bazin
Docteur de l'Université de la Sorbonne-Nouvelle (Paris III).
Maître de Conférences à l'Université de Nanterre (Paris X).

Autres publications :
Je me perfectionne en anglais (avec Michael A. Riccioli), Editions Retz, Paris, 1988.

Michael A. Riccioli
Docteur de l'Université de la Sorbonne-Nouvelle (Paris III).
Maître de Conférences à l'Université de Picardie Jules-Verne (Amiens).

Autres publications :
L'Anglais de la communication commerciale (avec G. Selbach), Le Livre de Poche (n° 8543), Paris, 1993.
L'Anglais des affaires (avec M.P. Grant), Le Livre de Poche (n° 8541), Paris, 1991.
Je me perfectionne en anglais (avec B. Bazin), Editions Retz, Paris, 1988.
L'Anglais commercial par les mots croisés, Editions Retz, Paris, 1985.

LES VERBES ANGLAIS A PARTICULES

Abbreviations / *Abréviations*

adv.	adverb		
art.	article		
coll.	colloquial, informal	*fam.*	*familier*
inf.	infinitive	*Jur.*	*juridique*
liter.	literary		
plur.	plural		
PP	present perfect		
prep.	preposition		
	simple past	*Prét.*	*prétérit*
sing.	singular		
tran.	transitive		
abbr.	abbreviation		
Comput	Computing	*Inf.*	*Informatique*
e.g.	for example	*ex.*	*par exemple*
i.e.	that is to say		*c'est-à-dire*
pers.	person	*pers.*	*personne*
sth	something	*qqch.*	*quelque chose*
sb	somebody	*qqn*	*quelqu'un*
aka	also known as	*alias*	
ATM	Automatic Teller Machine	*DAB / GAB*	
B&W	Black and White	*noir et blanc*	
CEO	Chief Executive Officer (US)	*directeur général*	
DIY	Do-it-Yourself	*bricolage*	
EDI	Electronic Data Interchange	*échanges de données informatisées (EDI)*	
GB	British English	*anglais britannique*	
G.C.	George Cross		
ISDN	Integrated Services Digital Network	*réseau numérique à intégration des services (RNIS)*	
LA	Los Angeles		
MD	Managing Director (GB)	*directeur général*	
MP	Member of Parliament	*député*	
ono	or near(est) offer	*(prix) à débattre*	
RAM	Random Access Memory	*mémoire vive*	
"RTRS"	Rapid Transit Rail System in Paris	*RER Réseau express régional*	
US	American English	anglais américain	
VAT	Value-Added Tax	*TVA*	
VCR	video-cassette recorder	*magnétoscope*	

Portemanteau Word / *Mot valise*
'chicfurter' = chicken + frankfurter

ABOUT

➪ **SENS GÉNÉRAL :** mouvement dans différentes directions

Stop moving about all the time!
Cesse d'aller et venir sans arrêt!

➪ **SENS PARTICULIER :**

1. Se déplacer, circuler sans but, s'agiter

He drifted about from country to country before settling down in Scotland.
Il erra de pays en pays avant de s'installer en Ecosse.

He is too ill to get about alone.
Il est trop malade pour se déplacer seul.

It's getting about that he is resigning.
Le bruit court qu'il démissionne.

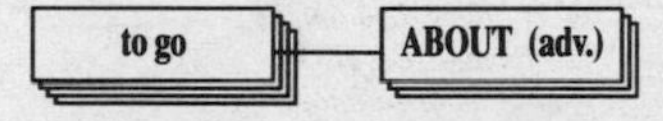

He has been going about a lot lately!
Il sort beaucoup ces temps-ci!

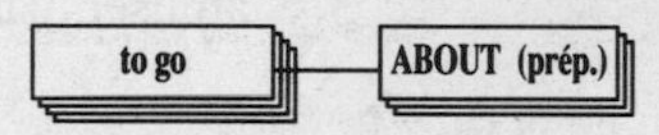

Will he be able to go about this work alone?
Pourra-t-il faire ce travail tout seul?

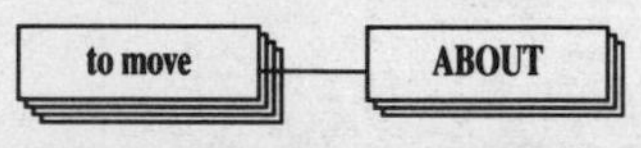

He moved about a lot during his career.
Il a beaucoup changé d'emplois au cours de sa carrière.

I moved it about everywhere in the room before finding a place for it.
Je l'ai déplacé partout dans la pièce avant de lui trouver une place.

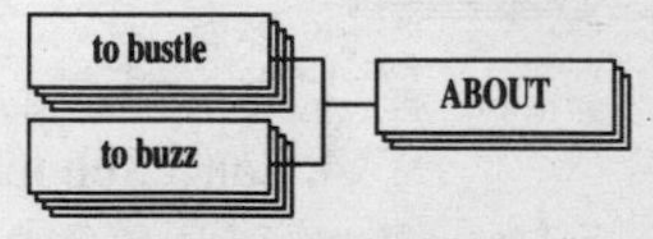

Mary who is a housewife is always bustling about in the house.
Mary qui est une bonne ménagère s'affaire toujours dans la maison.

2. Flâner, traîner, rôder

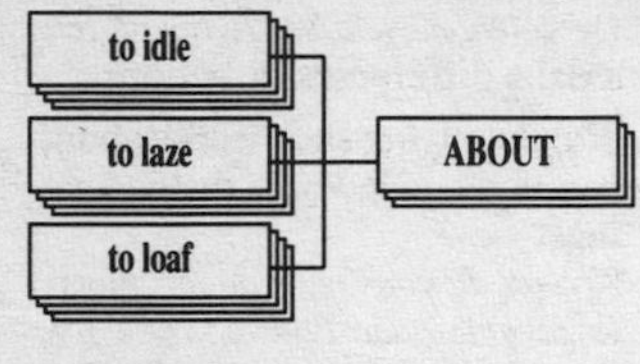

I idled about the town all day long.
J'ai flâné en ville toute la journée.

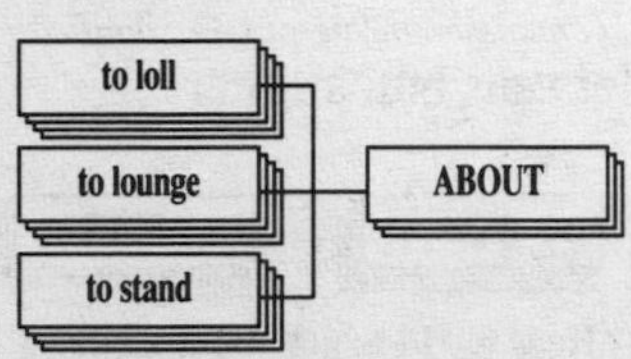

to slouch
to mooch
to hang
ABOUT

I stood about for an hour waiting for him to come.
J'ai fait le pied de grue pendant une heure à l'attendre.

I don't like them hanging about in the area.
Je n'aime pas les voir rôder dans le quartier.

3. S'amuser, passer du bon temps

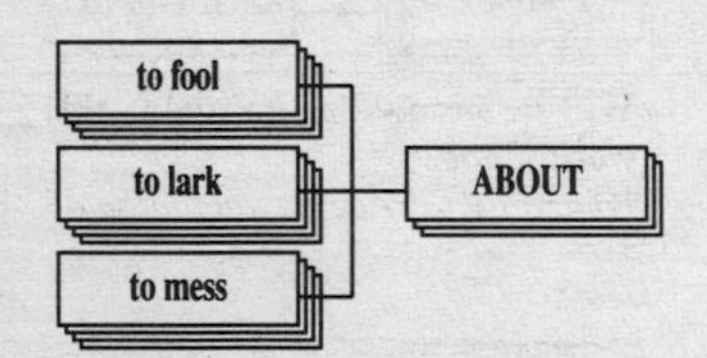

They spent the whole afternoon fooling about on the beach.
Ils ont passé l'après-midi entière à s'amuser sur la plage.

4. Lancer en tous sens, éparpiller

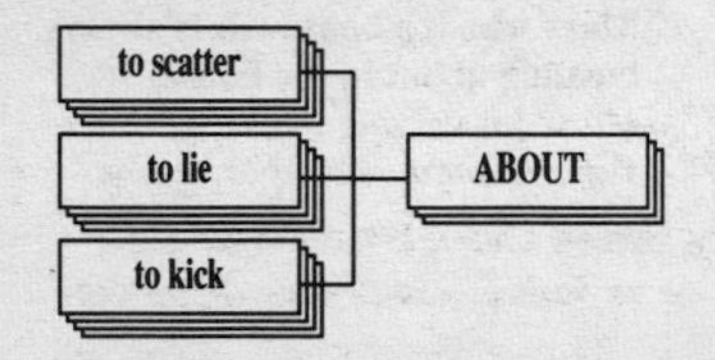

When I came in, all his papers were lying about in the room.
Quand je suis rentré, tous ses papiers traînaient partout dans la pièce.

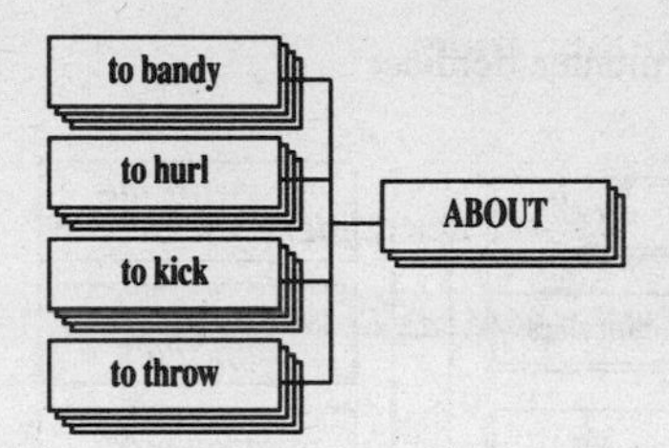

In a fit of rage, he hurled his books about.
De colère, il jeta ses livres en tous sens.

Stop bandying such words about; you don't even know their meanings!
Arrêtez de vous jeter de tels mots à la face l'un de l'autre, vous n'en connaissez même pas la signification!

5. Provoquer une action

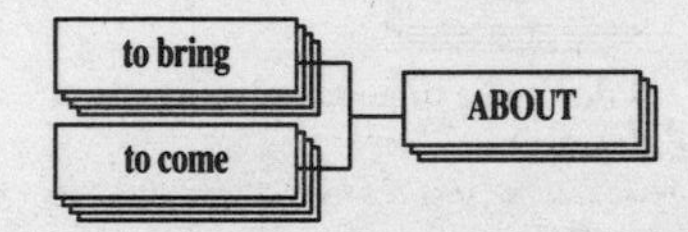

How did it come about?
Comment cela est-il arrivé?

6. Mouvement circulaire, d'encerclement

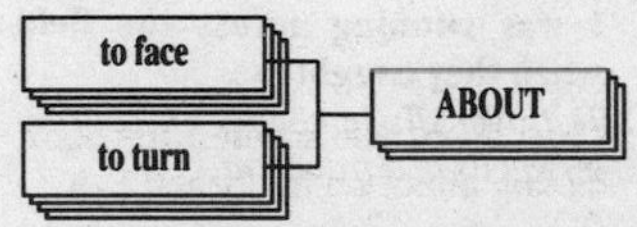

He turned about and went away.
Il fit demi-tour et s'en alla.

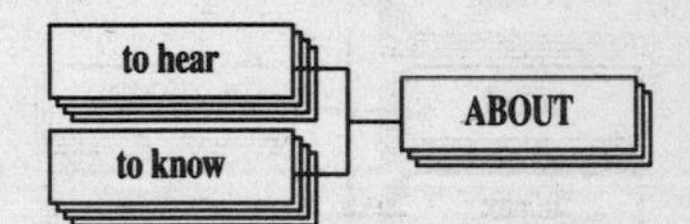

Have you heard about his accident?
As-tu entendu parler de son accident?

ABOVE

➪ **SENS GÉNÉRAL :** au-dessus de

He decided to put his family's future above his own career.
Il a décidé de placer l'avenir de sa famille au-dessus de sa carrière.

➪ **SENS PARTICULIER :** surmonter, dominer

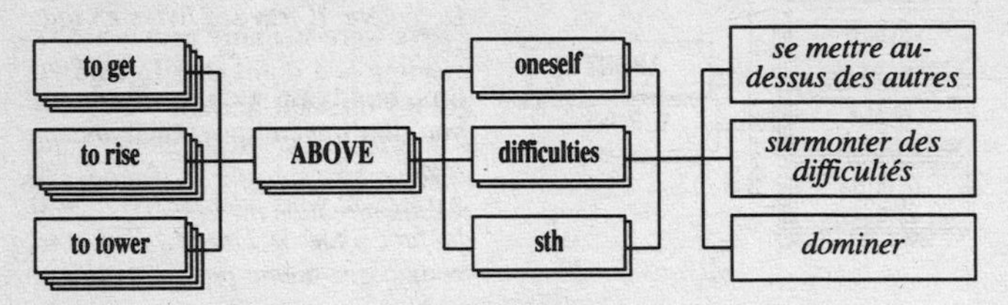

If he doesn't rise above this problem, he will never be elected.
S'il ne vient pas à bout de ce problème, il ne sera jamais élu.

When we woke up, an iceberg was towering above our boat.
A notre réveil, un iceberg s'élevait au-dessus de notre bateau.

ACROSS

➪ **SENS GÉNÉRAL :** traverser, aller d'un endroit à un autre

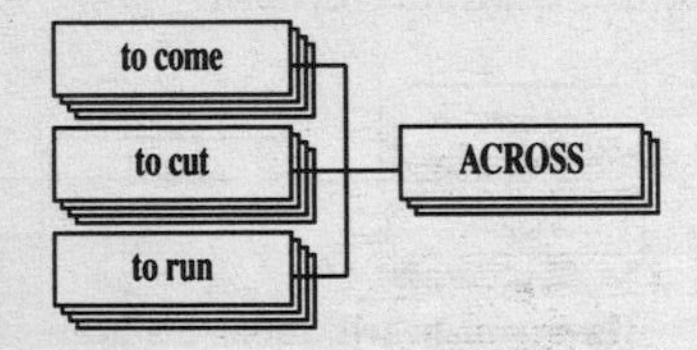

I was running across the field when they caught me.
Je traversais le champ en courant lorsqu'ils m'attrapèrent.

➪ **SENS PARTICULIER :**

1. Trouver, rencontrer par hasard

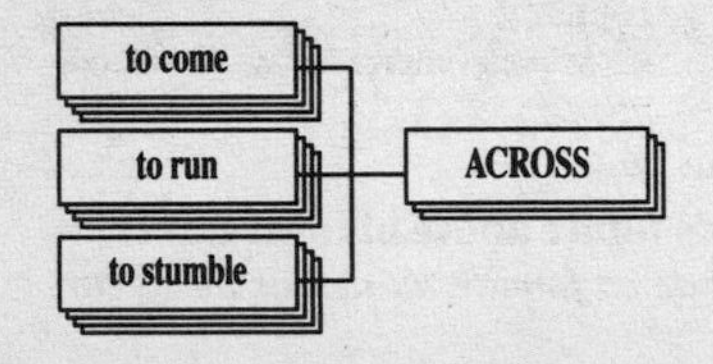

As I was walking back home, I stumbled across an old friend I hadn't seen for five years.
Tandis que je rentrais à la maison à pied, je rencontrai par hasard un vieil ami que je n'avais pas revu depuis cinq ans.

2. Transmettre une idée, un message

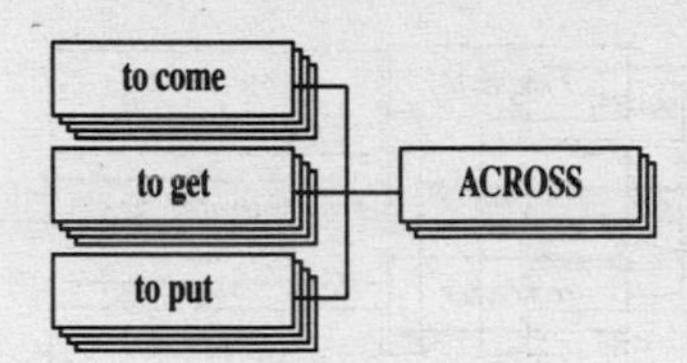

There were so many people at the meeting last night that I couldn't get my message across.
Il y avait tellement de monde à la réunion hier soir que je n'ai pas pu transmettre mon message.

AFTER

➪ **SENS GÉNÉRAL :** qui vient après, suivre, poursuivre

Run after him and stop him if you can!
Poursuis-le et arrête-le si tu peux!

➪ **SENS PARTICULIER :**

1. Poursuivre, pourchasser

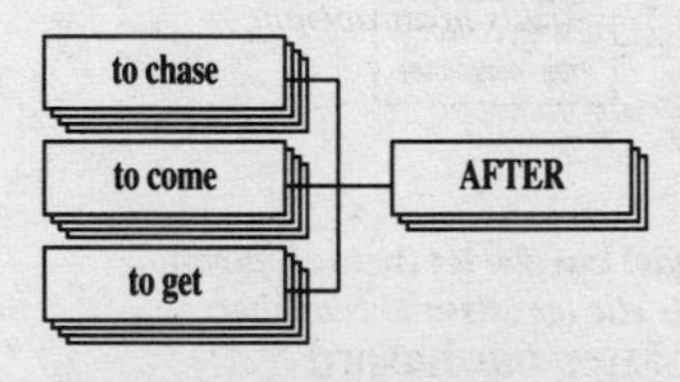

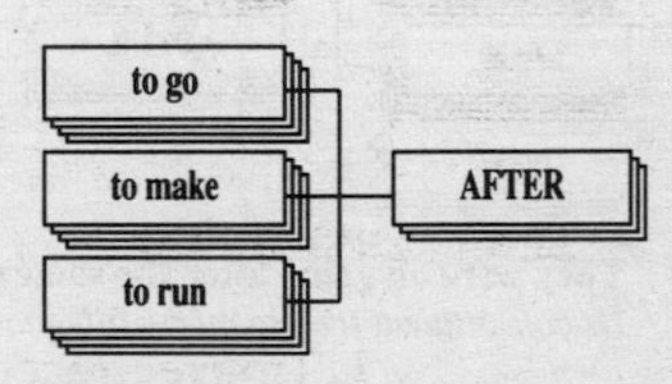

As I arrived, there were hundreds of policemen chasing after an escaped prisoner.
A mon arrivée, il y avait des centaines de policiers à la poursuite d'un prisonnier évadé.

They made after him with a helicopter.
Ils le poursuivirent avec un hélicoptère.

2. Recherche, vouloir, désirer

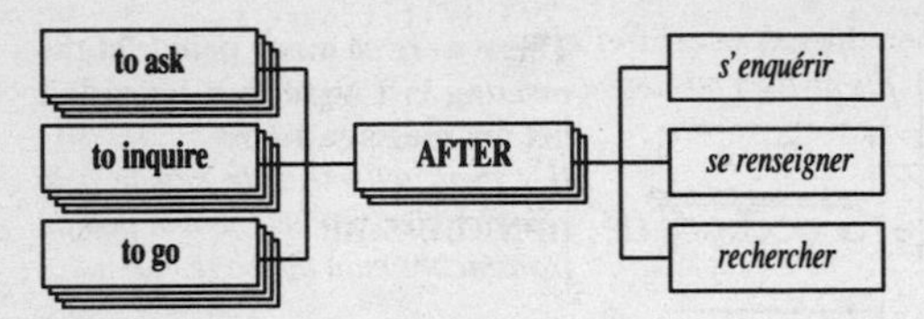

Should anyone ask after us, just say we are away on holiday.
Si quelqu'un nous demande, dites simplement que nous sommes partis en vacances.

I had been going after a job for months before being offered one.
J'ai été à la recherche d'un emploi pendant des mois avant qu'on m'en propose un.

A lot of people hunger after a house of their own.
Beaucoup de gens désirent posséder leur propre maison.

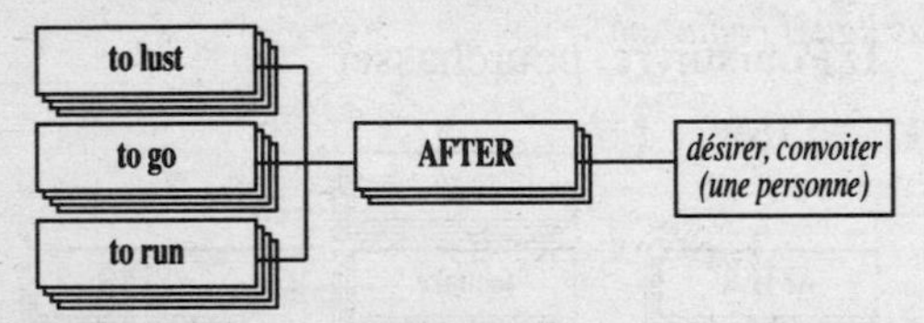

They were all going after the same girl but she let them all down.
Ils convoitaient tous la même fille mais elle les laissa tous tomber.

3. Donner le nom de, ressembler

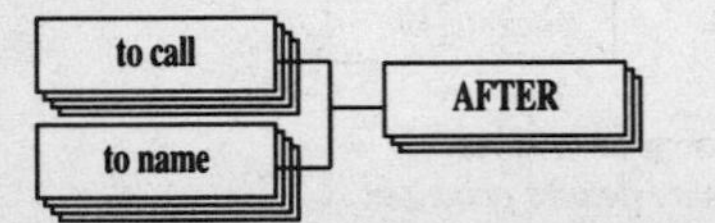

He was named after his grandfather.
Il porte le nom de son grand-père.

Fortunately, his son doesn't take after him.
Heureusement, son fils ne tient pas de lui.

4. S'occuper de, prendre soin

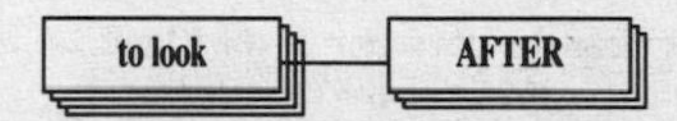

Don't worry, we'll look after your children while you're away.
Ne vous inquiétez pas, nous nous occuperons de vos enfants pendant votre absence.

He's not big enough to look after himself.
Il n'est pas assez grand pour se débrouiller seul.

AGAINST

➪ **SENS GÉNÉRAL :** contre, à l'encontre de

They all sided against him.
Ils se sont tous ligués contre lui.

➪ **SENS PARTICULIER :**

1. S'opposer à

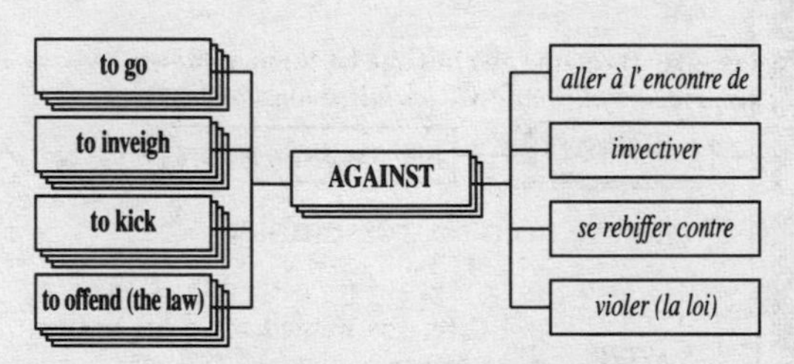

I won't do it if it goes against my own principles.
Je ne le ferai pas si cela va à l'encontre de mes principes.

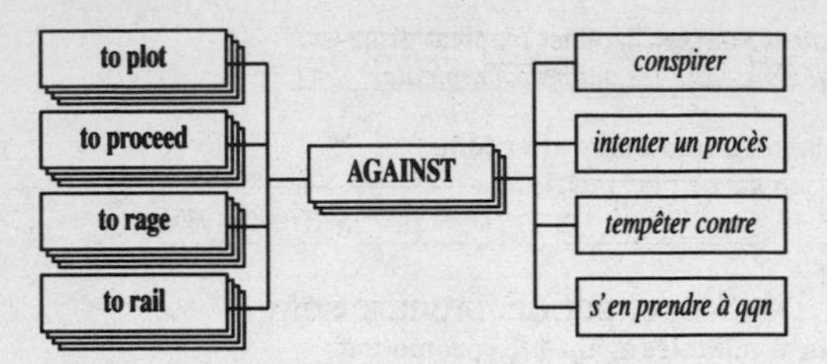

They were arrested while plotting against the governor of the island.
Ils furent arrêtés alors qu'ils complotaient contre le gouverneur de l'île.

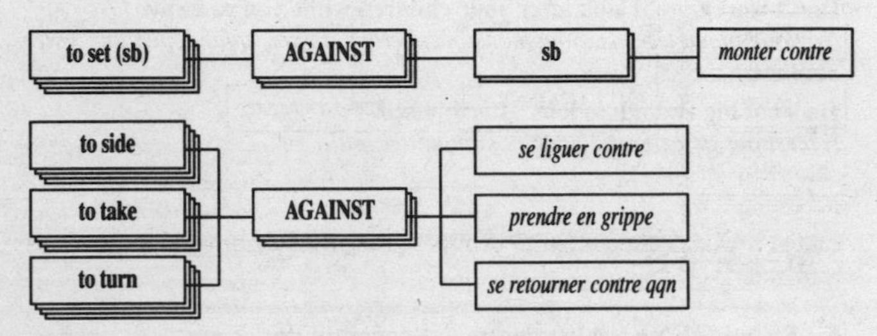

They tried to set me against my friends but in vain.
Ils essayèrent de me monter contre mes amis mais en vain.

2. Prévenir, protéger

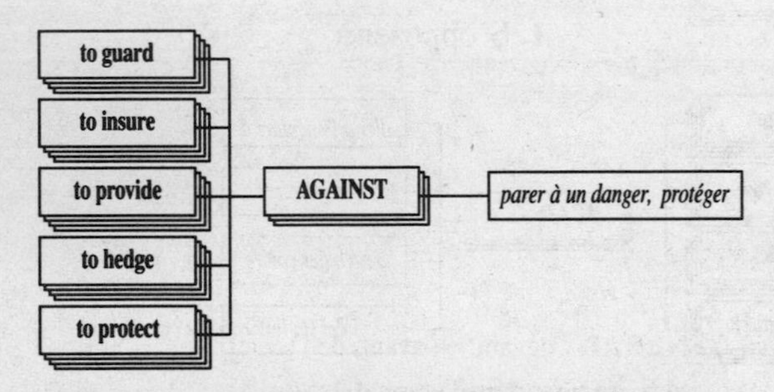

We must guard against swimming in this part of the river.
Nous devons nous garder de nager dans cette partie de la rivière.

You should protect yourself against tropical diseases.
Il faut vous protéger contre les maladies tropicales.

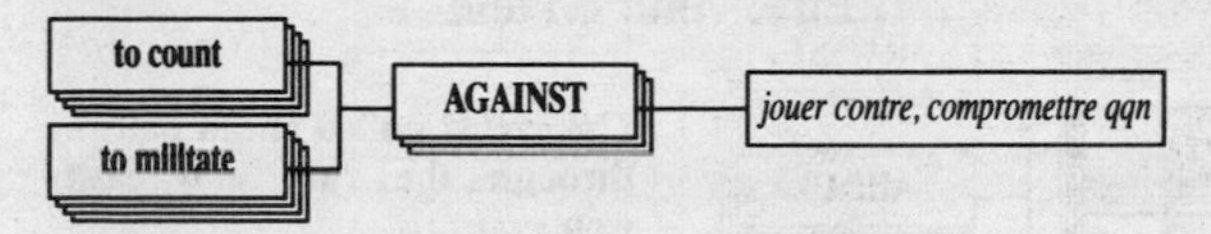

His outspokenness militates against his promotion.
Son franc parler l'empêche d'être promu.

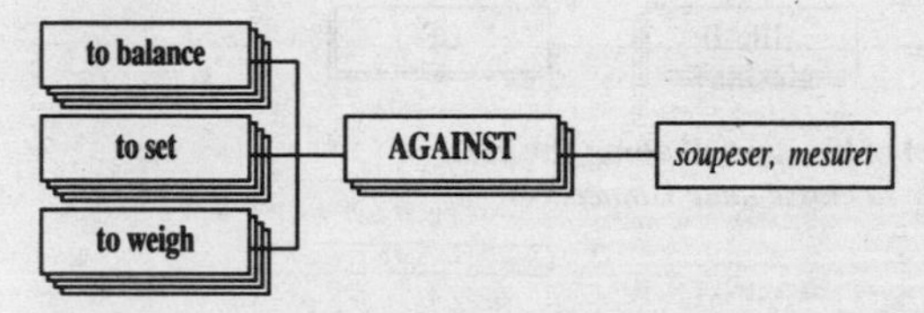

I tried to weigh the potential profits of this investment against the risks involved.
J'ai essayé de soupeser les bénéfices que je pouvais tirer de cet investissement par rapport aux risques éventuels.

He'd like to match his strength against Tim's.
Il aimerait opposer sa force à celle de Tim.

AHEAD

➪ **SENS GÉNÉRAL :** devant, en avant, de l'avant

He was told to go ahead and show the way.
On lui demanda de passer devant pour montrer le chemin.

⇨ SENS PARTICULIER :

1. Être, venir en tête

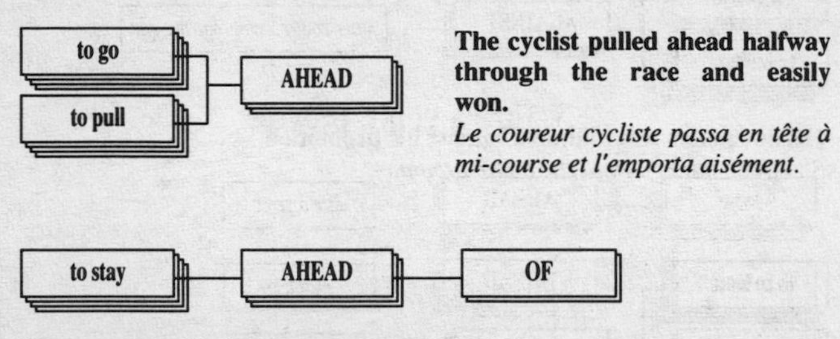

The cyclist pulled ahead halfway through the race and easily won.
Le coureur cycliste passa en tête à mi-course et l'emporta aisément.

He stayed ahead of his class all along the year.
Il resta en tête de sa classe toute l'année.

2. Poursuivre, progresser

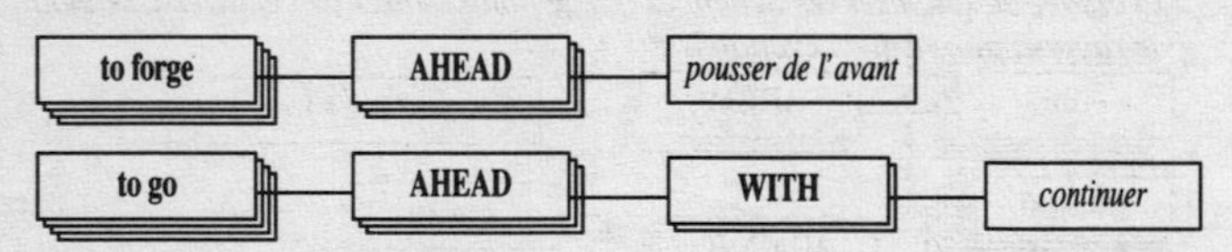

Despite the judicial difficulties, the chairman asked us to go ahead with the merger.
Malgré les difficultés juridiques, le président nous demanda de poursuivre la fusion.

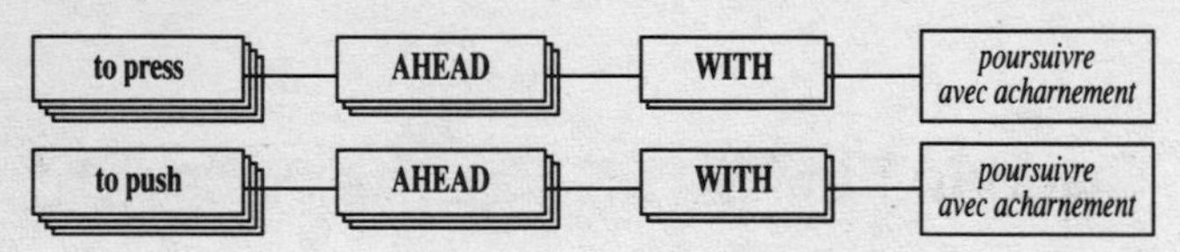

They knew it would be difficult but they decided to push ahead with their plans.
Ils savaient que cela serait difficile mais ils décidèrent de poursuivre leurs projets.

He is a bright boy; he will easily get ahead.
C'est un garçon intelligent; il réussira aisément.

3. Être à venir, prévoir

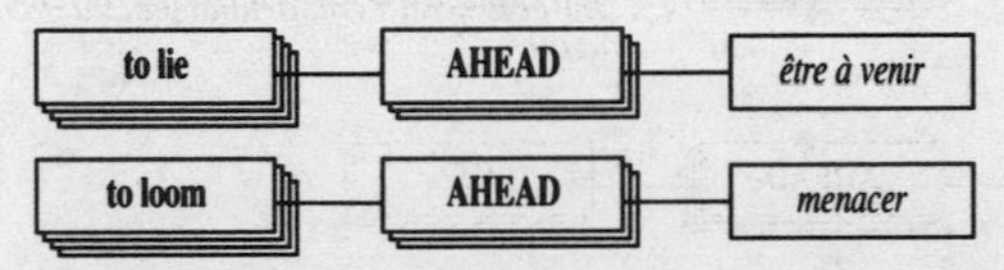

They refused to take decisions even though many dangers were clearly looming ahead.
Ils refusèrent de prendre des décisions bien que de nombreux dangers parussent imminents.

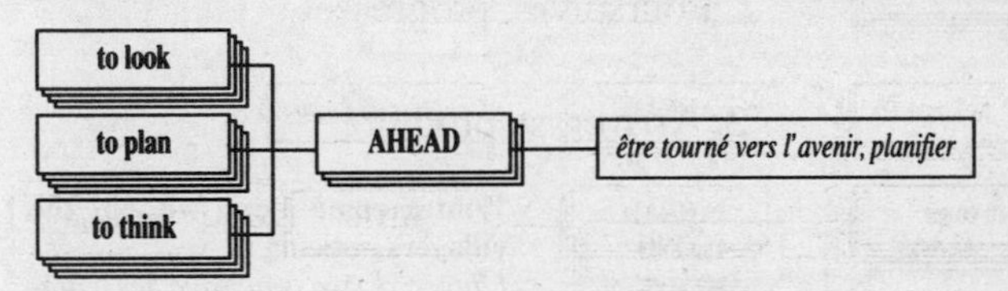

We tried to plan ahead but we failed.
On a essayé de prévoir mais en vain.

ALONG

➪ **SENS GÉNÉRAL :** le long de

I was walking along the river when I saw him.
Je marchais le long de la rivière quand je l'aperçus.

➾ SENS PARTICULIER :

1. Aller dans une certaine direction, avancer

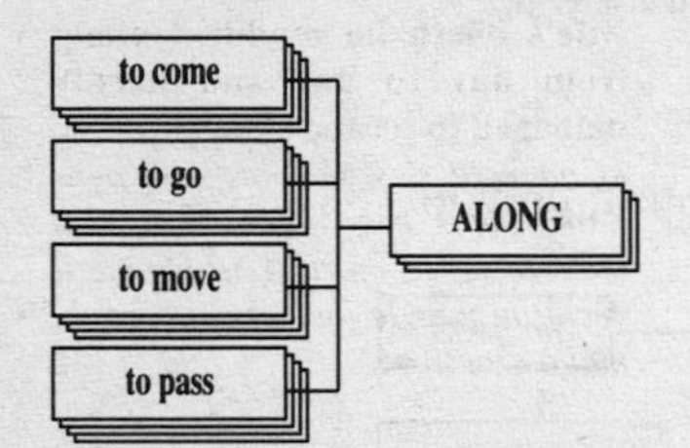

"Please move along," said the policeman, "there's nothing to see."
«Circulez, dit le policier, il n'y a rien à voir.»

2. Partir, s'en aller

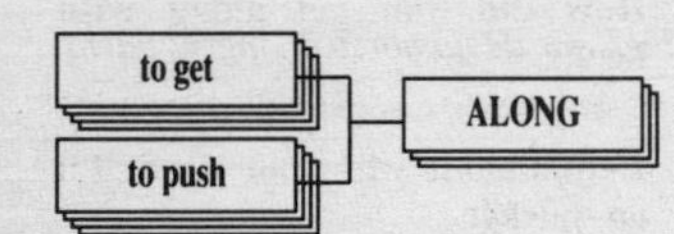

It's late, we should be getting along.
Il se fait tard, nous devrions partir.

3. Arriver, se produire

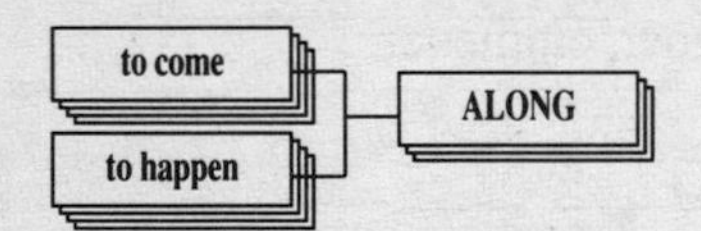

Winter came along without the villagers noticing it.
L'hiver arriva sans que les villageois s'en aperçoivent.

4. Aller lentement, sans but

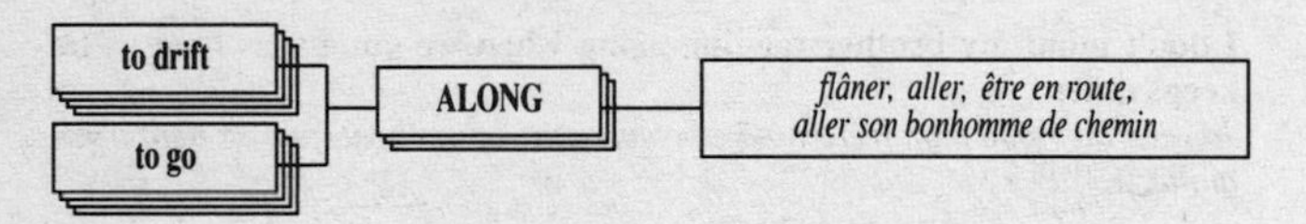

They spent the whole afternoon drifting along.
Ils flânèrent toute l'après-midi.

I'll learn my lesson as I go along.
J'apprendrai ma leçon en chemin.

5. Se débrouiller, s'en tirer

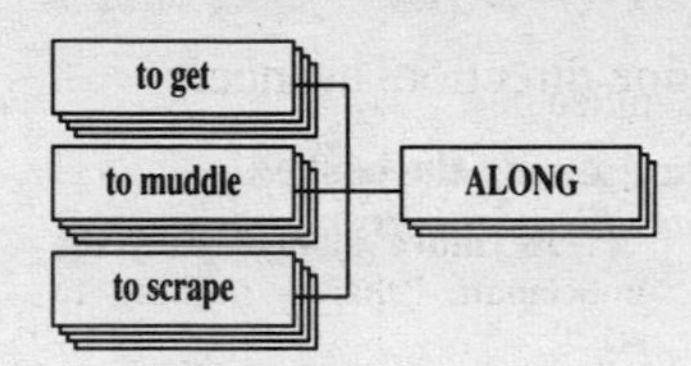

"How did he get along during all these years?" – "Well, after his wife's death he muddled along from day to day and hardly managed to scrape along."
«Comment s'est-il débrouillé pendant toutes ces années?» – «Eh bien, après la mort de sa femme il vécut au jour le jour et eut bien du mal à s'en tirer.»

6. S'entendre avec, aider

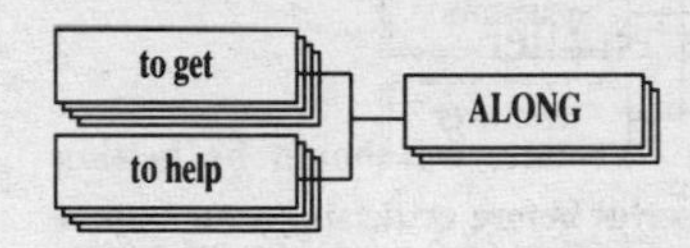

How did you get along with her?
Comment t'es-tu entendu avec elle?
Help it along with your hand, it'll go quicker.
Donne un petit coup de pouce, ça ira plus vite.

7. Accompagner, emmener

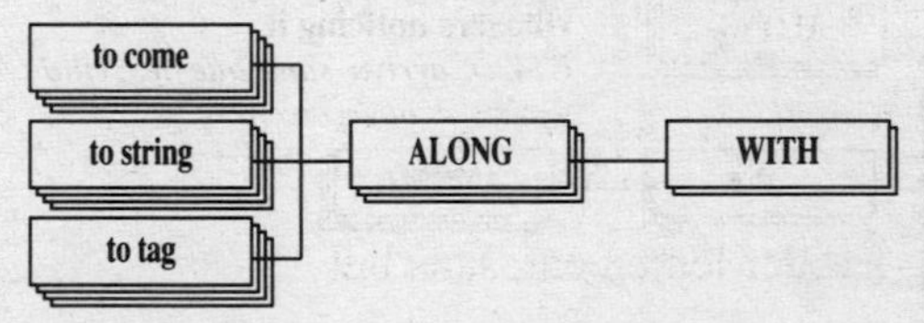

I don't mind my brother tagging along when we go out, as long as he keeps quiet.
Je veux bien que mon frère nous accompagne du moment qu'il se tient tranquille.

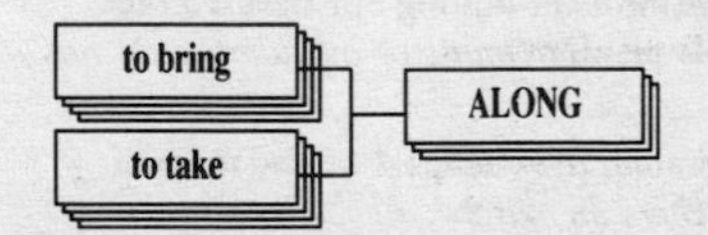

Bring your girlfriend along; we'll be delighted to meet her.
Viens avec ton amie, nous serons enchantés de faire sa connaissance.

AMONG(ST)

➪ **SENS GÉNÉRAL :** parmi, au milieu de

He spent the whole night hiding among the bushes.
Il a passé toute la nuit caché au milieu des buissons.

➪ **SENS PARTICULIER :**

1. Entre

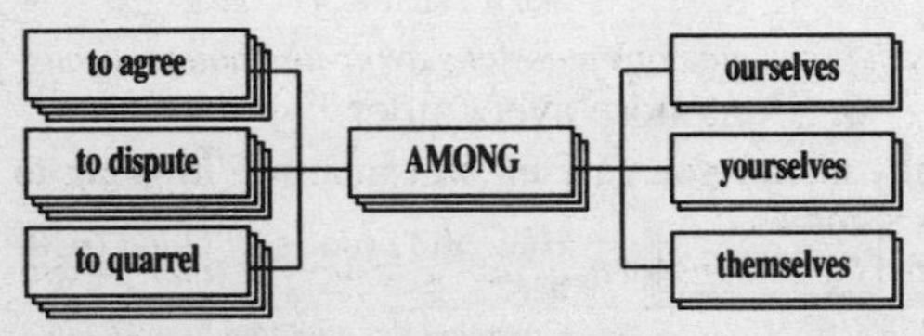

You should first agree among yourselves before criticizing your opponents.
Il faudrait d'abord vous entendre entre vous avant de critiquer vos adversaires.

2. Compter au nombre de

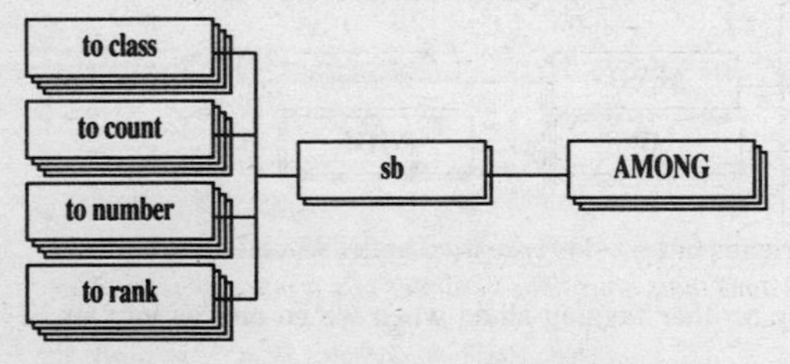

Would you class her among our best students?
La classeriez-vous parmi nos meilleurs étudiants?

We are honoured to count the prime minister among our best friends.
Nous avons l'honneur de compter le premier ministre au nombre de nos meilleurs amis.

Their products can be numbered among the cheapest on the market.
Leurs produits sont parmi les moins chers du marché.

His family ranks among the wealthiest in the country.
Sa famille se classe parmi les plus riches du pays.

APART

SENS GÉNÉRAL : mettre à part, à l'écart, de côté

I took him apart so that we could have a good discussion together.
Je le pris à part pour que nous puissions avoir une bonne discussion.

I set apart the money you gave me last month. I'm going to spend it this summer.
J'ai mis de côté l'argent que tu m'as donné le mois dernier. Je vais le dépenser cet été.

SENS PARTICULIER :

1. (Se) séparer

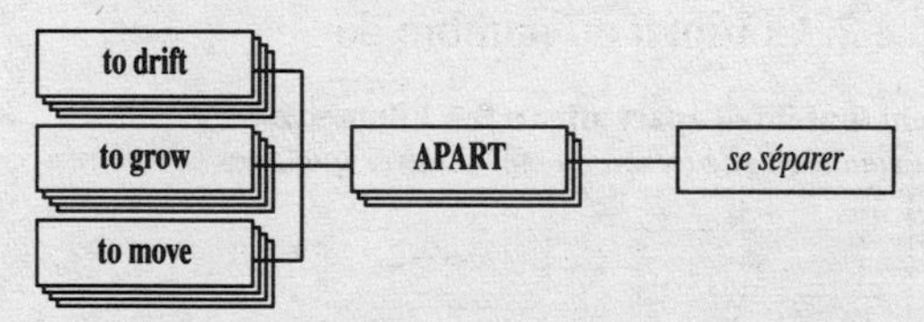

We were good friends but we slowly drifted apart when I got married.
Nous étions bons amis mais nous nous perdîmes peu à peu de vue après mon mariage.

They started fighting and we had to pull them apart.
Ils commencèrent à se battre et nous dûmes les séparer.

The two twins are so much alike that one can't tell them apart.
Les jumeaux se ressemblent tant qu'on ne peut les distinguer.

2. (Se) casser, mettre en pièces

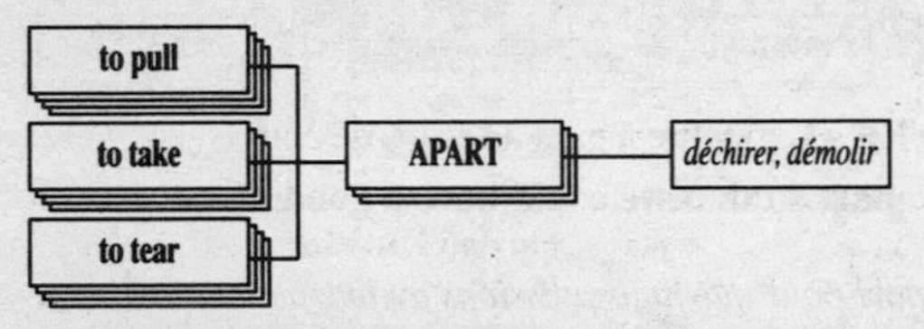

The country was torn apart by civil war.
Le pays était déchiré par une guerre civile.

The puzzle was taken apart before I could have a look at it.
Ils démontèrent le puzzle avant que j'aie pu le voir.

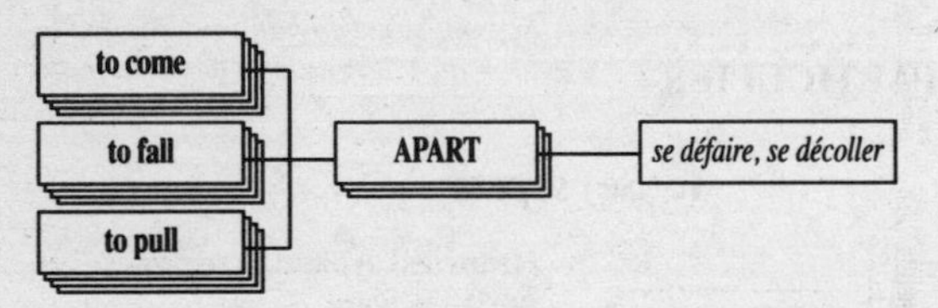

The car was so old that it fell apart after a few kilometres.
La voiture était si vieille qu'elle tomba en pièces après quelques kilomètres.

AROUND

➪ **SENS GÉNÉRAL :** mouvement autour de quelque chose ou de quelqu'un

He managed to throw a rope around the beast's neck.
Il réussit à lancer une corde autour du cou de l'animal.

⇨ SENS PARTICULIER :

1. Mouvement circulaire

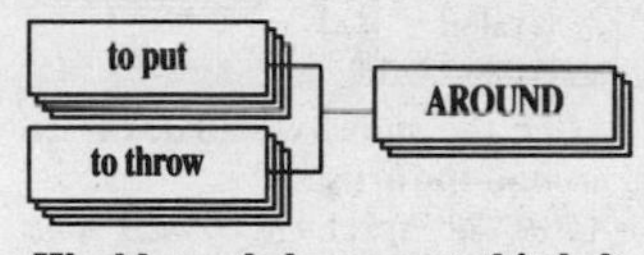

Would you help me put this belt around my waist?
Pourriez-vous m'aider à mettre cette ceinture autour de ma taille?

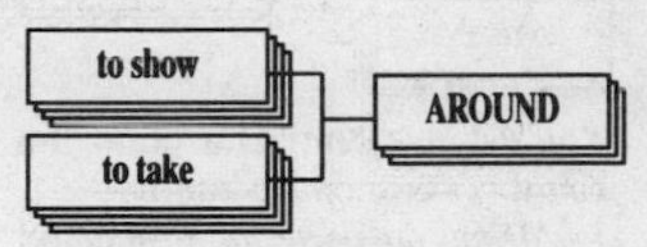

I'll show you around the house if you don't mind.
Je vais vous faire faire le tour de la maison si vous le voulez bien.

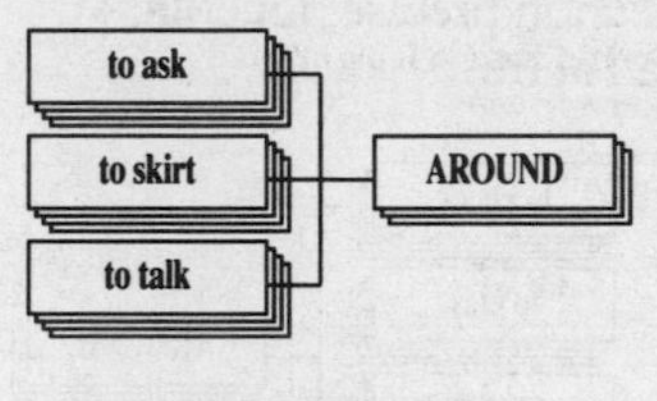

Her car has broken down and she's asking around the village for help.
Sa voiture est en panne et elle fait le tour du village pour demander de l'aide.

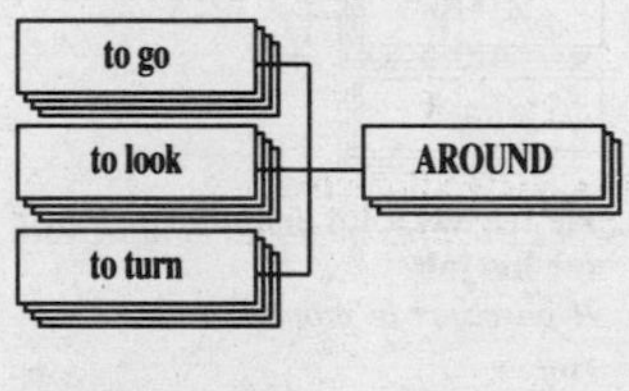

He turned around to see where his pursuers were.
Il se retourna pour voir où étaient ses poursuivants.

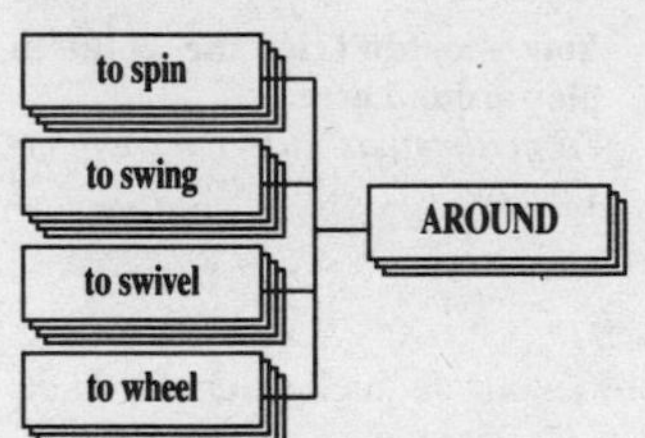

He slowly swivelled his chair around and fired at the intruder.
Il fit lentement pivoter son fauteuil et tira sur l'intrus.

2. (Se) concentrer, se rassembler autour de

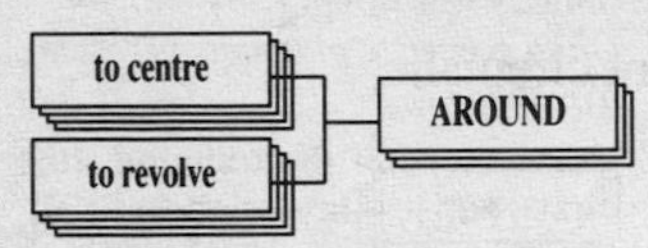

The debates centred around the country's economic situation.
Les débats ont porté sur la situation économique du pays.

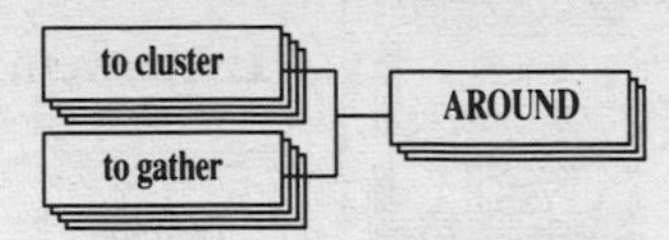

After the show, we all gathered around the artists.
Après le spectacle, nous nous sommes tous rassemblés autour des artistes.

3. Mouvement sans direction précise, ici et là, de l'un à l'autre

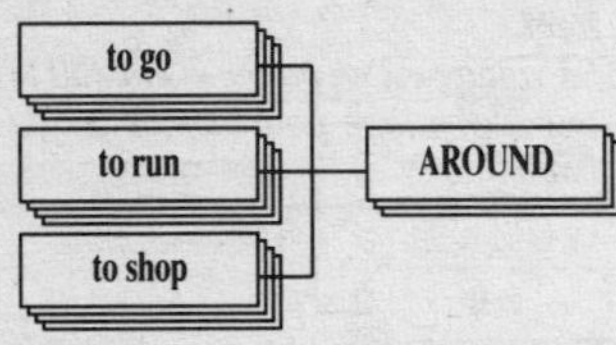

She has plenty of time and likes to shop around.
Elle dispose de beaucoup de temps et aime comparer avant d'acheter.

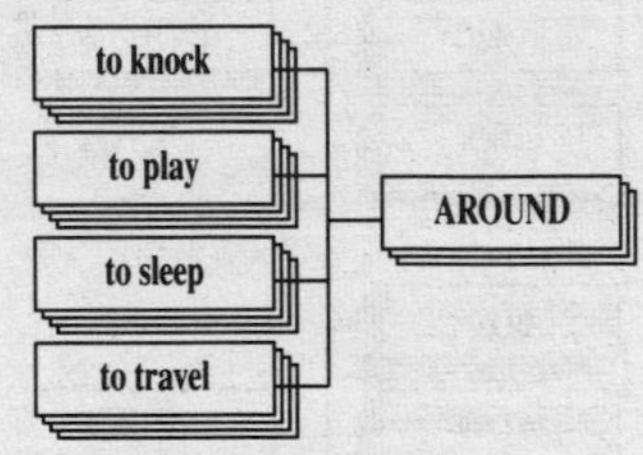

He travels a lot around the world for his job.
Il parcourt le monde pour son travail.

You shouldn't let the children play around here.
Tu ne dois pas laisser les enfants s'amuser ici.

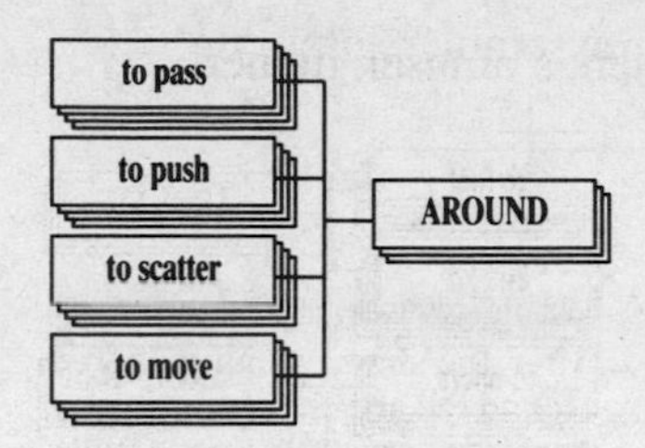

The dish was passed around but nobody was hungry.
On fit passer le plat mais personne n'avait faim.

When they left the camping site, dirty papers lay scattered all around the place.
Il y avait de vieux papiers éparpillés sur le terrain de camping lorsqu'ils quittèrent les lieux.

4. Être oisif, paresser

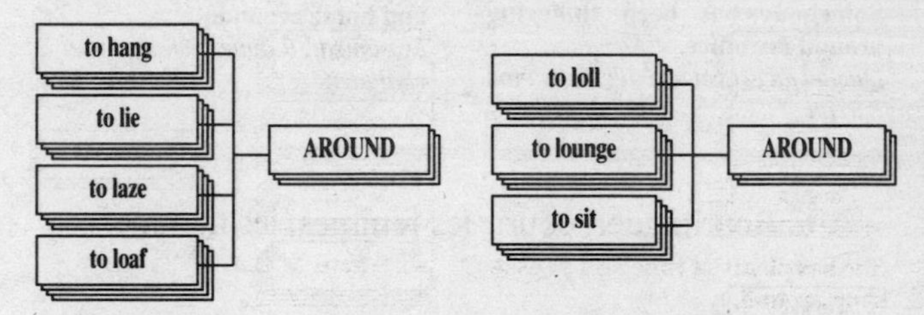

We had a day off and could spend a couple of hours lounging around.
Nous avions un jour de congé et pûmes nous relaxer quelques heures.

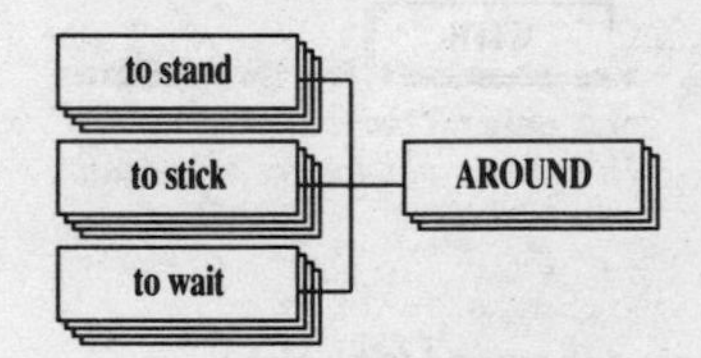

The engine is broken and we'll have to stick around here for a few days.
Le moteur est en panne, nous allons devoir rester ici quelque temps.

5. Ne rien faire de bien, s'amuser, traîner

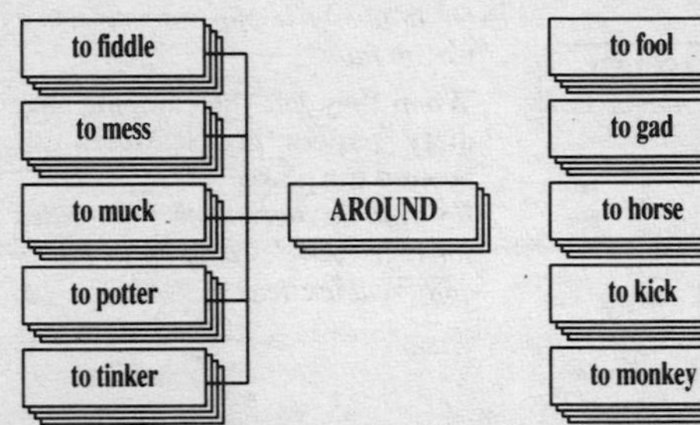

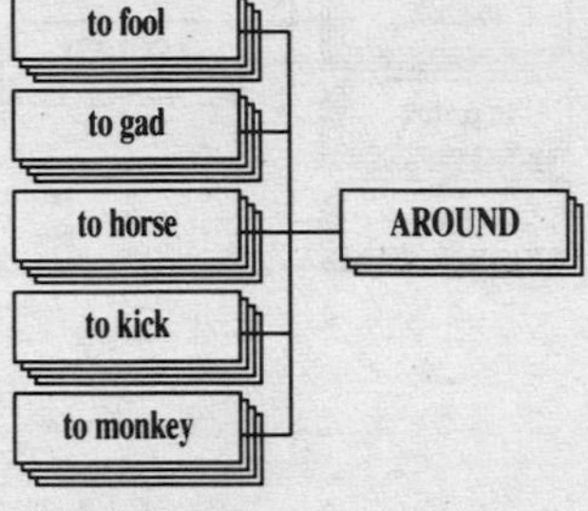

They keep messing around all day.
Ils passent leur temps à traîner.

Somebody has been tinkering around my office.
Quelqu'un est venu rôder dans mon bureau.

Stop fooling around!
Arrête de faire le clown!

On Saturdays, he likes to have fun and horse around.
Le samedi, il aime bien s'amuser et chahuter.

6. Bourlinguer, courir les femmes, les hommes

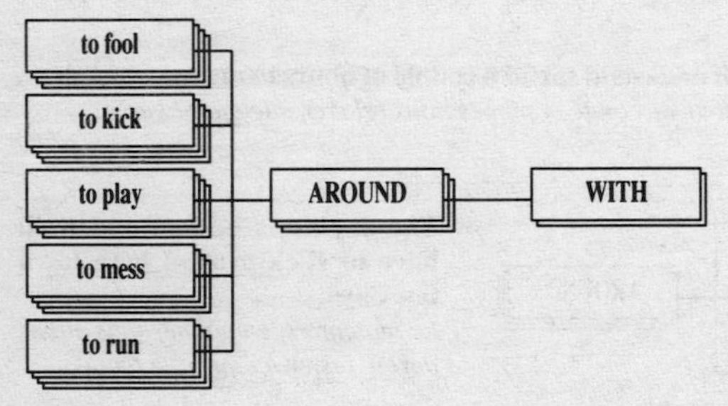

Since his marriage, he has stopped playing around (with girls)!
Il ne court plus les jupons depuis qu'il s'est marié!

7. Chercher, rechercher, fureter

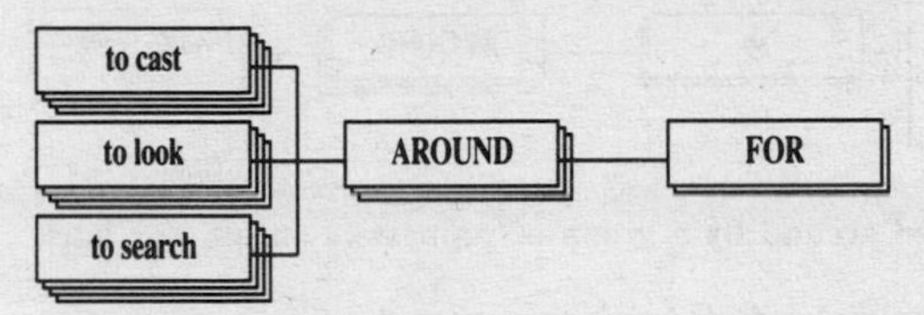

We all looked around for footprints or any other marks left by the robbers.
Nous nous mîmes à la recherche d'empreintes ou autres indices laissés par les cambrioleurs.

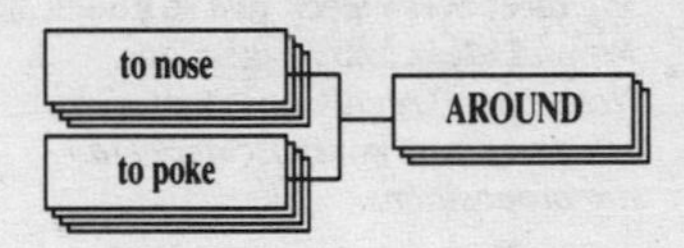

We had to fire her when we found her poking all around the house.
Nous avons dû la congédier car nous l'avons surprise en train de fouiller partout dans la maison.

8. Rudoyer, maltraiter, frapper

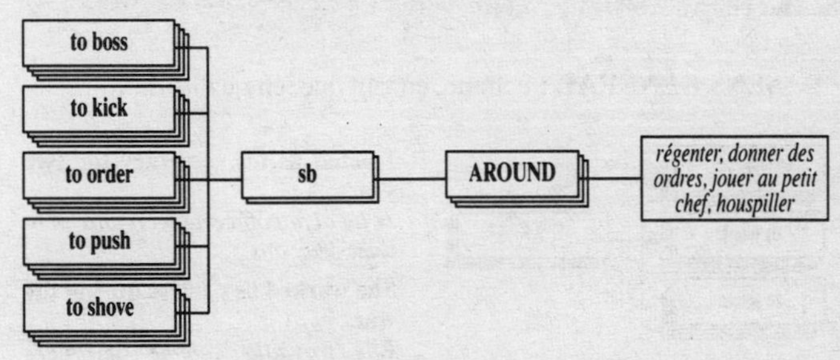

His workers will never stay if he doesn't stop shoving them around.
Ses ouvriers ne resteront pas s'il continue de les maltraiter.

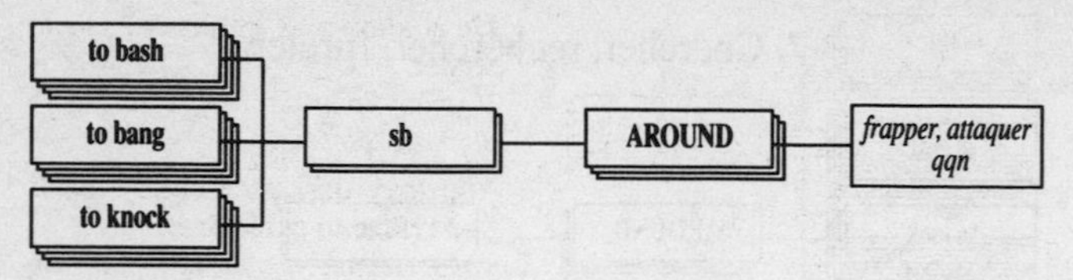

He was knocked around by a group of youngsters on his way back home.
Il a été frappé par une bande de jeunes en rentrant chez lui.

9. Discuter, parler de

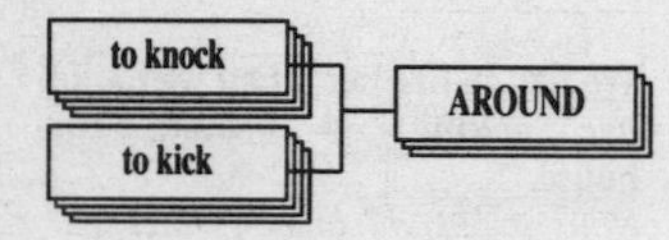

We meet every week just to knock around ideas and suggestions.
Nous nous réunissons toutes les semaines juste pour discuter et faire des propositions.

AS

➪ **SENS GÉNÉRAL :** comme, en tant que, en qualité de

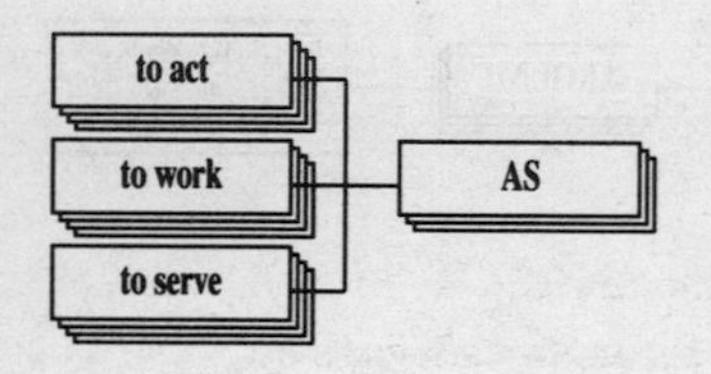

I acted as his secretary for two years.
Je lui ai fait office de secrétaire pendant deux ans.

She worked as a nurse during the war.
Elle travailla comme infirmière pendant la guerre.

My house served as a hotel for his foreign friends.
Ma maison a servi d'hôtel pour ses amis étrangers.

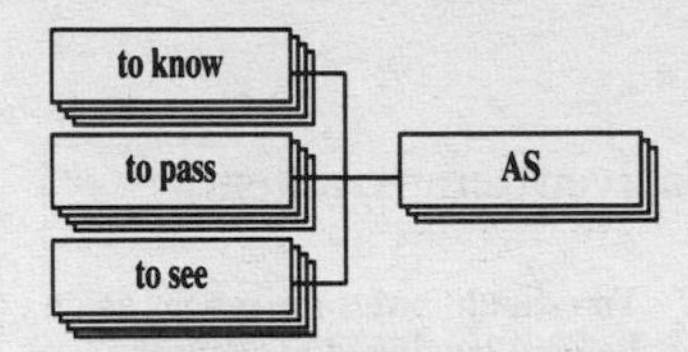

He is known as a talented young writer.
Il a la réputation d'être un jeune écrivain talentueux.

You may pass as a rude man if you refuse to apologize!
Vous risquez de passer pour un grossier personnage si vous refusez de vous excuser!

We saw him as an honest citizen but we were wrong.
Nous le considérions comme un honnête citoyen mais nous avions tort.

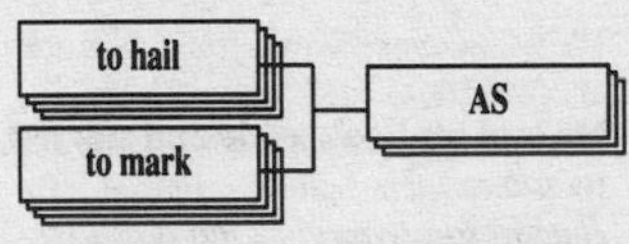

We were all hailed as heroes by the crowd.
Nous fûmes tous acclamés par la foule comme des héros.

He was marked as a rebel and could never get a promotion.
Il était considéré comme un rebelle et ne put jamais obtenir de promotion.

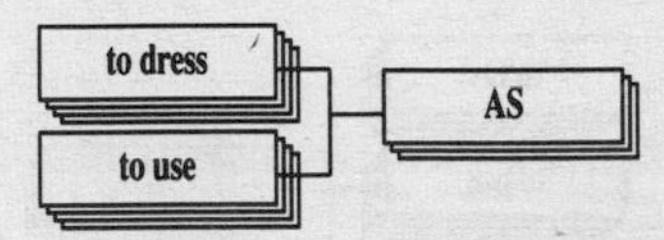

Look! She is dressed as a princess.
Regarde! Elle est habillée en princesse.

The children use the old pram as a cart.
Les enfants se servent du vieux landau comme d'un kart.

ASIDE

➪ **SENS GÉNÉRAL :** (se) mettre de côté

We had to stand aside to let the motorcade pass by.
Nous dûmes nous mettre de côté pour laisser passer le cortège.

⇨ SENS PARTICULIER :

1. Mettre de côté, conserver (temps, argent)

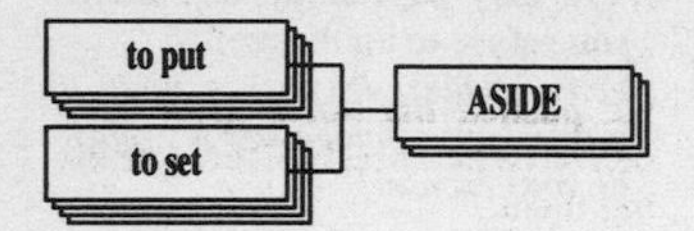

You should put some money aside before leaving the country.
Vous devriez mettre quelque argent de côté avant de quitter le pays.

2. Écarter (provisoirement), poser

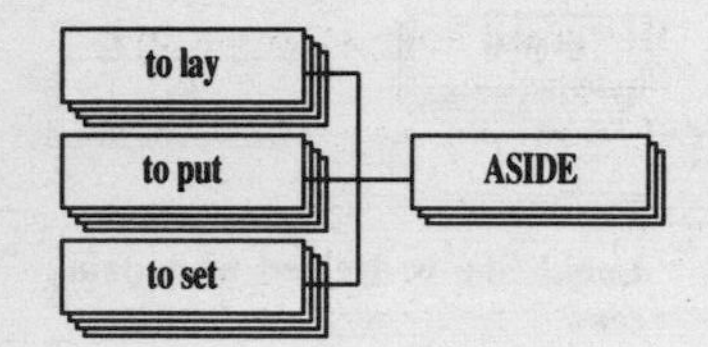

He laid his book aside and started to snore.
Il posa son livre et se mit à ronfler.

3. Ignorer, repousser (idée, sentiment)

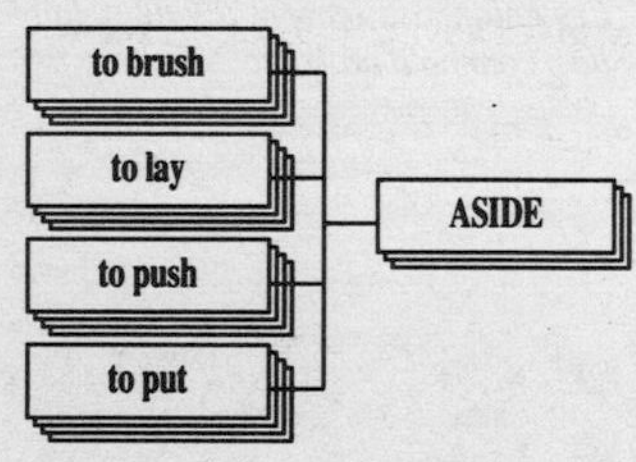

I couldn't push aside the thought that I would never see her again.
Je ne pouvais me défaire de l'idée que je ne la reverrais plus.

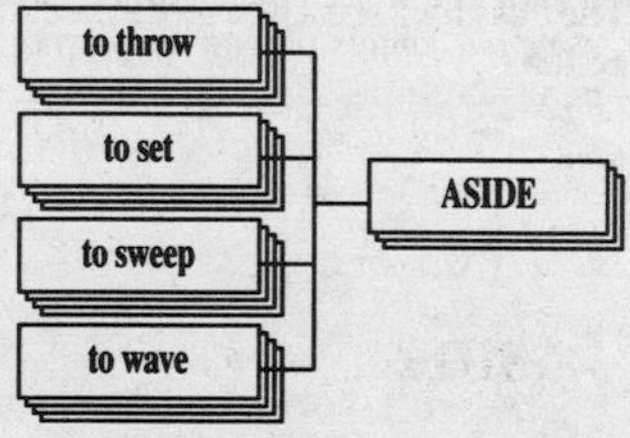

You'd better set your own feelings aside for a while.
Vous feriez mieux de laisser vos sentiments de côté pour le moment.

The issue was swept aside without a debate.
Ils rejetèrent la question sans en débattre.

4. Rejeter, repousser (quelqu'un, quelque chose)

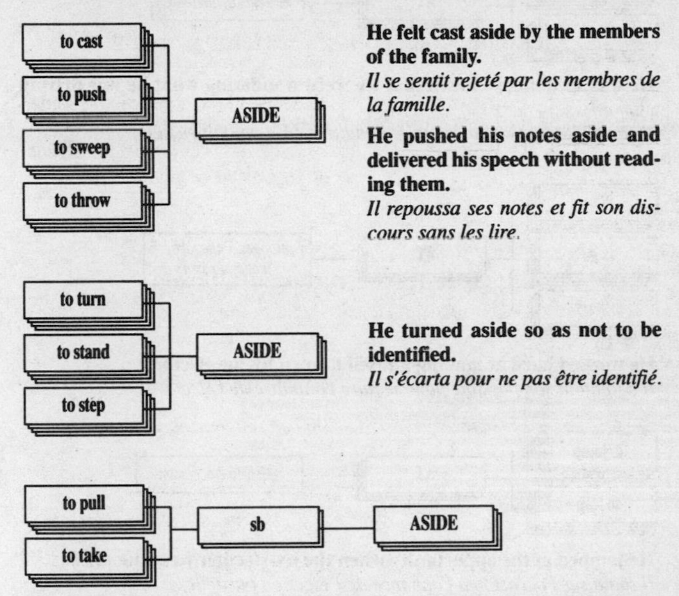

He felt cast aside by the members of the family.
Il se sentit rejeté par les membres de la famille.

He pushed his notes aside and delivered his speech without reading them.
Il repoussa ses notes et fit son discours sans les lire.

He turned aside so as not to be identified.
Il s'écarta pour ne pas être identifié.

The boss took me aside and asked me not to tell anybody about the transaction.
Le patron me prit à part pour me demander de ne pas parler de la transaction.

AT

➪ **SENS GÉNÉRAL :** indique le but, la direction, l'objet de l'action

Our economic policy is aimed at reducing the budget deficit.
Notre politique économique vise à réduire le déficit budgétaire.

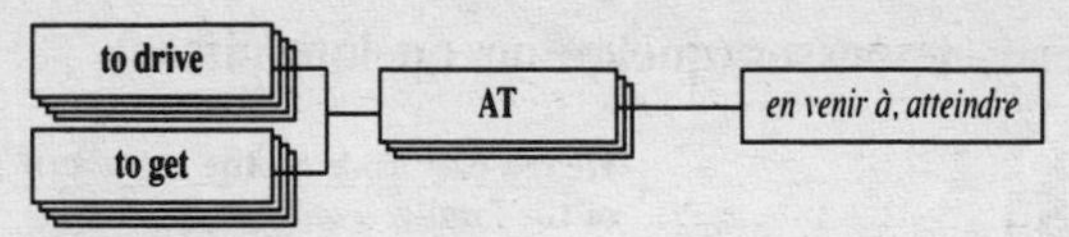

He was speaking so much that we were wondering what he was driving at.
Il parlait tant que nous nous demandions où il voulait en venir.

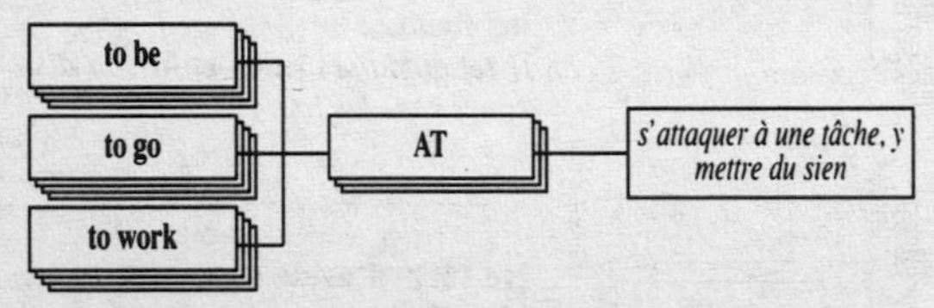

He worked hard at making himself known by the electorate.
Il a fait tout son possible pour se faire connaître de l'électorat.

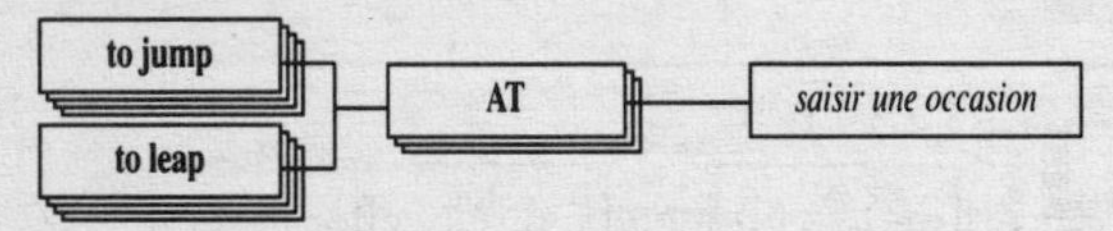

He jumped at the opportunity when the by-election was announced.
Il sauta sur l'occasion à l'annonce de l'élection partielle.

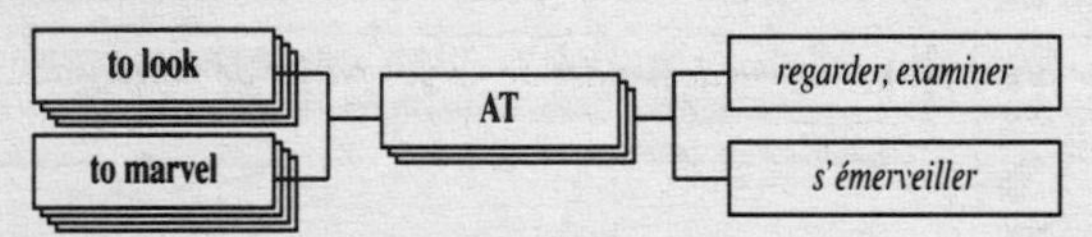

This painting is really worth looking at ; no doubt everybody will marvel at it.
Ce tableau vaut le coup d'œil ; nul doute que tout le monde sera émerveillé.

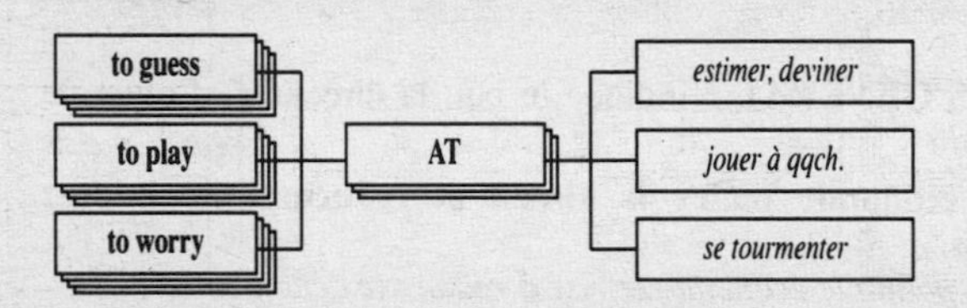

Stop worrying at his future, there is little you can do about it.
Cesse de te tourmenter au sujet de son avenir, tu n'y peux pas grand-chose.

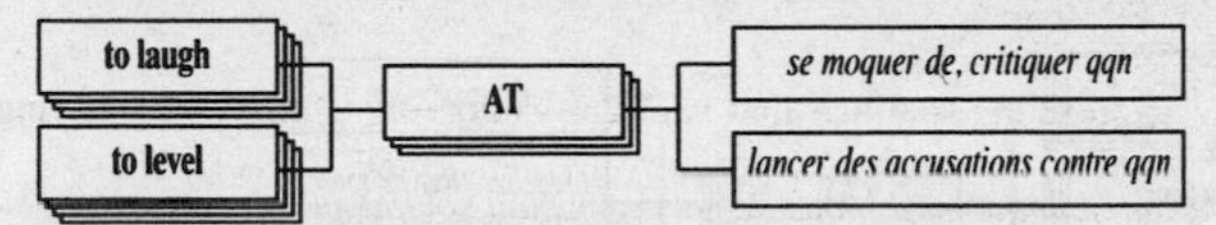

There were so many accusations levelled at him that he was forced to resign.
Il y eut tant d'accusations portées contre lui qu'il dut démissionner.

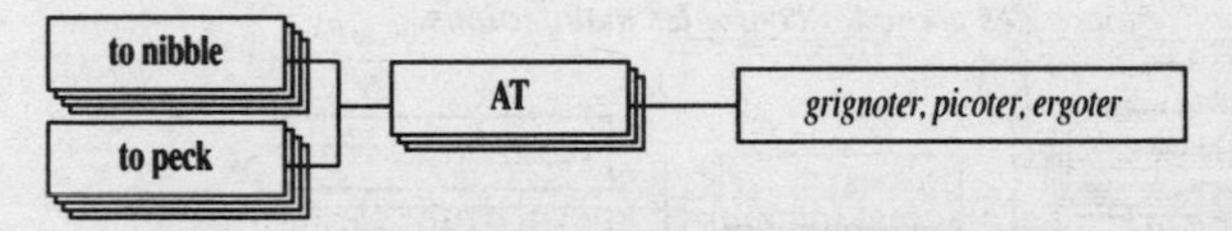

I found them in the kitchen nibbling at a few biscuits.
Je les découvris dans la cuisine grignotant quelques biscuits.

⇨ SENS PARTICULIER :

1. Exprime la violence, l'agressivité, harceler

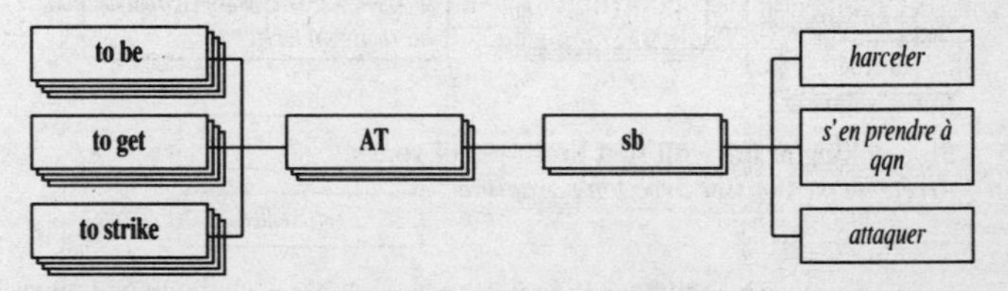

She is always at her daughter, she can't let her alone.
Elle est toujours après sa fille, elle ne peut pas la laisser tranquille.

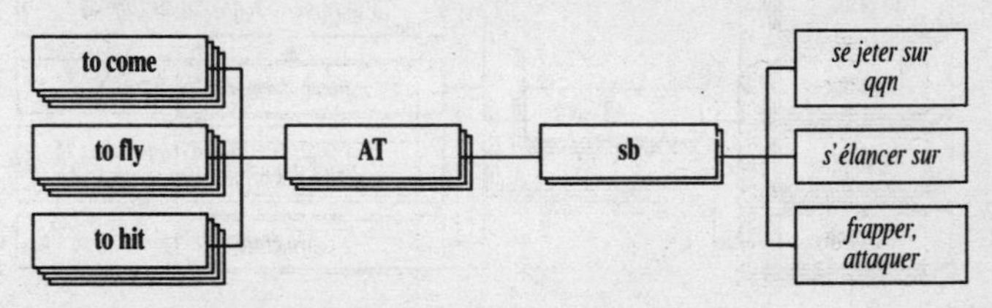

After the car accident, he suddenly came at me and started hitting at my face.
Après l'accident, il s'élança sur moi et se mit à me frapper au visage.

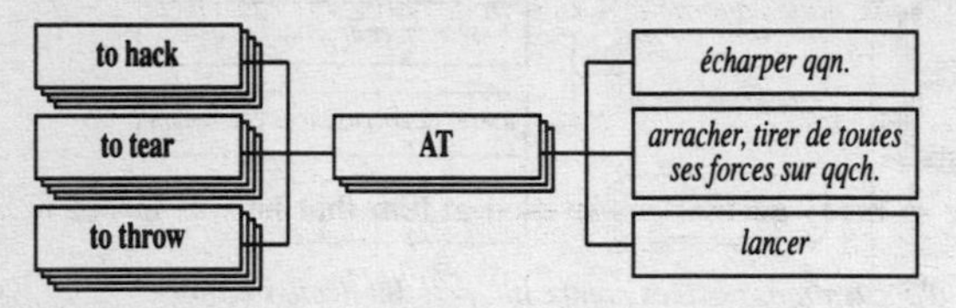

The police threw grenades at the demonstrators.
La police lança des grenades contre les manifestants.

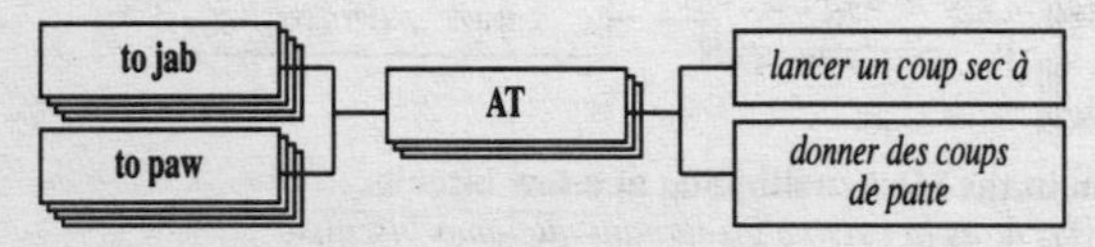

The horse pawed at the stable door all night.
Le cheval a donné des coups de sabot dans la porte de l'écurie pendant toute la nuit.

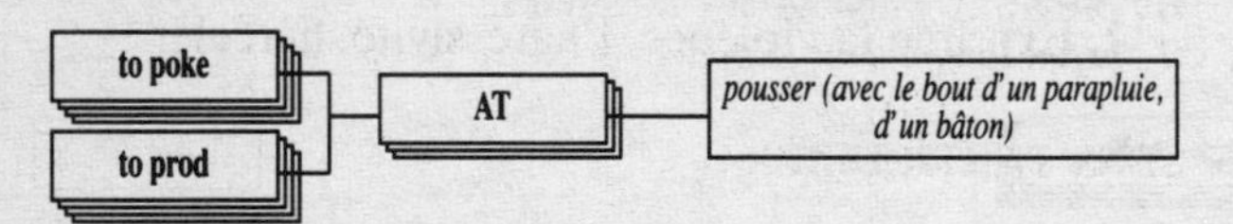

Stop poking at me with that umbrella of yours!
Arrête de me pousser avec ton parapluie!

2. Tirer, saisir, empoigner

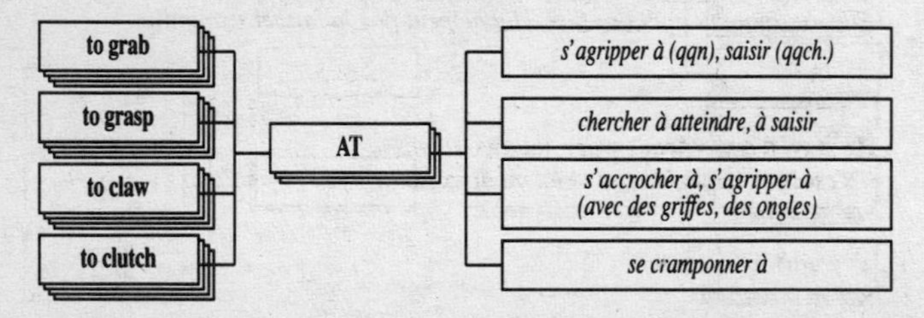

"A drowning man will grab at a straw." (Proverb)
«Un homme qui se noie s'accroche à un brin de paille.» (Proverbe)
"A drowning man clutches at a straw." (Proverb)
«Un homme qui se noie s'accroche à un brin de paille.» (Proverbe)

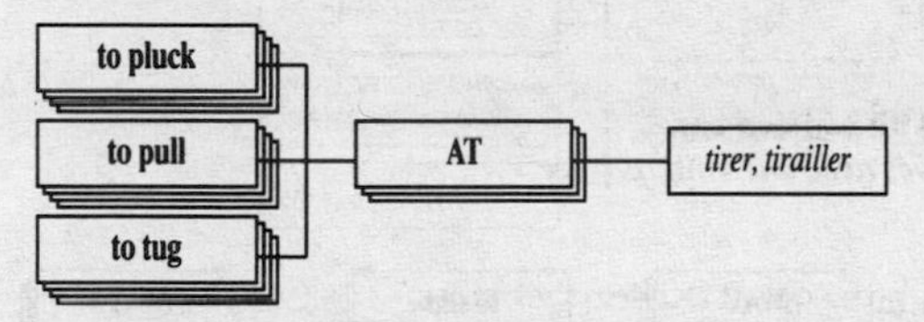

Stop plucking at my sleeve!
Arrête de me tirer par la manche!

AWAY

SENS GÉNÉRAL : position OU mouvement d'éloignement

He ran away when he saw the police.
Il s'enfuit lorsqu'il vit la police.

SENS PARTICULIER :

1. S'abstenir, partir

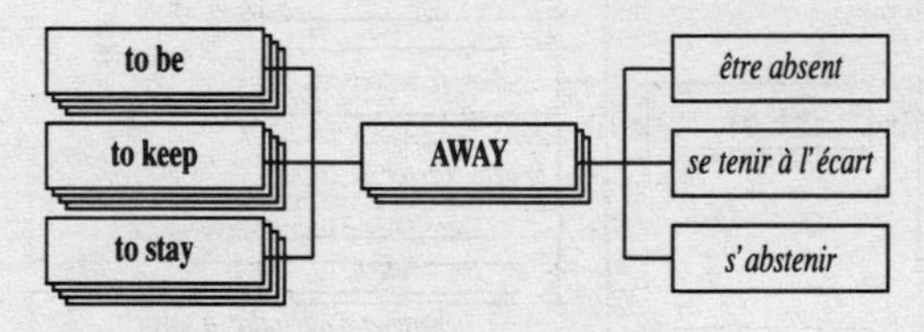

He stayed away from work for two days.
Il s'est absenté du bureau pendant deux jours.

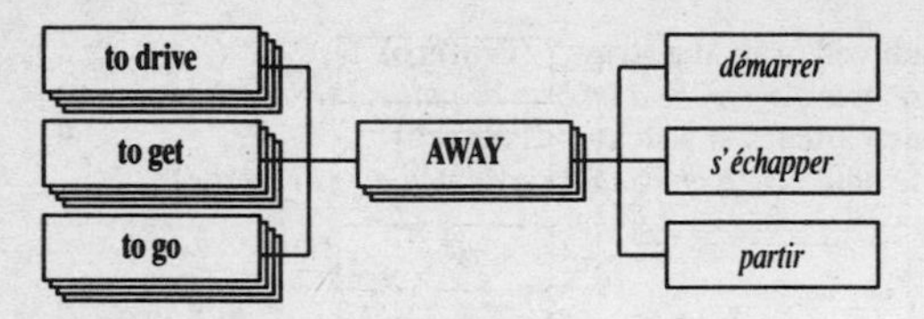

They got away with a stolen car.
Ils se sont échappés avec une voiture volée.

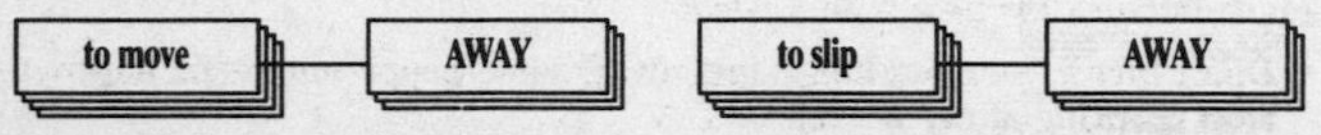

Move away! The runners are coming!
Ecartez-vous! Les coureurs arrivent!

They slipped away through the windows.
Ils s'éclipsèrent par la fenêtre.

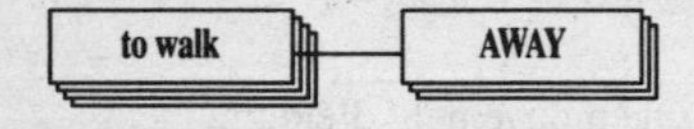

The two lovers walked away hand in hand.
Les deux amoureux s'éloignèrent main dans la main.

2. Éloigner, se séparer de

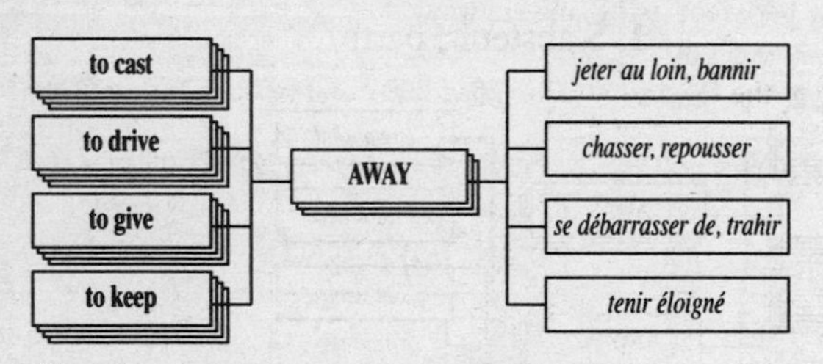

They drove me away in a very rude way.
Ils me repoussèrent avec une grande impolitesse.

At her death, her sons gave all her belongings away.
A sa mort, ses fils se débarrassèrent de tous ses biens.

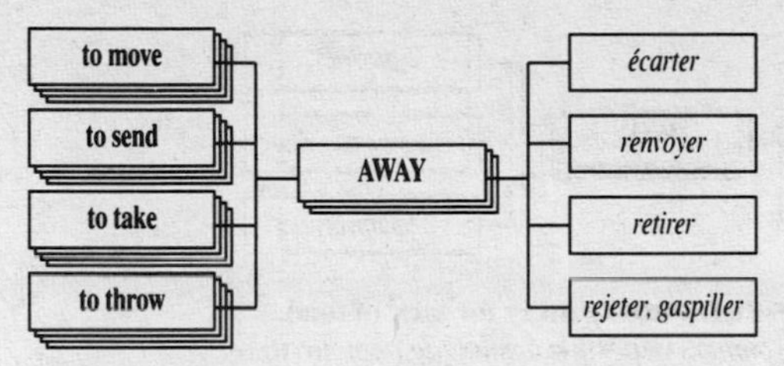

His driving licence was taken away from him.
On lui retira son permis de conduire.

Don't throw your old magazines away, some people might be happy to read them.
Ne jetez pas vos vieux magazines, certaines personnes seraient heureuses de les lire.

3. Disparaître

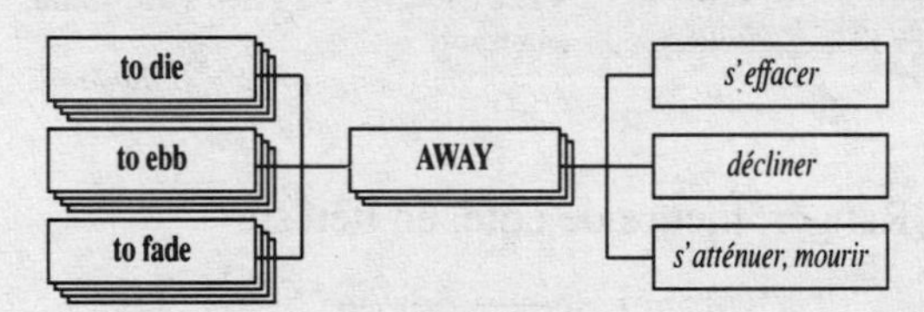

His love for her seems to be ebbing away.
Son amour pour elle semble décliner.

The noises of the town gradually faded away and he found himself terribly lonely.
Les bruits de la ville s'atténuèrent peu à peu et il se retrouva terriblement seul.

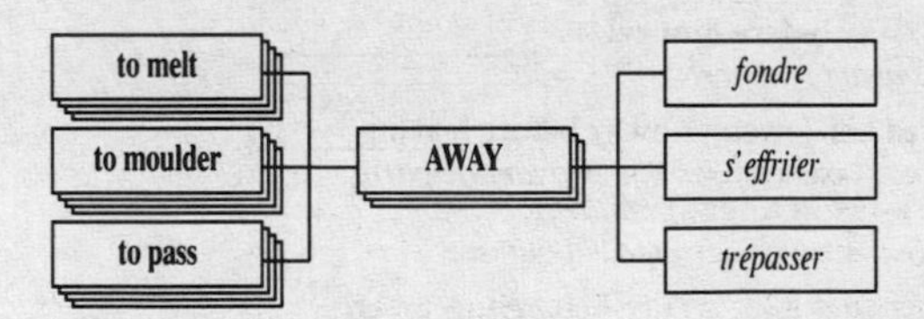

He passed away the day he retired.
Il mourut le jour où il prit sa retraite.

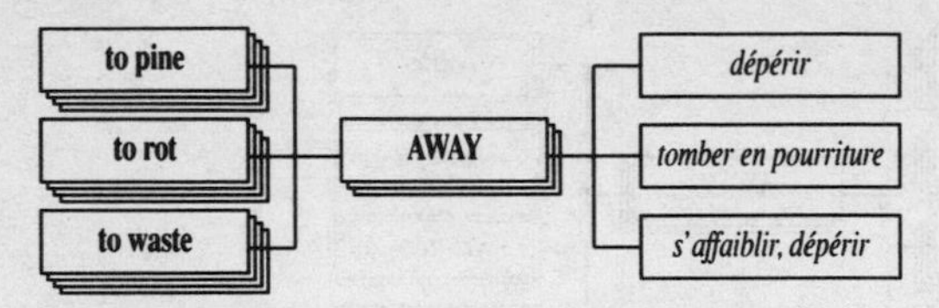

The prisoners were left wasting away for lack of food.
On laissait les prisonniers dépérir par manque de nourriture.

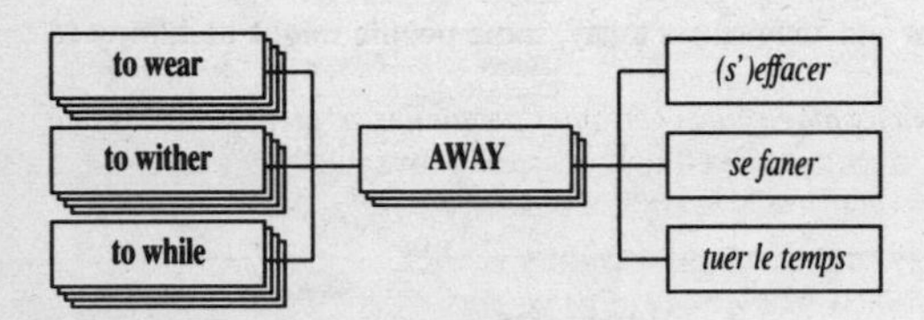

Her pain wore away with time.
Sa peine s'atténua avec le temps.

4. Ranger, mettre de côté, en lieu sûr

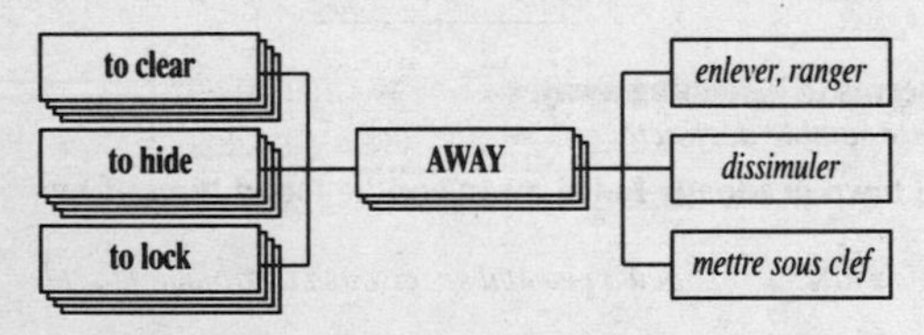

Put your books away before dinner!
Rangez vos livres avant le dîner!

She always locked her jewelry* away before leaving.
Elle mettait toujours sous clef ses bijoux avant de partir.

*** jewelry (US) ; jewellery (GB)**

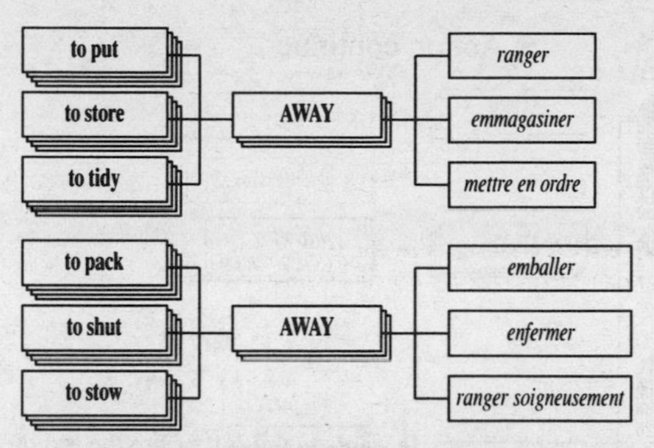

The china was carefully packed away for the journey.
La vaisselle était soigneusement emballée pour le voyage.

He was shut away in this room for twenty years.
Il fut enfermé dans cette pièce pendant vingt ans.

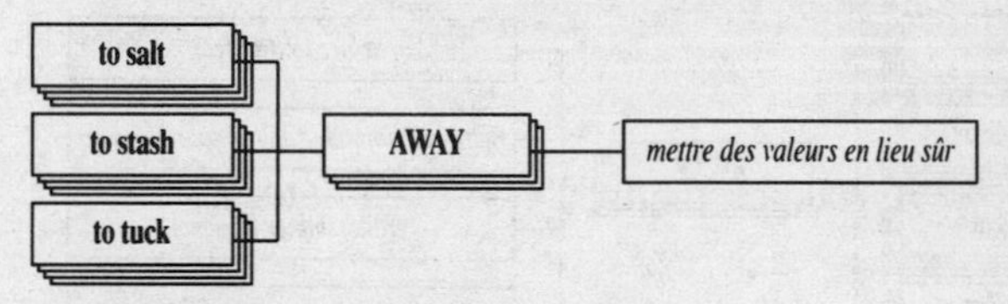

Nobody knows how much money he salted away in Luxembourg.
Personne ne sait combien d'argent il a mis de côté au Luxembourg.

5. Action continue

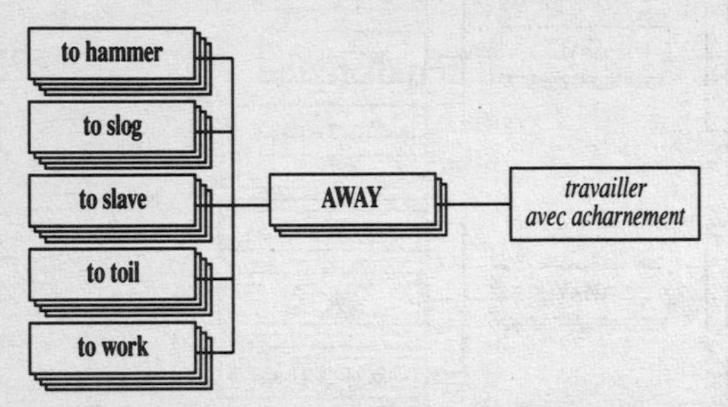

He is slogging away at his thesis. He wants to finish it before the end of the year.
Il travaille dur sur sa thèse. Il veut la finir avant la fin de l'année.

He toiled away all day long in the field.
Il a trimé toute la journée dans le champ.

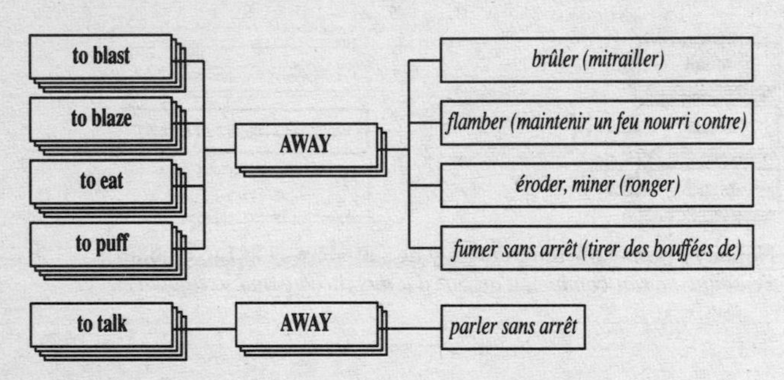

The farmer was speechless watching his barn blazing away.
Le fermier était sans voix en regardant sa grange disparaître en fumée.

BACK

➪ **SENS GÉNÉRAL :** mouvement en arrière, retour, recul, retrait

Move back, you might get hurt!
Reculez, vous pourriez être blessé!

➪ SENS PARTICULIER :

1. Retour au lieu d'origine

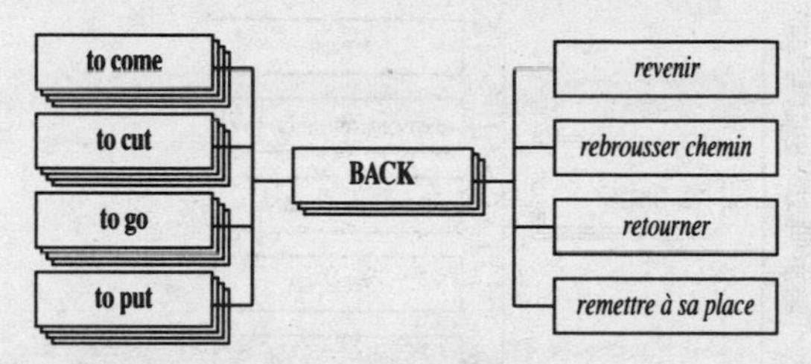

Go back and never come back again!
Retourne là d'où tu viens et ne reviens jamais!

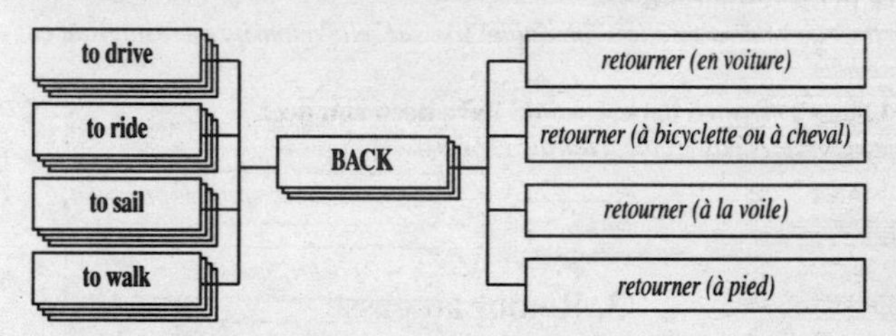

Our car broke down and we had to walk all the way back home.
Notre voiture est tombée en panne et nous dûmes rentrer à pied.

2. Position de retrait ou mouvement vers l'arrière

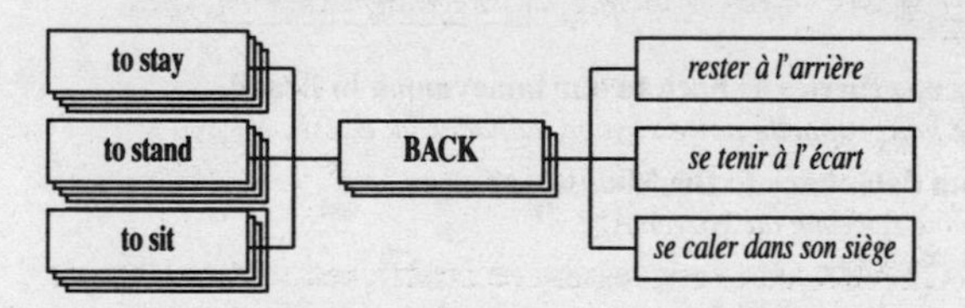

The police asked us to stand back behind the line.
La police nous a demandé de rester en arrière de la ligne.

She sat back and let him do the whole job.
Elle ne fit pas le moindre geste pour l'aider et le laissa faire tout le travail.

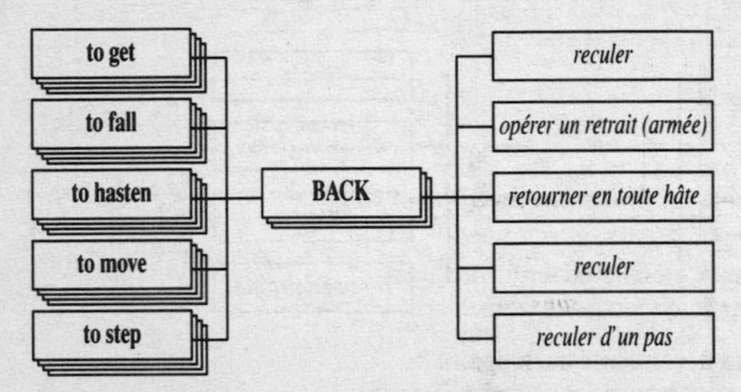

When she realized that she had forgotten her handbag, she hastened back to the restaurant.
Lorsqu'elle réalisa qu'elle avait oublié son sac, elle retourna au restaurant en toute hâte.

If I hadn't stepped back, I would have been run over.
Si je ne m'étais pas reculé, j'aurais été écrasé.

3. Retour au passé

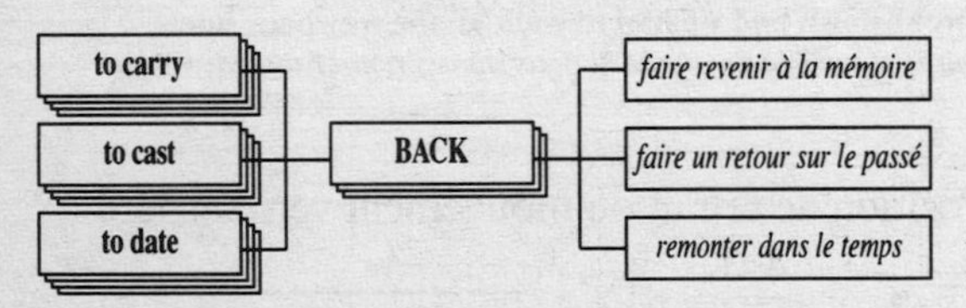

This landscape carries us back to our honeymoon in Brazil.
Ce paysage nous rappelle notre voyage de noces au Brésil.

This custom dates back to the Middle Ages.
Cette coutume remonte au Moyen Age.

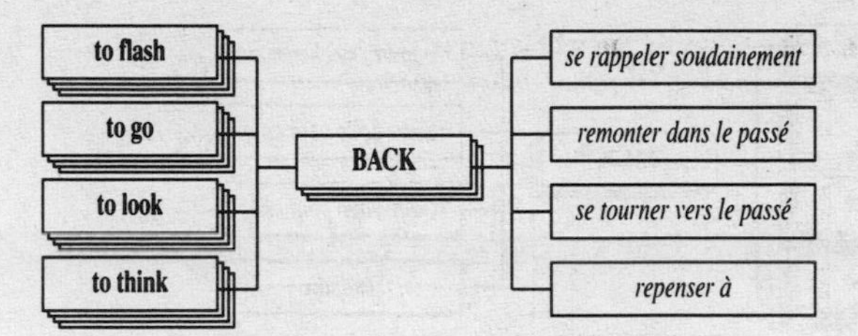

His mind flashed back to the declaration of war.
La déclaration de guerre lui revint soudain à l'esprit.

It's no use always looking back to your past.
Il ne sert à rien de se tourner sans cesse vers son passé.

4. Renvoi, action en retour, réponse

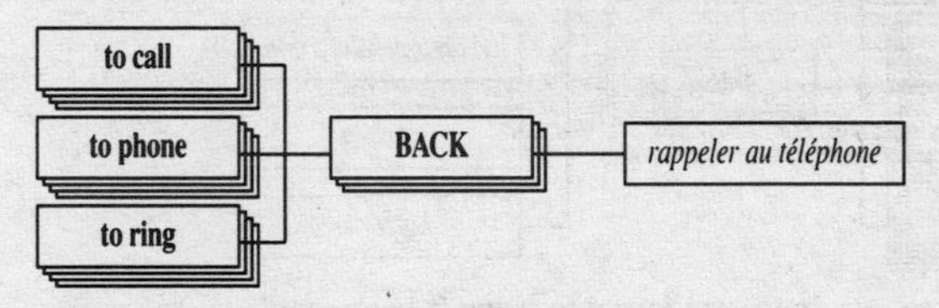

I phoned twice but he never called back.
J'ai téléphoné deux fois mais il ne m'a jamais rappelé.

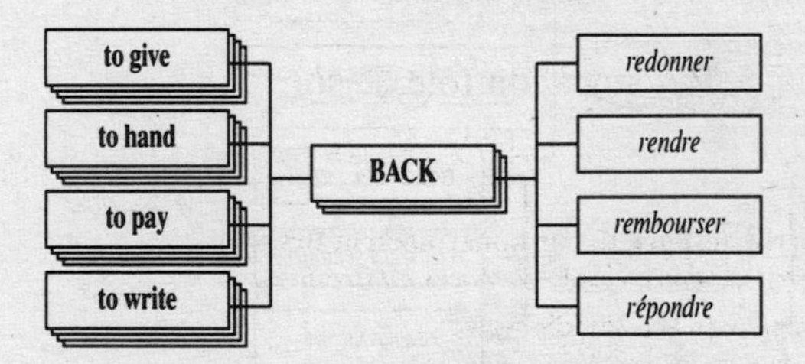

This pen is not yours, give it back to your friend.
Ce stylo n'est pas le tien, redonne-le à ton ami.

I'll pay you back next month.
Je vous rembourserai le mois prochain.

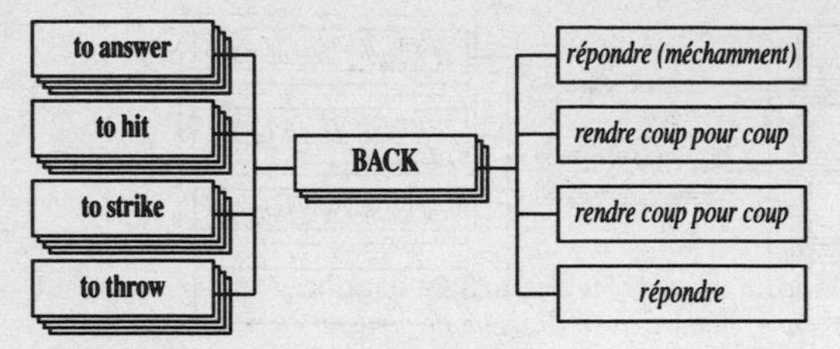

Don't let the children answer you back.
Ne laissez pas les enfants vous répondre.

We decided against any military intervention for fear they might strike back.
Nous nous sommes opposés à toute opération militaire de crainte qu'ils ne nous attaquent à leur tour.

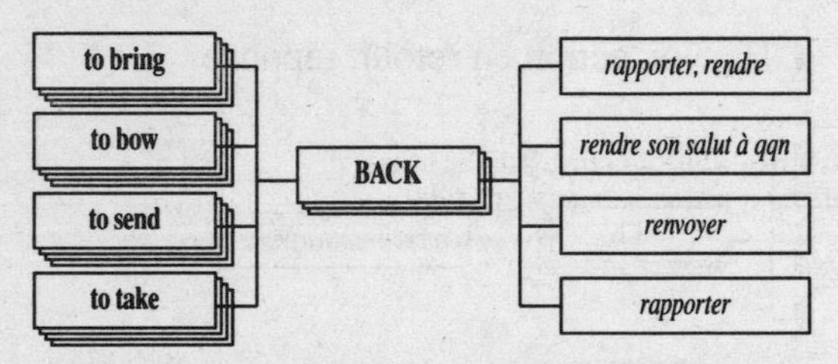

- I'll lend it to you, but don't forget to bring it back soon!
- Don't worry, I'll send it back to you by mail.
- Je vais te le prêter mais n'oublie pas de me le rendre bientôt!
- Ne t'inquiète pas, je te le renverrai par la poste.

5. Retenue, contrôle de soi

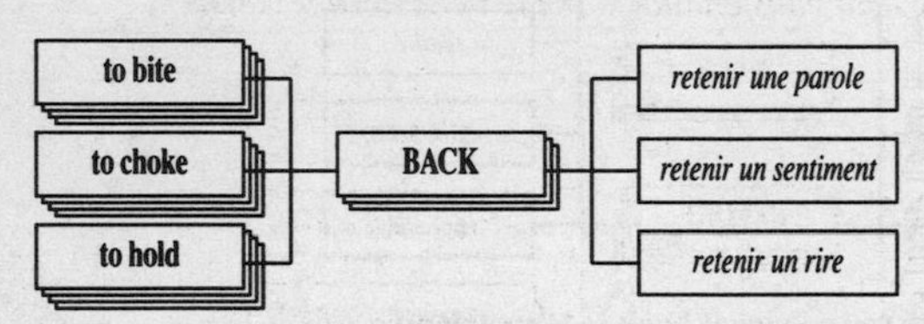

His speech was so moving that some of them couldn't choke back their tears.
Son discours fut si émouvant que certains d'entre eux ne purent retenir leurs larmes.

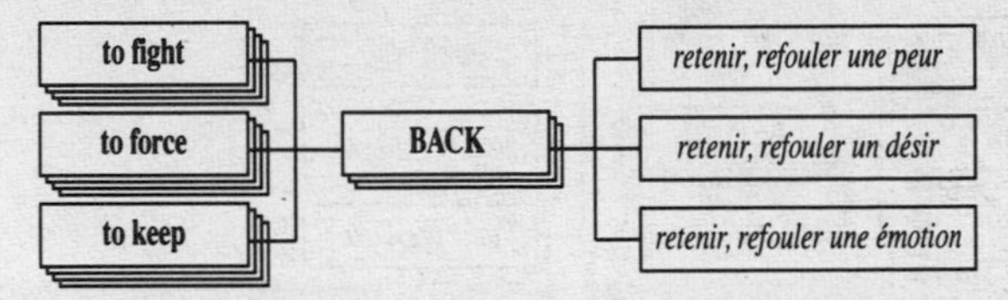

She was waiting in the dark, trying to fight back her fear.
Elle attendait dans le noir tout en essayant de contenir sa peur.

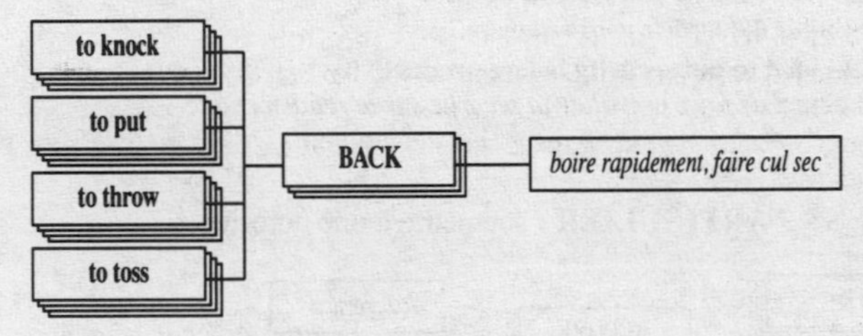

He threw back two whiskies one after the other.
Il but d'un trait deux whiskies l'un après l'autre.

BEFORE

➪ **SENS GÉNÉRAL :** en avant, devant

Do you mind if I stand before you?
Est-ce que cela vous ennuie si je me tiens devant vous?

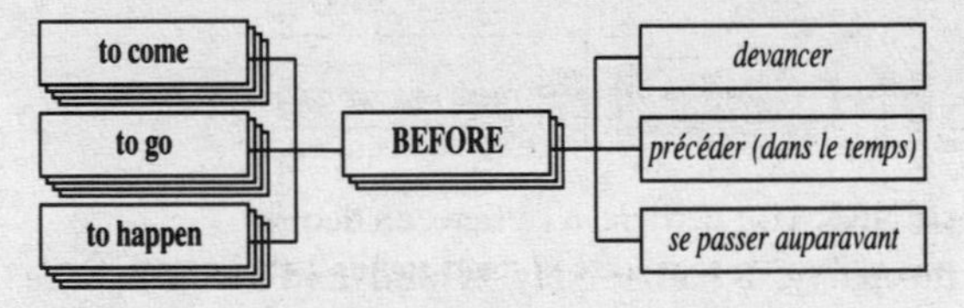

He did not tell me what had happened before.
Il ne m'a pas dit ce qui s'était passé auparavant.

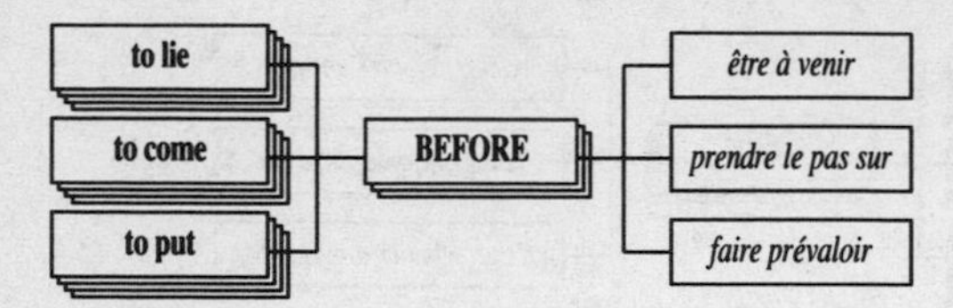

I had no idea of the huge amount of work that was lying before me.
Je n'avais pas idée de la quantité de travail qui m'attendait.

Health comes before everything else.
C'est la santé qui prime.

They decided to put security before productivity.
Ils décidèrent de faire prévaloir la sécurité sur le rendement.

⇨ **SENS PARTICULIER :** soumettre à une autorité

They laid all the elements of the case before the judge.
Ils soumirent au juge tous les éléments du dossier.

Their case will come before the court in March.
Le tribunal sera saisi de l'affaire en mars.

BEHIND

⇨ **SENS GÉNÉRAL :** derrière, à l'arrière, en dernier

After the party, I had to stay behind and clean up the house.
Après la soirée, il m'a fallu rester nettoyer la maison.

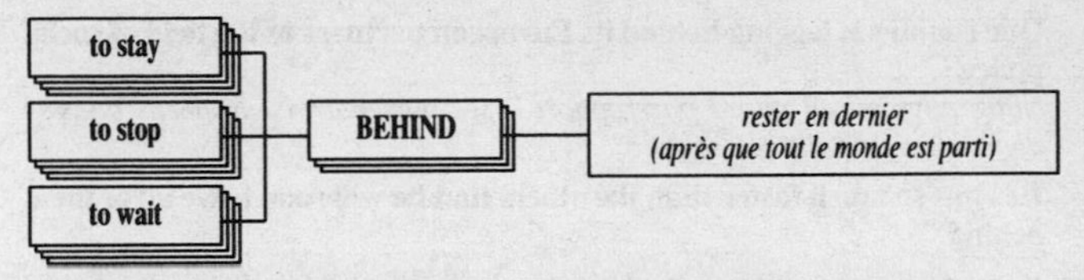

He stayed behind after the lecture and asked the lecturer a few questions.
Il resta à la fin de la conférence et posa quelques questions au conférencier.

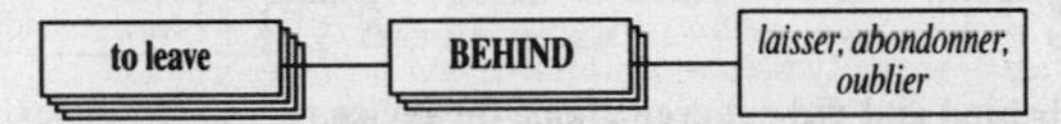

You have too much luggage; you will have to leave this bag behind.
Vous avez trop de bagages, il vous faudra laisser ce sac.

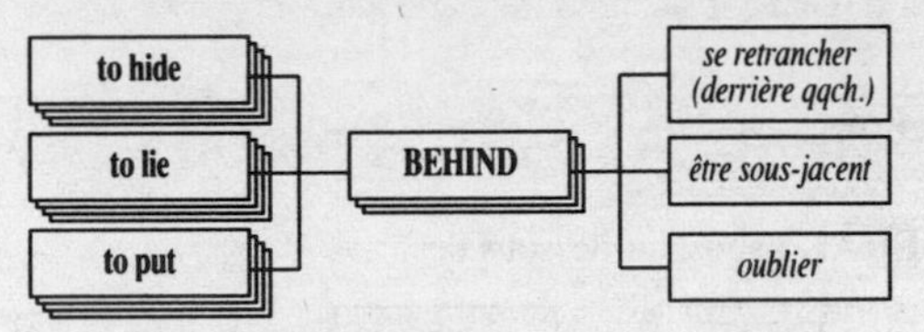

He tried to hide behind the fact that he had not received the report in time.
Il essaya de se retrancher derrière le fait qu'il n'avait pas reçu le rapport à temps.

I still don't know what lies behind his decision to resign.
Je ne sais toujours pas ce qui se cache derrière sa décision de démissionner.

➪ **SENS PARTICULIER :** en retard, à la traîne

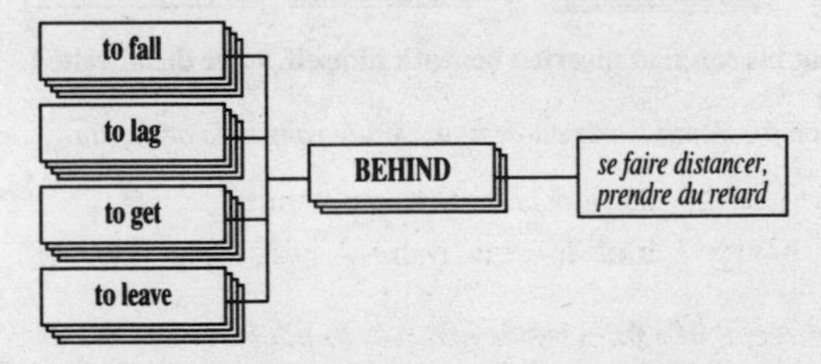

Our country is lagging behind its European partners in the field of social policy.
Notre pays est en retard par rapport à ses partenaires européens dans le domaine de la politique sociale.

He runs so much faster than the others that he will soon leave all of them behind.
Il court tellement plus vite que les autres, qu'il aura tôt fait de tous les distancer.

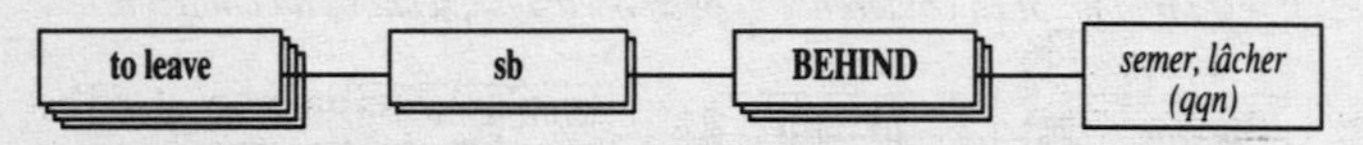

They left him behind and did not even phone the police.
Ils l'abandonnèrent sans même téléphoner à la police.

BENEATH

⇨ **SENS GÉNÉRAL :** sous, au-dessous de

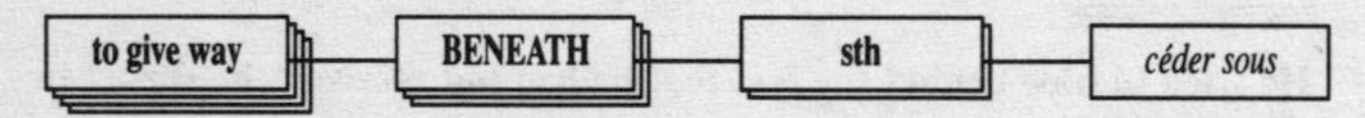

The floor gave way beneath them.
Le sol a cédé sous leur poids.

⇨ **SENS PARTICULIER :** faire une mésalliance

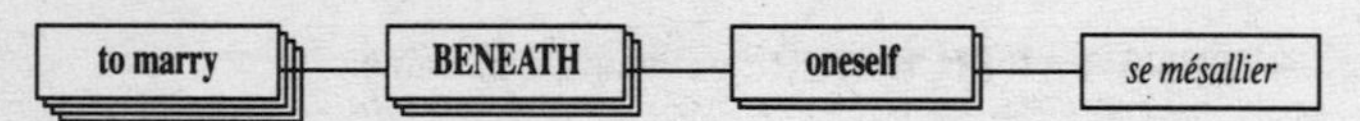

He believed that his son had married beneath himself, so he disinherited him.
Il pensait que son fils s'était marié au-dessous de son rang et le déshérita.

BETWEEN

➪ **SENS GÉNÉRAL :** entre

The borderline passes between their two houses.
La frontière passe entre leurs deux maisons.

➪ **SENS PARTICULIER :** séparer, s'interposer

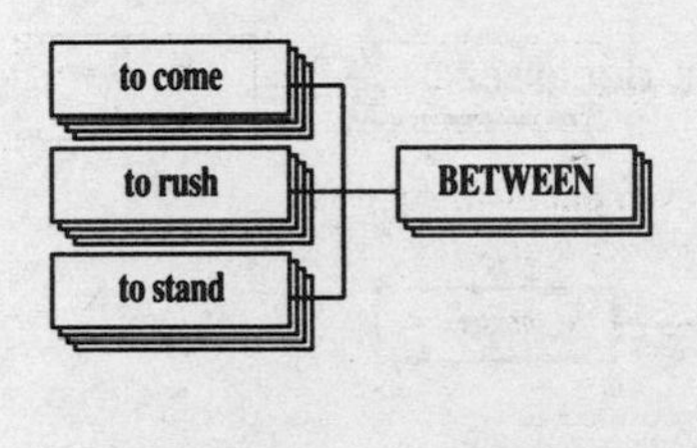

I couldn't find out what stood between her and a promotion.
Je ne pus déceler ce qui s'opposa à sa promotion.

The correspondence that passed between them in their old days will soon be published.
La correspondance qu'ils échangèrent à la fin de leur vie sera bientôt publiée.

BEYOND

➪ **SENS GÉNÉRAL :** au-delà de

She succeeded beyond her family's hopes.
Elle a réussi au-delà des espérances de sa famille.

➪ **SENS PARTICULIER :** dépasser, outrepasser

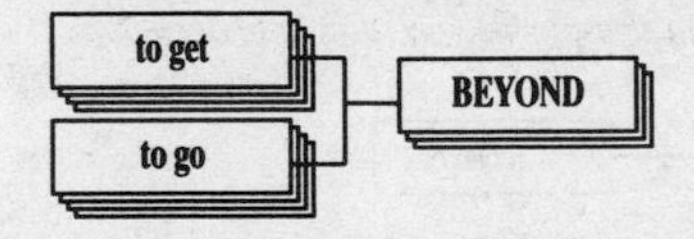

By firing me for such a minor mistake, I feel that he went beyond his authority.
En me licenciant pour une faute aussi mineure, j'ai le sentiment qu'il a outrepassé ses pouvoirs.

BY

➪ **SENS GÉNÉRAL :** près de, à côté

I spent the morning sitting by the fire.
J'ai passé la matinée assis au coin du feu.

➪ **SENS PARTICULIER :**

1. Passer, dépasser

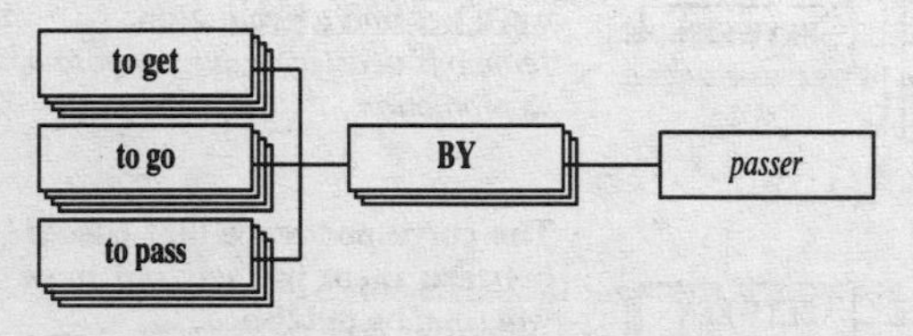

Everybody applauded as the Queen went by.
Tout le monde applaudit au passage de la reine.

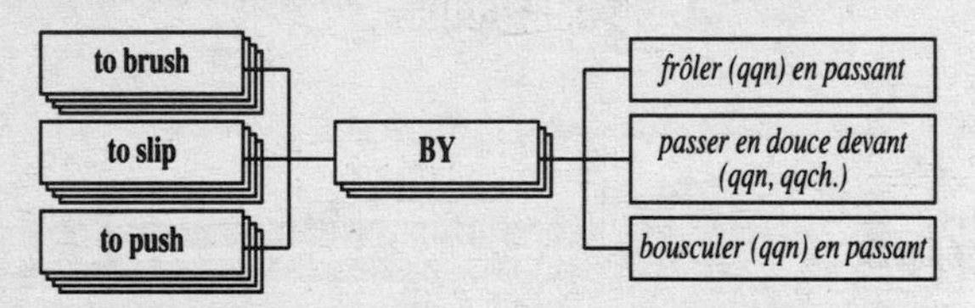

He managed to slip by the cashier and left without paying.
Il a réussi à se faufiler devant la caissière et à partir sans payer.

2. (Se) passer, s'écouler (temps)

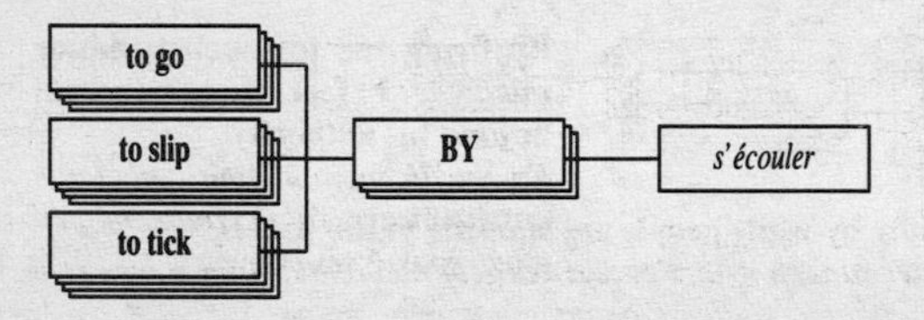

Time goes by in such a peaceful way down here!
Le temps s'écoule si paisiblement par ici!

3. S'arrêter, rendre une courte visite

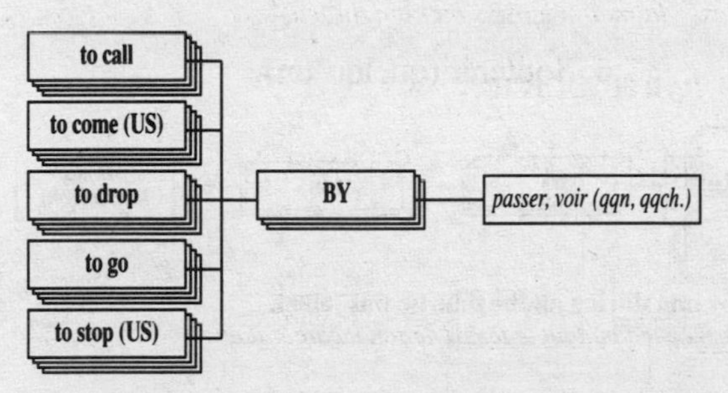

I'll be at home at 5 p.m. if you want to come by for a drink.
Je serai à la maison à 17 heures, si tu veux passer prendre un verre..

4. Se débrouiller

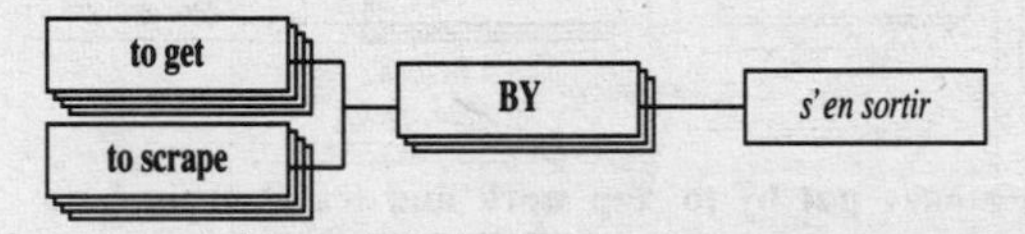

During all these years, she managed to scrape by on £200 a month.
Pendant toutes ces années, elle s'en est sortie avec 200 livres par mois.

5. Attendre

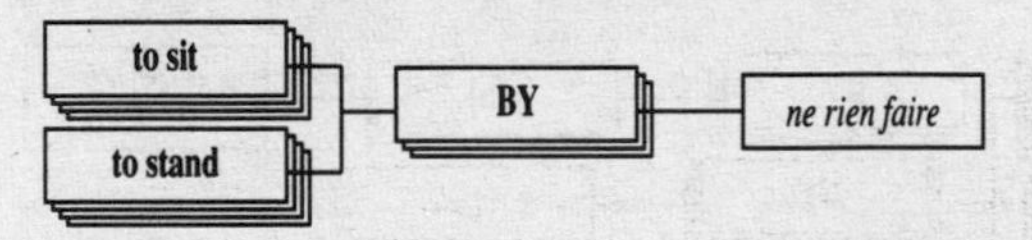

You can't sit idly by while people are starving in the streets.
On ne peut rester sans rien faire quand des gens meurent de faim dans la rue.

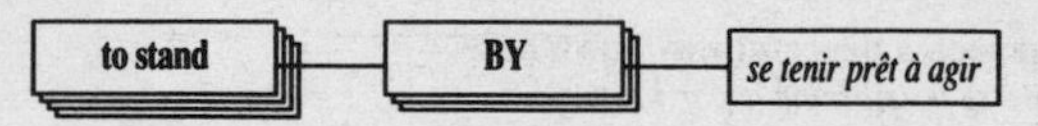

The firefighters were standing by in case a fire broke out.
Les pompiers se tenaient prêts à intervenir au cas où un incendie se déclarerait.

6. Soutenir (quelqu'un)

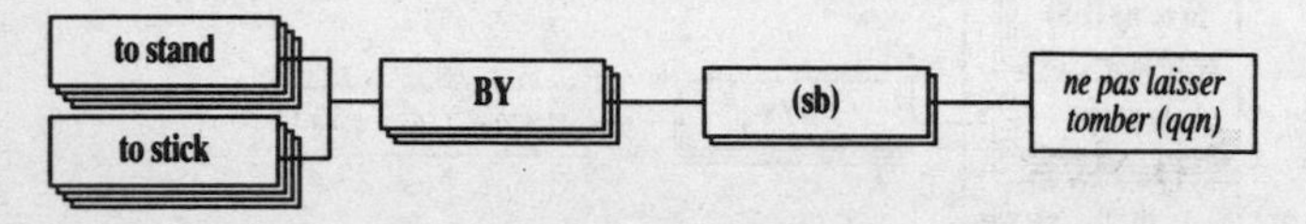

She stuck by him during all the time he was jailed.
Elle l'a soutenu pendant tout le temps de son incarcération.

7. Mettre de côté

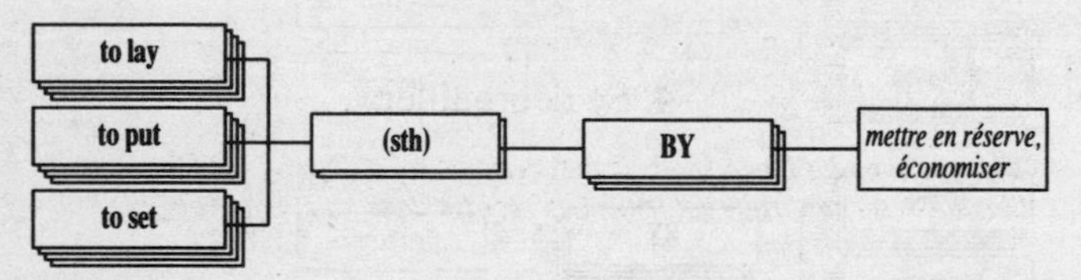

He had enough money put by to stop work and travel around the world.
Il avait mis assez d'argent de côté pour s'arrêter de travailler et faire le tour du monde.

8. Se conformer à, se fier à

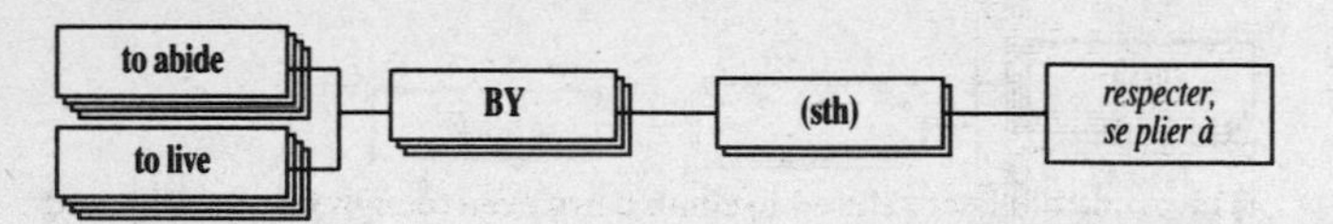

He didn't live very long by the rules he had himself set up.
Il ne s'est pas longtemps conformé aux règles qu'il avait lui-même fixées.

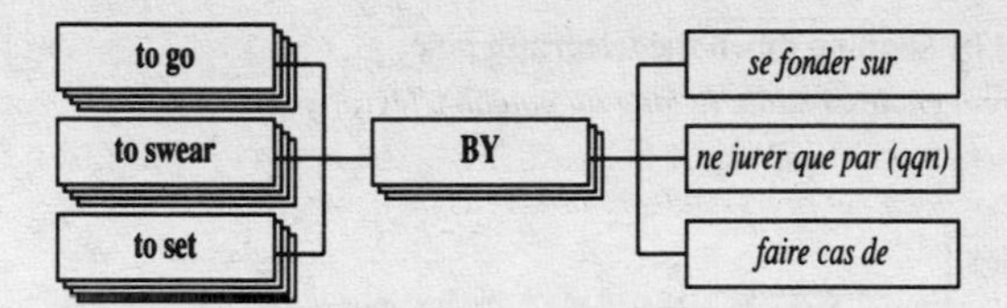

He always goes by what his friends say.
Il se fie toujours à ce que disent ses amis.

DOWN

➪ **SENS GÉNÉRAL :** mouvement de haut en bas

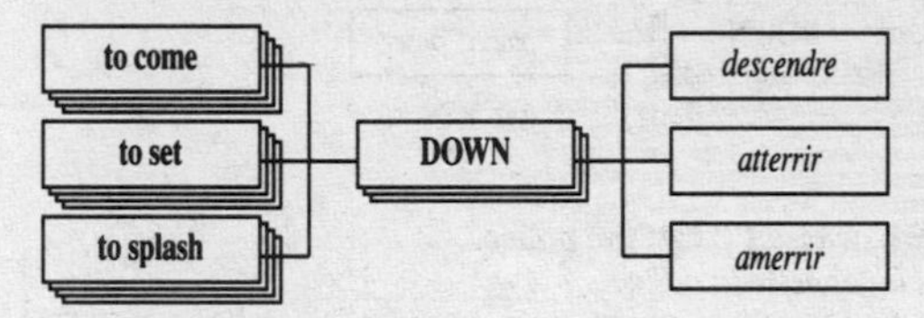

The plane came down too fast and crashed on a nearby field.
L'avion descendit trop rapidement et s'écrasa dans un champ voisin.

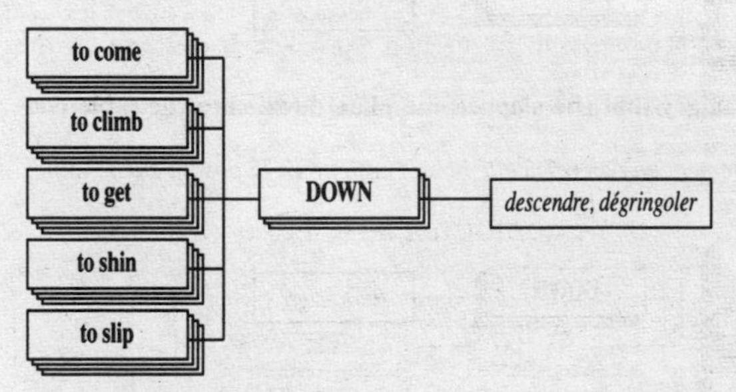

The prime minister refused to climb down even though he was criticised by all the trade unions.
Le premier ministre refusa de revenir sur sa décision bien qu'il fût critiqué par les syndicats.

They escaped by slipping down the telegraph pole.
Ils s'échappèrent en descendant le long du poteau télégraphique.

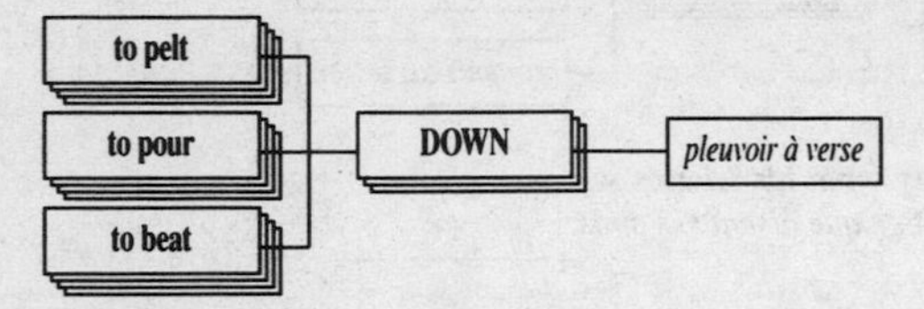

It started pouring down five minutes after we had left.
Il se mit à tomber des trombes d'eau cinq minutes après notre départ.

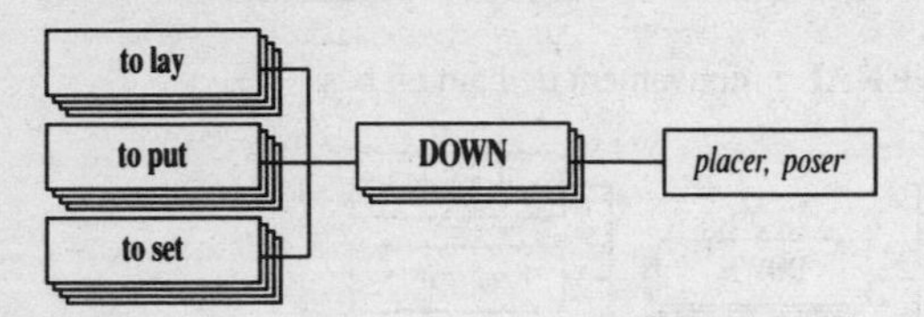

Put this knife down or else I'll call the police.
Posez ce couteau ou j'appelle la police.

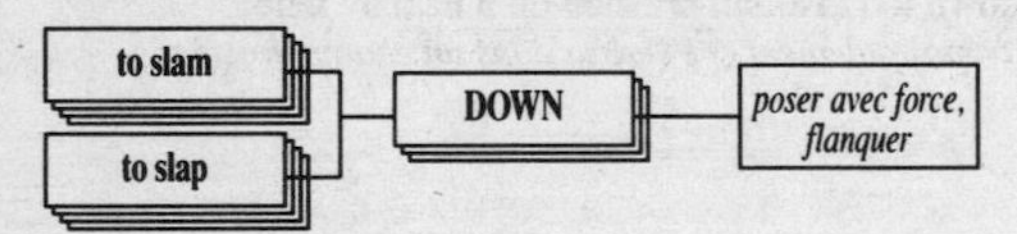

She was so angry that she slapped the plate down onto the table and broke it.
Elle était tellement en colère qu'elle brisa l'assiette en la posant sur la table.

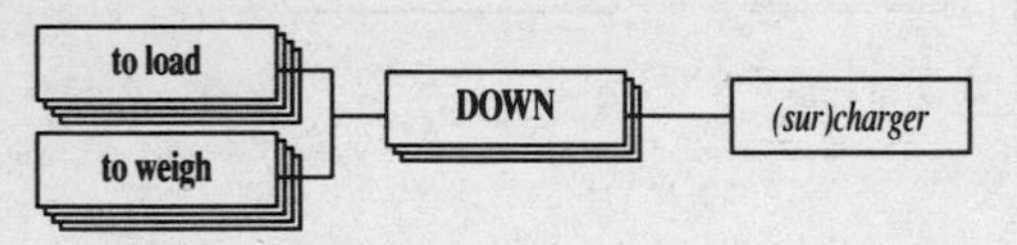

We were so loaded down with packages that we had to stop every ten minutes to take a rest.
Nous étions si chargés de paquets qu'il nous fallut faire une pause toutes les dix minutes pour nous reposer.

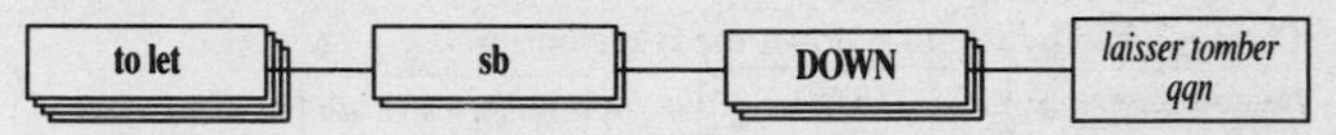

She was so glad her friends had not let her down after her husband's death.
Elle était si heureuse que ses amis ne l'aient pas laissée tomber après la mort de son mari.

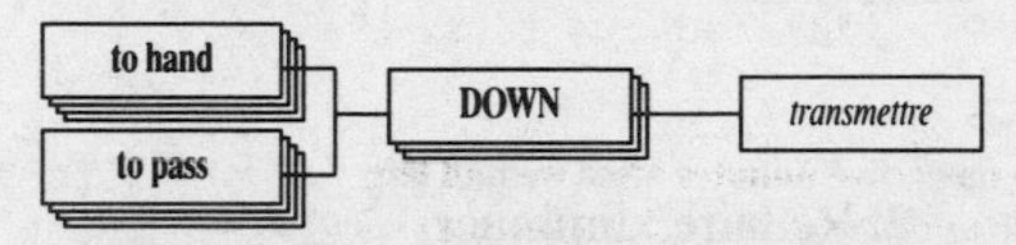

All these stories were handed down to me by my grandfather.
Toutes ces histoires m'ont été transmises par mon grand-père.

⇨ SENS PARTICULIER :

1. Se baisser, s'allonger, s'asseoir

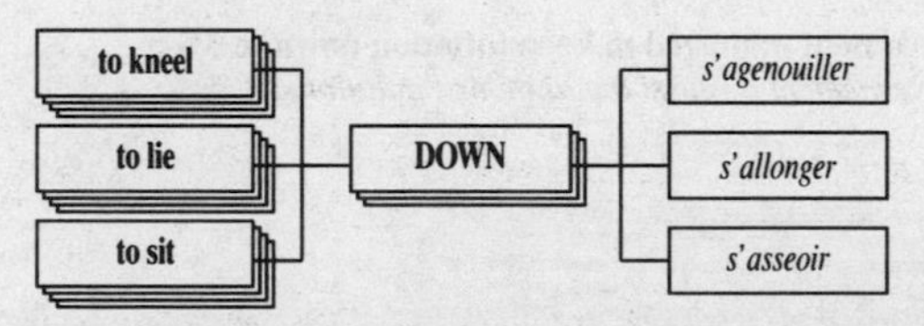

He entered the church, knelt down before the Cross and prayed.
Il entra dans l'église, s'agenouilla devant la Croix et pria.

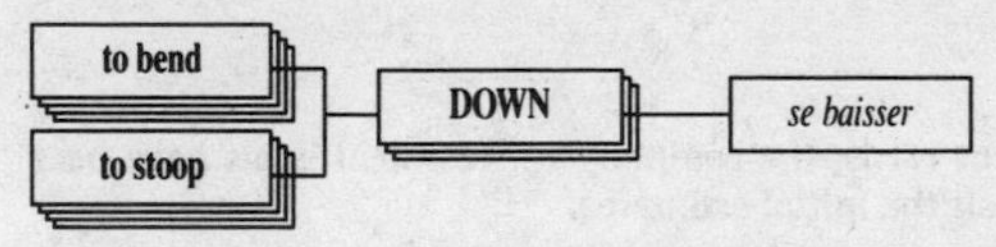

She bent down to pick up the banknote that had fallen from my pocket and disappeared.
Elle se baissa pour ramasser le billet qui était tombé de ma poche et disparut.

The house was not heated, so we were all too happy to snuggle down in bed after supper.
La maison n'était pas chauffée et nous ne demandions qu'à nous blottir dans nos lits après le dîner.

2. Réduire, diminuer

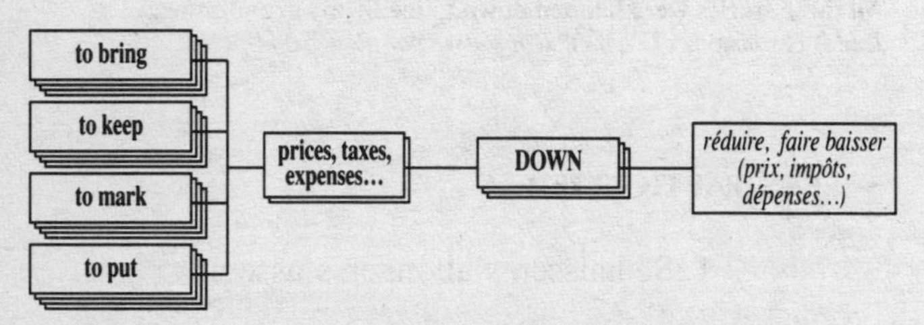

The former government managed to keep inflation down to 3%.
Le précédent gouvernement a réussi à maintenir l'inflation à 3 %.

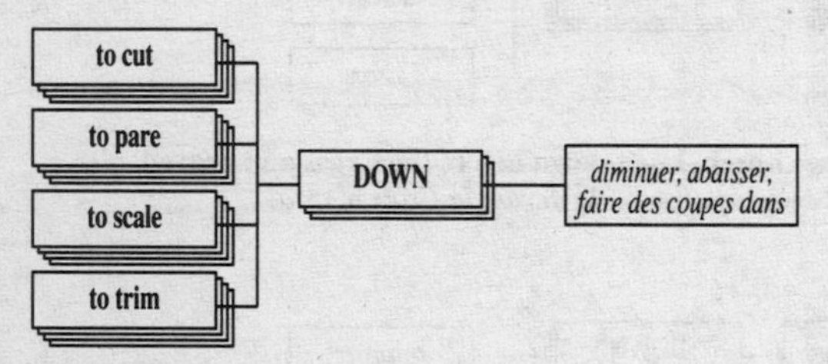

Due to the present crisis, the company's investment goals have been scaled down to half the initial estimates.
En raison de la crise actuelle, la société a diminué de moitié ses plans d'investissements.

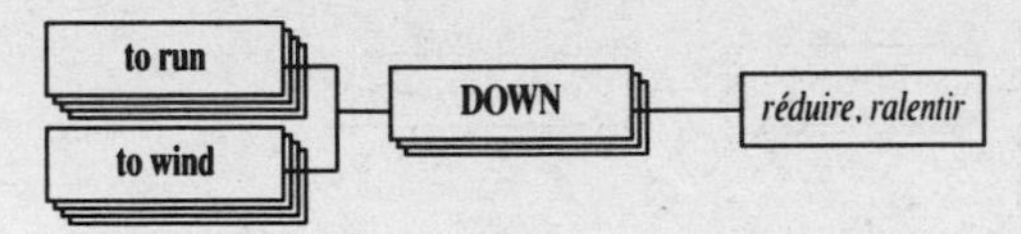

The government is winding down the coal industry in this area.
Le gouvernement réduit l'activité des houillères dans cette région.

They tried to play down the extent of the deficit but to no avail.
Ils essayèrent de minimiser l'étendue du déficit mais en vain.

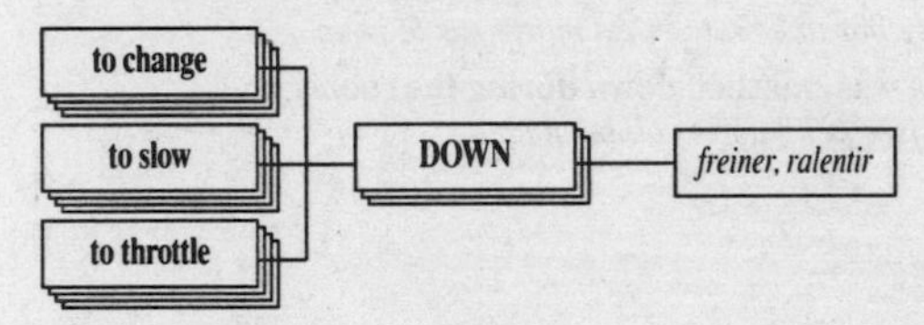

Change down into second gear when approaching the first crossroads.
Passe en seconde à l'approche du premier carrefour.

The pay negotiations are bogged down and no settlement will be reached before the end of the year.
Les négociations salariales s'enlisent et il n'y aura pas d'accord avant la fin de l'année.

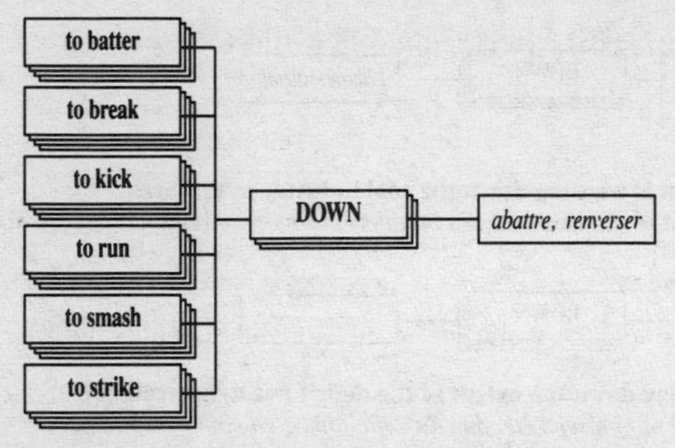

She was run down by a motorcycle and died on the spot.
Elle a été renversée par une moto et est morte sur le coup.

The shop window was smashed down during the robbery.
La vitrine a été brisée pendant le cambriolage.

Our church steeple was blown down by a violent storm last year.
Le clocher de notre église a été soufflé par la tempête l'année dernière.

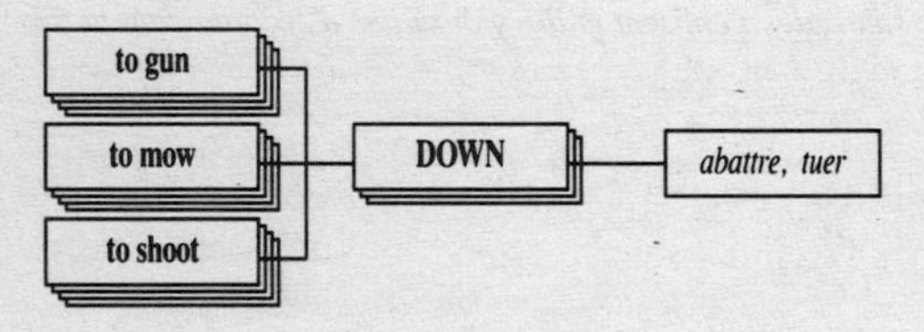

Several people were gunned down by a madman in a pub last night.
Plusieurs personnes sont tombées sous les balles d'un tueur fou, dans un pub, la nuit dernière.

3. Juger, intimider, opprimer

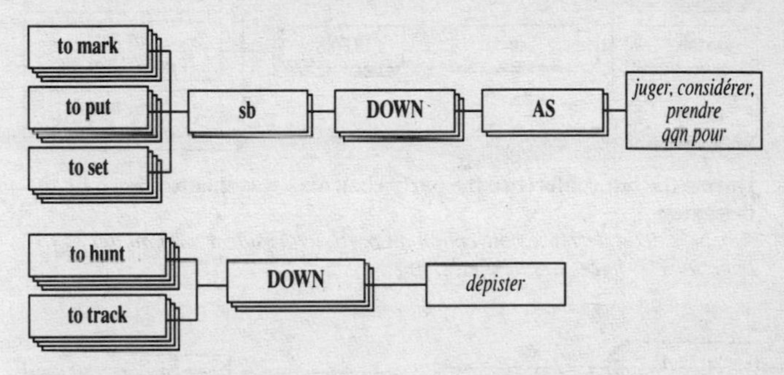

The killer was eventually tracked down after a two-day hunt.
Ils ont fini par dépister le tueur après une chasse à l'homme de deux jours.

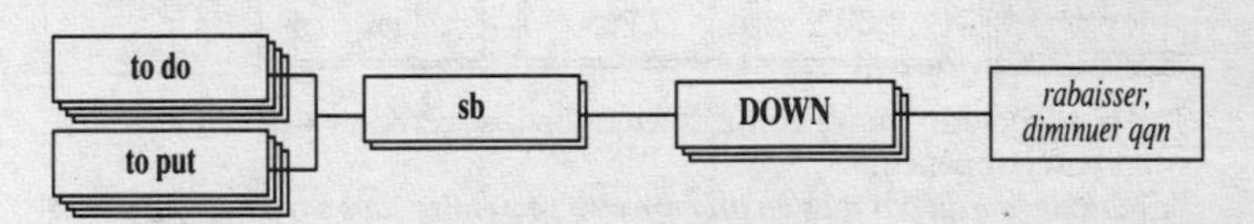

This teacher has a very unpleasant way of putting his pupils down.
Ce professeur a une manière très déplaisante de rabaisser ses élèves.

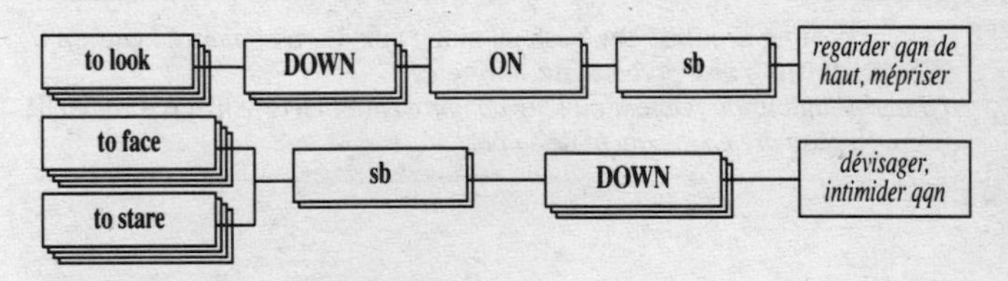

Don't let him stare you down like this!
Ne le laisse pas te dévisager de cette manière!

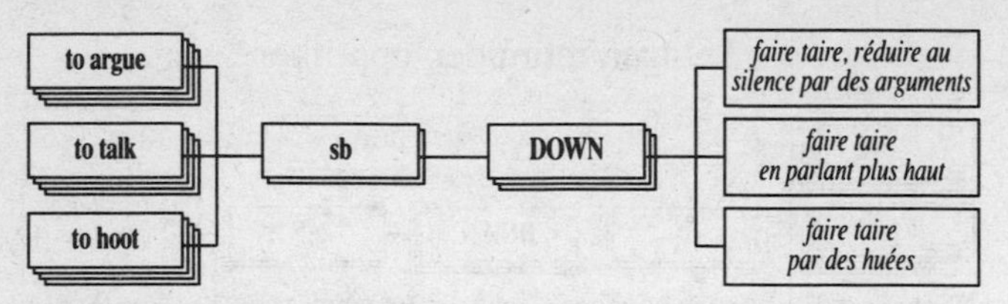

During the last conference the party chairman was shouted down by the delegates.
Au cours de la dernière convention du parti, le président a dû quitter la tribune sous les huées des délégués.

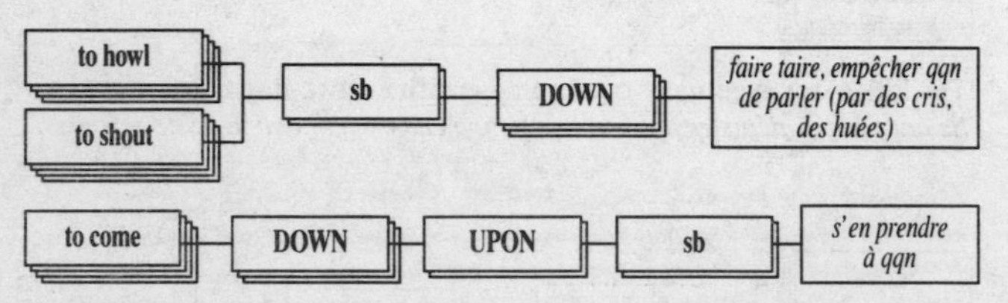

The boss shouldn't have come down upon his secretary without knowing what had happened.
Le patron n'aurait pas dû s'en prendre à sa secrétaire sans savoir ce qui s'était passé.

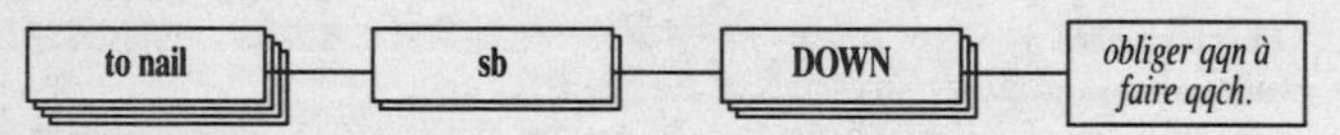

He kept beating around* the bush all along our discussion and I couldn't nail him down to any precise commitment.
Il a tourné autour du pot tout au long de notre entretien et je n'ai pas réussi à obtenir le moindre engagement de sa part.

*** around (US) ; about (GB)**

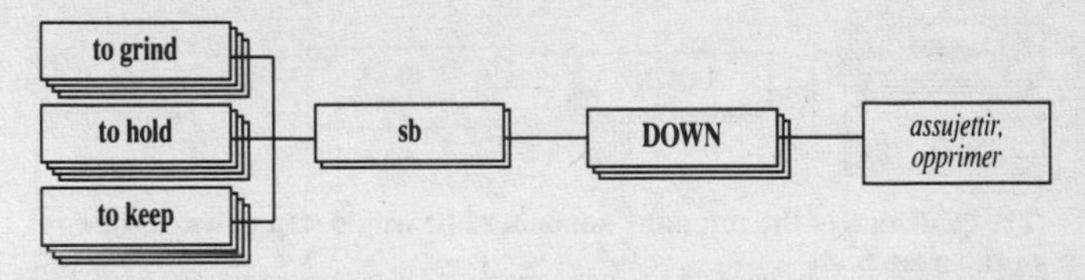

These people were held down for so long that they can no longer revolt.
Ces gens ont été opprimés pendant si longtemps qu'ils ne sont plus capables de se révolter.

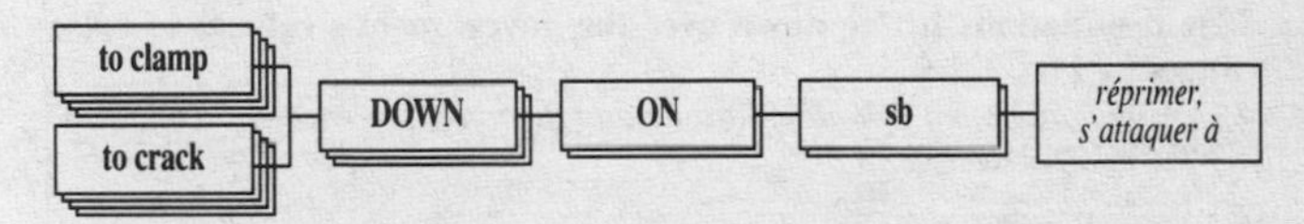

The police cracked down on this village in search of drugs.
La police a fait une descente dans ce village à la recherche de drogue.

4. Échouer, se retirer, (se) décourager

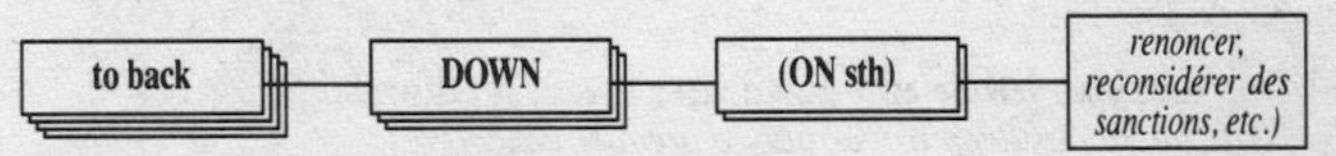

The boss had planned to lay off several workers, but he was obliged to back down under the pressure of the trade unions.
Le patron avait prévu de licencier plusieurs ouvriers, mais il dut y renoncer sous la pression des syndicats.

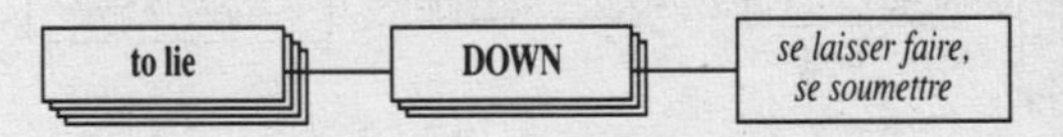

He refused to lie down under the insult, and the fight began.
Il refusa de se laisser insulter et la bagarre commença.

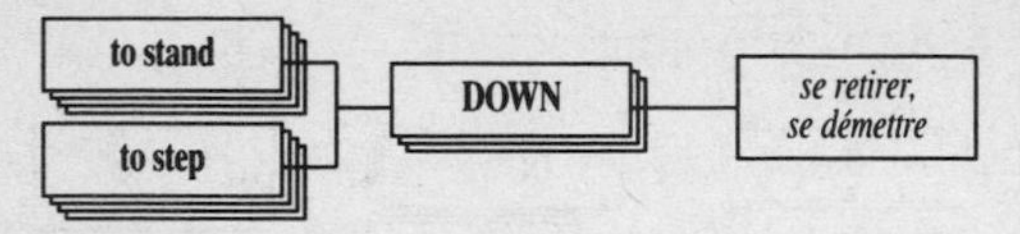

The chairman of the company announced he would step down at the end of this year.
Le président de la société annonça qu'il se retirerait à la fin de cette année.

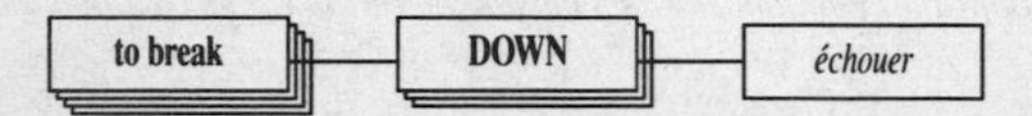

The negotiations broke down over the government's refusal to raise wages by 2%.
Les négociations ont échoué à la suite du refus du gouvernement d'augmenter les salaires de 2 %.

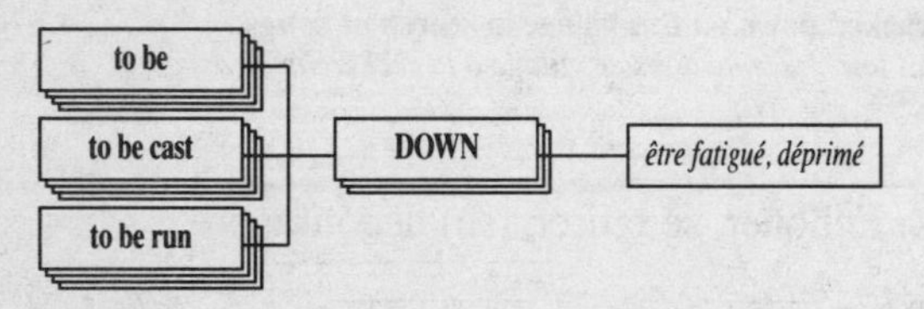

Don't let yourself be cast down after this first failure!
Ne te laisse pas décourager par ce premier échec!

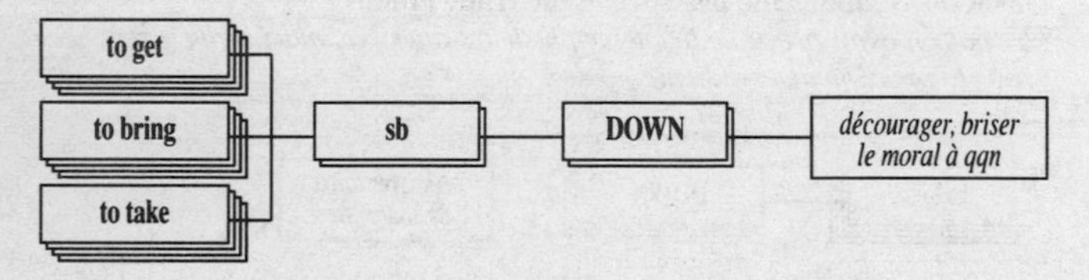

Forget about all this, don't let it get you down.
Oublie toute cette affaire, ne la laisse pas te saper le moral.

5. Se mettre à une activité

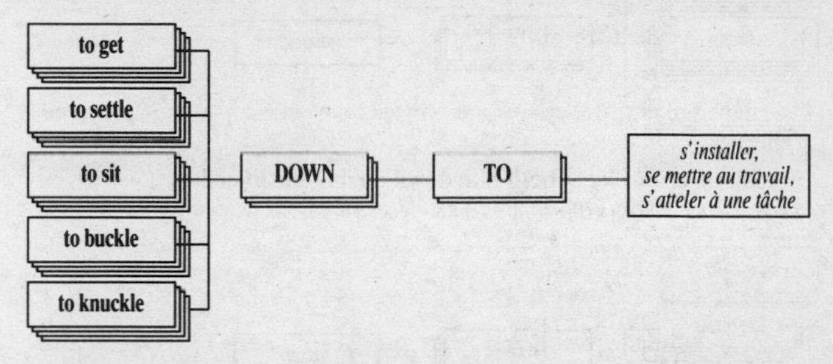

After long minutes of fidgeting, the pupils finally settled down to work.
Après de longues minutes d'agitation, les élèves se mirent enfin au travail.

You'd better knuckle down to finishing the project.
Il vaut mieux que tu t'y mettes sérieusement afin de finir le projet.

6. Fixer, attacher

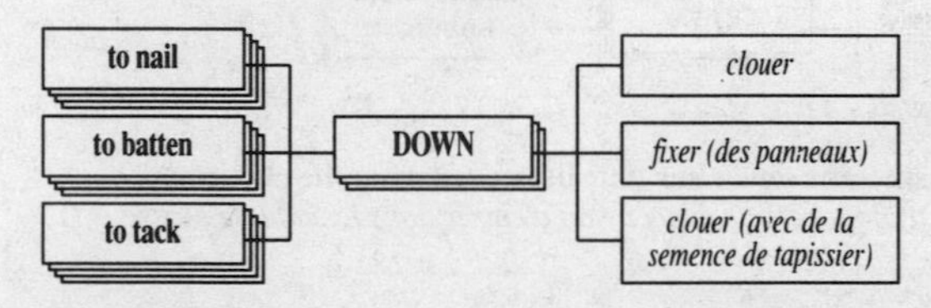

Your staircase carpet is not tacked down correctly.
Votre moquette d'escalier n'est pas correctement clouée.

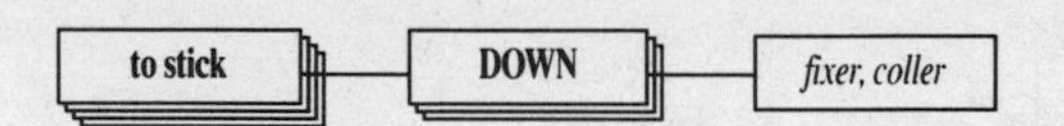

Don't forget to stick down the envelope before posting it.
N'oublie pas de fermer l'enveloppe avant de la poster.

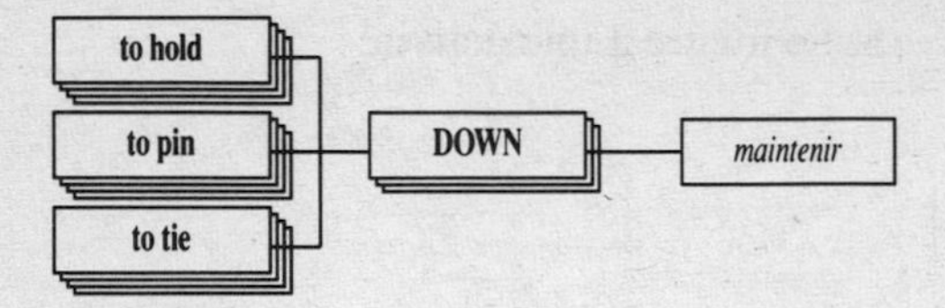

It took three nurses to hold him down during the injection.
La présence de trois infirmières a été nécessaire pour le tenir pendant l'injection.

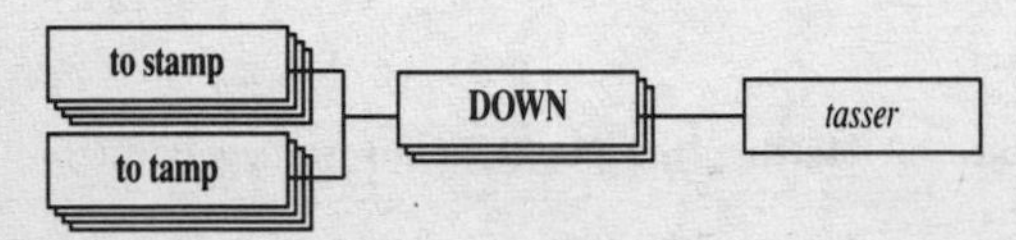

Soldiers were hired to stamp down the snow before the competition could begin.
On fit appel à des militaires pour tasser la neige avant le début de la compétition.

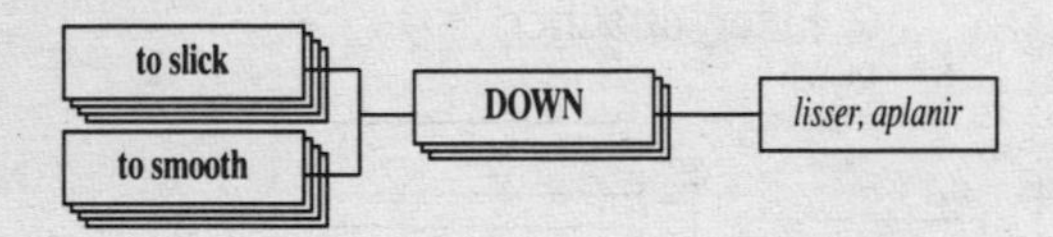

She always smooths down her hair before entering the classroom.
Elle se lisse toujours les cheveux avant d'entrer dans la salle de classe.

7. Écrire, enregistrer

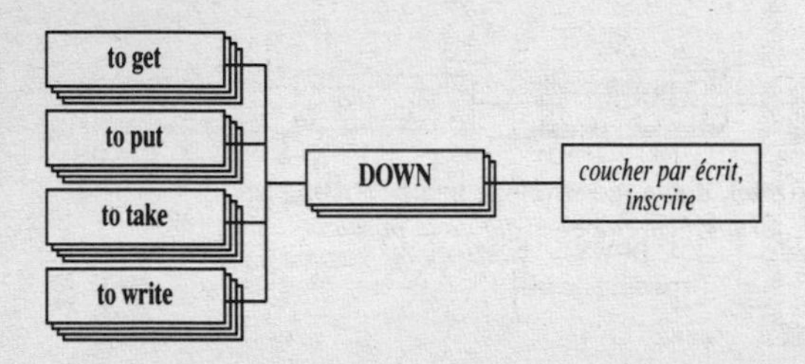

The police asked him to write all the facts down.
La police lui demanda de consigner tous les faits par écrit.

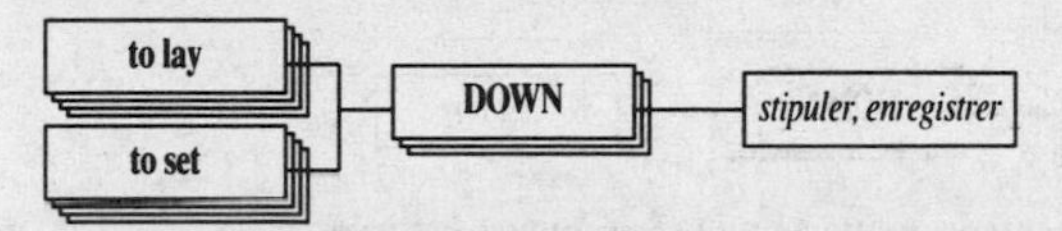

The bill sets down new standards for business transactions.
Le projet de loi édicte de nouvelles normes dans les relations commerciales.

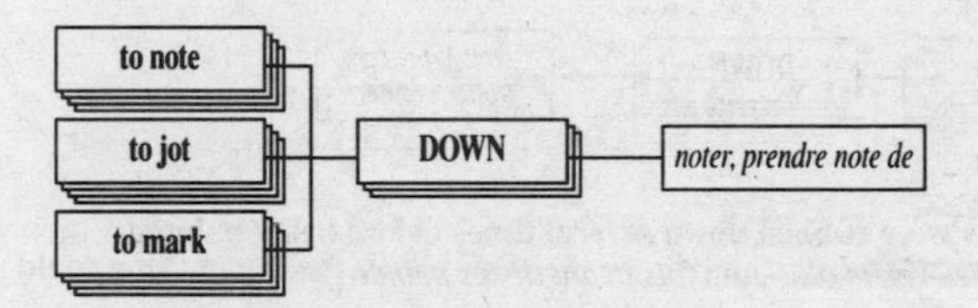

I jotted down a few notes during the lecture.
J'ai pris quelques notes pendant la conférence.

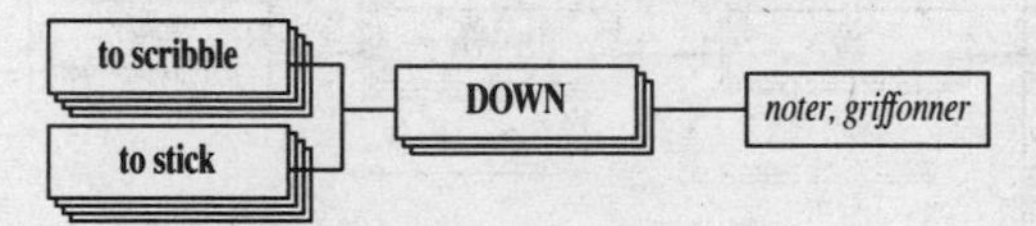

I scribbled down his address on a tube ticket and lost it.
J'ai griffonné son adresse sur un ticket de métro et je l'ai perdu.

8. Nettoyer

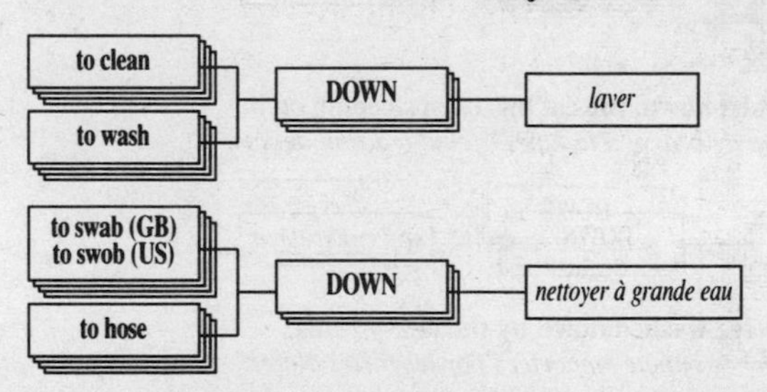

Our bikes were so dirty that we had to hose them down first.
Nos bicyclettes étaient si sales qu'il nous a d'abord fallu les laver à grande eau.

You should wipe your walls down before painting them.
Vous devriez essuyer vos murs avant de les peindre.

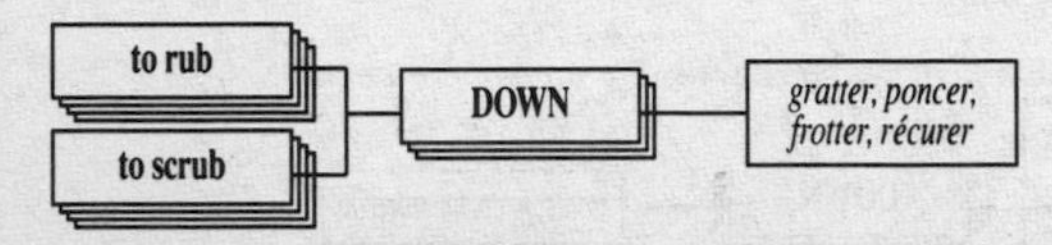

The shutters were rubbed down several times before being painted.
On a poncé les volets plusieurs fois avant de les peindre.

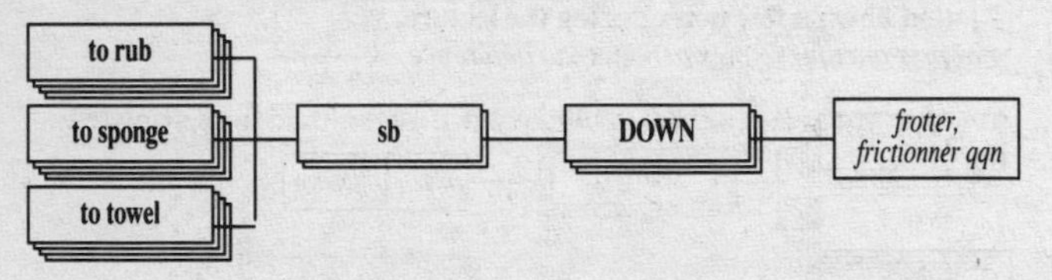

Rub yourself down if you don't want to catch cold.
Frotte-toi bien si tu ne veux pas prendre froid.

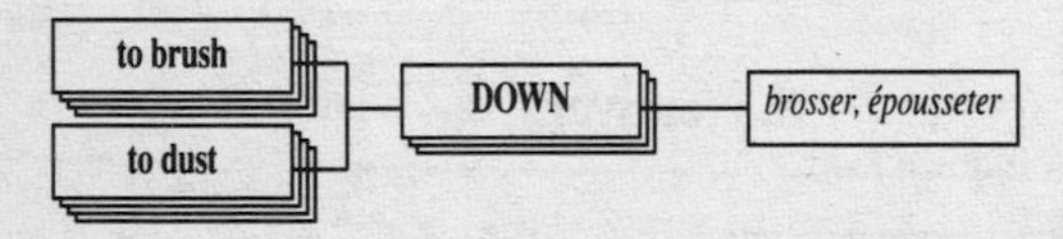

Brush your skirt down, the cat has been sleeping on it.
Donne un coup de brosse à ta jupe, le chat a dormi dessus.

Huge rocks were washed down by the heavy rains.
D'énormes roches ont été emportées par les fortes pluies.

9. Avaler, manger, boire

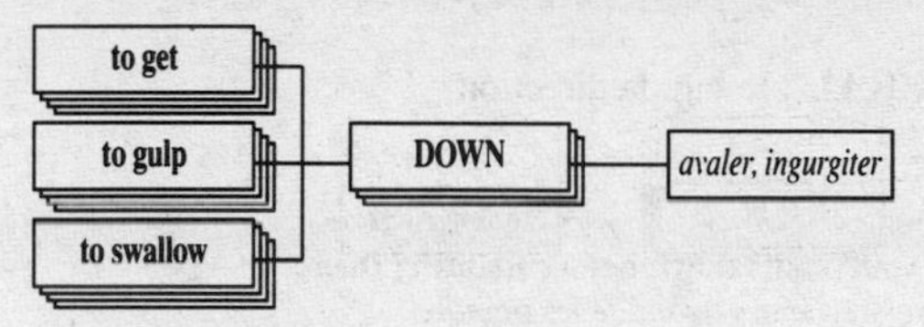

The man gulped his breakfast down without saying a word and went away.
L'homme avala son petit déjeuner sans dire un mot et s'en alla.

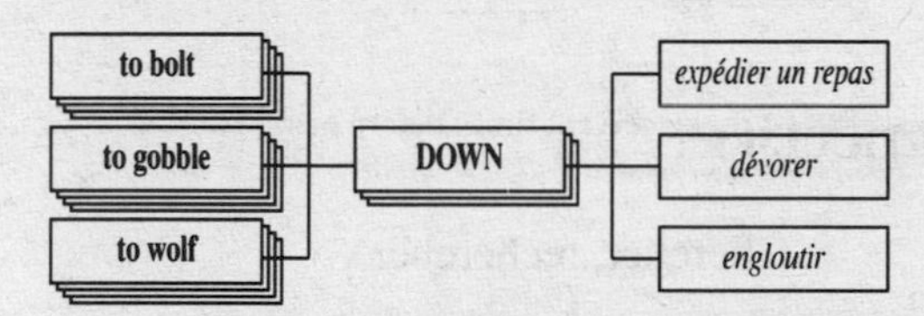

You should have seen them gobbling down all they had in their plates.
Il fallait voir comme ils se gavaient.

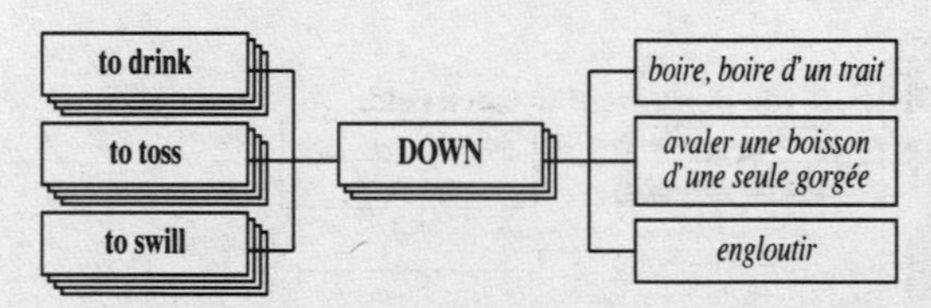

Come on, drink it down fast!
Allez, bois-le vite!

This Chinese liquor slips down quite easily!
Cette liqueur chinoise se laisse boire assez facilement!

FOR

➪ SENS GÉNÉRAL : le but, la direction

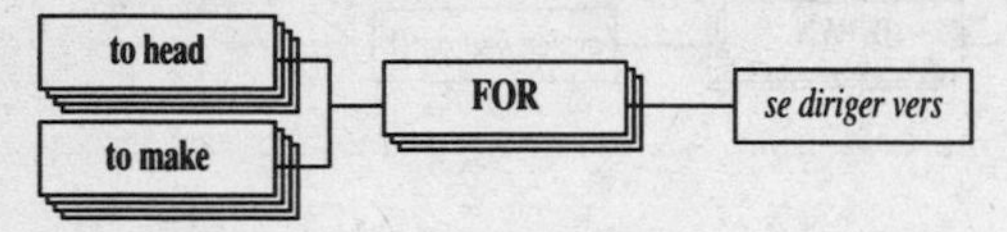

The concert had started and we decided to make for the concert hall without waiting for my in-laws.
Le concert était commencé et nous décidâmes de nous diriger vers la salle de concert sans attendre mes beaux-parents.

➪ SENS PARTICULIER :

1. Chercher, rechercher

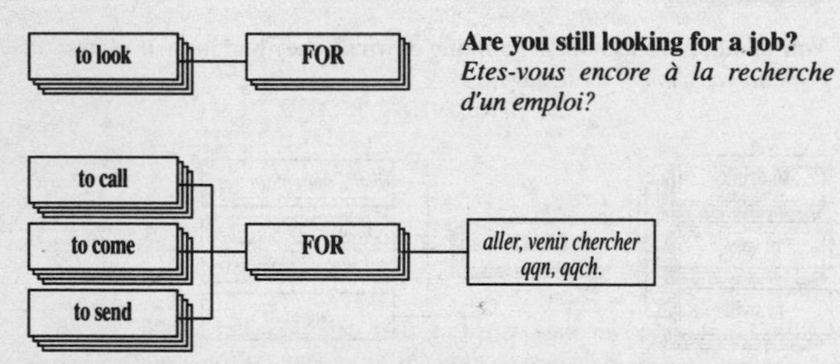

Are you still looking for a job?
Etes-vous encore à la recherche d'un emploi?

One of our players was hurt and we had to send for a doctor.
Un de nos joueurs fut blessé et nous dûmes faire venir le médecin.

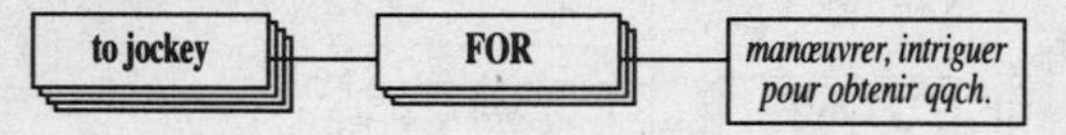

They're both jockeying for the same teaching post.
Tous les deux se disputent le même poste d'enseignement.

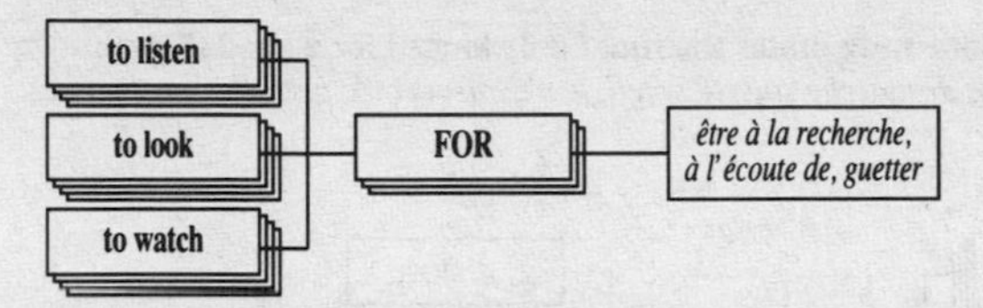

At that stage of the expedition, we had to keep watching out for icebergs.
A ce stade de l'expédition, nous devions sans cesse guetter la présence d'icebergs.

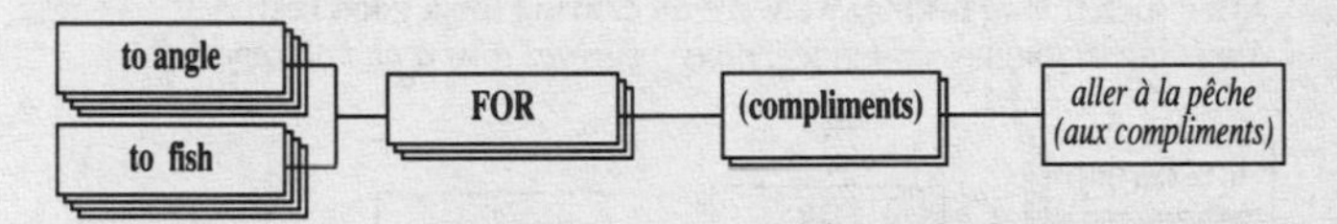

Some people fish for compliments, others fish for information.
Certaines personnes quêtent des compliments, d'autres cherchent à dénicher des renseignements.

2. Souhaiter, désirer

All we had hoped for then, was that they would accept a deal.
Notre seul souhait, à l'époque, était qu'ils acceptent un compromis.

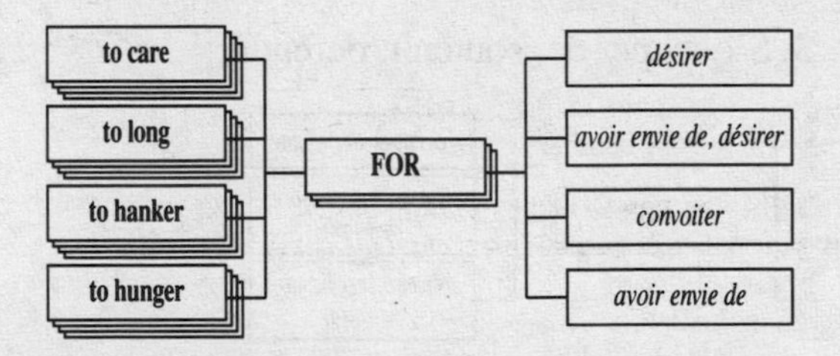

After my 6-hour walk under the sun, I only longed for a good shower.
Après 6 heures de marche sous le soleil, je n'aspirais qu'à prendre une douche froide.

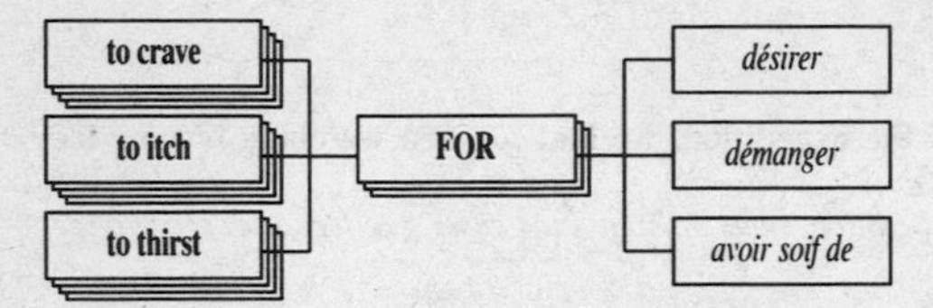

After such a long hiking, we were all craving for a good rest.
Après une si longue randonnée, nous aspirions tous à un bon repos.

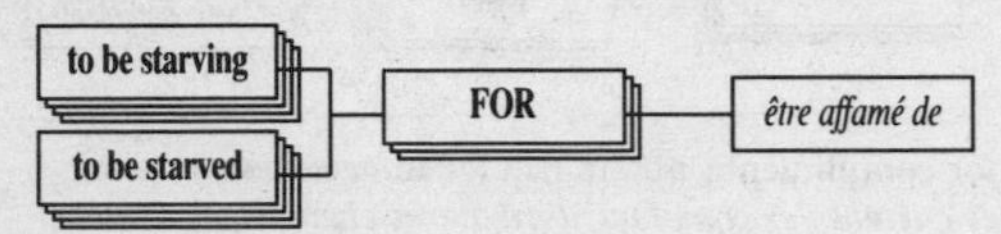

After so much work in his laboratory, he was starving for some kind of social recognition.
Après avoir tant travaillé dans son laboratoire, il était en mal de reconnaissance sociale.

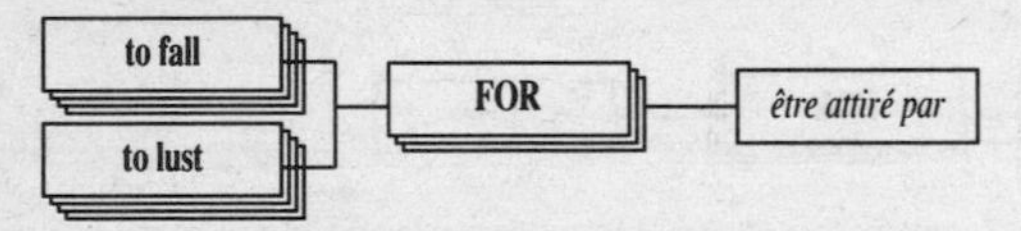

I fell for her the very first day I met her!
J'ai craqué pour elle dès notre première rencontre!

3. S'occuper de, soutenir, défendre

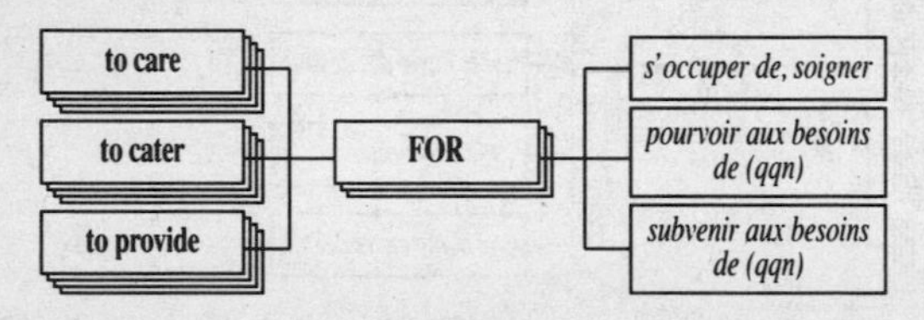

After the flood, we had to cater for all the persons who had been rescued.
Après l'inondation, nous avons dû nous occuper de tous les rescapés.

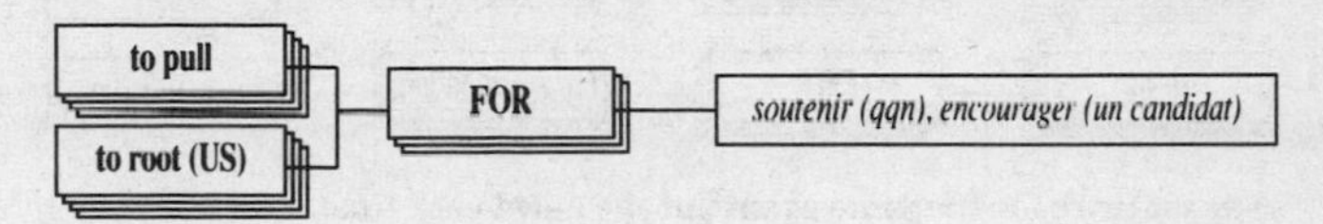

I think you rooted for the wrong candidate!
Je crois que vous n'avez pas soutenu le bon candidat!

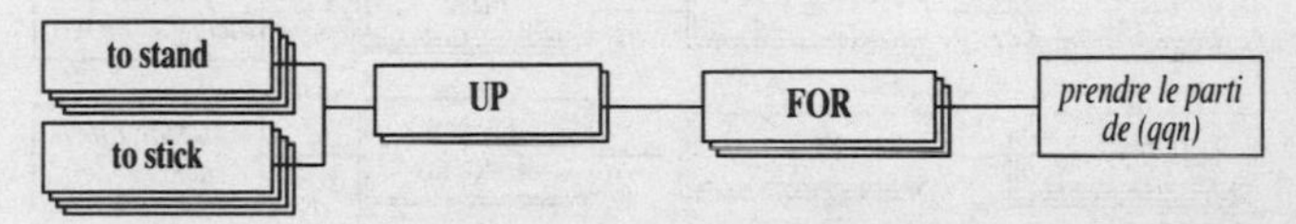

He expected someone to stand up for him during the meeting, but nobody did.
Il escomptait que quelqu'un le soutiendrait pendant la réunion mais personne ne le fit.

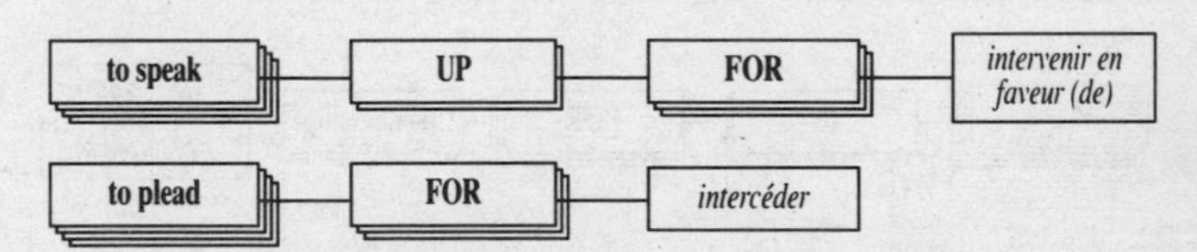

His father wanted to punish him but his mother pleaded for him.
Son père voulait le punir mais sa mère intercéda en sa faveur.

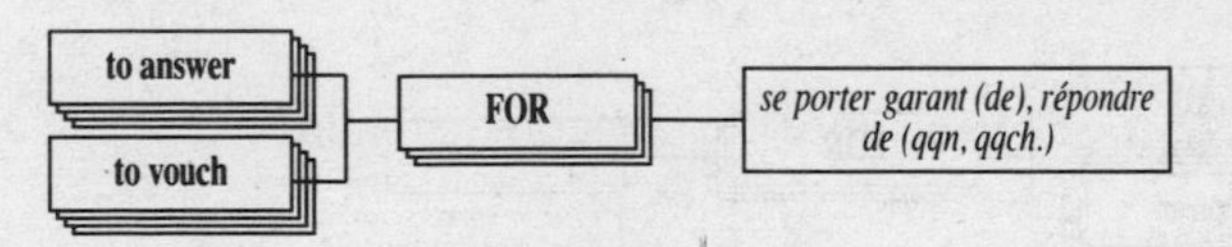

He will have to answer for his son's misdeeds.
Il aura à répondre des méfaits de son fils.

4. Être candidat, se présenter

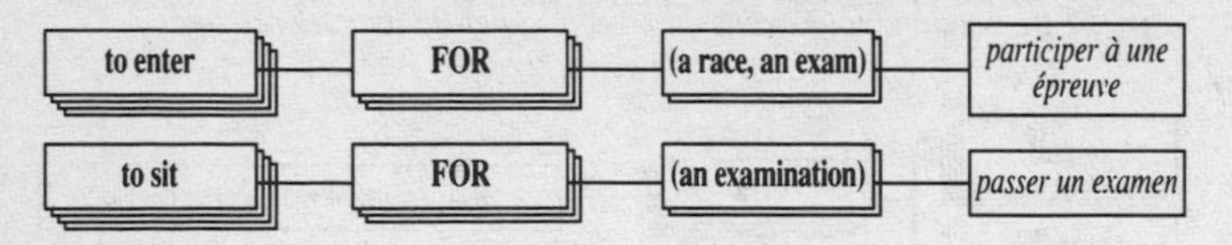

She sat twice for the same exam but she failed each time.
Elle s'est présentée deux fois au même examen sans succès.

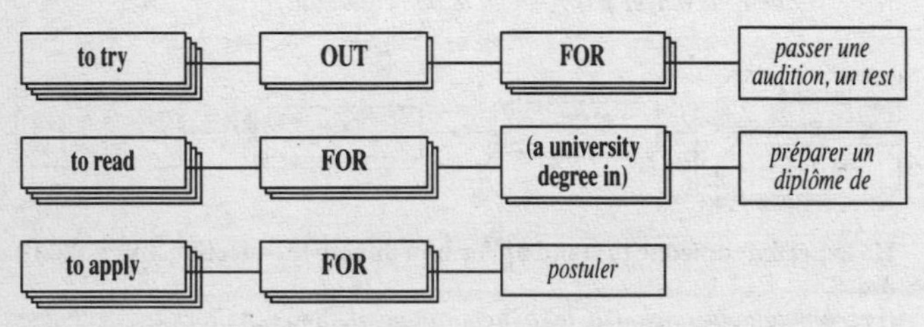

I was too young to apply for the job.
J'étais trop jeune pour postuler l'emploi.

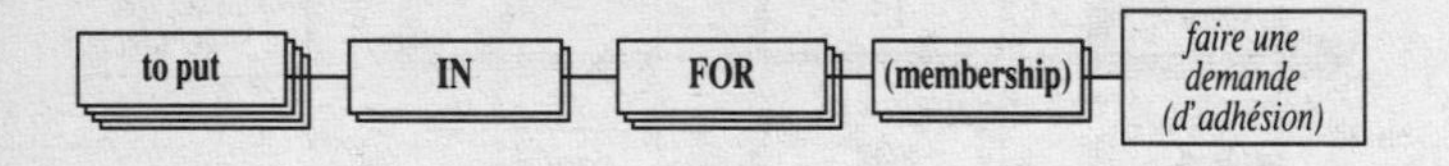

5. Demander, exiger, faire pression

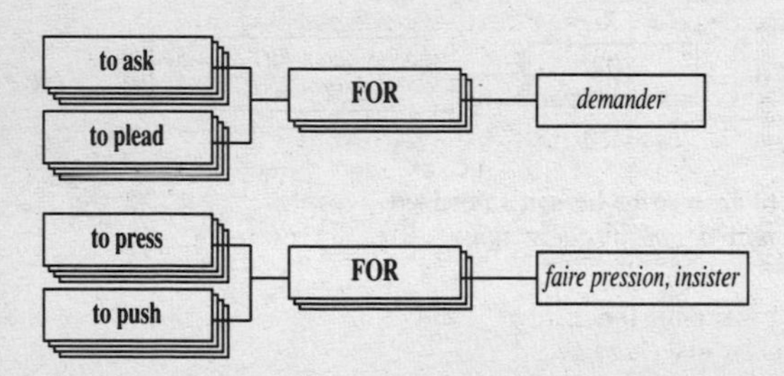

The British negotiator pressed for a peaceful solution, but to no avail.
Le négociateur britannique ne ménagea pas ses efforts en faveur d'une solution pacifique mais en vain.

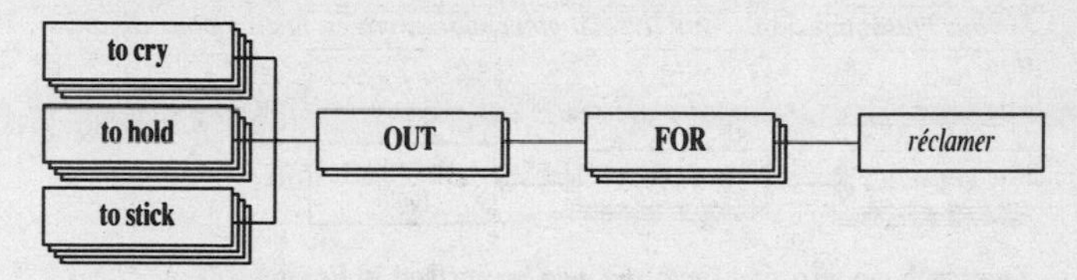

All the demonstrators were crying out for the home secretary's resignation.
Tous les manifestants exigeaient la démission du ministre de l'Intérieur.

6. Remplacer, compenser

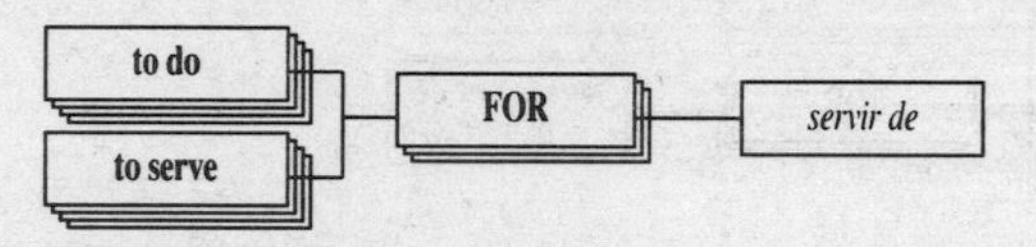

This newspaper will do for the wrapping.
Ce journal servira d'emballage.

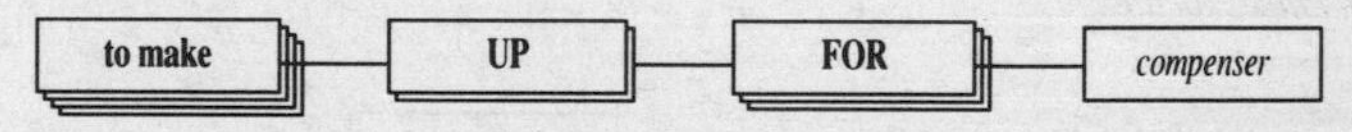

There was nothing that could make up for the loss of her antique china.
Rien ne pouvait compenser la perte de sa vaisselle ancienne.

7. Attaquer, en vouloir à

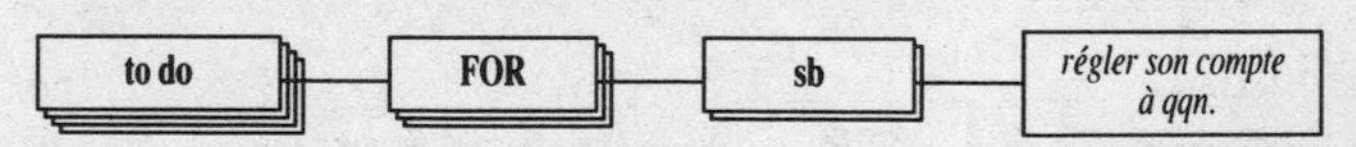

Without you I was done for.
Sans vous, mon compte était bon.

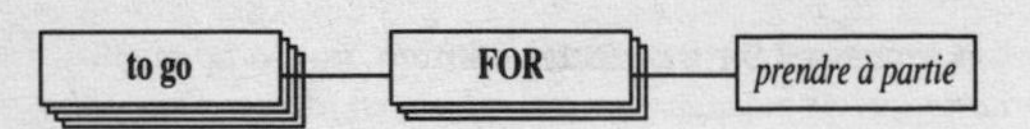

If you go for him in your book, he will sue you for libel.
Si vous l'attaquez dans votre livre, il vous poursuivra en justice pour diffamation.

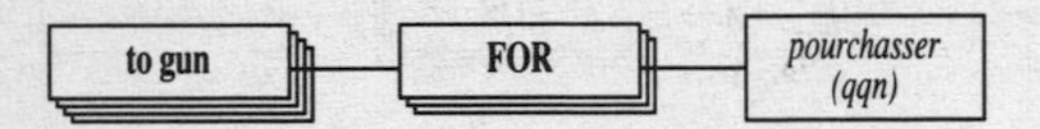

They've been gunning for him since he arrived in France.
Ils le pourchassent depuis son arrivée en France.

8. Tenir compte de, rendre compte de

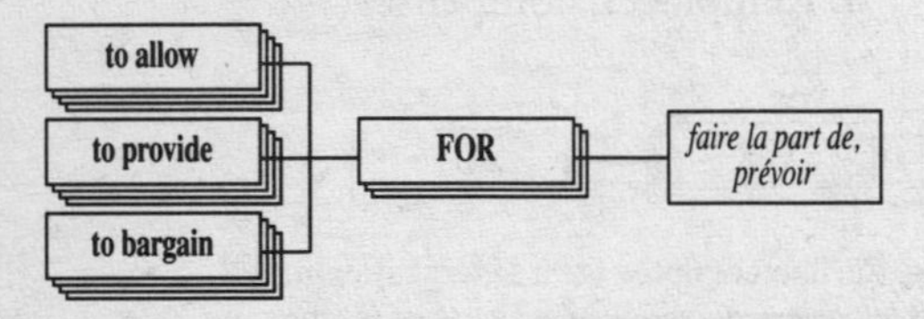

You should allow for tips and local taxes in your holiday project.
Dans ton budget de vacances, tu devrais tenir compte des pourboires et des taxes locales.

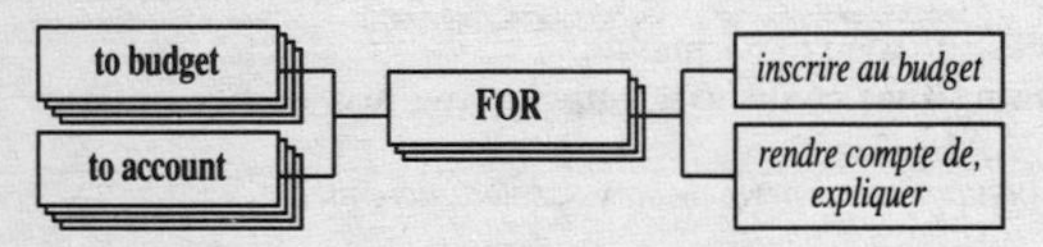

On his return, he was asked to account for all his expenses.
A son retour, il dut rendre compte de toutes ses dépenses.

9. Prendre une décision

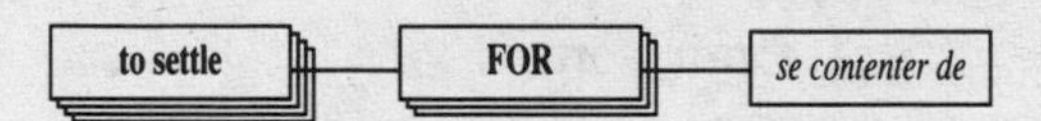

Arriving in town we found that houses were much too expensive to buy, so we had to settle for a small flat.
A notre arrivée dans la ville, nous avons constaté que le prix des maisons était bien trop élevé et nous fûmes obligés de nous contenter d'un petit appartement.

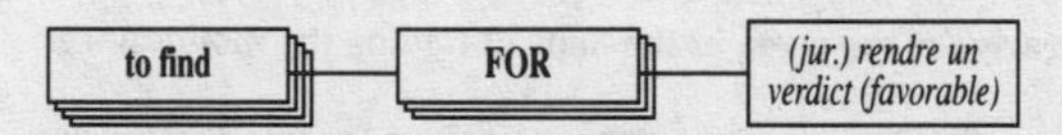

The High Court judge found for all three defendants.
Le juge de la Haute Cour prononça un verdict favorable aux trois accusés.

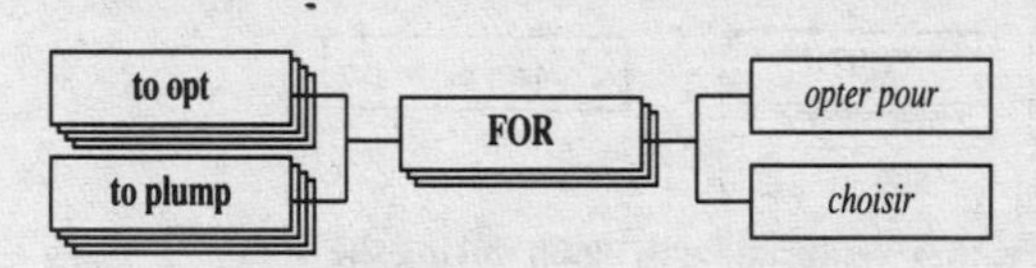

After a long debate, Parliament opted for a federal system.
Après un long débat,le parlement opta pour un système fédéral.

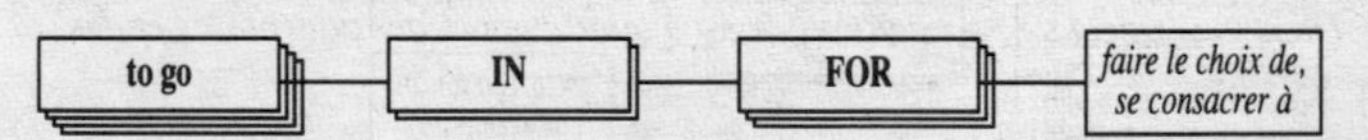

After his law studies, he went in for politics.
Après ses études de droit, il se lança dans la politique.

FORTH

⇨ **SENS GÉNÉRAL :** en avant

He came forth with an offer to negotiate.
Il s'avança avec une offre de négociation.

➪ SENS PARTICULIER :

1. Partir, sortir

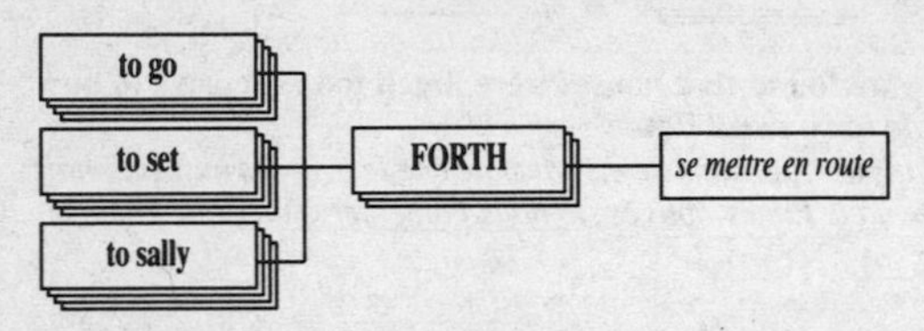

They set forth early for the peak, in the hope of finding the mountaineer alive.
Ils se mirent en marche tôt en direction du sommet, dans l'espoir de retrouver l'alpiniste vivant.

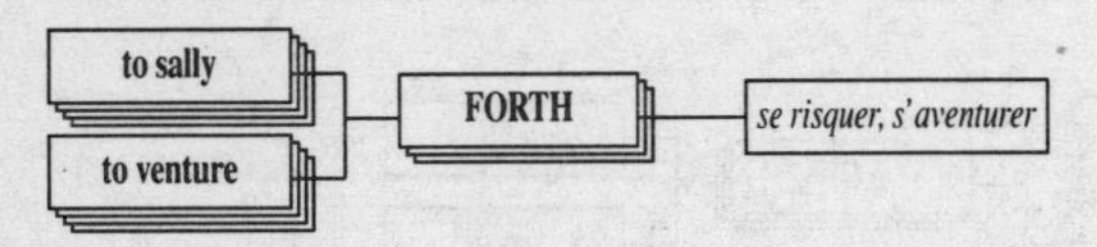

After their failure, they ventured forth again during the night.
Après leur échec, ils se risquèrent à sortir de nouveau au cours de la nuit.

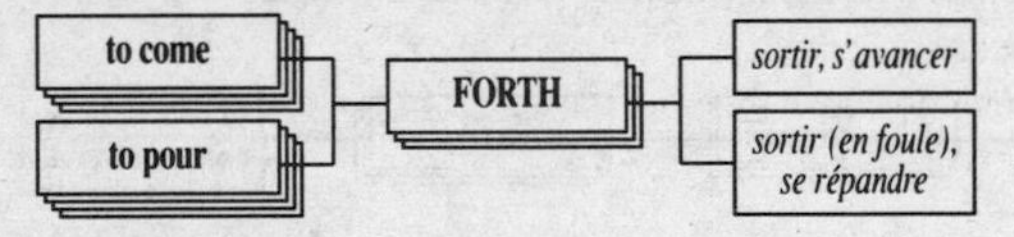

After the alarm went off, all the inhabitants poured forth from their homes in terror.
Après le déclenchement de la sirène, tous les habitants terrorisés déferlèrent dans la rue.

2. Provoquer, produire, émettre

His message on the radio brought forth an avalanche of letters.
Son message à la radio a provoqué une avalanche de lettres.

Her successful ascent of Mount Everest called forth the admiration of the public.
Son ascension réussie de l'Everest a forcé l'admiration du public.

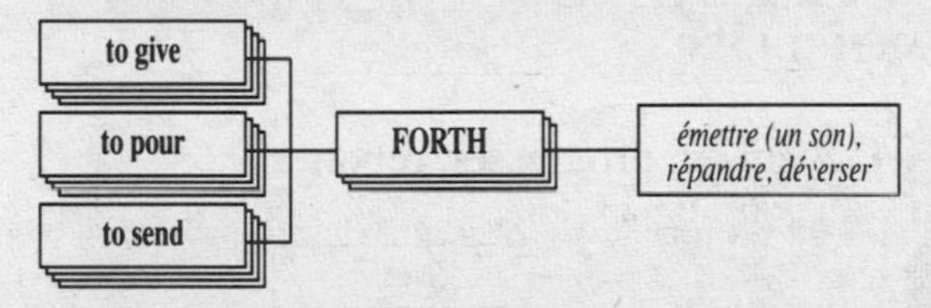

The plant suddenly poured forth clouds of black fumes.
L'usine se mit soudain à rejeter des nuages de fumées noires.

3. Exposer, annoncer

The plan of the action was set forth by the leader of the team.
Le plan d'action fut exposé par le capitaine de l'équipe.

When I came in, the Chairman of the Board was still holding forth on the niceties of his financial move.
Lorsque je suis entré, le PDG était encore en train de détailler toutes les subtilités de son action financière.

FORWARD

➪ **SENS GÉNÉRAL :** en avant (temps, espace)

The troops moved forward, ready for a final assault.
Les troupes se portèrent en avant, prêtes pour l'assaut final.

➪ **SENS PARTICULIER :**

1. Avancer, progresser, reporter

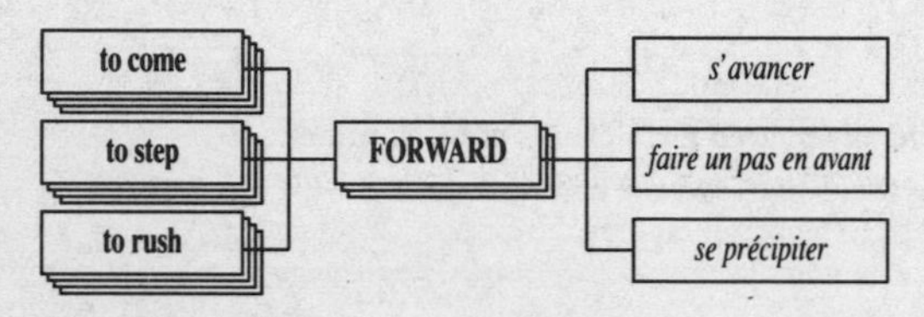

The soldier stepped forward from the ranks to salute.
Le soldat sortit des rangs pour saluer.

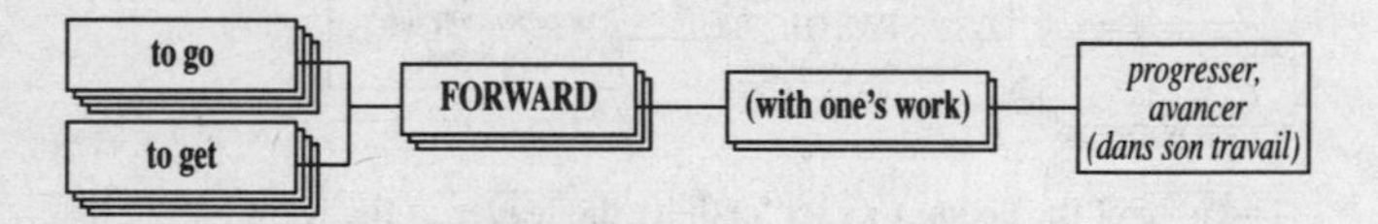

Our work is going forward as planned.
Notre travail avance selon les prévisions.

This amount was carried forward to the next column.
Cette somme a été reportée à la colonne suivante.

2. Avancer (temps), s'impatienter

Because of the prime minister's departure, the cabinet meeting was brought forward to 8 a.m.
En raison du départ du premier ministre, le conseil des ministres a été avancé à 8 heures.

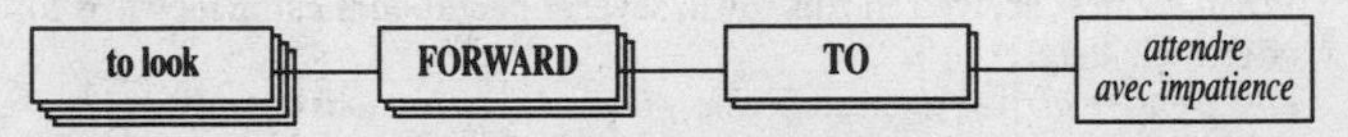

I would like to thank you for your invitation to stay with you; I am really looking forward to being on holiday!
Je vous remercie de votre invitation à séjourner chez vous ; j'ai vraiment hâte d'être en vacances!

3. Présenter, proposer, mettre en avant

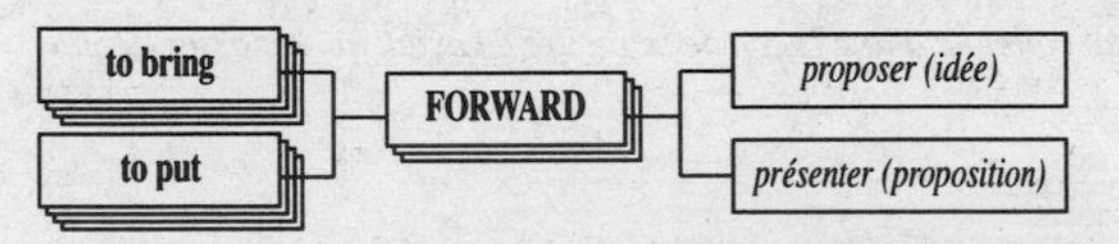

Trade union members put forward a series of measures to save the company from bankruptcy, but none were accepted.
Les représentants des syndicats proposèrent une série de mesures pour sauver la société de la faillite mais aucune ne fut acceptée.

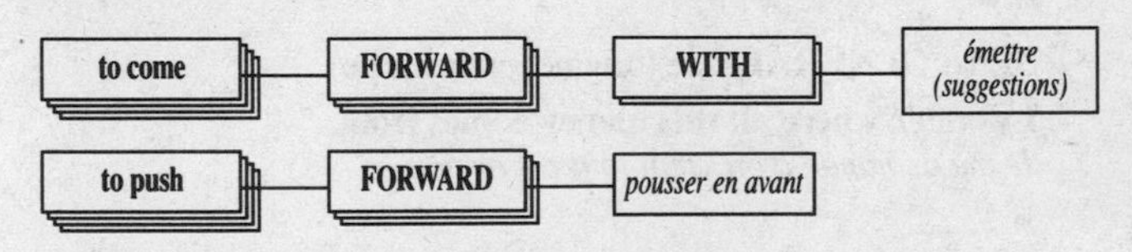

Instead, the management pushed forward a list of redundancies.
Au lieu de cela, la direction a présenté une liste de suppressions d'emplois.

Her name went forward for the teaching post.
Son nom fut proposé pour le poste d'enseignement.

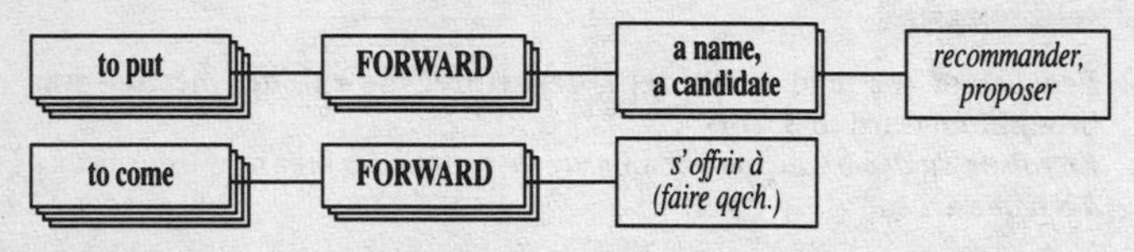

When we first arrived in this town, several neighbours came forward to offer their help.
Lors de notre arrivée dans cette ville, plusieurs voisins nous ont proposé leur aide.

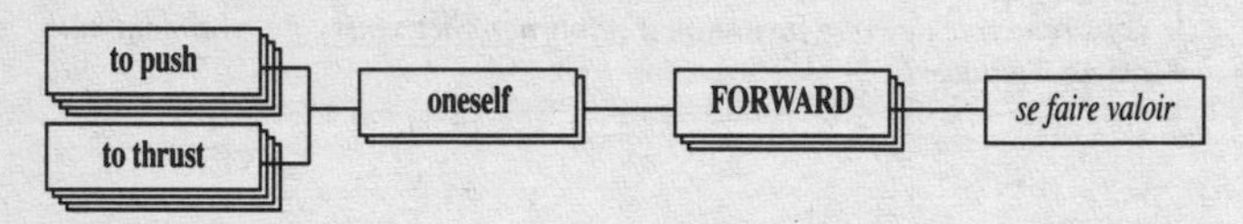

My new colleague has a way of pushing himself forward which is quite unpleasant.
Mon nouveau collègue a une façon de se mettre en avant qui est assez déplaisante.

FROM

➪ **SENS GÉNÉRAL :** de (origine, provenance)

I wonder where all this money comes from.
Je me demande d'où vient tout cet argent.

⇨ SENS PARTICULIER :

1. Provenir de

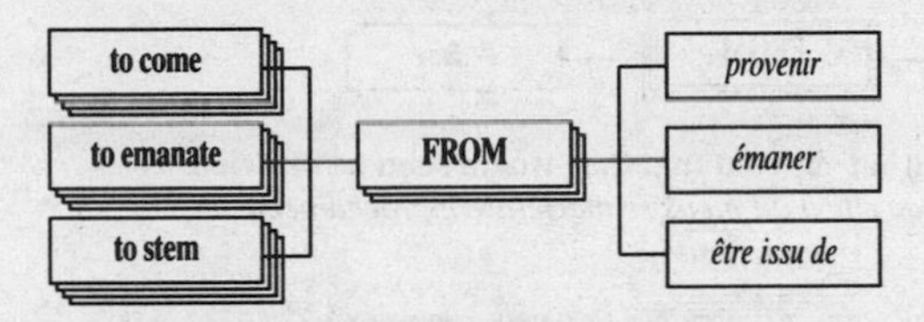

Their fear stems from lack of self-confidence.
Leur peur provient d'un manque de confiance en soi.

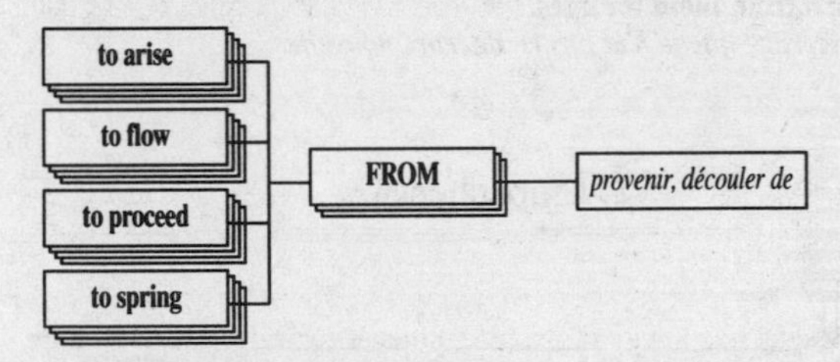

The consequences that flow from such attitudes may be dangerous.
Les conséquences qui découlent de telles attitudes peuvent être dangereuses.

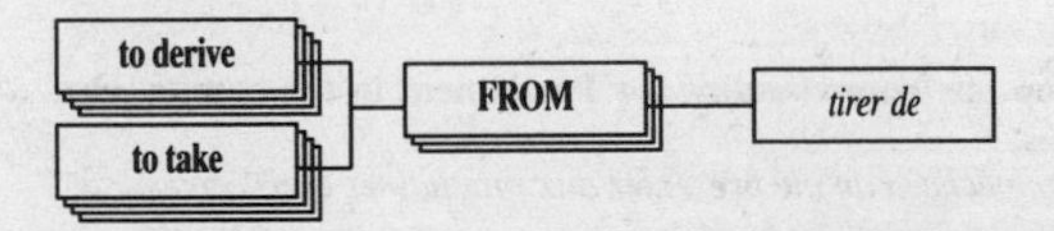

I derive great satisfaction from contemplating my stamp collection.
Contempler ma collection de timbres me procure une grande satisfaction.

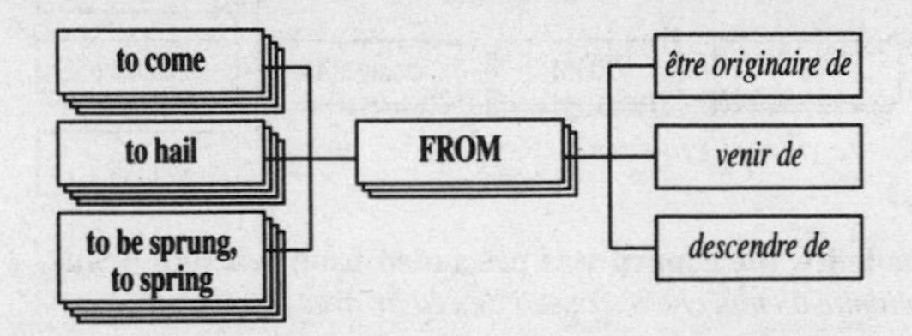

He sprang from (was sprung from) one of the wealthiest families in the country.
Il descendait d'une des familles les plus riches du pays.

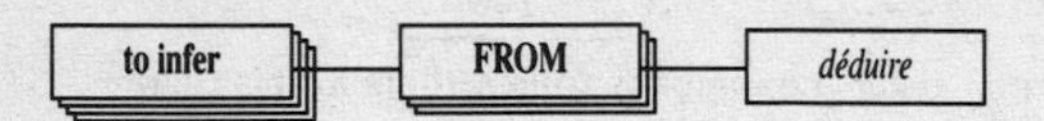

I inferred from what she said that they would soon be married.
J'ai déduit de ce qu'elle a dit qu'ils se marieraient prochainement.

I haven't heard from them for ages.
Cela fait une éternité que je n'ai pas eu de leurs nouvelles.

2. Empêcher

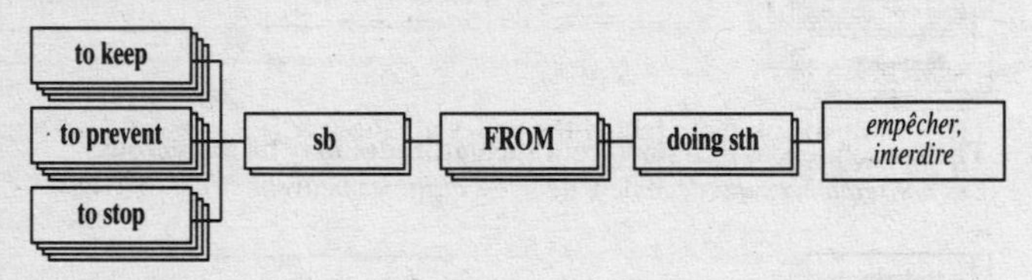

Nobody will stop me from standing for Parliament in the coming election.
Personne ne m'empêchera de me présenter aux prochaines législatives.

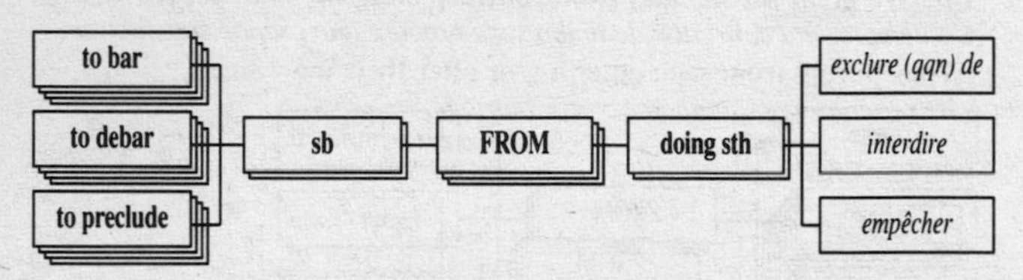

For lack of unanimity, the council was precluded from reacting firmly.
L'absence d'unanimité a empêché le conseil de réagir avec fermeté.

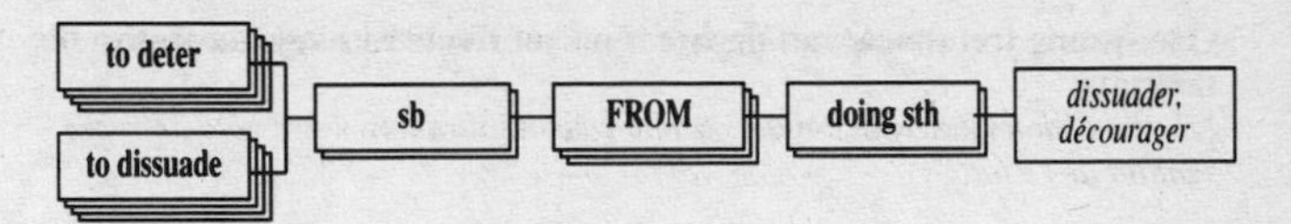

Recent events may deter the company from settling in this country.
Des événements récents pourraient dissuader la société de s'installer dans ce pays.

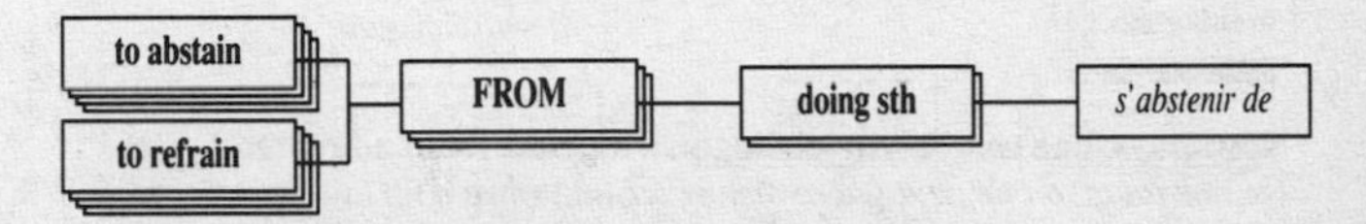

Please refrain from smoking while on the premises.
Vous êtes priés de vous abstenir de fumer dans cette enceinte.

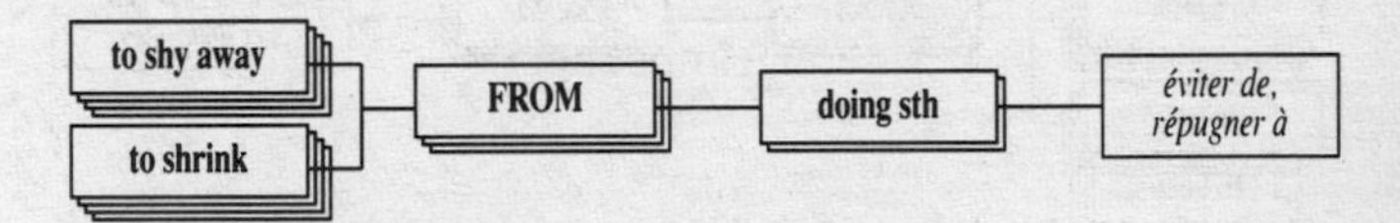

He didn't shrink from telling the police all about it.
Il n'a pas hésité à tout raconter à la police.

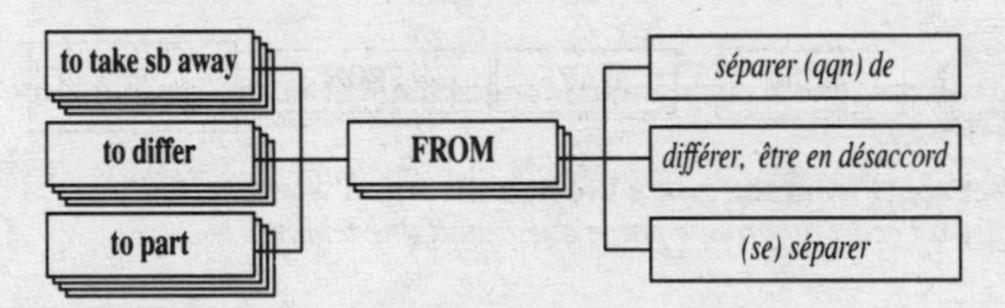

They parted from each other a year after their marriage.
Ils se séparèrent un an après leur mariage.

Once there, you should not depart from your role as a representative of the state.
Une fois sur place, vous ne devrez pas vous départir de votre rôle de représentant de l'État.

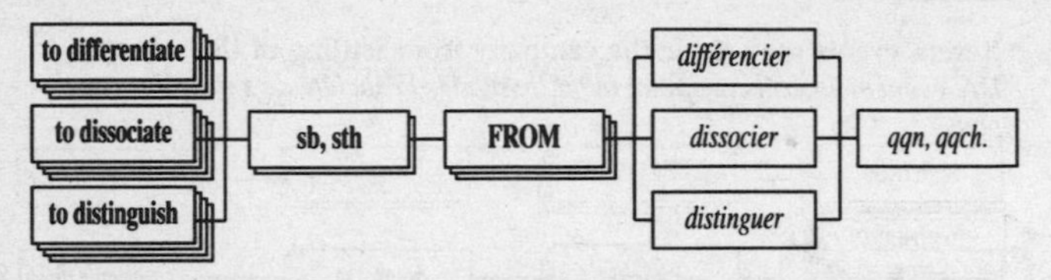

Nowadays, one can hardly distinguish a priest from a layman.
De nos jours, on ne peut guère distinguer un prêtre d'un laïque.

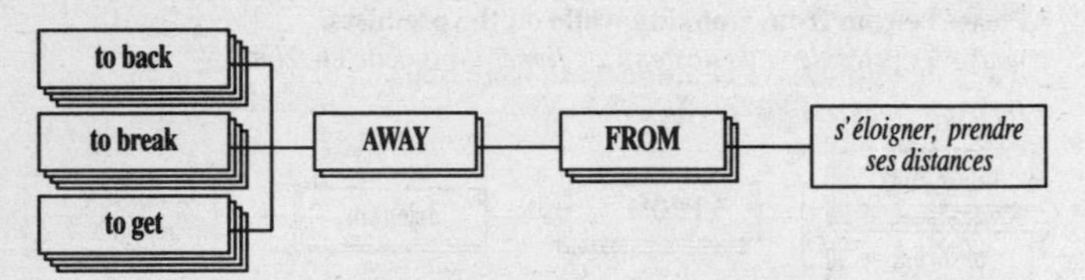

He decided to break away from his friends when they started smoking marijuana.
Il décida de se détacher de ses amis lorsqu'ils se mirent à fumer de la marijuana.

She was set apart from the group because she was a woman.
Elle fut mise à l'écart du groupe parce que c'était une femme.

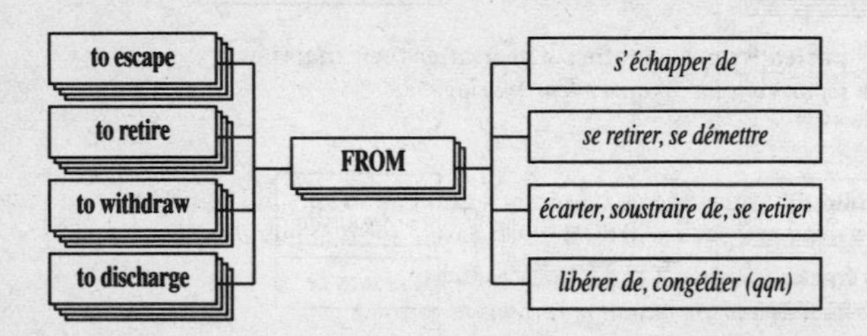

He withdrew from the partnership when he heard about the falsified accounts.
Il se retira de la société quand il eut vent des irrégularités d'écriture.

3. Dissimuler, nuire

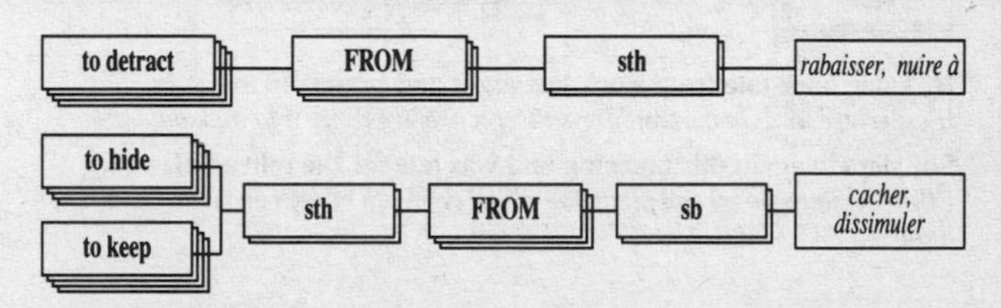

They shouldn't have kept the truth from him.
Ils n'auraient pas dû lui cacher la vérité.

IN

⇨ **SENS GÉNÉRAL :** à l'intérieur, chez soi

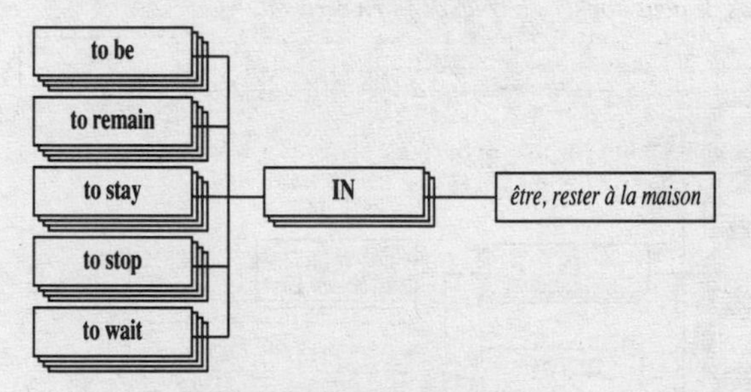

She had not finished her homework and had to stay in last night.
Elle n'avait pas fini ses devoirs et n'a pas pu sortir la nuit dernière.

Will you be in when I come back tonight?
Seras-tu à la maison quand je reviendrai ce soir?

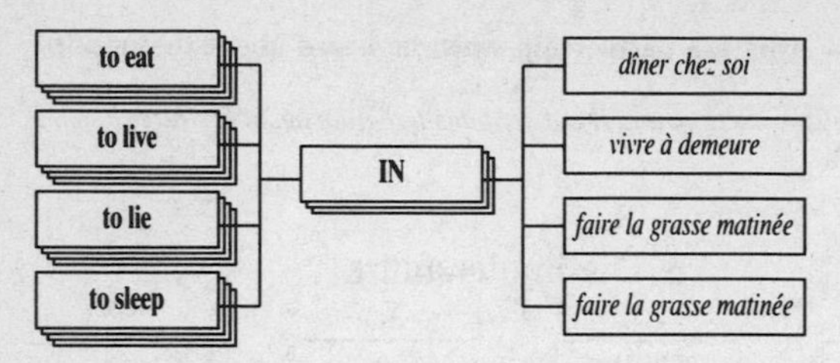

He came back late from work last night and preferred to eat in.
Il est rentré tard du bureau hier soir et a préféré dîner à la maison..

She slept in again this morning and was late for the rehearsal.
Elle a de nouveau eu une panne de réveil ce matin et était en retard à la répétition.

⇨ SENS PARTICULIER :

1. Arriver

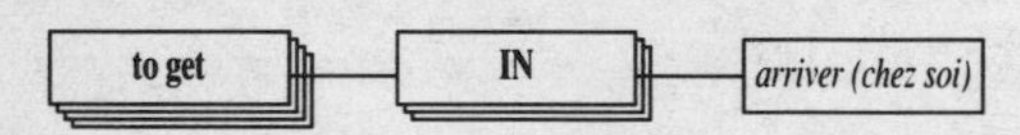

Don't forget to give us a call when you get in.
N'oubliez pas de nous donner un coup de fil en arrivant.

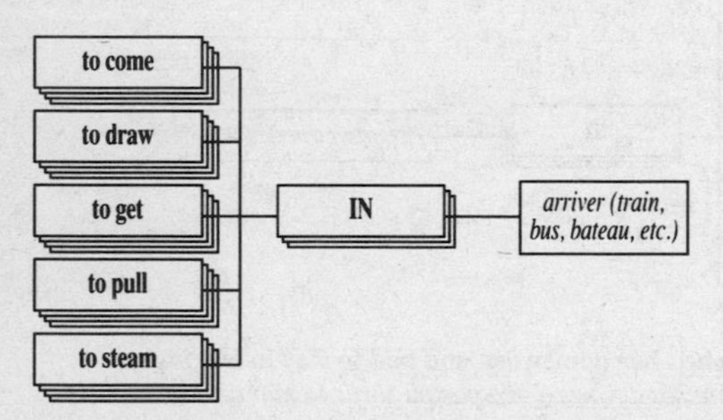

A band was playing on the platform as the train pulled in.
Une fanfare jouait sur le quai à l'arrivée du train.

A fishing boat had just come in and the fishermen were beginning to unload.
Un bateau de pêche venait d'arriver et les pêcheurs commençaient à décharger.

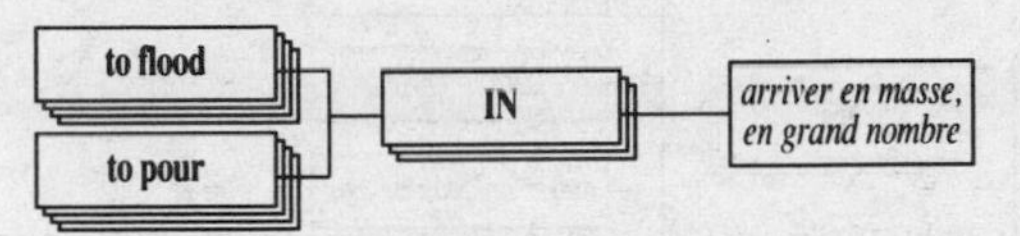

Congratulatory messages started pouring in soon after his record was announced.
Des messages de félicitations commencèrent à affluer dès l'annonce de son record.

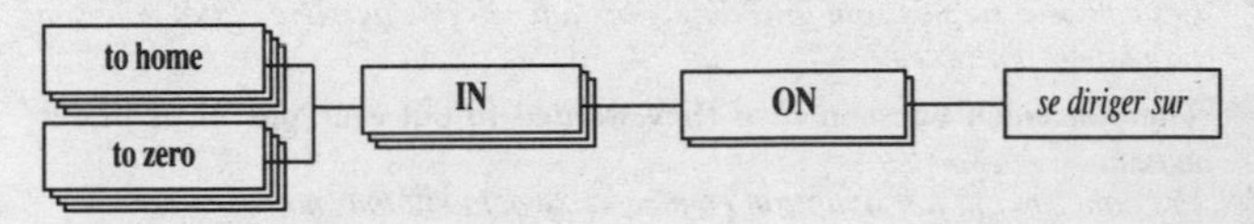

The rocket homed in on its target with great accuracy.
La fusée s'est dirigée sur sa cible avec une parfaite exactitude.

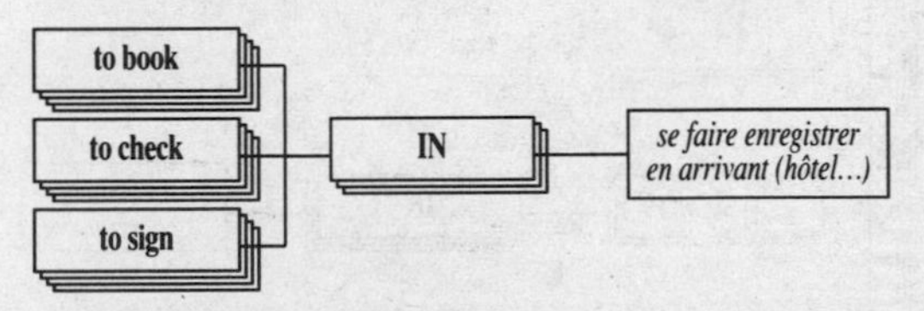

May we check in after midnight?
Peut-on arriver après minuit?

2. Entrer, faire entrer, rendre visite

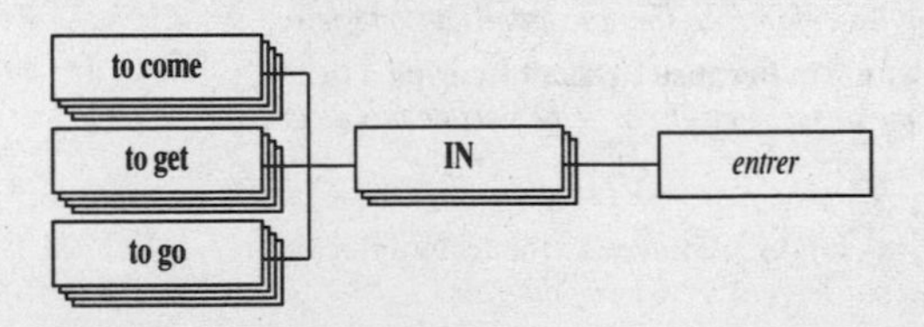

I wonder how they got in.
Je me demande comment ils sont entrés.

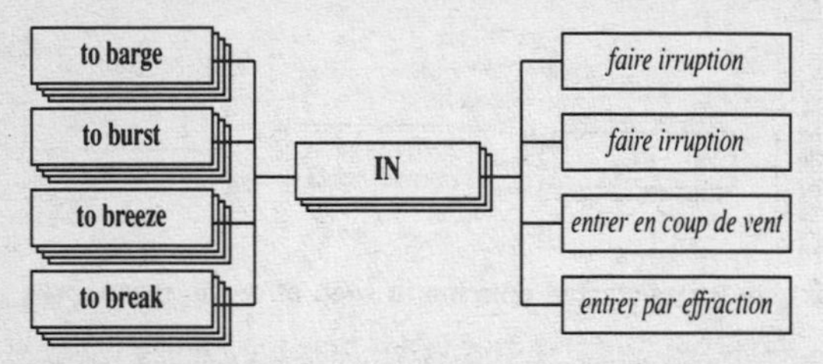

The burglars broke in through the back window and stole his laptop computer.
Les cambrioleurs se sont introduits par la fenêtre de derrière et ont volé son ordinateur portable.

The policemen burst in as if they wanted to put everyone of us under arrest.
Les policiers ont fait irruption comme s'ils voulaient tous nous arrêter.

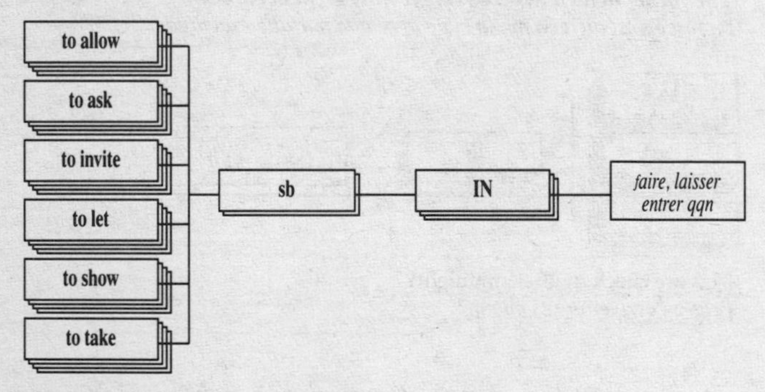

Sorry, sir. Children are not allowed in.
Désolé, monsieur, les enfants ne sont pas admis à l'intérieur.

They wouldn't let me in because I wasn't wearing a tie.
Ils refusèrent de me laisser entrer car je ne portais pas de cravate.

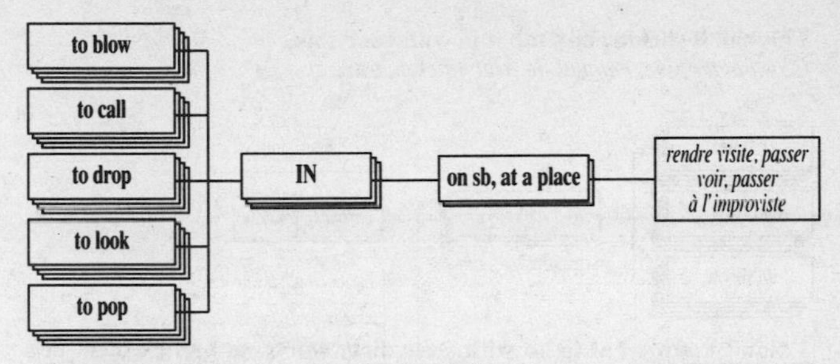

I'll be at home tomorrow, you may drop in any time you want.
Je serai à la maison demain, tu peux passer quand tu veux.

I'll pop in at 4 p.m.
Je passerai à 16 heures.

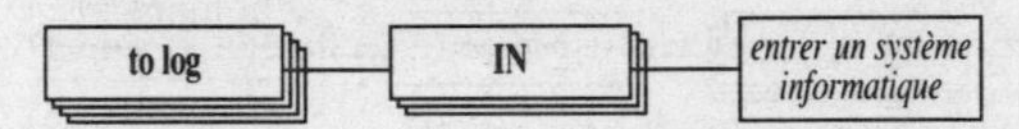

Before you log in, make sure there's nobody else in the computer room.
Avant de te connecter, assure-toi que personne d'autre ne se trouve dans la salle d'ordinateurs.

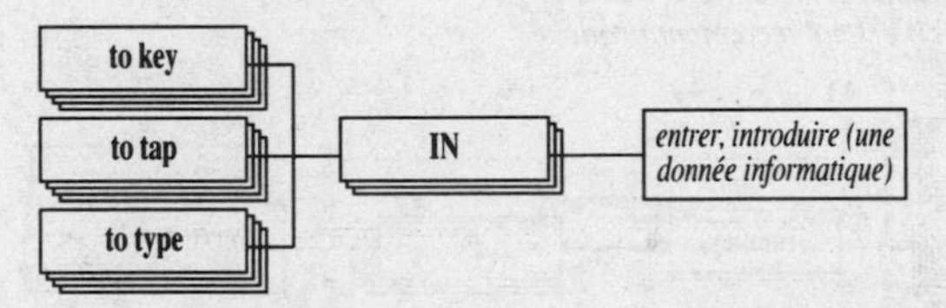

You forgot to type the password in.
Vous avez omis d'entrer le mot de passe.

3. Faire pénétrer

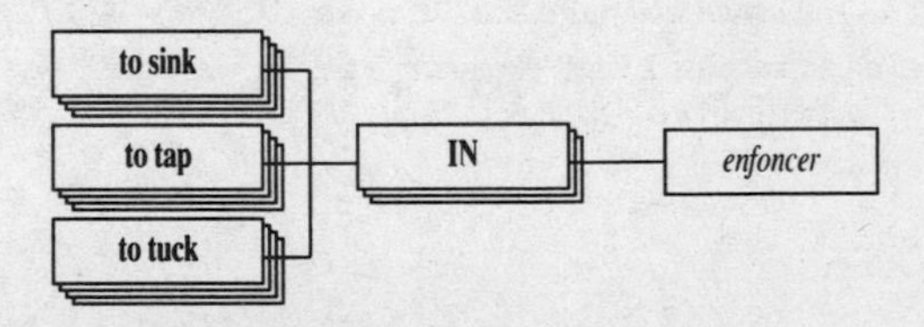

This nail is sticking out, tap it in with your shoe.
Ce clou dépasse, enfonce-le avec ta chaussure.

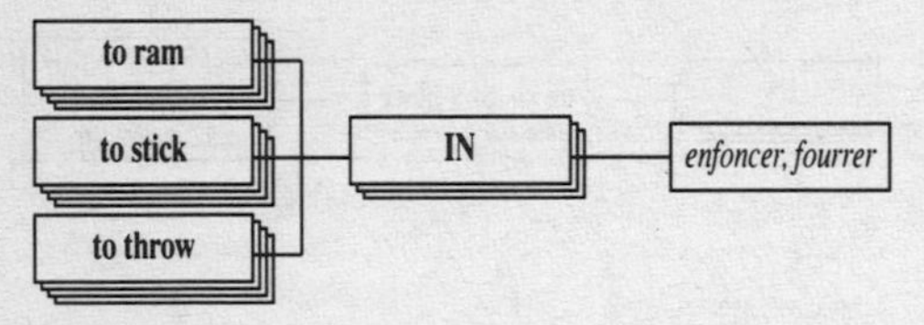

I didn't know what to do with your dirty shirts, so I stuck them in a drawer.
Je ne savais pas quoi faire de tes chemises sales, alors je les ai fourrées dans un tiroir.

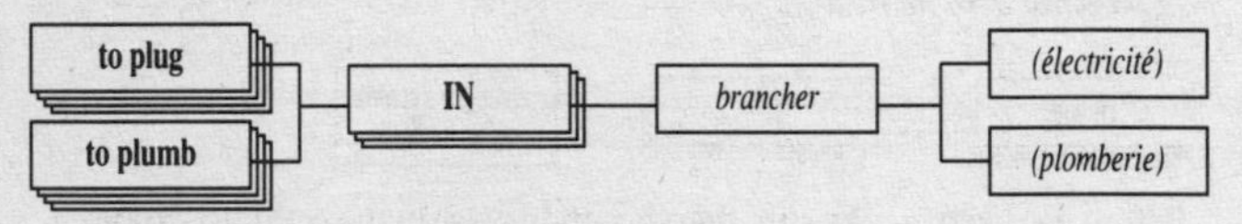

– My cassette recorder is not working properly.
– Are you sure it's properly plugged in?
– Mon magnétophone ne marche pas bien.
– Es-tu sûr qu'il est correctement branché?

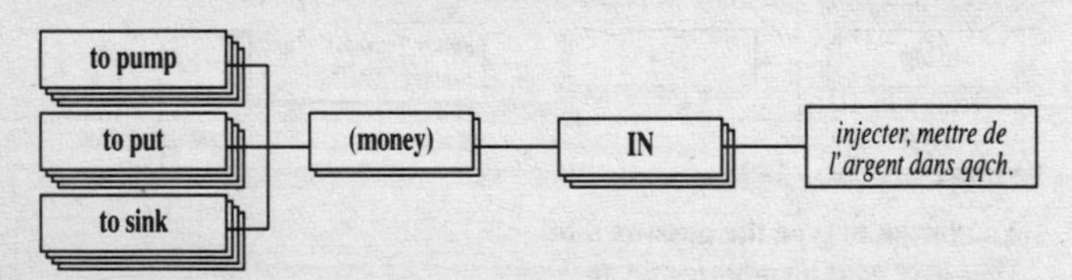

Even though millions of pounds were sunk in the company, it eventually went bankrupt.
Bien que des millions de livres aient été injectés dans la société, elle a finalement fait faillite.

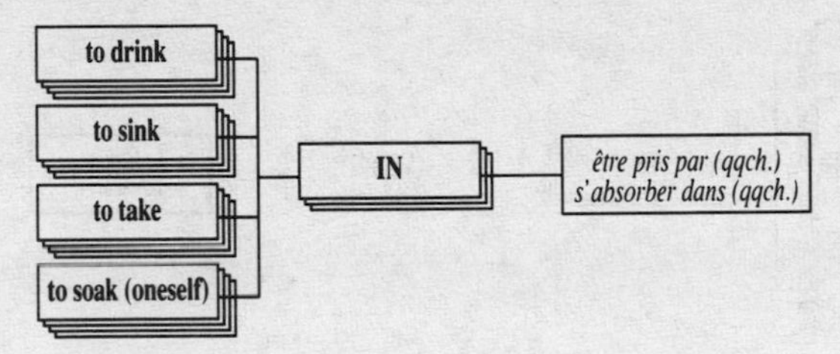

After the film we were all sunk in deep meditation.
Après le film, nous étions tous plongés dans une profonde méditation.

4. Inclure, intégrer

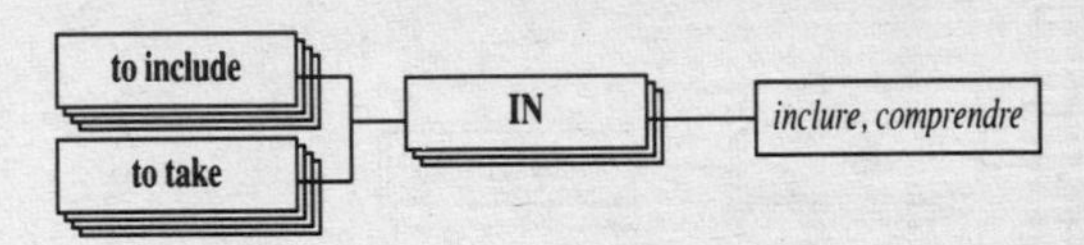

My electoral constituency takes in several seaside resorts.
Ma circonscription électorale comprend plusieurs stations balnéaires.

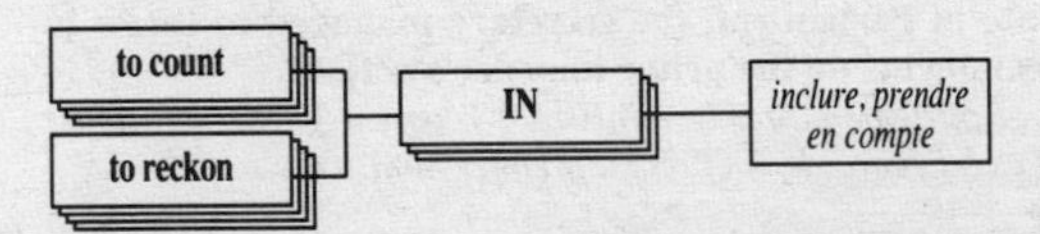

Don't count him in for your birthday party ; he is ill.
Ne le compte pas pour ta soirée (fête) d'anniversaire ; il est malade.

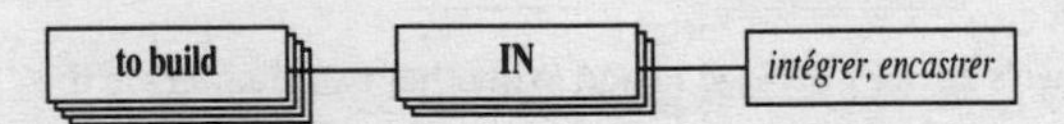

They have built in a thermal printer (comput).
Ils ont intégré une imprimante thermique.

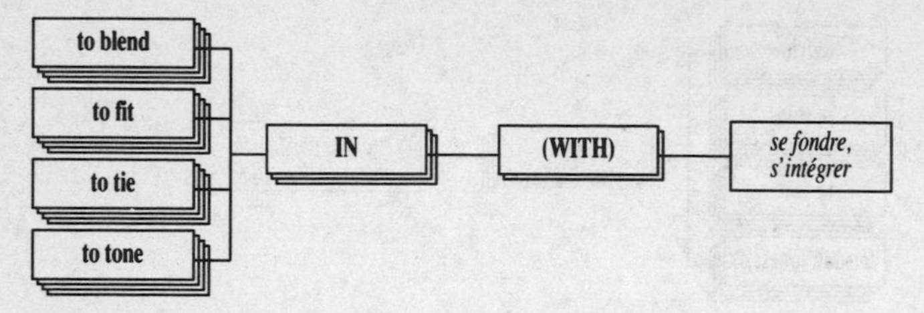

His last speech didn't fit in well with the theory he had expounded in his book.
Son dernier discours cadrait mal avec la théorie qu'il avait exposée dans son livre.

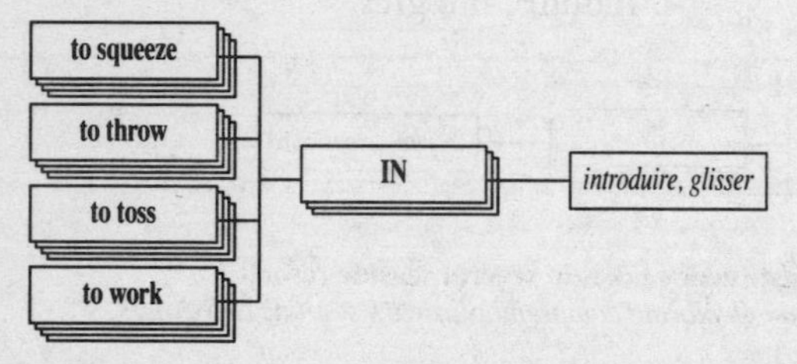

During the debate in Parliament, the secretary managed to throw in several critical comments on the prime minister's action.
Au cours du débat parlementaire, le ministre a réussi à glisser plusieurs remarques critiques à l'égard de l'action du premier ministre.

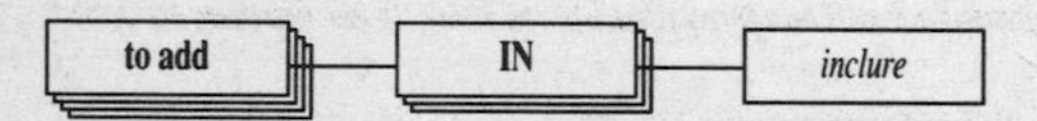

On my publisher's advice I decided to add in another two chapters to the book.
Sur le conseil de mon éditeur, j'ai décidé de rajouter deux autres chapitres au livre.

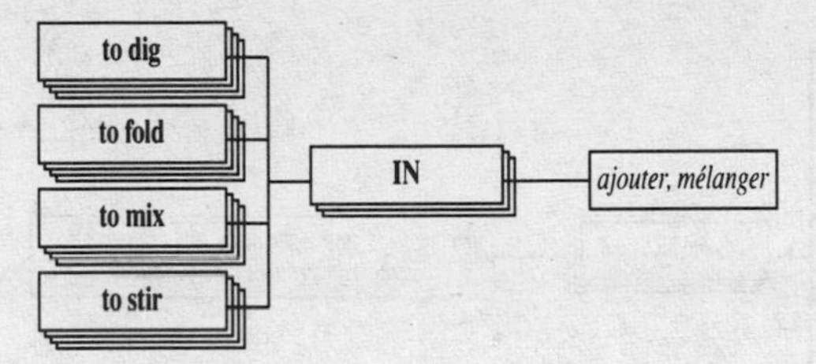

Mary asked the cook when she had to stir in the flour and the cocoa.
Mary demanda au cuisinier à quel moment elle devait ajouter la farine et le cacao.

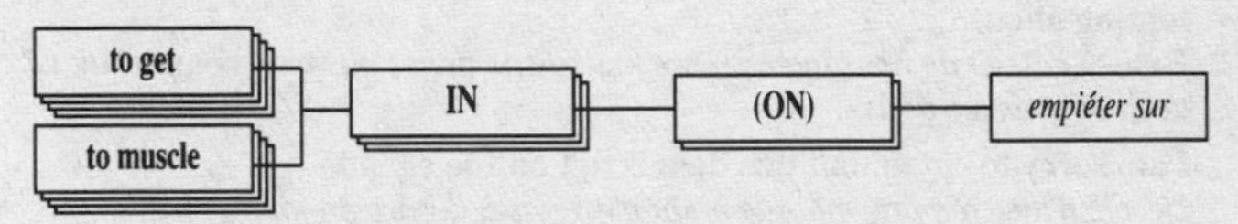

He made his fortune by muscling in on other people's property.
Il a fait fortune en empiétant sur les biens des autres.

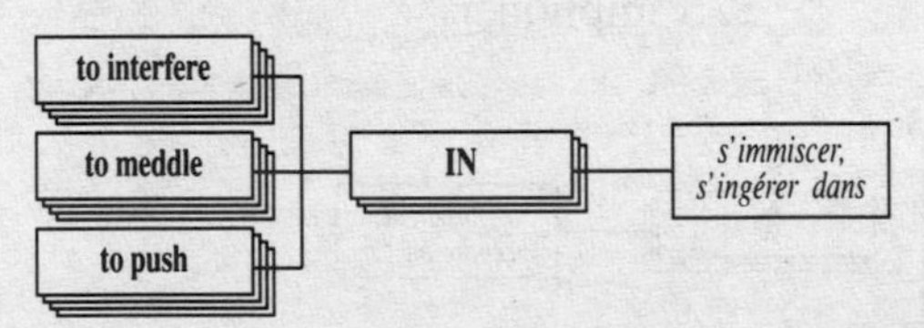

I didn't want to push in but I soon realised that they would never succeed without my help.
Je ne voulais pas m'ingérer dans leurs affaires mais j'eus tôt fait de réaliser qu'ils ne réussiraient jamais sans mon aide.

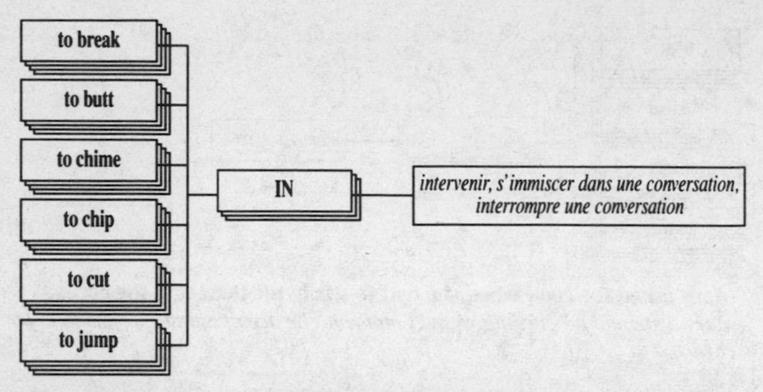

Paul kept breaking in but I don't think he understood what we were talking about.
Paul ne cessait de nous interrompre mais je ne pense pas qu'il comprenait ce de quoi nous parlions.

I am sorry to cut in, but this item is not on the agenda.
Désolé d'interrompre, mais ce point n'est pas à l'ordre du jour.

5. S'impliquer

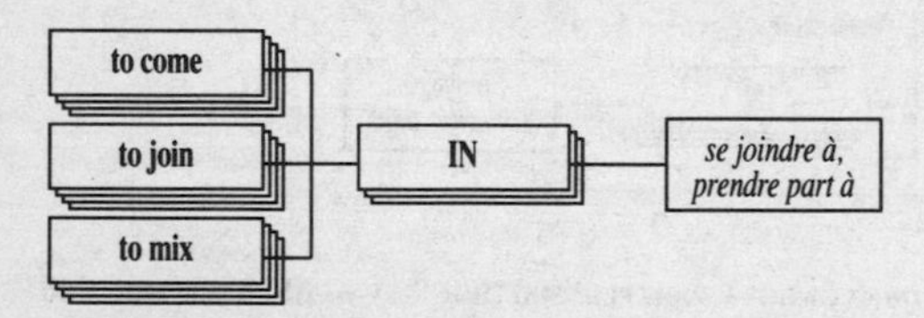

We're having a meeting at the club tonight; you may come and join in.
Nous avons une réunion au club ce soir, si tu veux te joindre à nous.

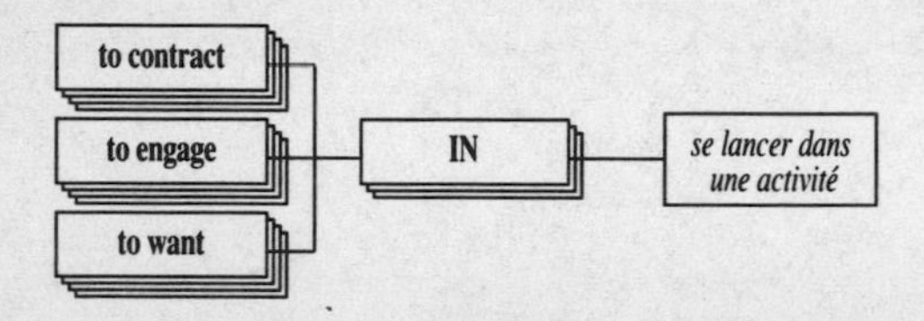

He engaged in politics without much thinking about it...
Il s'est lancé dans la politique sans trop réfléchir...

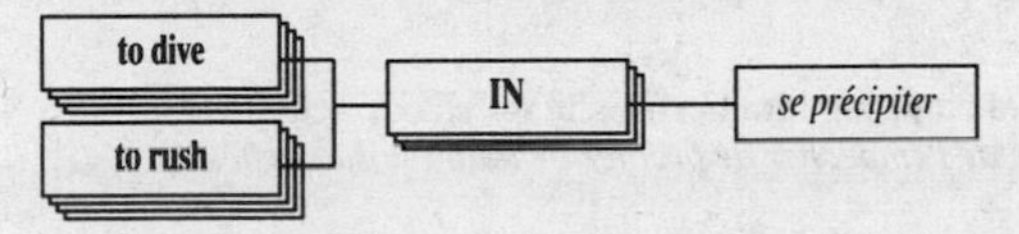

... but he soon realised that he had been wrong to rush in.
... mais il se rendit bien vite compte qu'il avait eu tort de se précipiter.

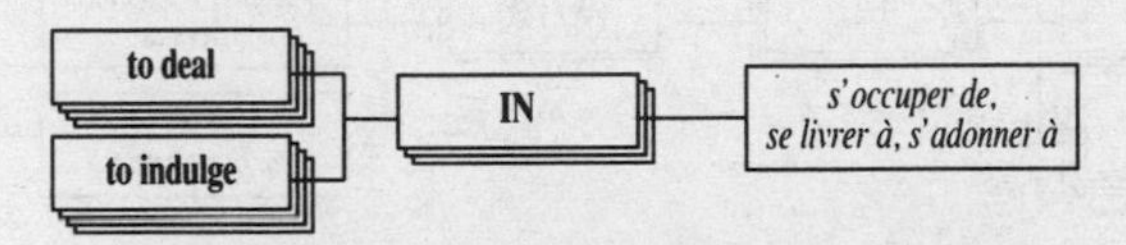

I can no longer indulge in my pet hobby for lack of time.
Par manque de temps, je ne peux plus m'adonner à mon violon d'Ingres.

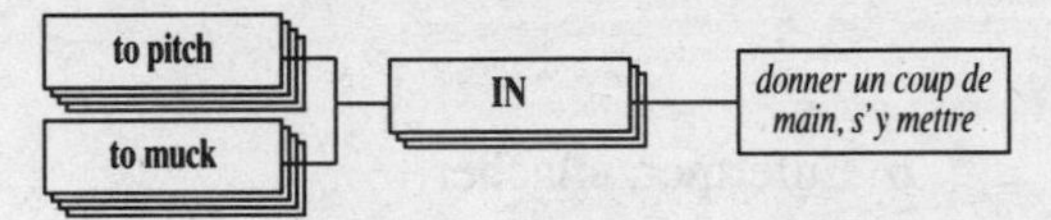

During the harvest season, everyone in the village is invited to pitch in.
Pendant les moissons, chacun dans le village doit donner un coup de main.

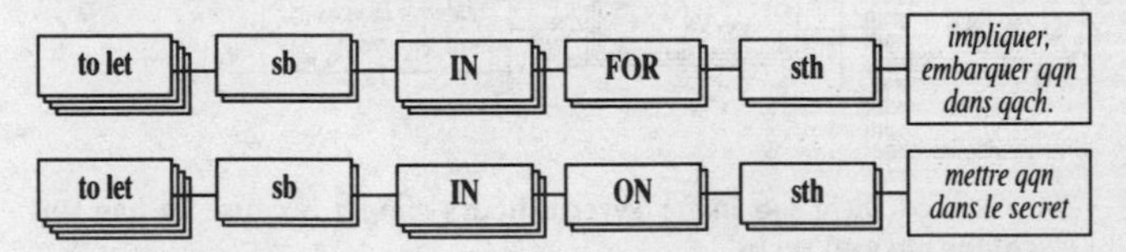

They refused to let me in on the news, but I shall find out the truth all the same.
Ils ont refusé de me mettre au courant, mais je découvrirai la vérité tout de même.

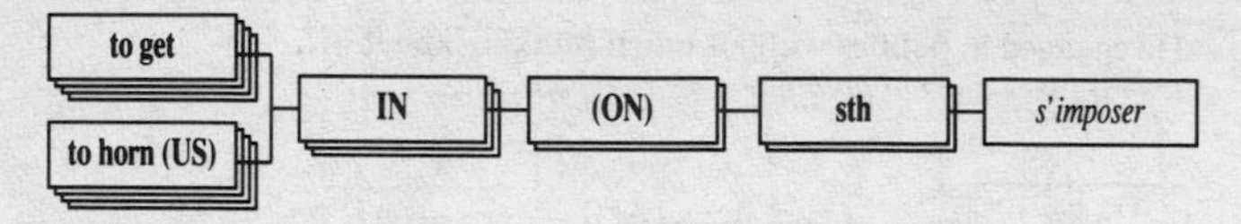

There is no way of stopping him horning in on all our activities.
Il n'y a pas moyen de l'empêcher de profiter de toutes nos activités.

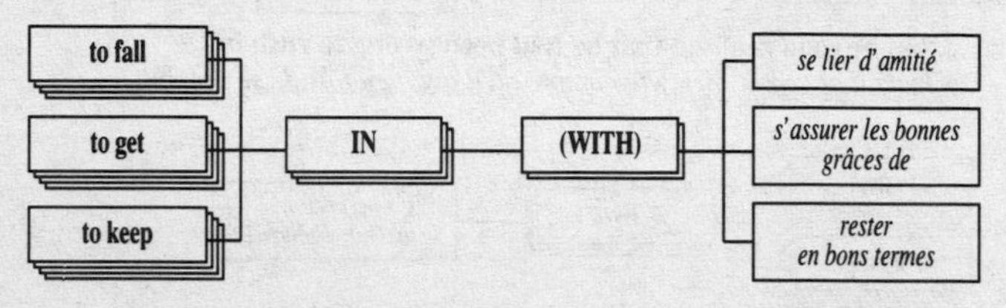

I know he tried to keep in with me so that I could get him a promotion.
Je sais qu'il essaya de rester en bons termes avec moi afin que je lui obtienne une promotion.

6. Enfermer, attacher

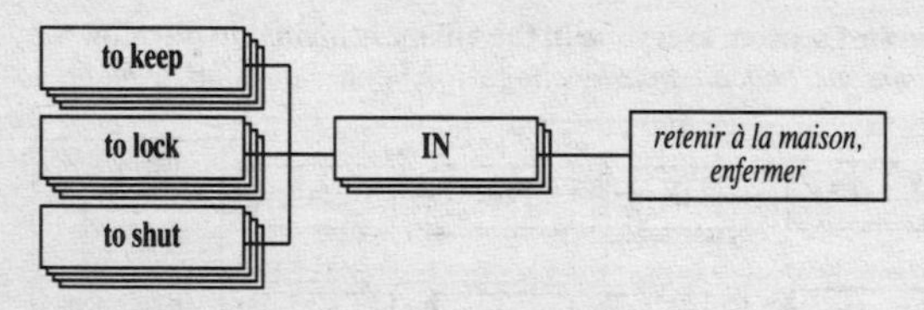

They locked their son in for several hours simply because he had not learnt his phrasal verbs!
Ils ont enfermé leur fils pendant plusieurs heures simplement parce qu'il n'avait pas appris ses verbes à particules!

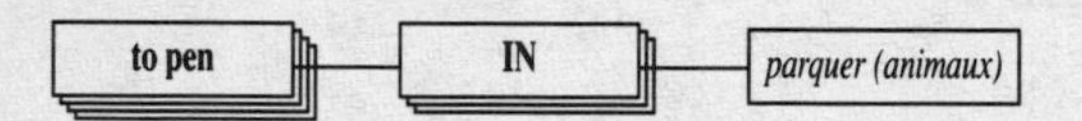

The poor animals were all penned in in this small room.
Les pauvres animaux étaient tous enfermés dans cette petite pièce.

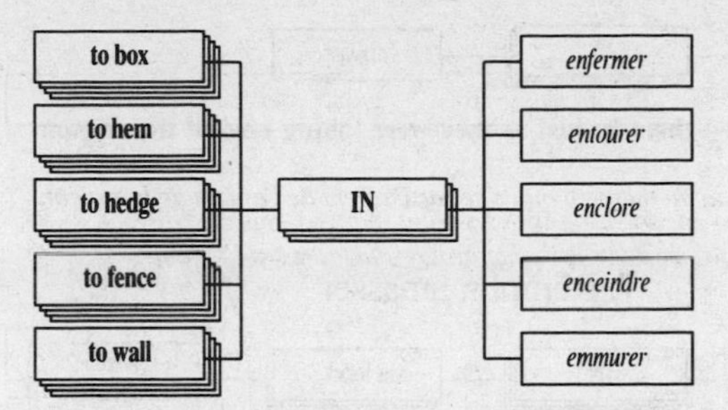

John's villa is now walled in by several tall buildings all around it.
La villa de John est maintenant entourée de hauts immeubles.

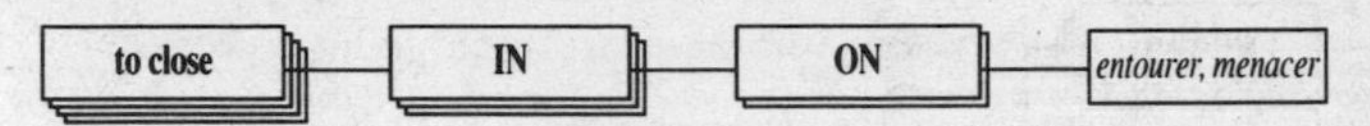

The gang members were closing in on him.
Les membres du gang le cernaient.

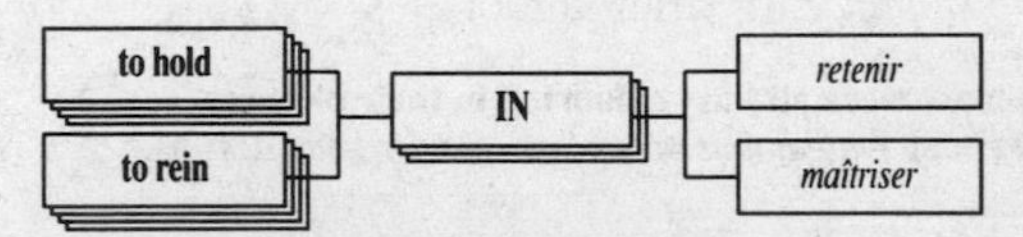

She could not hold in a sigh of relief when she heard that the man had been arrested.
Elle ne put réprimer un soupir de soulagement quand elle entendit que l'homme avait été arrêté.

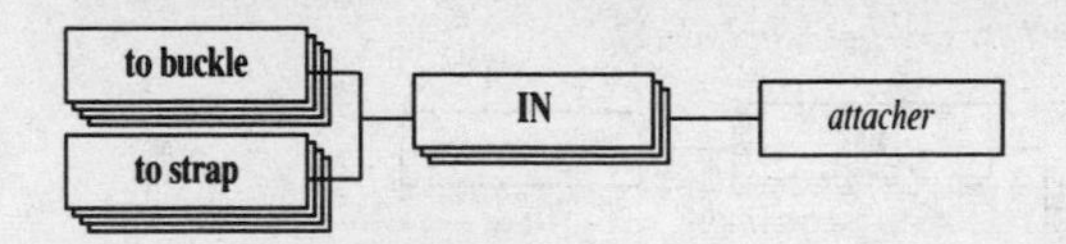

Keep quiet or I'll strap you in!
Tiens-toi tranquille, sinon je t'attache!

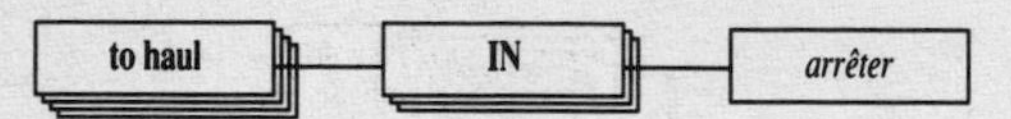

The police hauled them in just as they were taking hold of the ransom money.
La police les arrêta au moment où ils se saisissaient de l'argent de la rançon.

7. Remplir, amasser

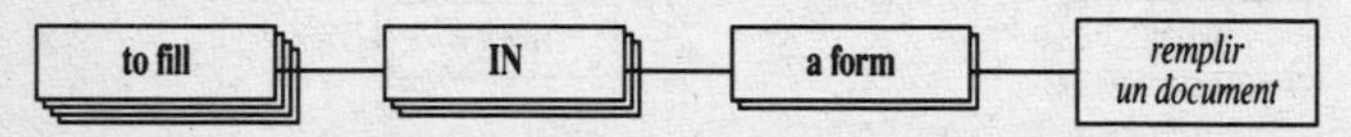

When entering the country you no longer have to fill in an identification card.
Il n'est plus nécessaire de remplir un formulaire d'identité à l'entrée du pays.

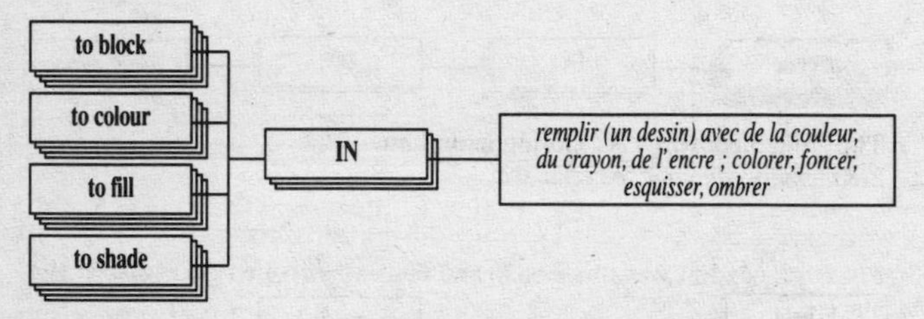

The pupils in the class were all busy colouring in their pictures.
Les élèves dans la classe étaient tous occupés à colorier leurs dessins.

The coach driver found it very hard to gather in all his passengers before departure time.
Le chauffeur du car eut bien du mal à rassembler tous ses passagers avant l'heure du départ.

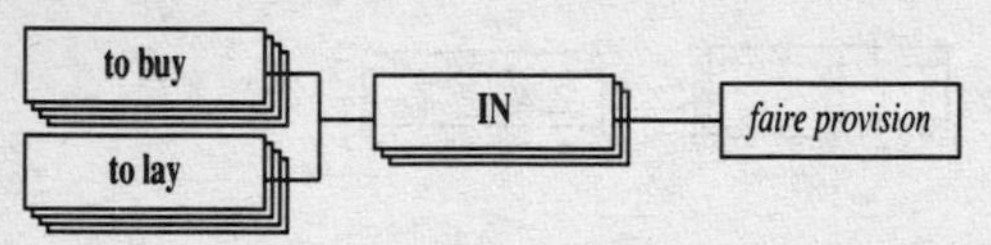

Before the strike, many people laid in large quantities of sugar and oil.
Avant la grève, beaucoup de gens ont fait grosse provision de sucre et d'huile.

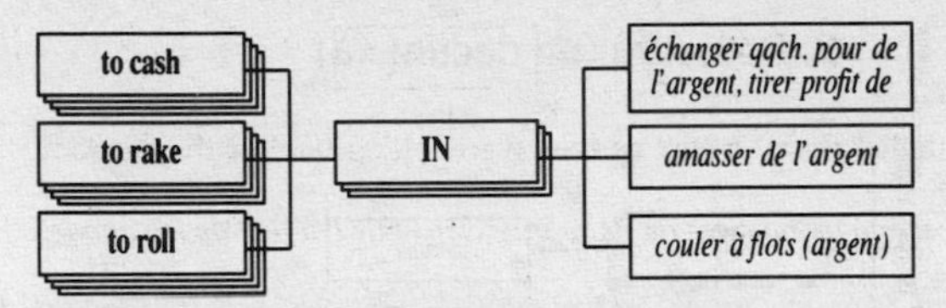

Here, money rolls in only during the high season.
Ici, l'argent coule à flots seulement pendant la haute saison.

8. Défoncer, s'effondrer, se rendre

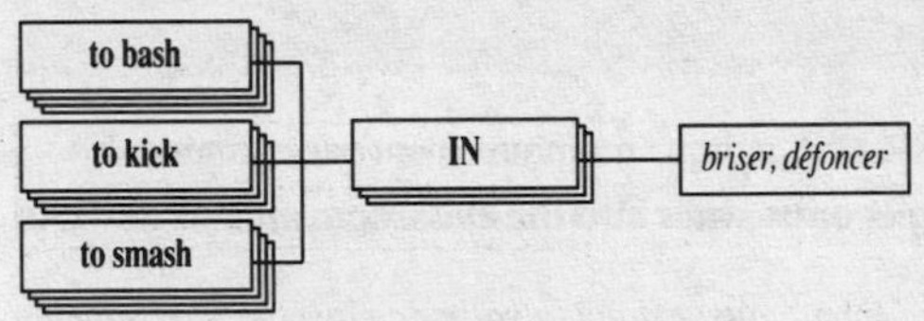

The front window was smashed in and there was broken glass all over the place.
La fenêtre de devant a été brisée et des morceaux de verre jonchaient le sol.

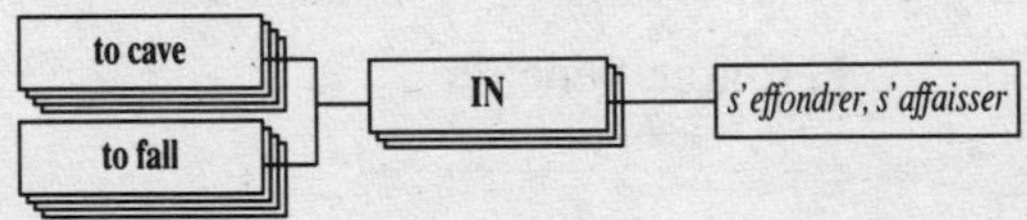

On entering the house we found that the bedroom ceiling had caved in.
En entrant dans la maison, on a découvert que le plafond de la chambre avait cédé.

I refuse to give in to his caprice.
Je refuse de céder à son caprice.

9. Remettre (un document)

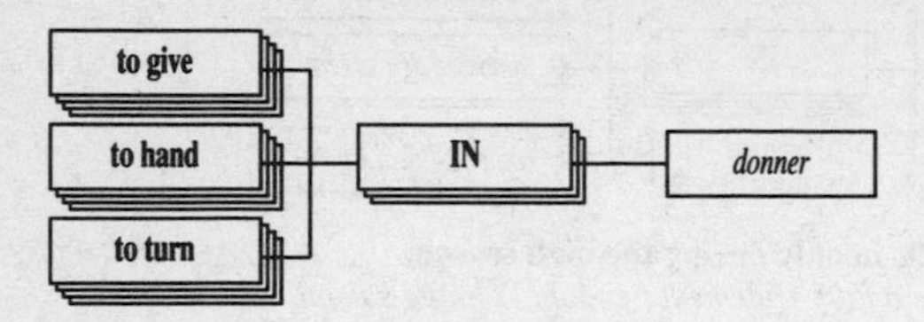

Don't forget to hand in your essays by the end of next week.
N'oubliez pas de remettre vos dissertations avant la fin de la semaine prochaine.

INTO

⇨ **SENS GÉNÉRAL :** indique un mouvement vers l'intérieur

Here, the pupils must walk into the classroom and sit down in silence.
Ici, les élèves doivent entrer dans la salle de classe et s'asseoir en silence.

⇨ **SENS PARTICULIER :**

1. Entrer, pénétrer

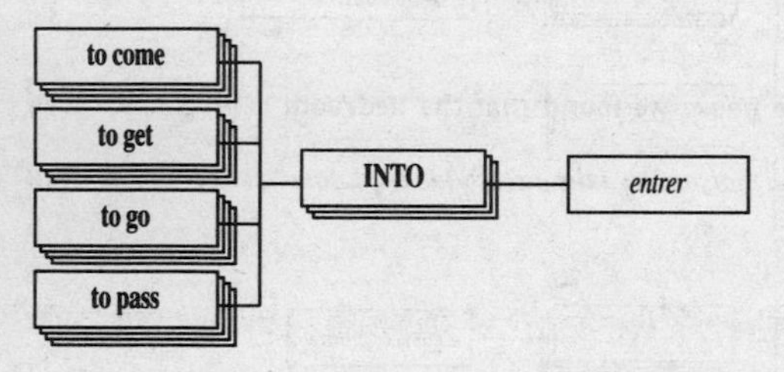

Quick! Get into your tent and stay there until we come back!
Vite, entre dans ta tente et restes-y jusqu'à notre retour!

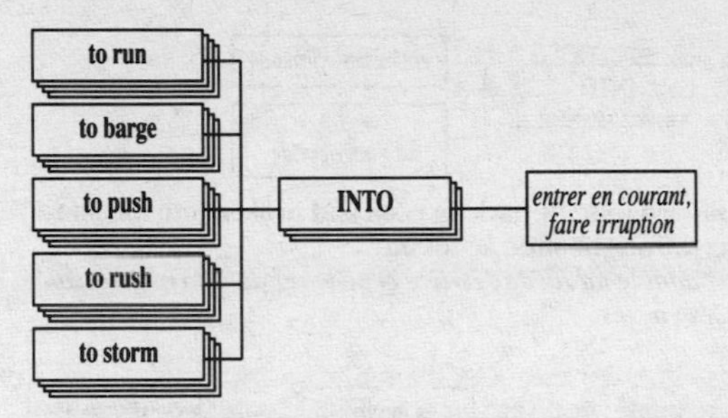

They rushed into the stadium for fear of not having the best seats.
Ils se précipitèrent dans le stade de crainte de ne pas avoir les meilleures places.

Around midnight, the boy crept into his room making as little noise as possible.
Vers minuit, le garçon se glissa dans sa chambre en faisant le moins de bruit possible.

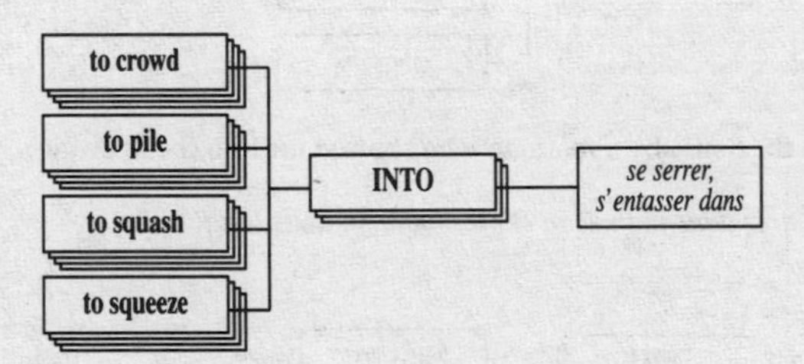

We wanted to stick together, so we all managed to pile into the same bus.
Nous voulions rester ensemble et nous avons réussi à tous nous empiler dans le même bus.

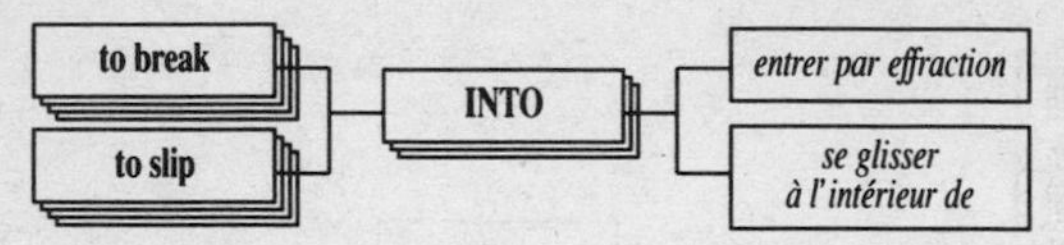

They must have slipped into the back garden and broken into the house without attracting the neighbours' attention.
Ils ont dû se faufiler dans le jardin de derrière et pénétrer dans la maison sans attirer l'attention des voisins.

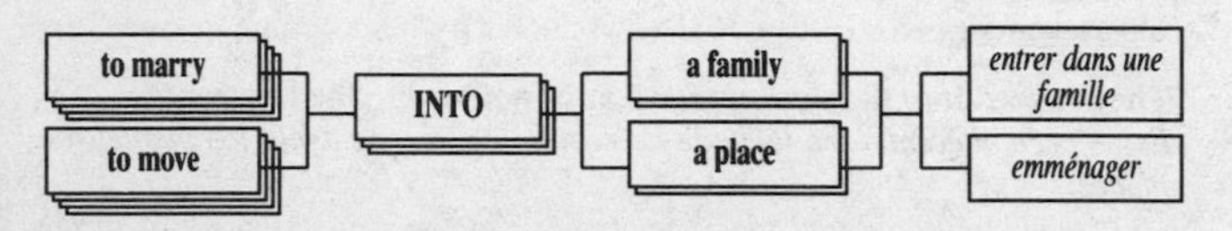

My family moved into this area 20 years ago.
Ma famille a emménagé dans ce quartier il y a vingt ans.

2. Faire entrer, introduire (quelqu'un)

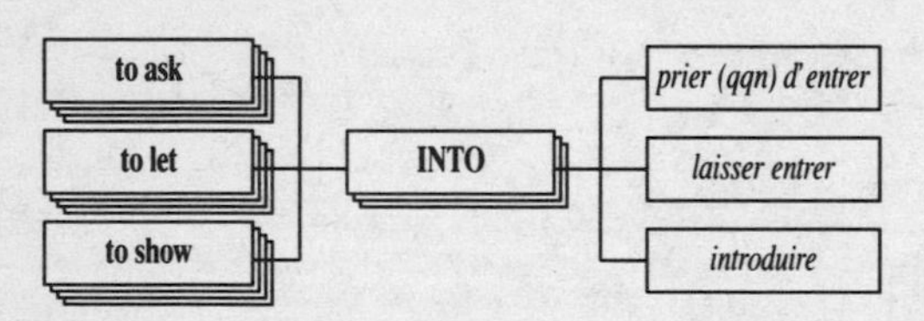

I was asked into the house by a footman who showed me into the drawing room.
Un valet me fit entrer dans la maison et me conduisit dans le salon.

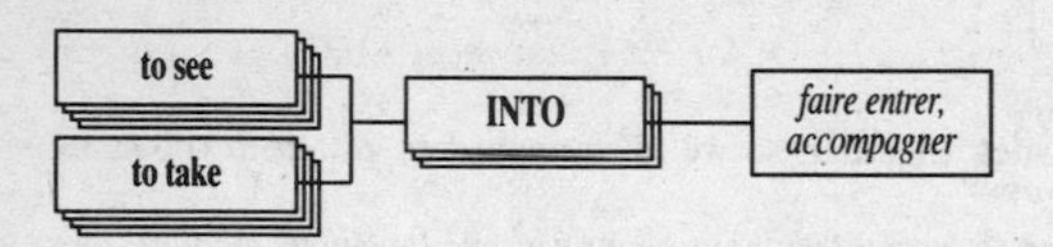

They took us into our hotel to make sure we wouldn't get lost.
Ils nous accompagnèrent jusqu'à notre hôtel afin que nous ne nous perdions pas.

3. Placer (quelque chose) à l'intérieur, introduire

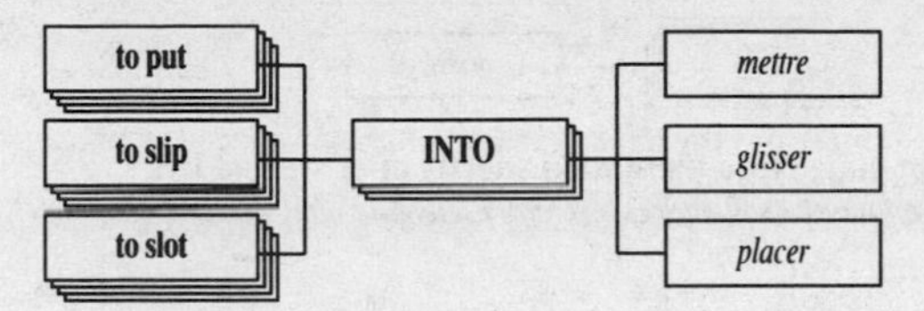

His father slipped a banknote into his pocket without letting anyone of us know about it.
Son père lui glissa un billet dans la poche sans qu'aucun de nous s'en aperçoive.

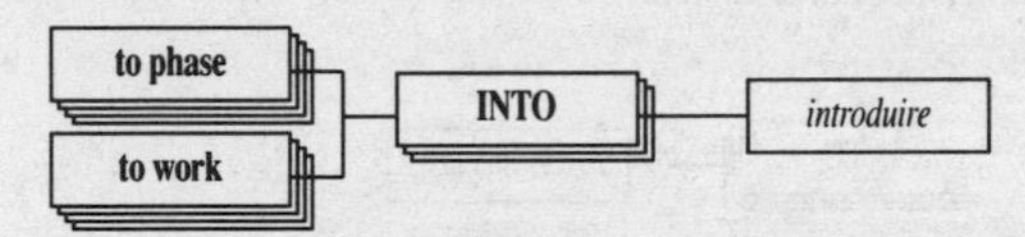

These new working methods will gradually be phased into our company this year.
Ces nouvelles méthodes de travail seront progressivement introduites dans notre société cette année.

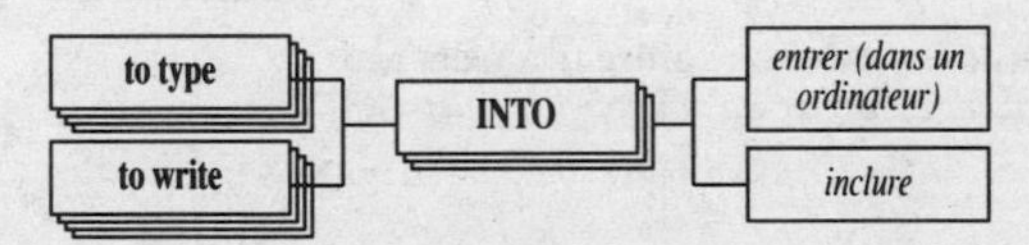

These (technical) specifications have to be written into the directions-for-use booklet.
Les caractéristiques (techniques) doivent être incluses dans le mode d'emploi.

4. Arriver, enregistrer

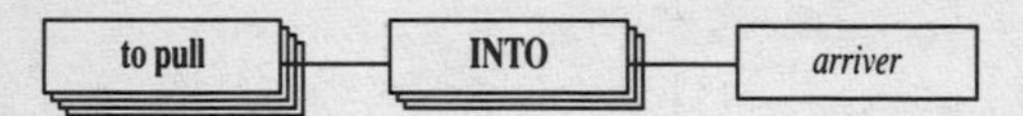

The London train pulled into the station shortly after we had left.
Le train (en provenance) de Londres est entré en gare peu de temps après notre départ.

We checked into the Central Hotel at 6 p.m.
On est arrivés à l'hôtel Central à 18 heures.

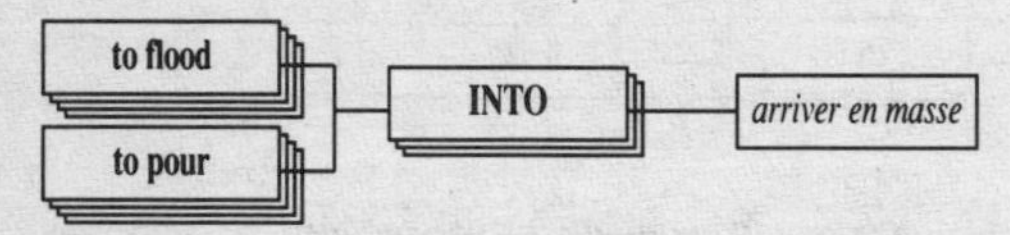

When the war broke out, they all came flooding into our village.
Lorsque la guerre a éclaté, ils sont tous venus se réfugier dans notre village.

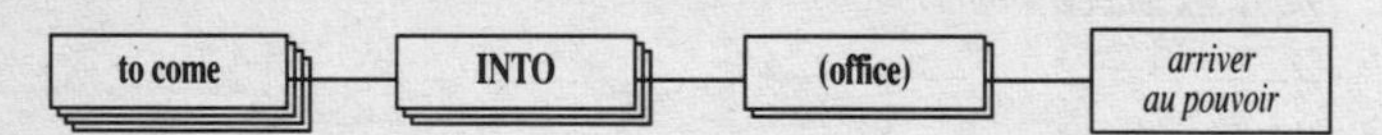

The present government came into office two years ago.
L'actuel gouvernement est arrivé au pouvoir il y a deux ans.

5. Faire pénétrer

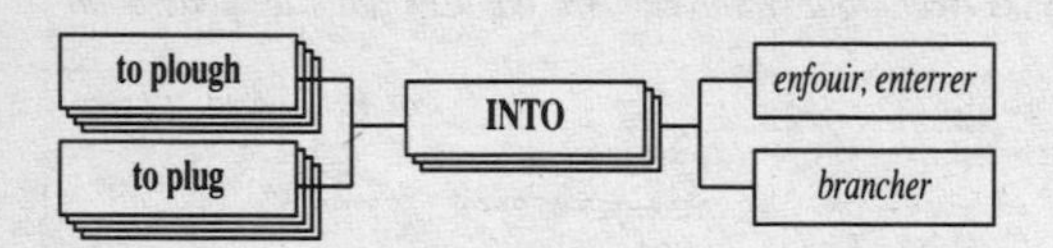

Fertilizers should be ploughed into the soil in autumn.
Les engrais doivent être mélangés à la terre à l'automne.

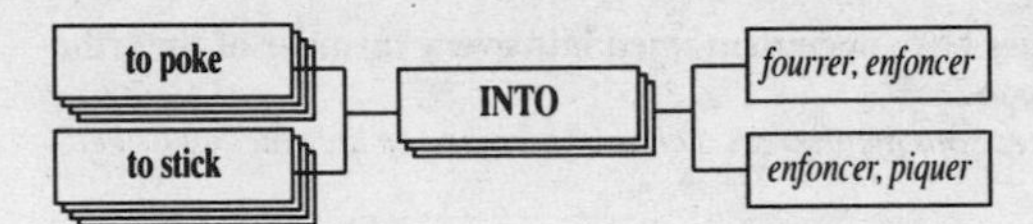

He stuck his knife into the loaf of bread and cut a large slice for himself.
Il planta son couteau dans la miche de pain et se coupa une large tranche.

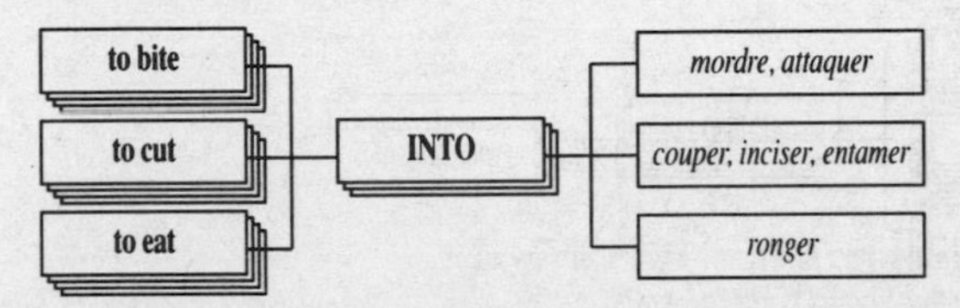

He wouldn't believe that sea water could bite into the metal so fast.
Il refusait de croire que l'eau de mer pouvait attaquer le métal si rapidement.

Our beams were so eaten into by worms that we had to have new ones fitted in.
Nos poutres étaient tellement rongées par les vers que nous avons dû en faire poser de nouvelles.

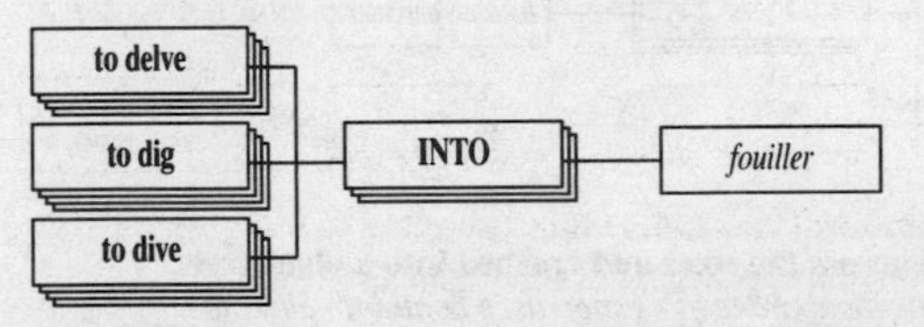

The hunter dug into his game bag and took a big hare out of it.
Le chasseur fouilla dans sa gibecière et en sortit un gros lièvre.

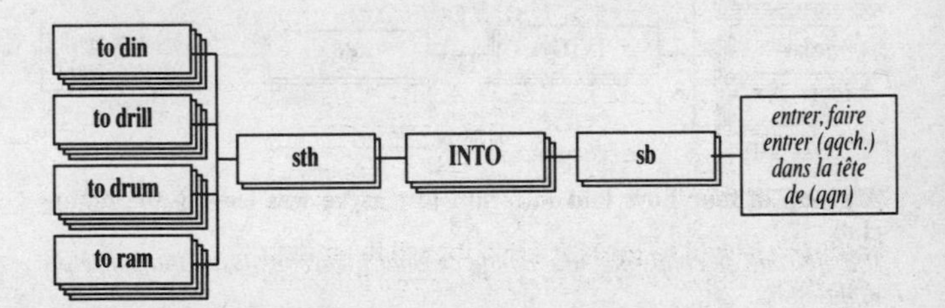

These moral values have been drummed into every member of the tribe since early childhood.
Ces valeurs morales sont inculquées à chaque membre de la tribu depuis l'enfance.

6. Rencontrer, heurter, frapper

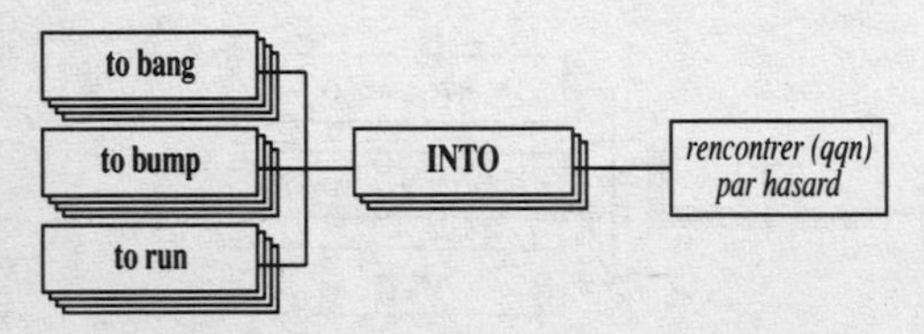

He bumped into his boss while he was walking his dog in the park.
Il est tombé sur son patron en promenant son chien dans le parc.

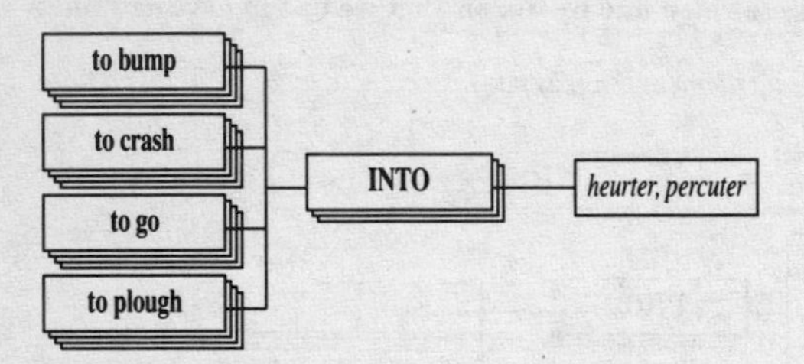

The car skidded across the road and crashed into a plane tree.
La voiture a fait une embardée et s'est écrasée contre un platane.

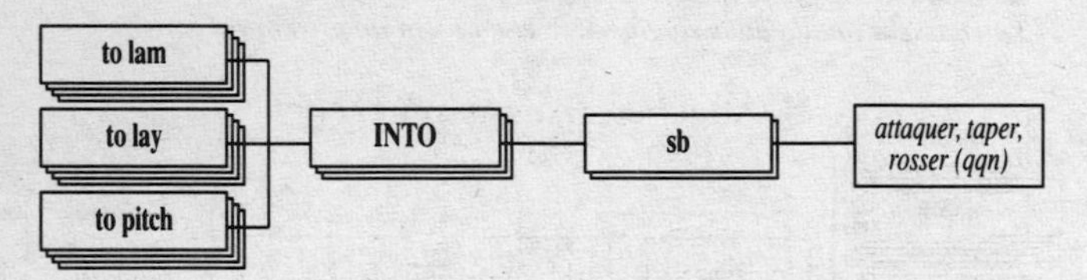

A group of four boys laid into him just as he was leaving the night-club.
Il a été roué de coups par une bande de quatre garçons juste à la sortie du night-club.

7. Persuader, forcer

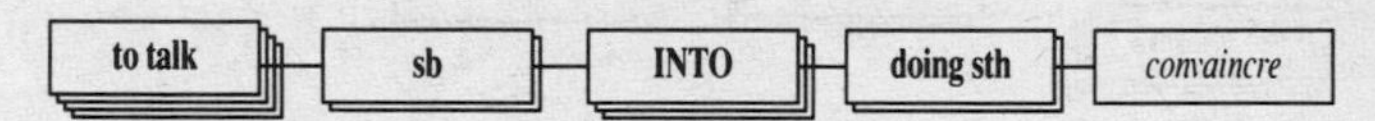

His friends talked him into resigning.
Ses amis l'ont convaincu de démissionner.

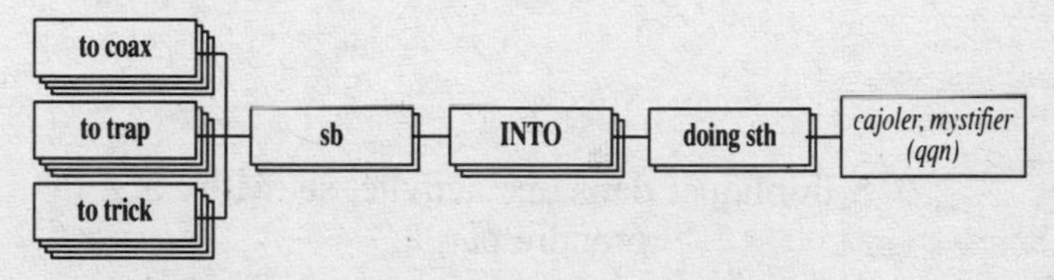

He was tricked into this business by his former colleagues.
Il s'est laissé entraîner dans cette affaire par ses anciens collègues.

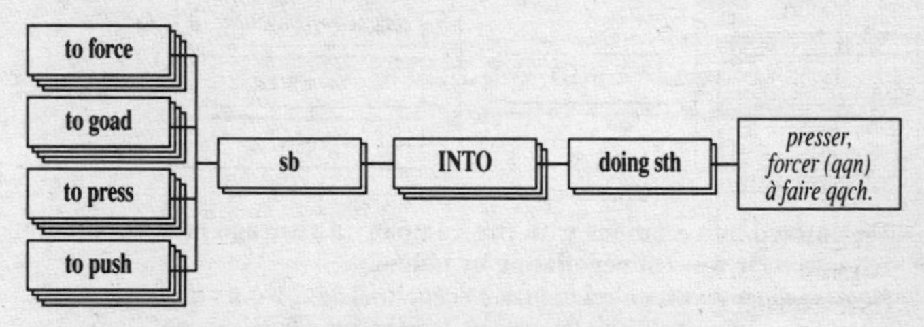

The two sons pressed their mother into making her will.
Les deux fils ont harcelé leur mère pour qu'elle se décide à faire son testament.

8. Attacher, fixer, connecter

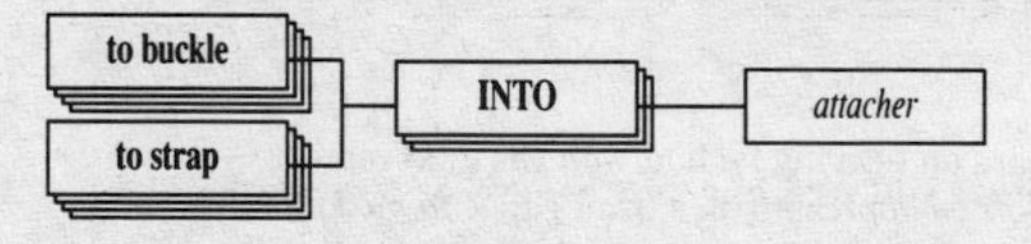

You must be strapped into your seat before starting the engine.
Vous devez être attaché à votre siège avant de démarrer.

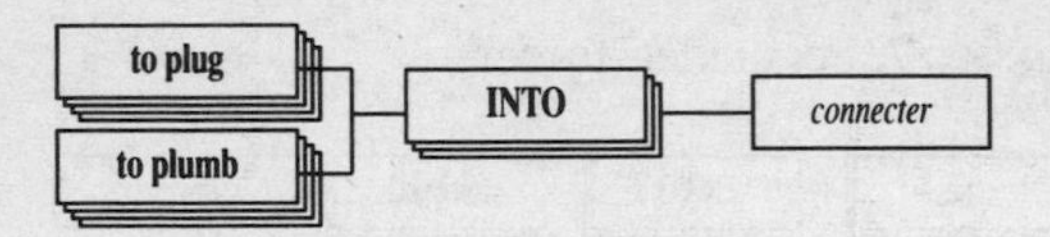

Plug it into the wall-socket down there!
Branche-le dans la prise là-bas!

9. S'impliquer dans une activité, se mettre à, prendre part à

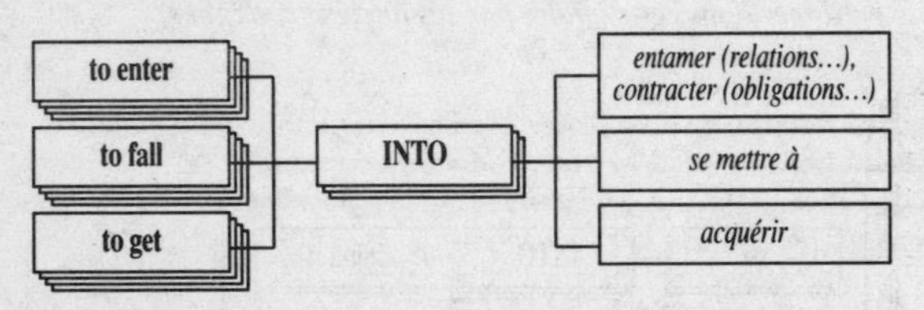

We entered into relations with this company a year ago and we rapidly fell into their ways of negotiating by phone.
Nous sommes entrés en relation avec cette société il y a un an et nous nous sommes rapidement faits à leur façon de négocier par téléphone.

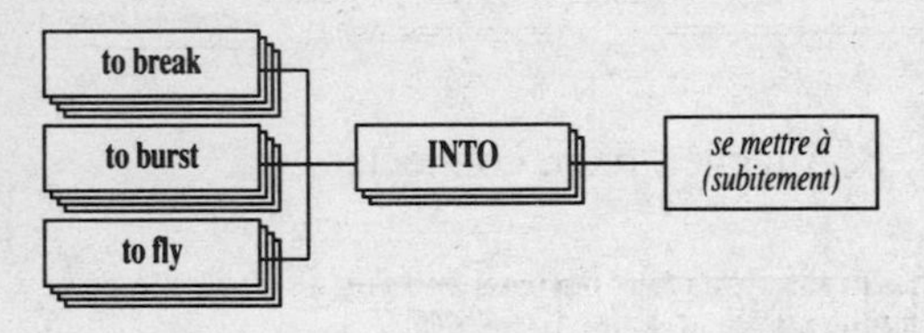

He broke into tears on hearing he had won the gold medal.
Il éclata en sanglots en apprenant qu'il avait gagné la médaille d'or.

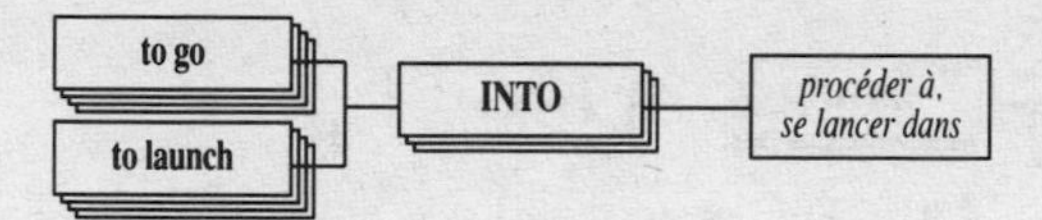

He then launched into a lengthy analysis of the political situation in this part of the world.
Puis il procéda à une longue analyse de la situation politique dans cette région du monde.

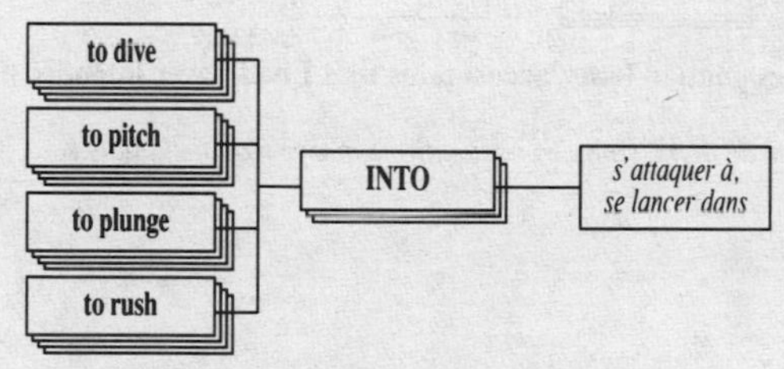

They all rushed into the writing of this scenario without even wondering whether it would be accepted by any production company.
Ils se lancèrent dans l'écriture de ce scénario sans même se demander s'il serait accepté par une maison de production.

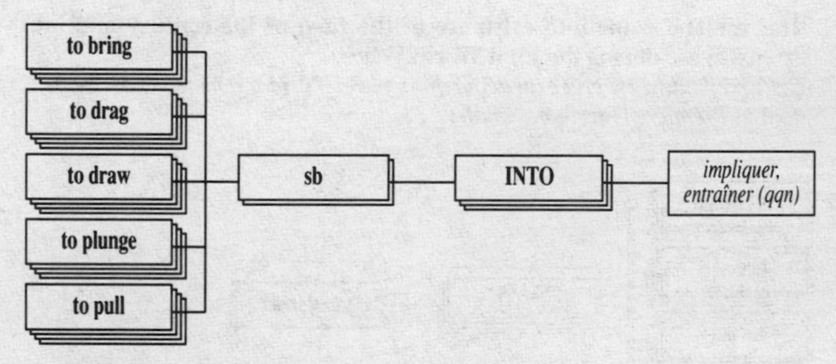

I refused to be drawn into your first business and you now want to drag me into this new undertaking of yours, never!
J'ai refusé d'être impliqué dans votre première affaire et vous voulez m'entraîner dans cette nouvelle entreprise : jamais!

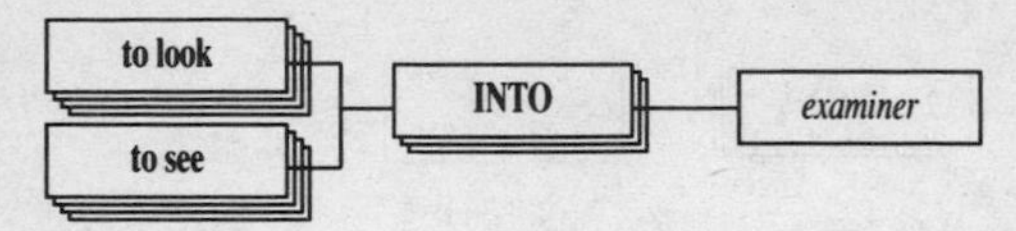

This is a complex affair, we'll have to see into it with great care.
C'est une affaire complexe qu'il va nous falloir examiner avec soin.

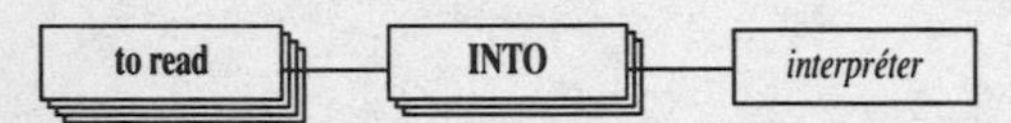

He read into my resignation letter accusations that I had never intended to make.
Il a lu dans ma lettre de démission des accusations que je n'avais jamais souhaité porter.

10. (Se) changer, transformer, mélanger

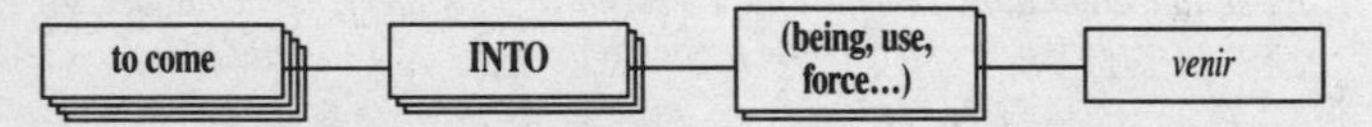

This method came into existence at the turn of the century and into extensive use during the First World War.
Cette méthode a été créée au début du siècle et s'est largement répandue pendant la Première Guerre mondiale.

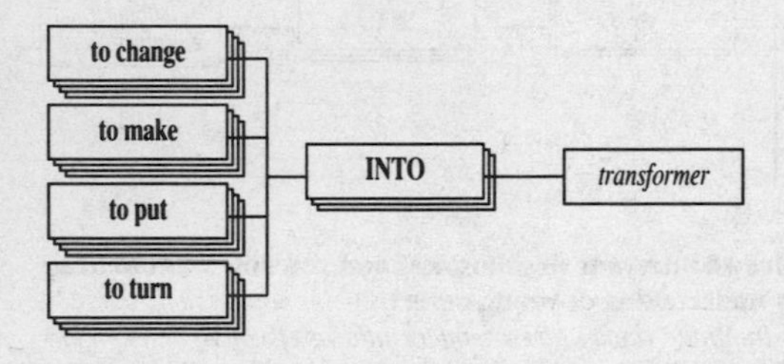

This politician managed to turn his sentence into an electoral asset.
Cet homme politique a réussi à faire de sa condamnation un argument électoral.

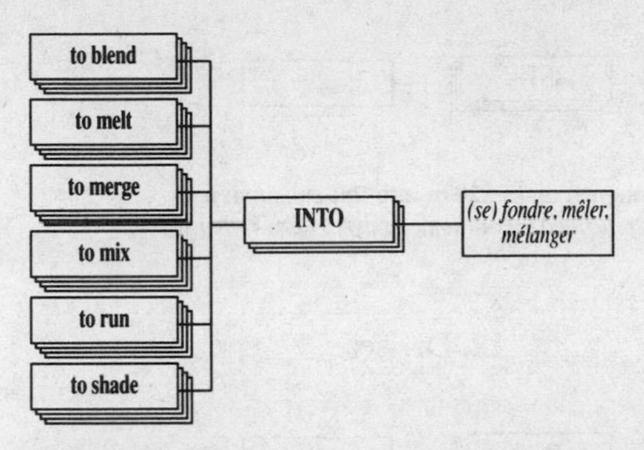

The burglar managed to melt into the crowd and disappear.
Le cambrioleur a réussi à se fondre dans la foule et à disparaître.

In this painting, the colours shade beautifully into one another.
Dans ce tableau, les couleurs se mêlent magnifiquement les unes aux autres.

11. Dépenser, investir

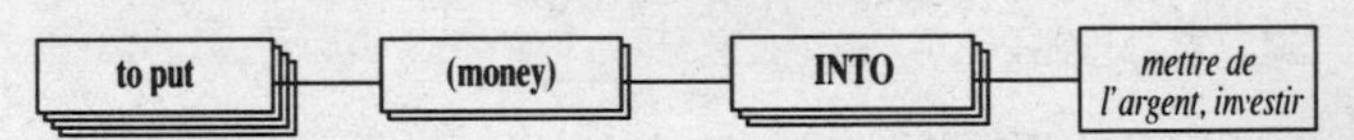

I put a lot of my family's fortune into this business, I now want something in return!
J'ai investi une bonne part de la fortune de ma famille dans cette affaire, j'en attends, à présent, quelque chose en retour!

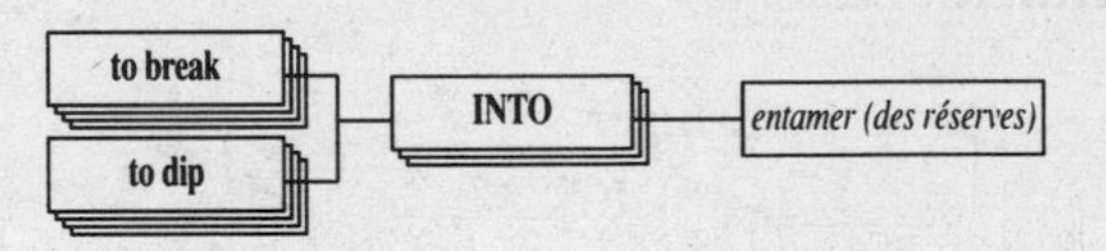

Shall we have to dip into our savings to pay for our health expenses?
Nous faudra-t-il tirer sur nos économies pour payer nos dépenses de santé?

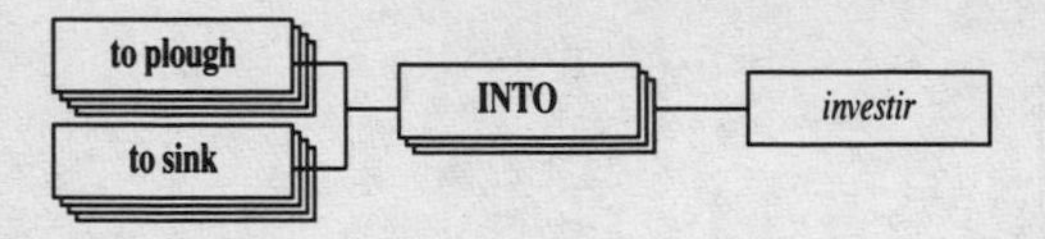

The company ploughed up to £20 m into this subsidiary.
La société a investi jusqu'à 20 millions de livres dans cette filiale.

12. Diviser

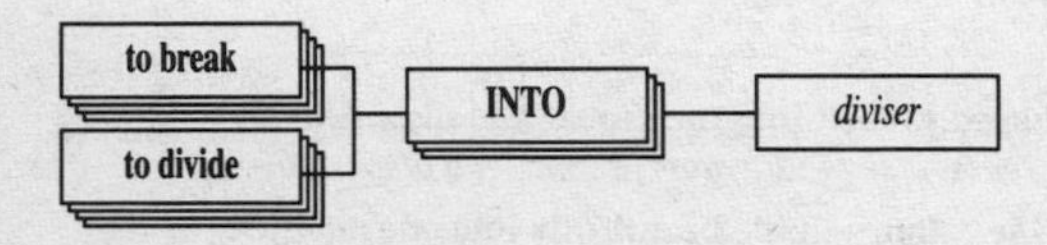

Dividing 3 into 9 gives 3.
9 divisé par 3 égale 3.

OF

➪ **SENS GÉNÉRAL :** exprime la relation, le lien entre deux éléments

What did you think of the speech he delivered yesterday?
Qu'avez-vous pensé de son discours d'hier?

➪ **SENS PARTICULIER :**

1. Juger

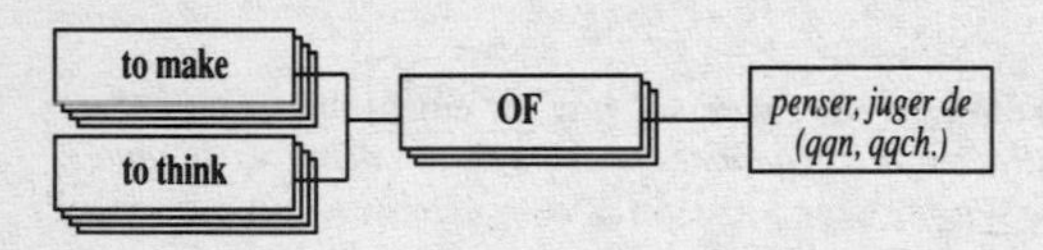

They didn't really know what to make of his personality.
Ils n'arrivaient pas vraiment à cerner sa personnalité.

2. Connaître, informer

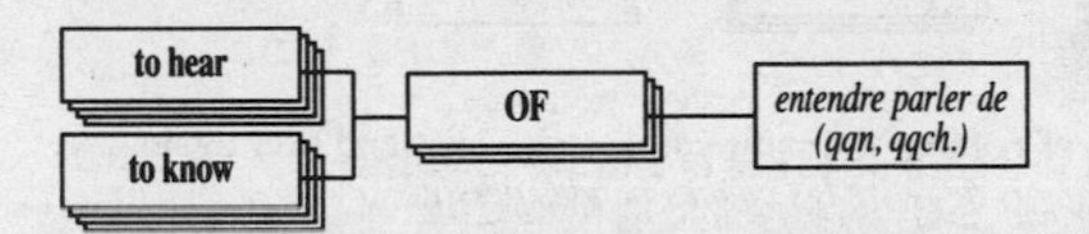

We knew nothing of her financial difficulties before her suicide.
Nous ignorions tout de ses difficultés financières avant son suicide.

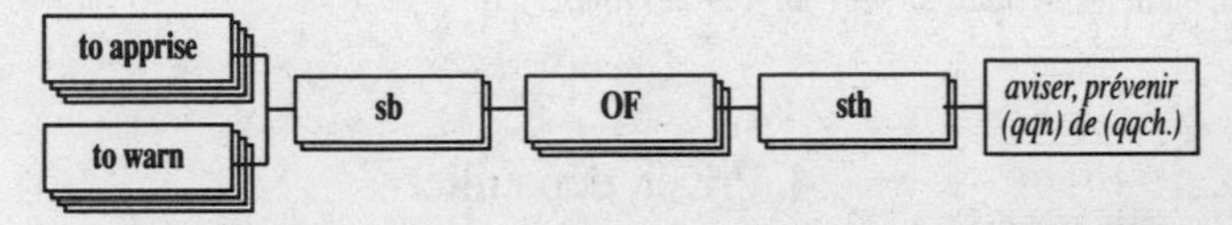

We warned him of all the dangers he would meet if he settled in that country.
Nous l'avons prévenu de tous les dangers qu'il courrait en s'installant dans ce pays-là.

3. Exprimer une opinion, une lassitude

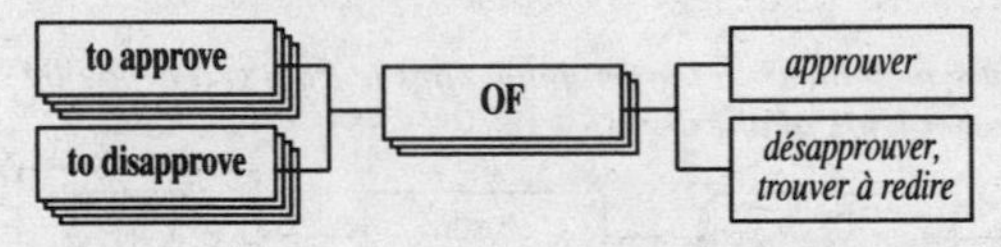

His coach disapproved of his going out the evening before the competition.
Son entraîneur n'approuvait pas qu'il sorte le soir précédant une compétition.

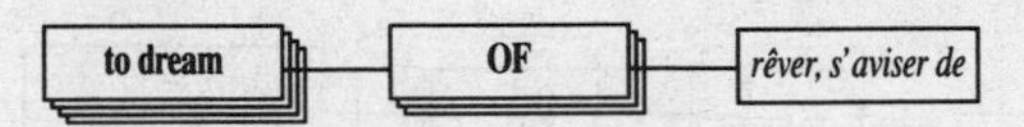

At that time, we wouldn't have dreamt of complaining about our school's strict discipline.
A cette époque, il ne nous serait pas venu à l'idée de nous plaindre de la stricte discipline de notre école.

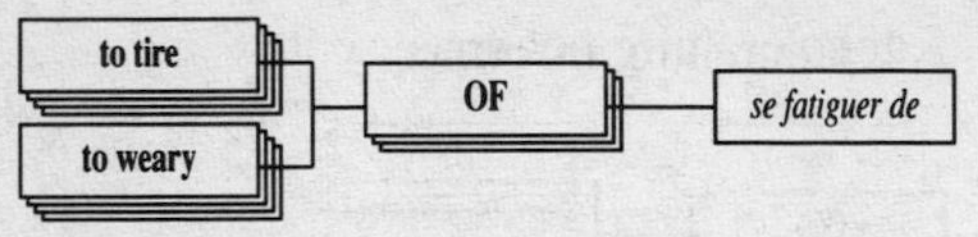

He never tires of reading the same comic strips over and over again.
Il ne se lasse jamais de relire les mêmes bandes dessinées.

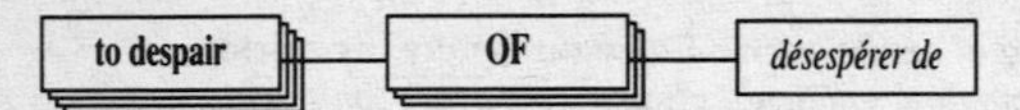

He despaired of ever having any friends.
Il désespérait de se faire un jour des amis.

4. Priver, dépouiller

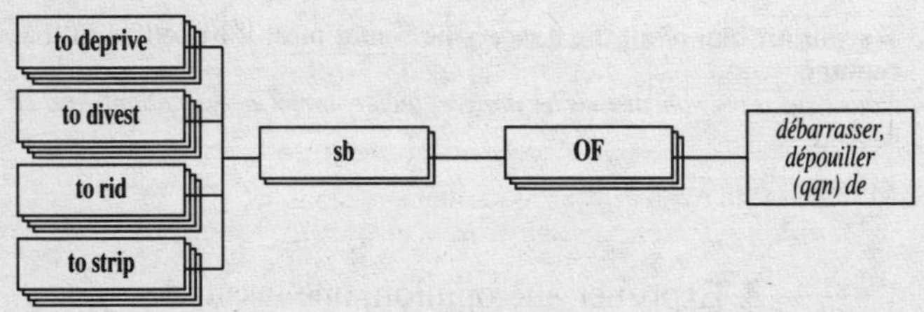

A gang of four burst into the train and stripped the passengers of all their belongings.
Une bande de quatre malfaiteurs a fait irruption dans le train et a dépouillé les passagers de toutes leurs affaires.

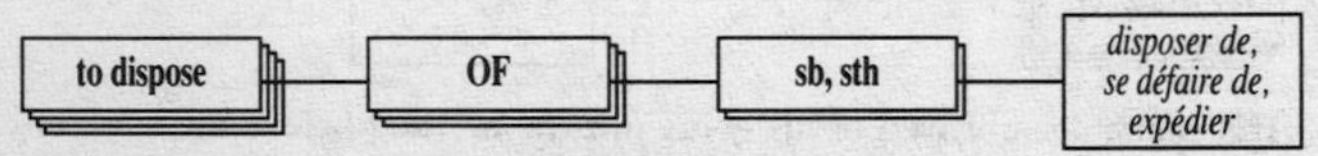

After his mother's death, he disposed of all her furniture without asking anybody's opinion.
Après la mort de sa mère, il a vendu tous ses meubles sans en référer à quiconque.

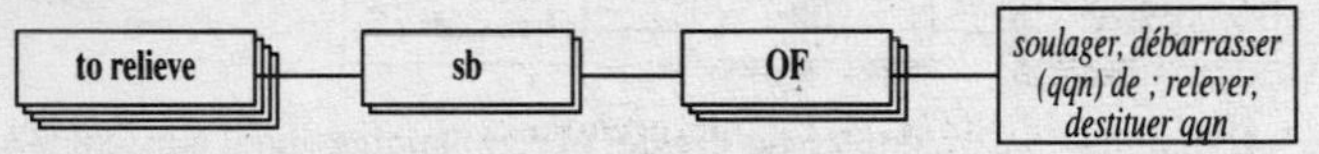

He asked to be relieved of his position as chairman.
Il demanda à être relevé de ses fonctions de président.

5. Rappeler, faire penser à, sentir

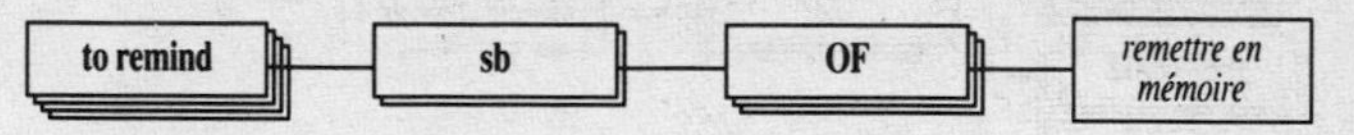

He reminds me of a teacher I had at school.
Il me rappelle un de mes professeurs à l'école.

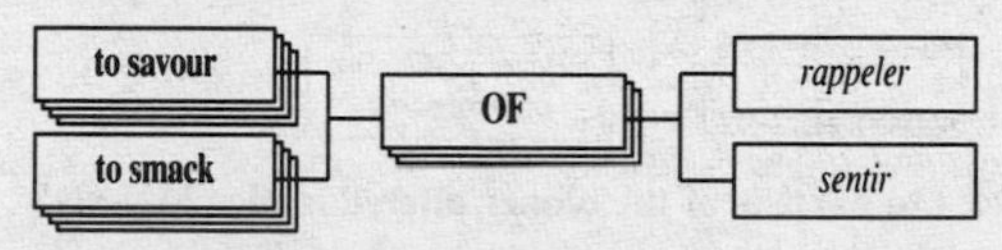

It all smacked of indoctrination.
Tout cela sentait l'embrigadement.

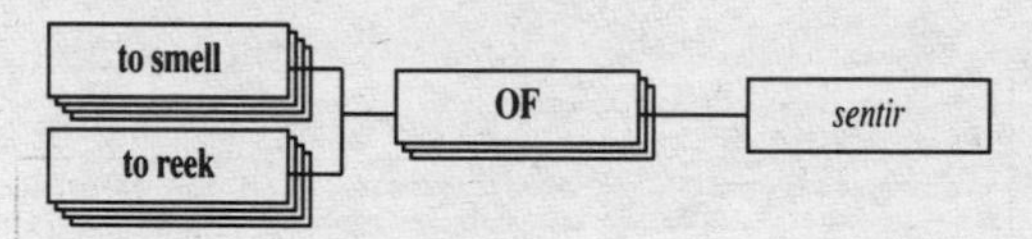

It was a small room reeking of alcohol and tobacco.
C'était une petite pièce qui puait l'alcool et le tabac.

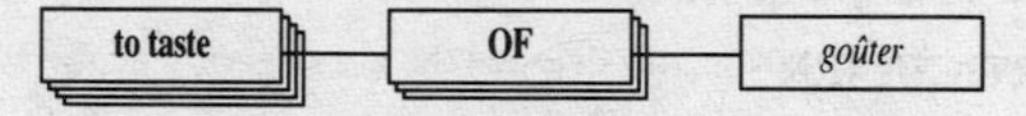

"He who tastes of everything tires of everything." (Proverb)
«Qui goûte de tout se dégoûte de tout.» (Proverbe)

6. Divers

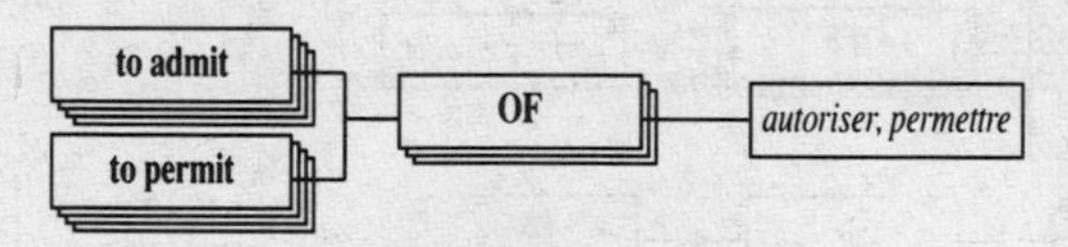

His theory admits of several interpretations.
Sa théorie autorise plusieurs interprétations.

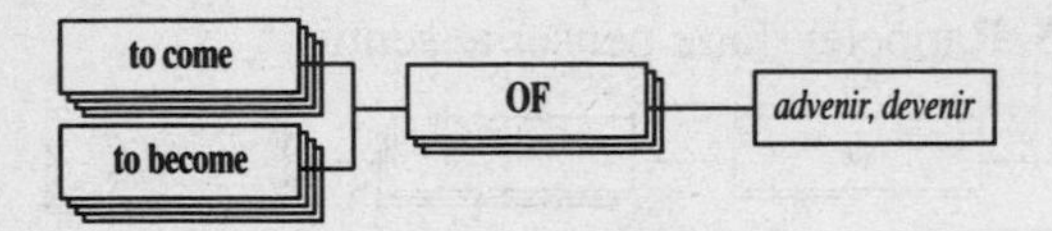

I wonder what will become of them at their mother's death.
Je me demande ce qu'il adviendra d'eux à la mort de leur mère.

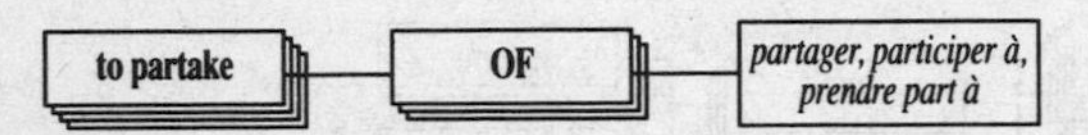

The old lord refused to partake of the dinner offered in Her Majesty's honour.
Le vieux lord refusa de participer au dîner donné en l'honneur de Sa Majesté.

OFF

➪ **SENS GÉNÉRAL :** exprime la distance, l'éloignement

Keep off the grass!
Défense de marcher sur la pelouse!

➪ **SENS PARTICULIER :**

1. S'éloigner, partir

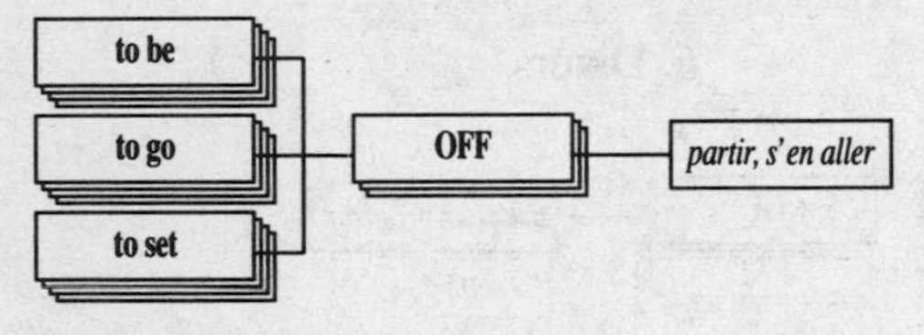

It's time to be off to the station now.
Il est temps de partir pour la gare maintenant.

When we set off for the Alps, it was snowing.
Quand nous avons pris la route des Alpes, il neigeait.

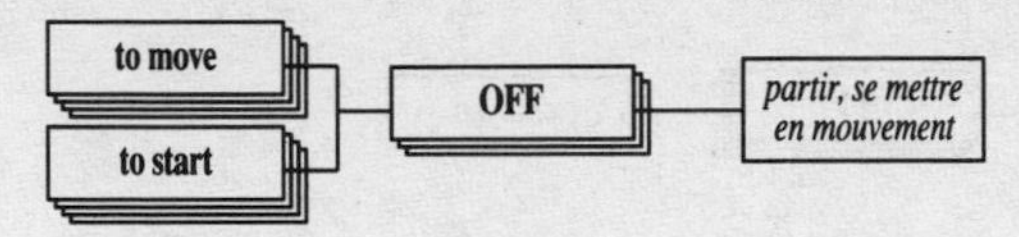

He asked us to move off without realizing that we had broken down.
Il nous demanda de démarrer sans se rendre compte que nous étions en panne.

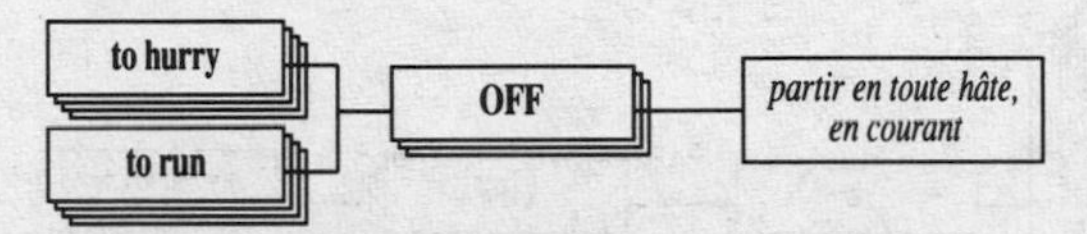

We hurried off to the hospital but it was too late.
Nous sommes partis en trombe pour l'hôpital mais il était trop tard.

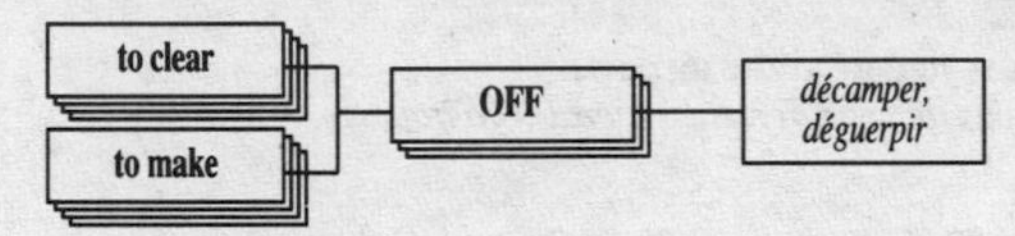

When he saw me, he made off to the car park and disappeared.
Quand il me vit, il se précipita vers le parking et disparut.

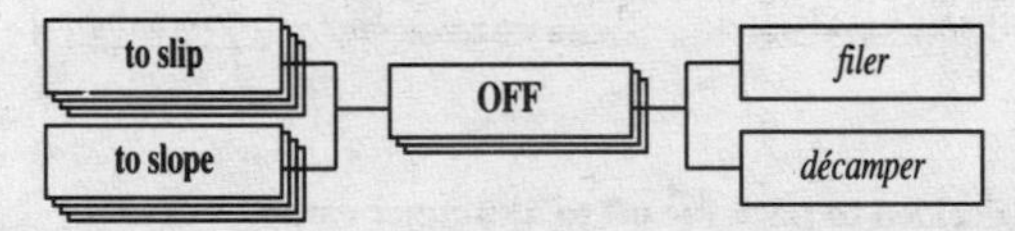

They slipped off without saying anything to anybody.
Ils ont filé sans dire un mot à quiconque.

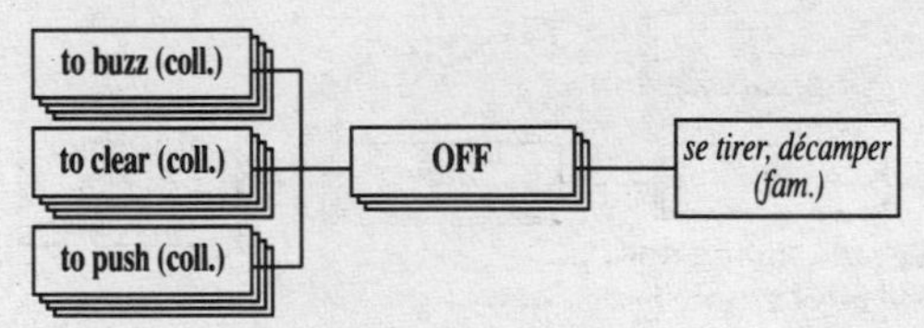

He told us to clear off in a very rude way.
Il nous demanda de déguerpir de façon très grossière.

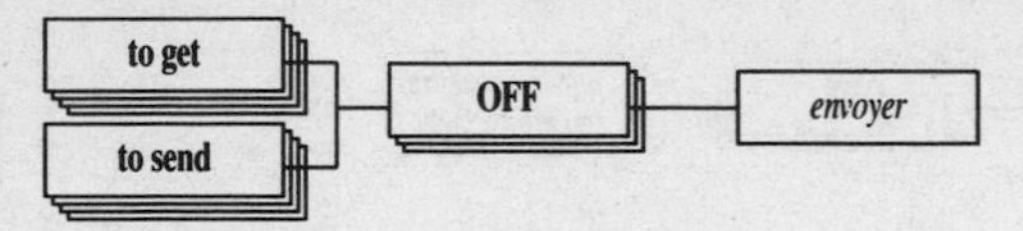

I sent off the parcel from Heathrow Airport.
J'ai envoyé le paquet de l'aéroport d'Heathrow.

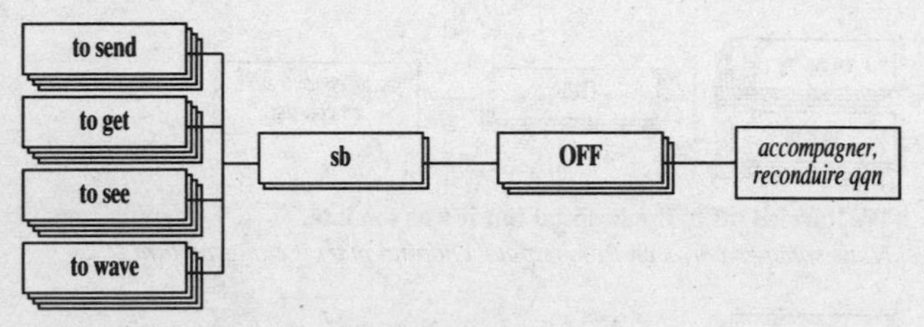

Don't worry, I'll see you off at the airport.
Ne vous inquiétez pas, je vous accompagnerai à l'aéroport.

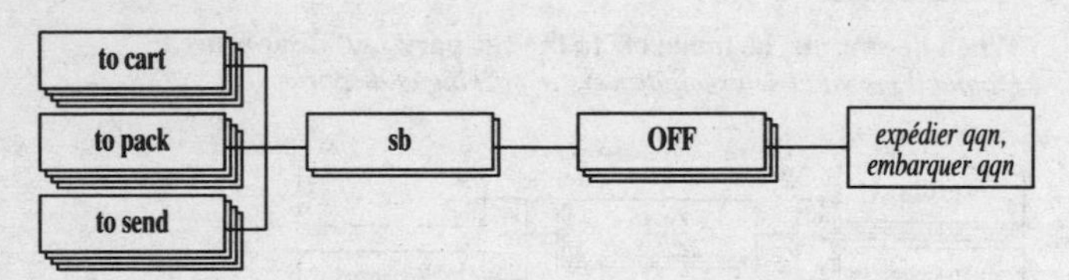

My parents have decided to pack me off to a summer camp.
Mes parents ont décidé de m'expédier dans un camp d'été.

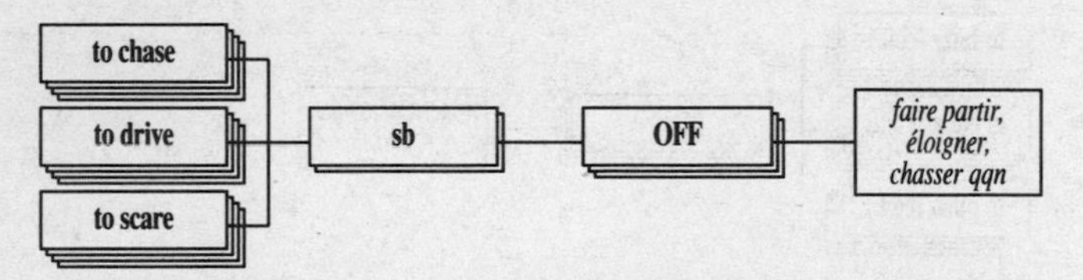

When I arrived, the children were in the garden chasing a monkey off.
Quand je suis arrivé, les enfants étaient en train de chasser un singe du jardin.

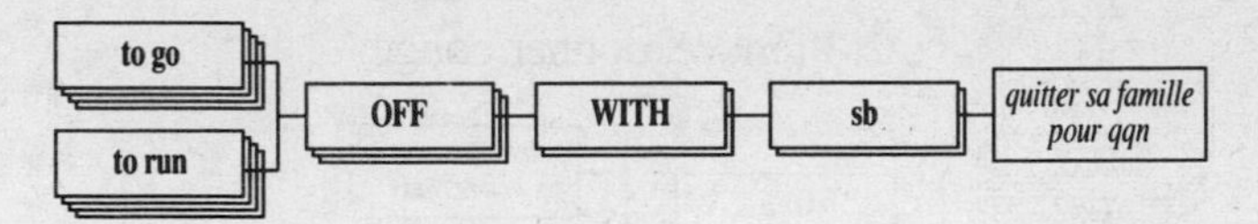

If you go off with her, I'll ask for a divorce.
Si tu pars avec elle, je demande le divorce.

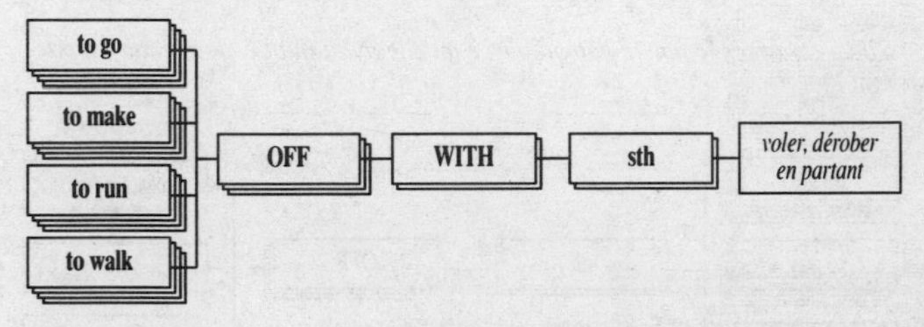

He made off with the cash and was never to be seen again.
Il a filé avec l'argent et n'a jamais reparu.

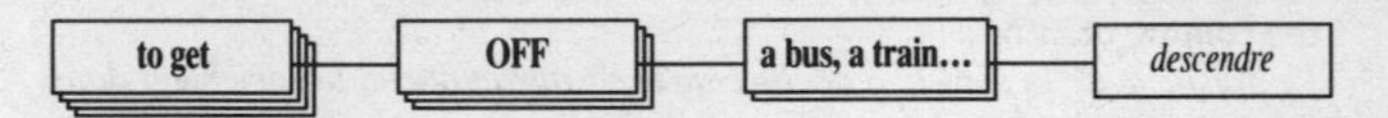

Don't forget to get off at Reading.
N'oubliez pas de descendre à Reading.

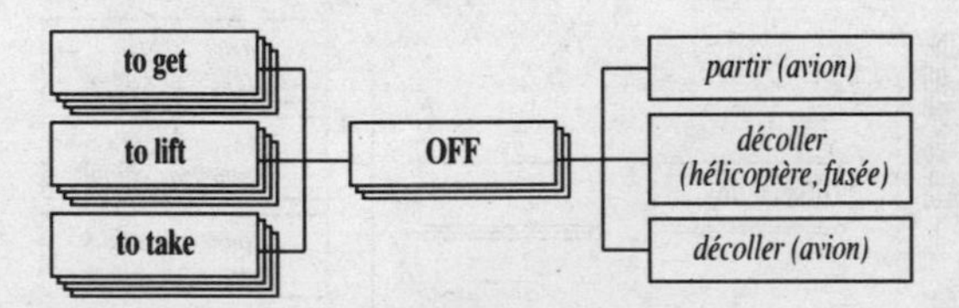

You will take off from Gatwick Airport at 10 a.m.
Vous décollerez de Gatwick à 10 heures.

2. Prendre, donner congé

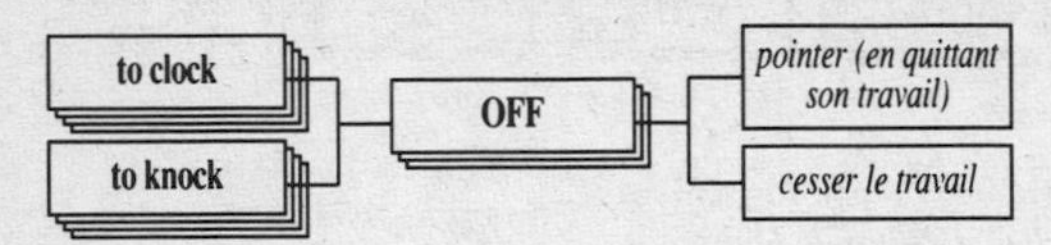

She was called by the boss because she had forgotten to clock off yesterday.
Elle a été appelée par le patron parce qu'elle avait oublié de pointer en partant hier.

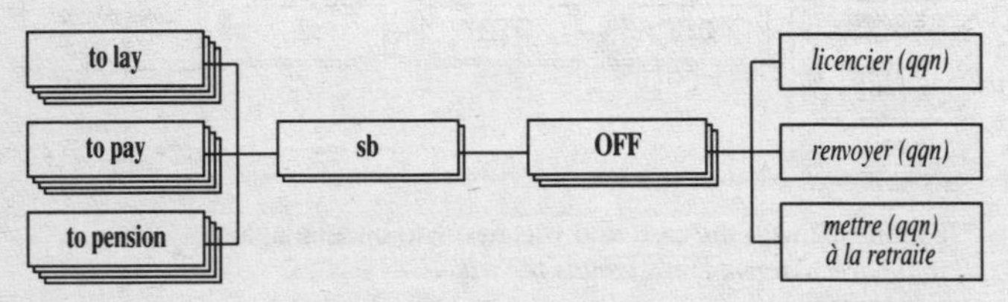

The chairman of the company declared that no one would be laid off in the coming months...
Le président de la société a déclaré qu'il n'y aurait aucun licenciement dans les mois à venir...

... but several employees have already been pensioned off this year.
... mais plusieurs employés ont d'ores et déjà été mis à la retraite cette année.

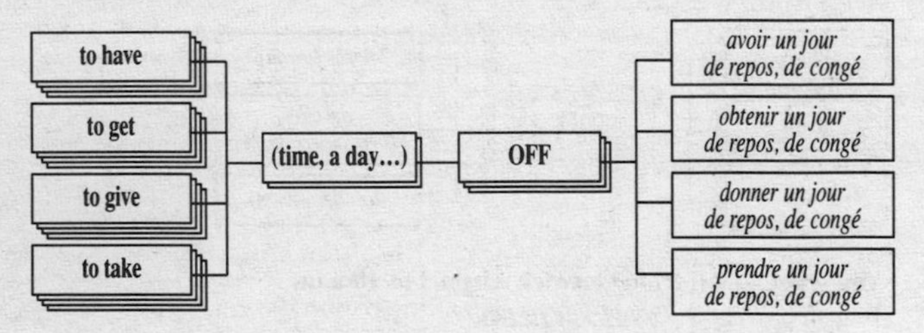

Despite my son's illness, the boss refused to give me a day off.
Le patron m'a refusé un jour de repos malgré la maladie de mon fils.

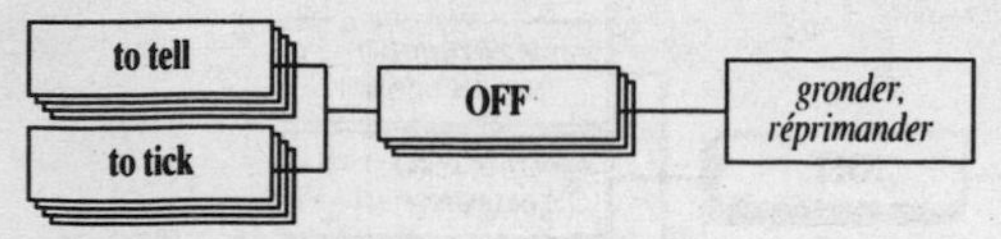

He was told off for wearing his cap in class.
Il s'est fait réprimander parce qu'il portait sa casquette en classe.

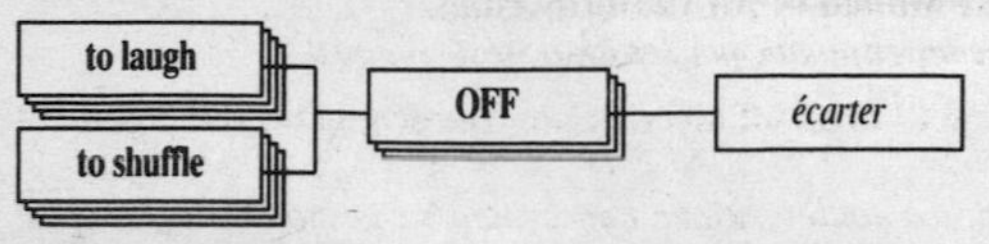

During the meeting, he even laughed off a remark from his deputy.
Pendant la réunion, il a même écarté d'un rire une remarque de son adjoint.

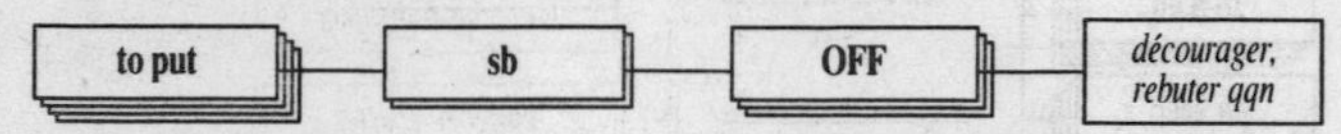

I don't want to put you off, but I think this job is too much for you alone.
Je ne veux pas vous décourager, mais je pense que ce travail est trop important pour vous tout seul.

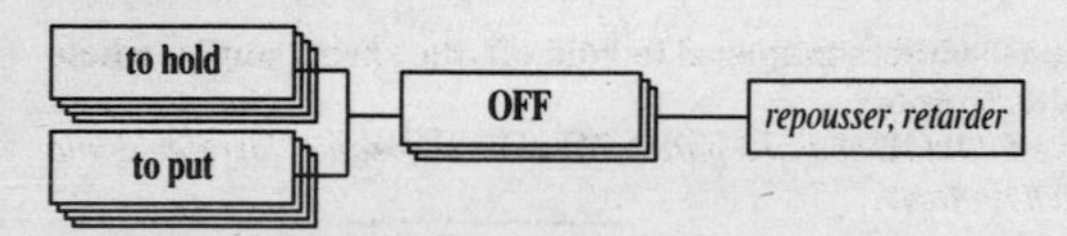

The meeting was put off to another day.
La réunion a été repoussée à une date ultérieure.

5. Prévenir, contrer, repousser

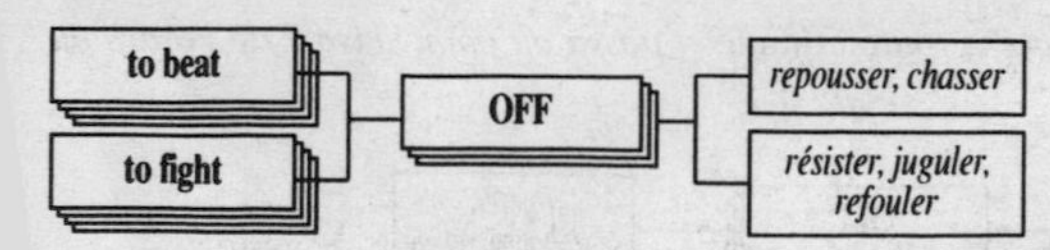

They knew they first had to fight off despair if they wanted to win.
Ils savaient que pour l'emporter, il leur fallait d'abord vaincre leur découragement.

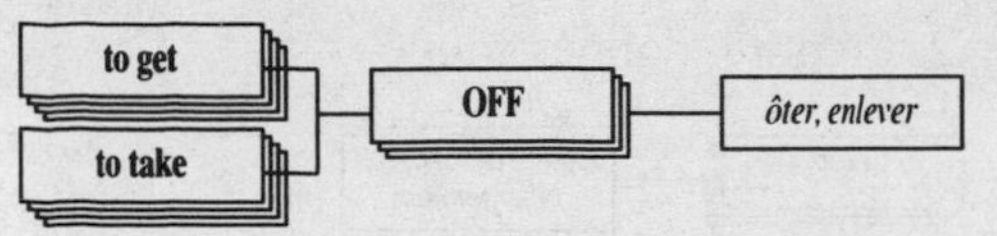

Would you mind taking your cap off when you enter the classroom?
Pourriez-vous retirer votre casquette en entrant dans la salle de classe?

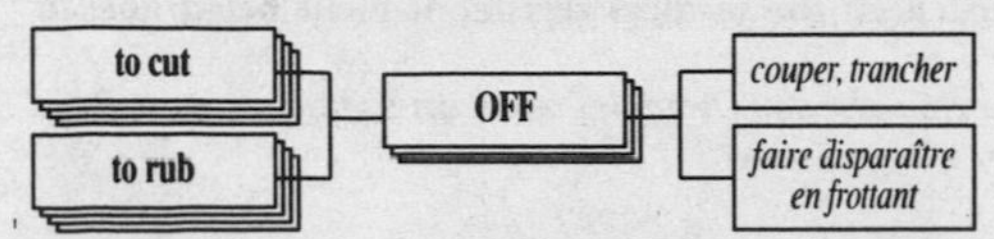

They threatened to cut off our supplies.
Ils ont menacé de nous couper les vivres.

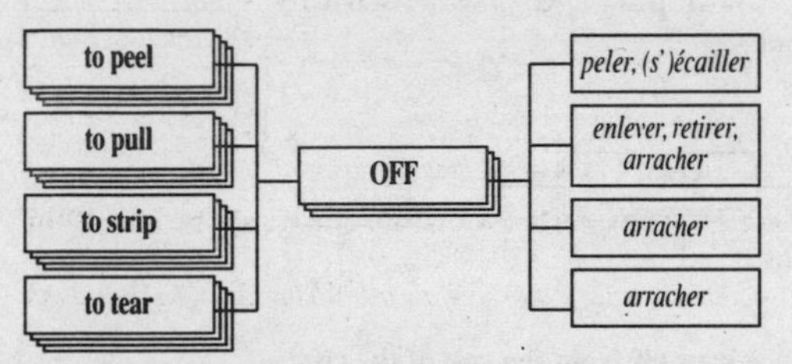

In the forest, the children enjoyed peeling off the bark from the trees.
Dans la forêt, les enfants s'amusaient à retirer l'écorce des arbres.

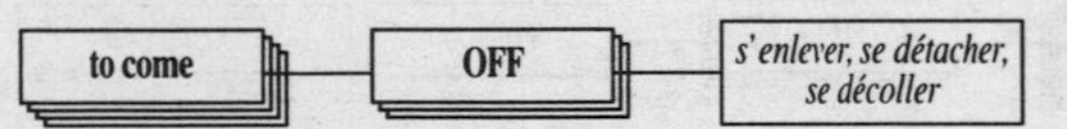

The door knob came off as I tried to get out.
Le bouton de la porte a lâché au moment où j'essayais de sortir.

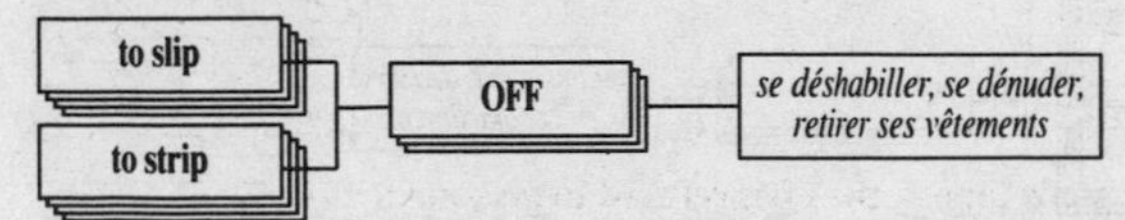

It was so hot that she stripped off her dress without noticing that the window was open!
Il faisait si chaud qu'elle retira sa robe sans se rendre compte que la fenêtre était ouverte!

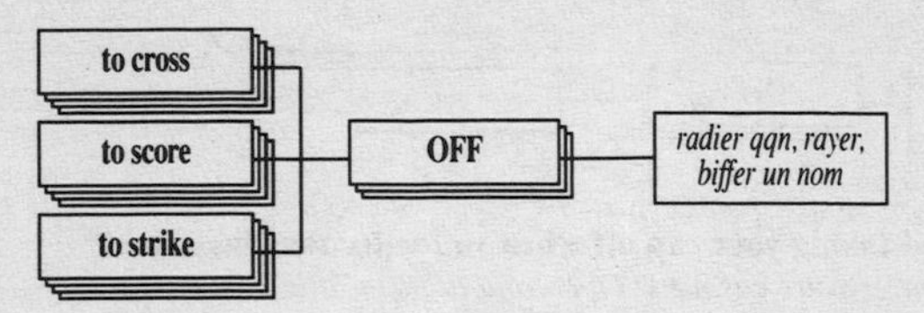

Dr Martin was struck off the medical register without being able to defend himself.
Le docteur Martin a été radié de l'Ordre des médecins sans avoir pu présenter sa défense.

3. Séparer, diviser, fermer

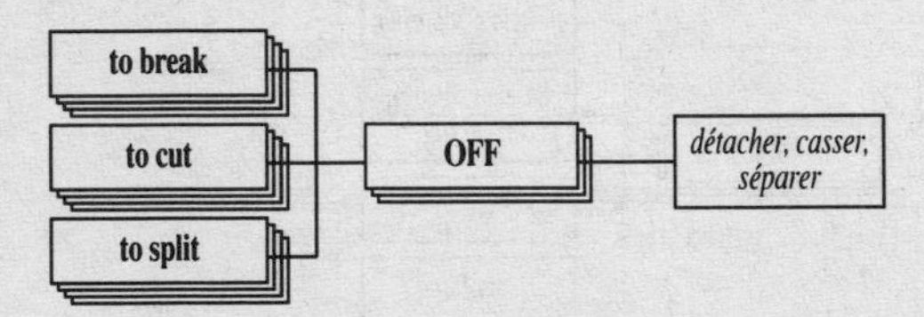

This new road will cut us off from the rest of the city.
Cette nouvelle route va nous couper du reste de la ville.

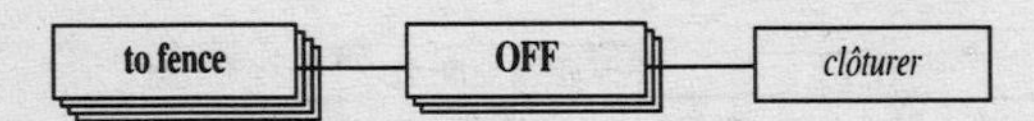

The plot of land was fenced off to prevent cattle from getting in.
On a clôturé le terrain pour empêcher que le bétail y entre.

We had lunch in the new room they had partitioned off from their lounge.
Nous avons déjeuné dans la nouvelle pièce qu'ils ont rendue indépendante du salon.

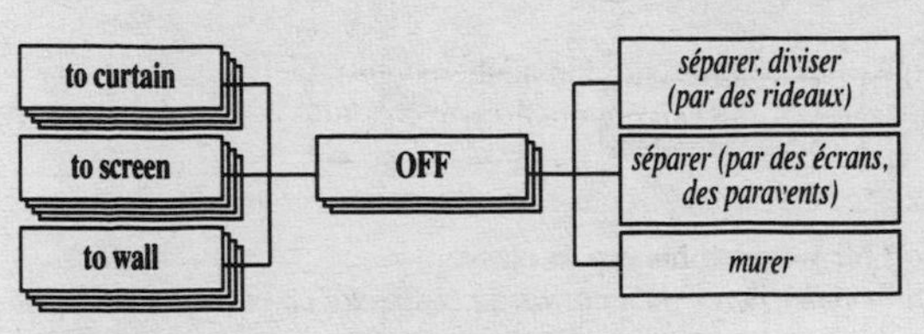

The whole area was walled off by the authorities.
L'endroit a été entièrement muré par les autorités.

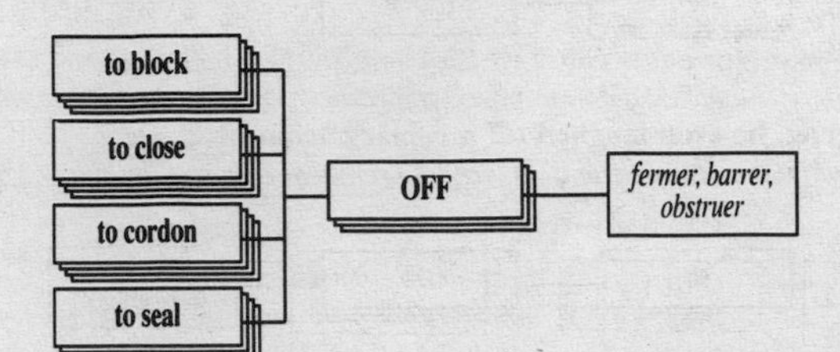

After the explosion, the city center was sealed off by the police.
A la suite de l'explosion, la police a bouclé le centre-ville.

4. Rejeter, repousser, retarder

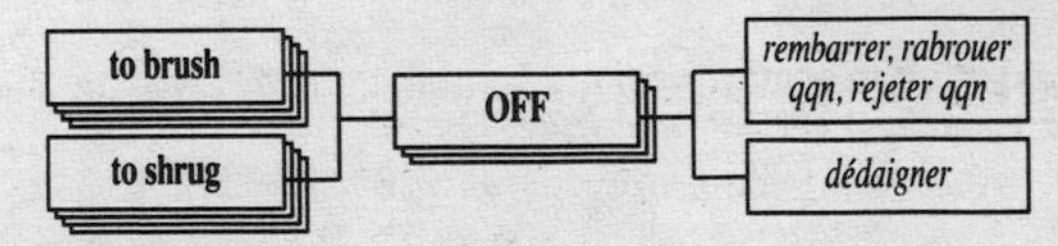

The chairman shrugged off all criticism and went on to the next item on the agenda.
Le président repoussa toute critique et passa au point suivant de l'ordre d jour.

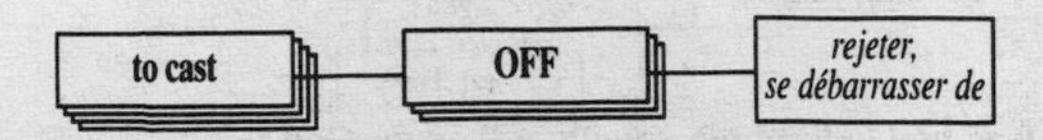

He felt cast off by his colleagues.
Il se sentait rejeté par ses collègues.

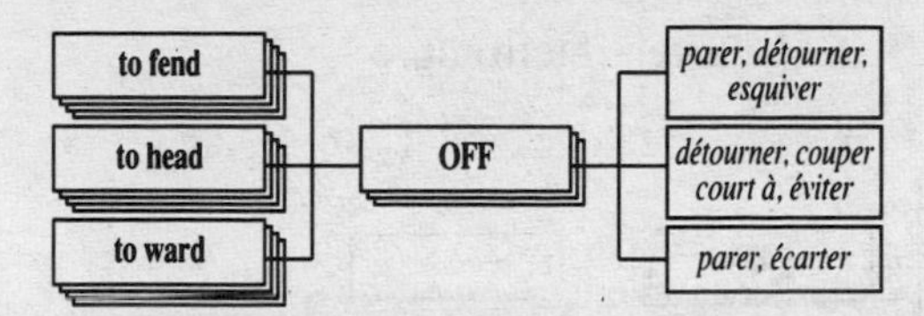

He tried to fend off the blows with a dustbin lid.
Il essaya d'esquiver les coups avec un couvercle de poubelle.

He decided to resign to head off all criticism concerning his management of the crisis.
Afin de couper court à toute critique concernant sa gestion de la crise, il décida de remettre sa démission.

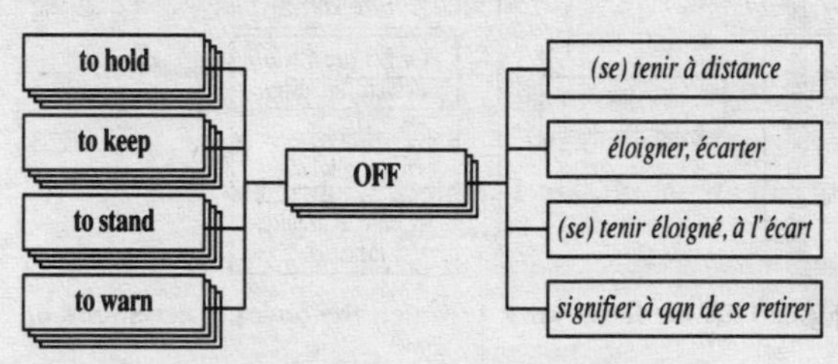

The small group of soldiers managed to hold off the enemy until a whole division arrived in support.
Le petit groupe de soldats a réussi à garder la position jusqu'à l'arrivée d'une division entière en renfort.

I told him it was unwise to fight on, but he refused to back off.
Je lui ai dit qu'il était imprudent de continuer à se battre, mais il refusait de se retirer.

6. Achever, interrompre

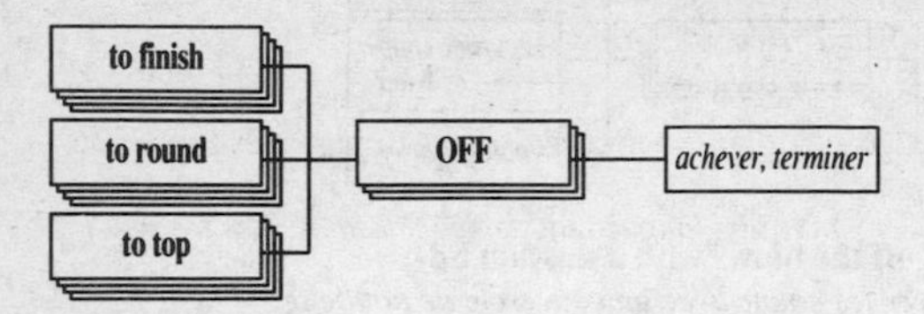

He has had to return to his office to finish off his report.
Il a dû retourner au bureau pour terminer son rapport.

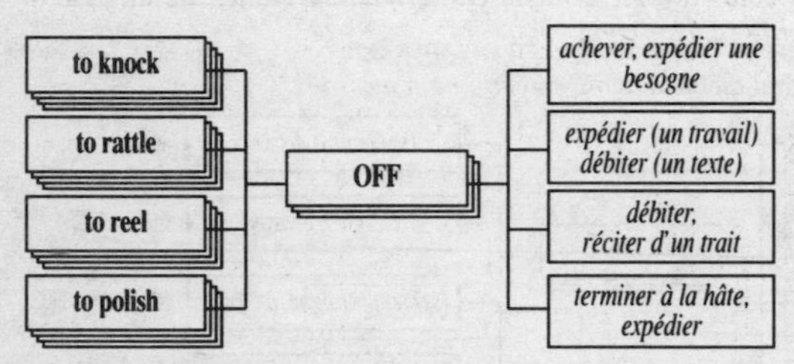

He soon polished off his homework to watch the opening ceremony on television.
Il eut tôt fait de boucler ses devoirs pour regarder la cérémonie d'ouverture à la télévision.

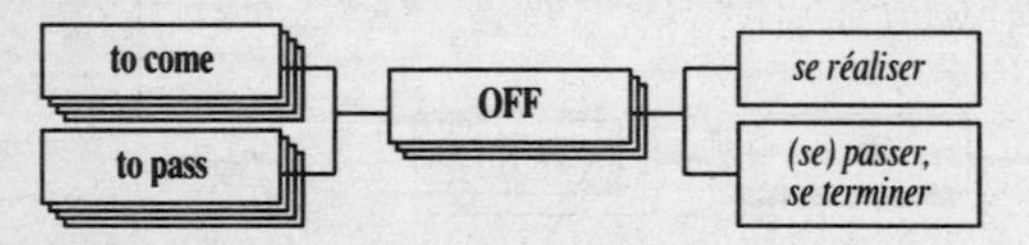

Don't worry, this habit of his will soon pass off!
Ne t'inquiète pas, cette habitude lui passera vite!

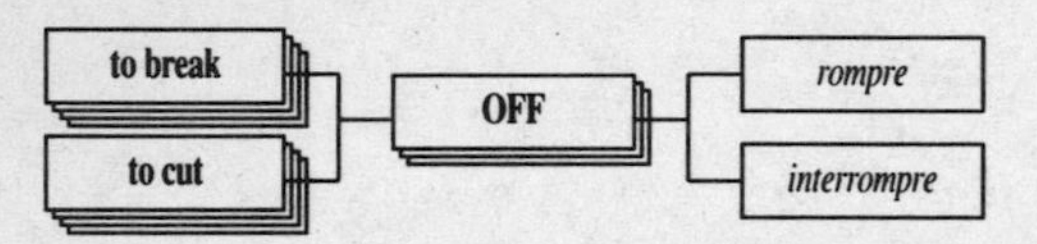

The deal didn't come off and they decided to break off the discussions.
L'affaire n'a pas été conclue et ils décidèrent d'interrompre les discussions.

The strike was called off after a long night bargaining with the trade unions.
La grève a été annulée après une longue nuit de négociations avec les syndicats.

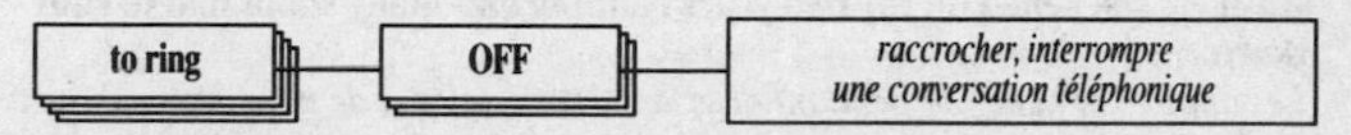

He rang off before even having heard my message.
Il a raccroché avant même d'avoir entendu mon message.

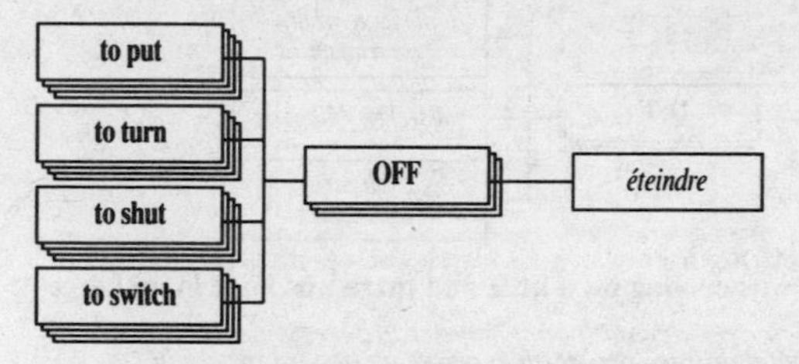

You won't forget to turn off the lights when you leave, will you?
Vous n'oublierez pas d'éteindre les lumières en partant, n'est-ce pas?

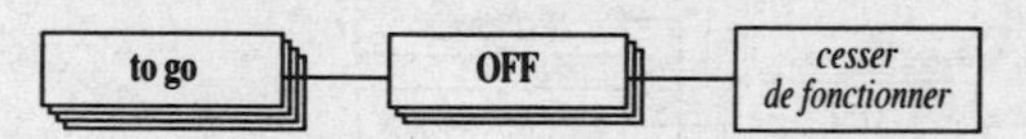

The lights suddenly went off and we had no candles!
La lumière s'est brusquement éteinte et nous n'avions pas de bougies!

7. Diminuer, décroître, disparaître

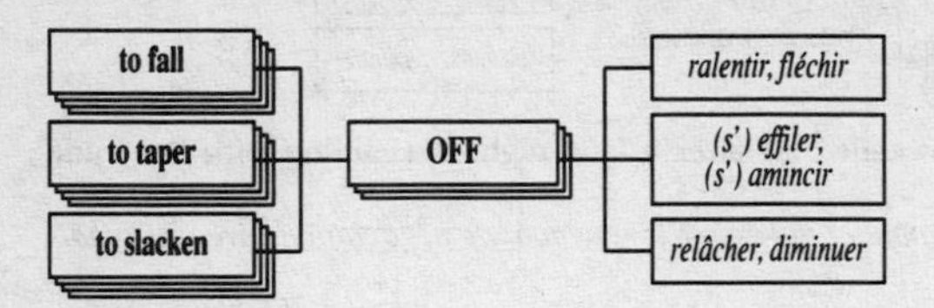

Business slackened off for two years running and many shops had to shut down.
Les affaires ont décliné pendant deux années de suite et de nombreuses boutiques ont dû fermer.

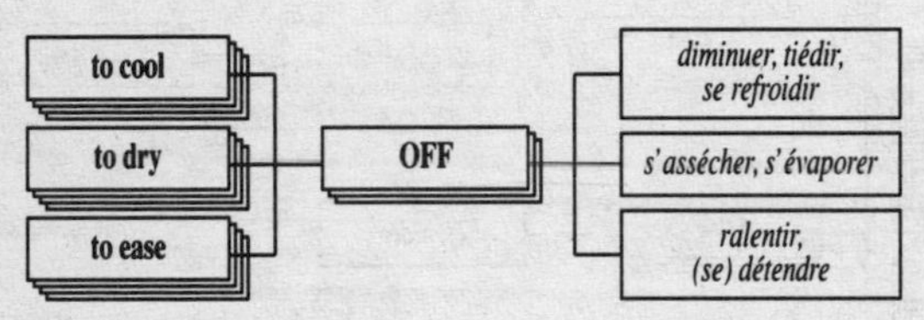

The atmosphere was cooling off a little and there was hope in an agreement soon.
L'atmosphère se détendait un peu et on espérait un accord prochain.

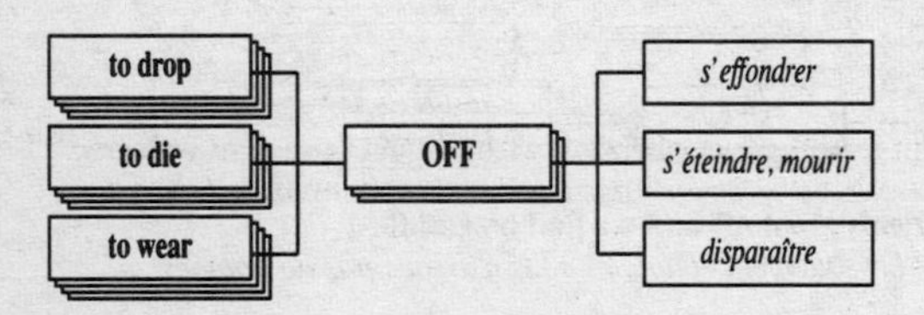

Support for his plan had suddenly dropped off.
Il avait soudain perdu tout soutien à son plan.

8. S'endormir

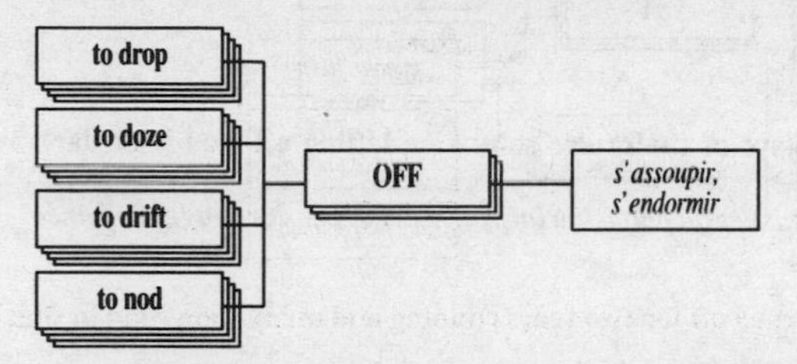

Mary was so tired that she dozed off during the lecture!
Mary était tellement fatiguée qu'elle s'est endormie pendant la conférence!

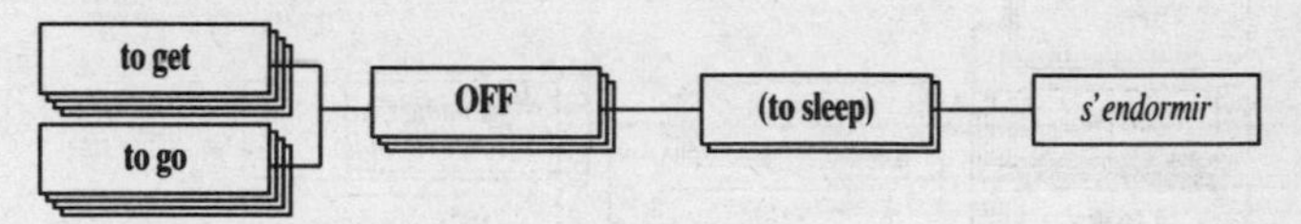

I find it difficult to get off to sleep these days!
J'ai bien du mal à m'endormir en ce moment!

9. Commencer, provoquer

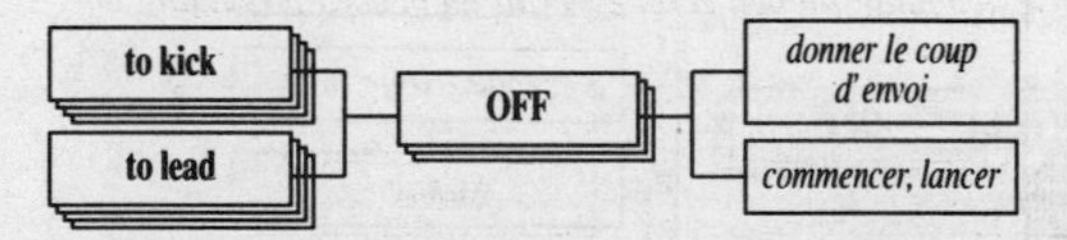

The president led off the celebration with a short speech of welcome.
Le président ouvrit la cérémonie par une courte allocution de bienvenue.

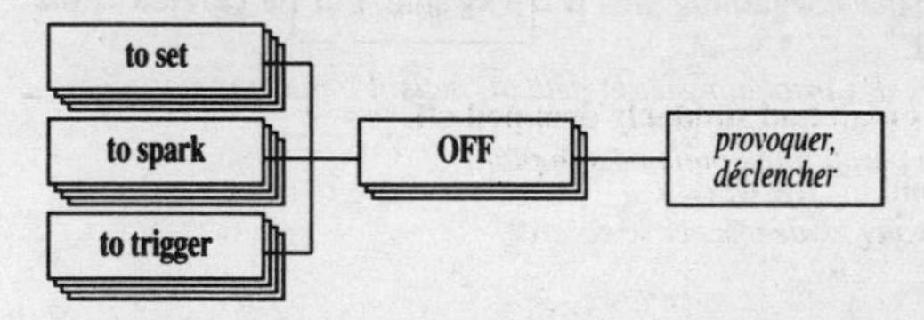

His remark set off a thunder of applause from the audience.
Sa remarque a déclenché un tonnerre d'applaudissements dans la salle.

The huge chimneys of the cruise ship were letting off clouds of dark smoke.
Les énormes cheminées du paquebot laissaient échapper des nuages de fumée noire.

10. Se passer, réussir

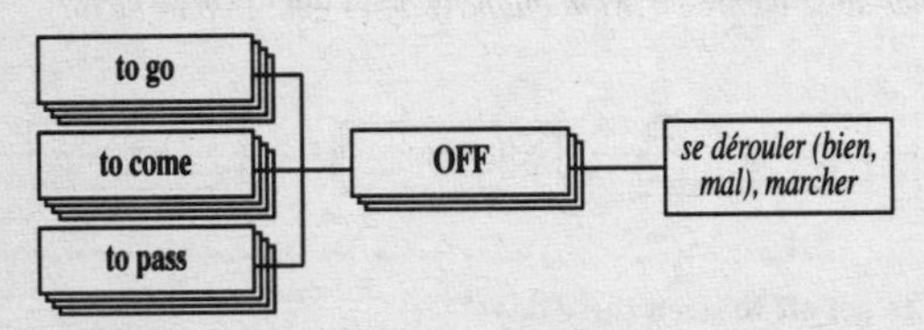

The meeting went off fairly smoothly.
La réunion s'est plutôt bien passée.

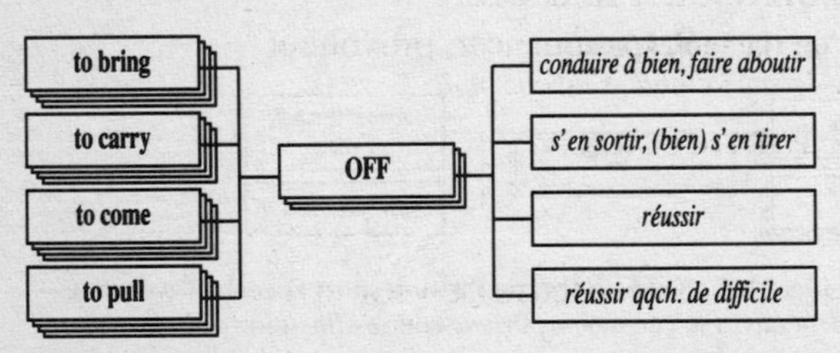

His role during the bargaining was a tricky one, but he carried it off remarkably well.
Son rôle au cours des tractations était délicat, mais il s'en est remarquablement bien tiré.

Only he could pull off the deal.
Il était le seul à pouvoir décrocher le contrat.

11. Mettre en valeur

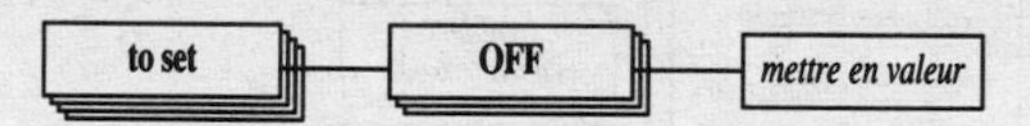

This dress will set off your suntan beautifully.
Cette robe va mettre votre bronzage en valeur.

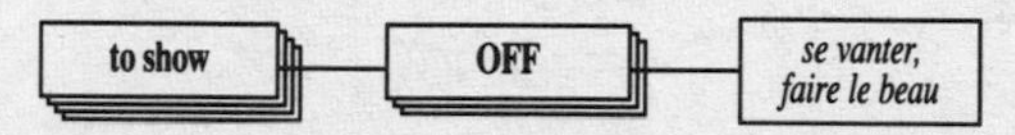

He can't stop showing off when there are people around.
Il ne peut s'empêcher de se mettre en avant quand il a des gens autour de lui.

ON

➪ **SENS GÉNÉRAL :** sur, dessus

Put it on the table, please.
Mettez-le sur la table, s'il vous plaît.

➪ **SENS PARTICULIER :**

1. Mettre, se vêtir

I can't remember what she had on when I met her this morning.
Je ne me souviens pas de ce qu'elle portait quand je l'ai rencontrée ce matin.

Shall I put your new hat in the box or do you want to keep it on?
Dois-je mettre votre nouveau chapeau dans la boîte ou souhaitez-vous le garder sur vous?

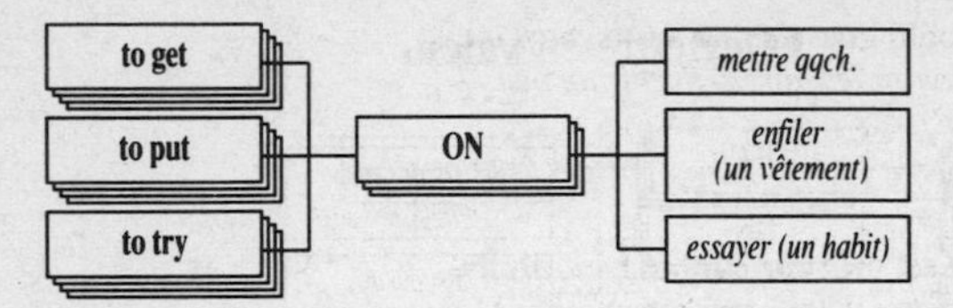

Get your shoes on and go out!
Mets tes chaussures et va-t'en!

May I try it on?
Puis-je l'essayer?

The doctor slipped his raincoat on and rushed out.
Le docteur enfila son imperméable et se précipita au-dehors.

2. Réfléchir, discourir sur, au sujet de

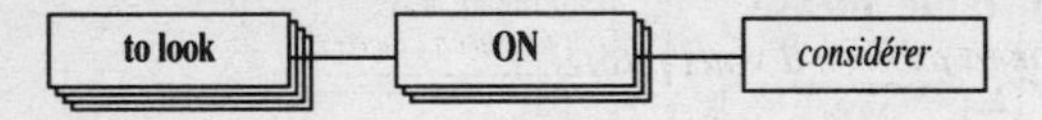

He is looked on as a major playwright.
On le considère comme un grand dramaturge.

I don't think it is necessary to dwell on this painful affair.
Je ne pense pas qu'il soit nécessaire de s'étendre sur cette pénible affaire.

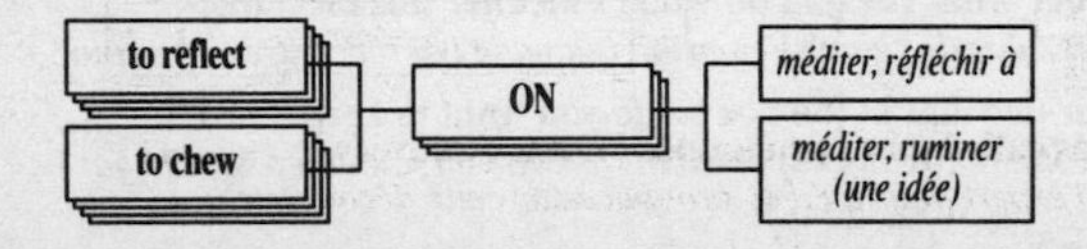

This affair should give them a lot to chew on.
Cette affaire devrait les faire réfléchir un peu.

I wanted to expand on this theme but I found no suitable examples.
Je voulais développer ce thème mais n'ai trouvé aucun exemple qui convienne.

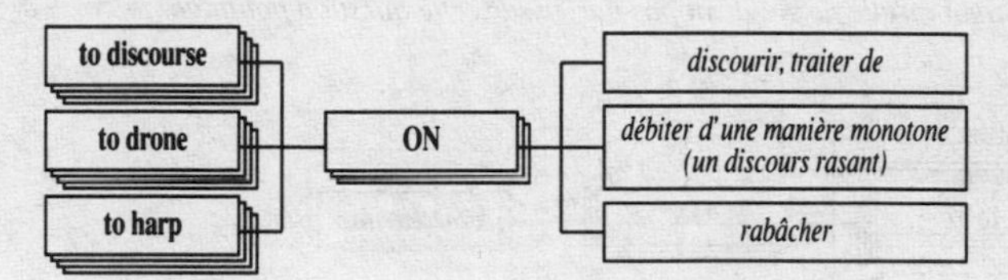

When we left, they were still discoursing on world affairs.
Quand nous sommes partis, ils débattaient encore des affaires du monde.

Yes, they are always harping on the same topics.
Oui, ils rabâchent toujours les mêmes sujets.

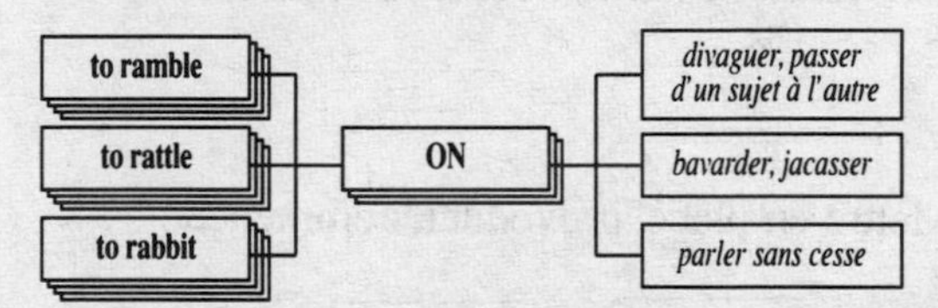

They spent the whole evening rattling on about their neighbours.
Elles passèrent la soirée entière à pérorer sur leurs voisins.

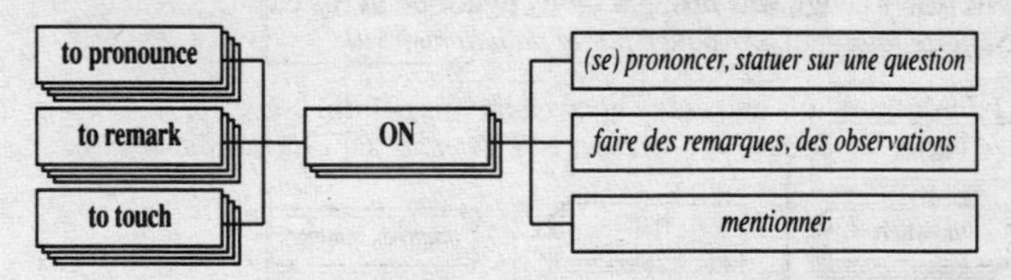

The expert was called on to pronounce on this discovery.
On fit appel à l'expert pour qu'il se prononce sur cette découverte.

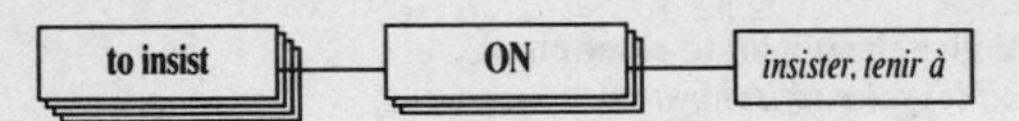

The housewife insisted on their coming earlier.
La maîtresse de maison insista pour qu'ils viennent plus tôt.

She said she wouldn't like to stake her life on this political issue.
Elle a dit qu'elle ne voudrait pas parier sur cette question politique.

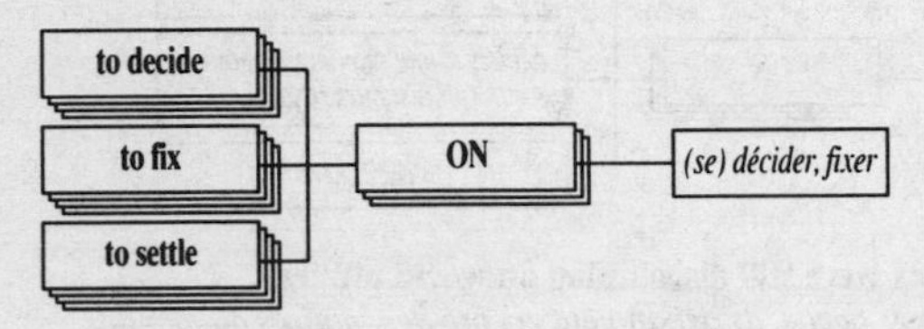

After long hesitations, they finally settled on a fixed amount of £2 million (£2m).
Après de longues hésitations, ils se mirent d'accord sur un montant fixe de 2 millions de livres sterling.

3. Mettre en place, provoquer, commencer

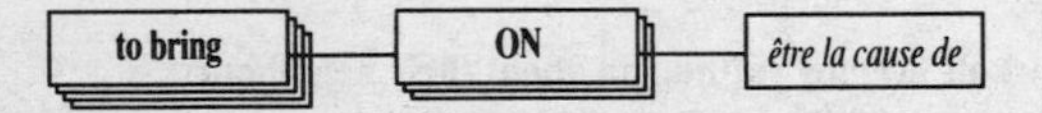

His heavy cough was brought on by pollution in the city.
Sa forte toux était provoquée par la pollution en ville.

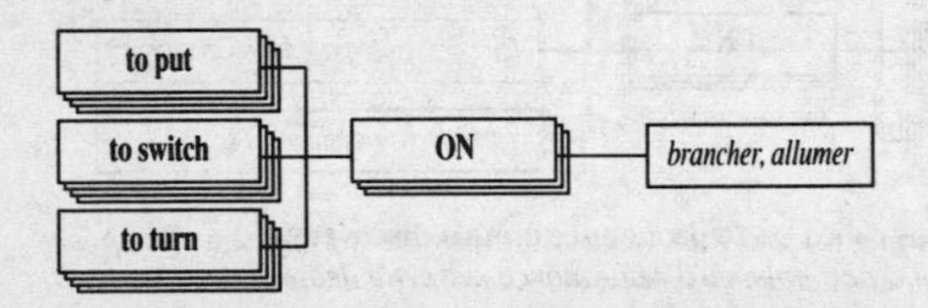

Would you mind turning the heating on? I am cold.
Pourrais-tu allumer le chauffage? J'ai froid.

I have already put it on.
Je l'ai déjà mis.

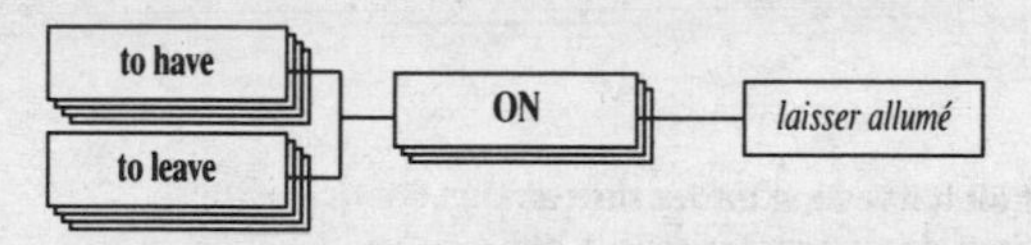

But you know I can't leave it on when the engine is off.
Mais tu sais que je ne peux pas le laisser allumé quand le moteur est coupé.

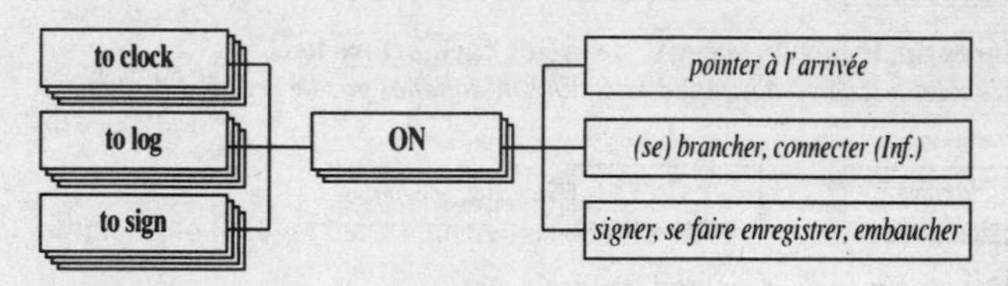

She decided to sign on for a six-month training course.
Elle a décidé de s'inscrire à un stage de six mois.

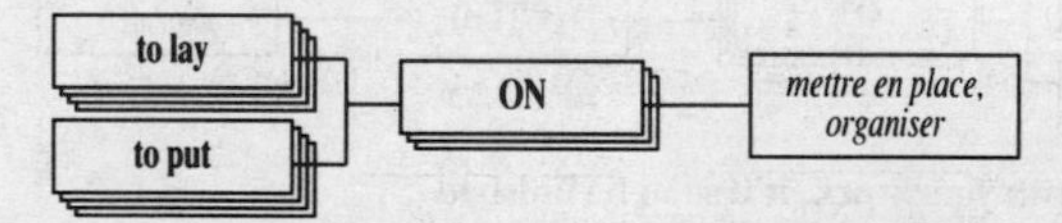

The council is putting on a special bus service for the ceremony.
La municipalité met en place un service de bus spécial pour la cérémonie.

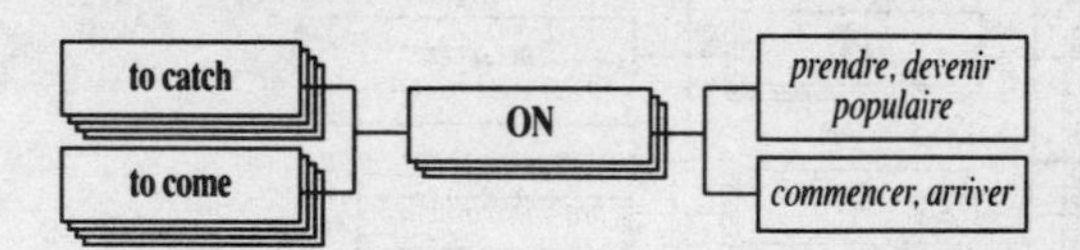

Night was coming on and they were still miles away from the village.
La nuit tombait et ils étaient encore à des kilomètres du village.

4. Continuer, poursuivre, progresser

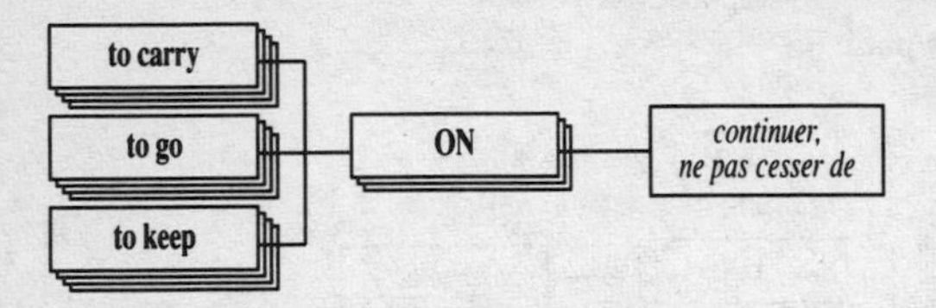

The farmer kept on harvesting under the rain.
Le fermier a continué de moissonner sous la pluie.

Hurry on, they will worry if we aren't back before ten.
Dépêche-toi, ils vont s'inquiéter si nous ne sommes pas de retour à dix heures.

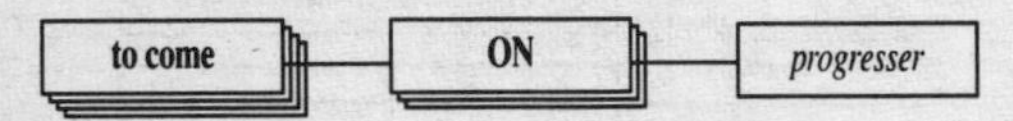

His new concerto is coming on nicely.
Son nouveau concerto est en bonne voie.

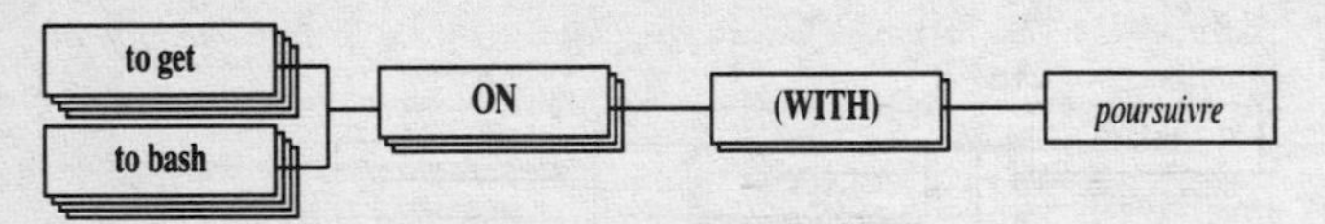

If you get on with your work, it'll soon be finished.
Si tu continues à travailler, tu auras bientôt terminé.

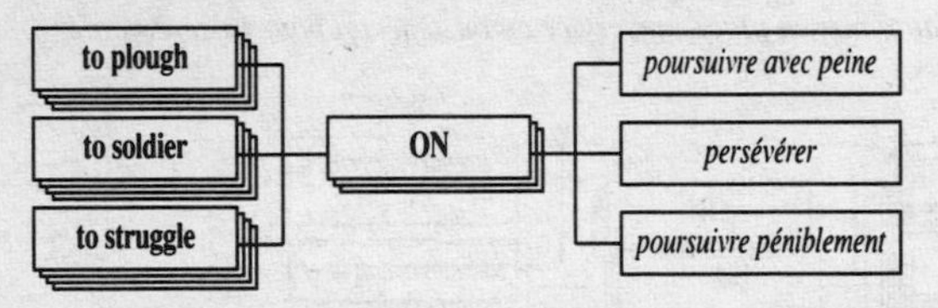

The cyclist struggled on for another hour and decided to quit the race.
Le coureur cycliste poursuivit péniblement pendant une heure puis décida d'abandonner la course.

The discussion rumbled on late into the night.
La discussion s'est poursuivie tard dans la nuit.

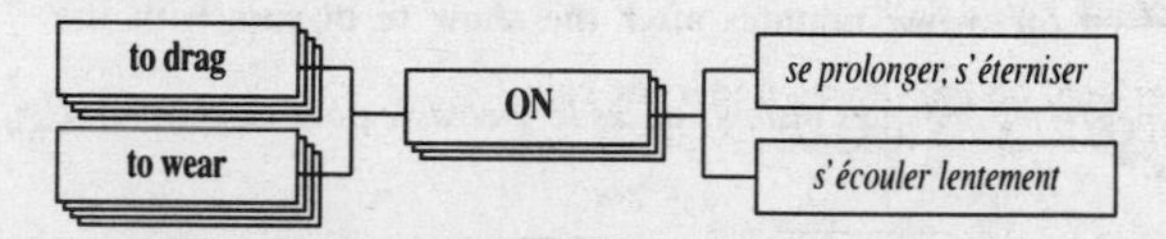

The war dragged on another year before a ceasefire was signed.
La guerre s'est enlisée pendant une année supplémentaire avant qu'un cessez-le-feu ne soit signé.

In our village this tradition has lived on owing to some farmers' strong determination.
La tradition s'est perpétuée dans notre village grâce à la détermination de quelques paysans.

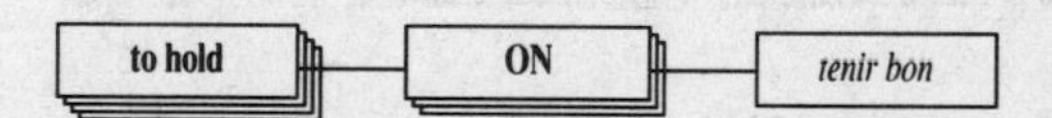

All her friends advised her to give up, but she held on and eventually won.
Tous ses amis lui conseillaient d'abandonner mais elle tint bon et finit par l'emporter.

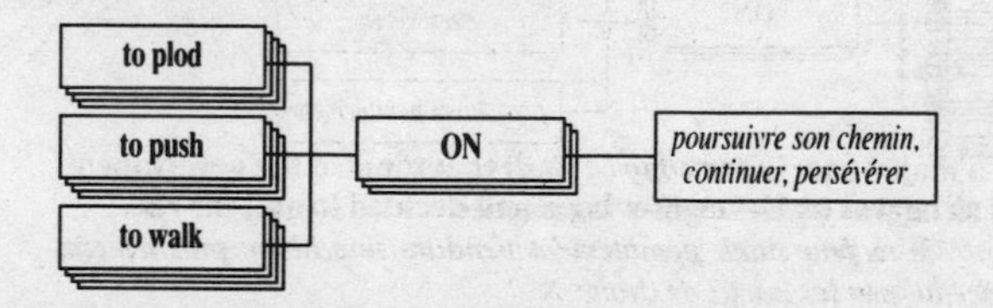

We plodded on in the rain for an hour or so and decided to stop in a barn.
On poursuivit péniblement sous la pluie pendant une heure environ puis on décida de s'arrêter dans une grange.

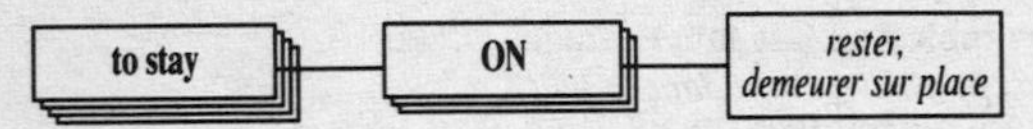

We stayed on for a few minutes after the show to discuss with the artists.
Nous sommes restés quelques instants après le spectacle pour discuter avec les artistes.

5. Encourager, influencer

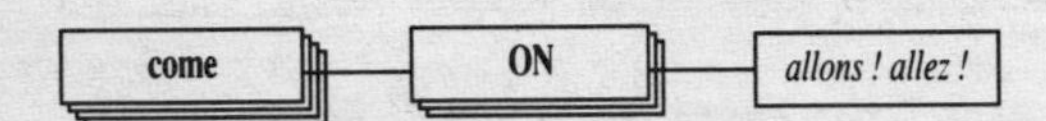

Come on, Jimmy, I am sure you can do it by yourself!
Allez, Jimmy, je suis sûr que tu peux le faire tout seul!

A thick crowd of supporters on both sides of the road was cheering us on.
Une foule compacte de supporters se tenait de chaque côté de la route pour nous encourager.

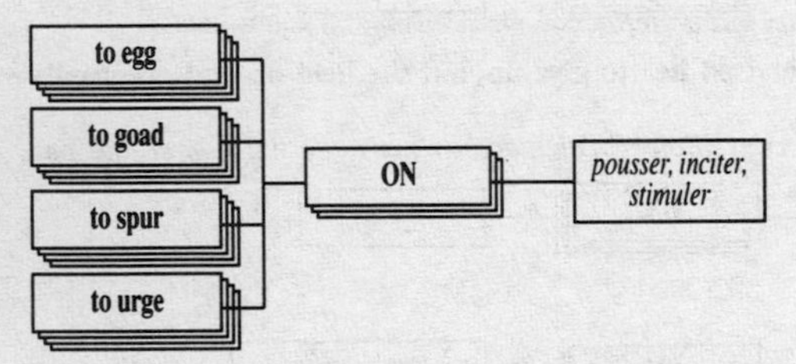

He played a major part in the *coup (d'État)* that toppled the government, goaded on as he was by the right-wing parties.
Il a joué un rôle majeur dans le coup d'État qui renversa le gouvernement, poussé qu'il était par les partis de droite.

Spurred on by the loss of his job, he started studying foreign languages.
Stimulé par la perte de son emploi, il se mit à étudier les langues étrangères.

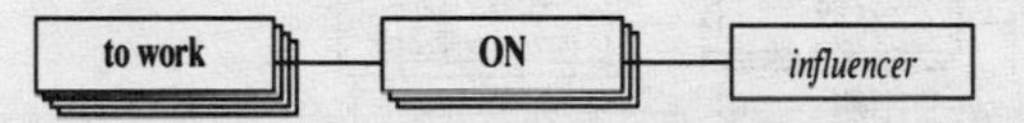

He tried to work on me but to no avail!
Il a essayé de m'influencer mais sans succès.

6. Forcer, imposer, empiéter

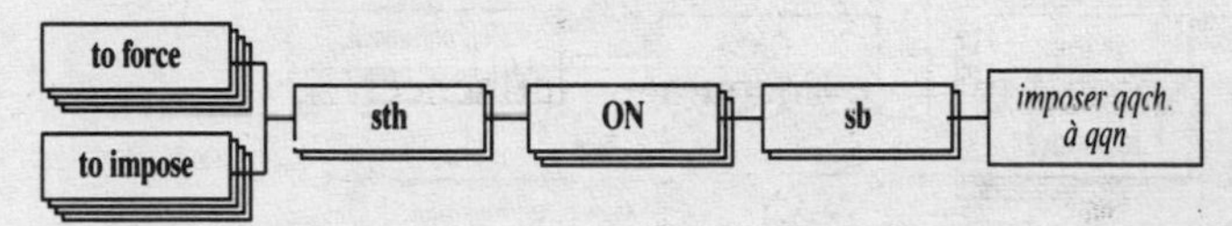

A two-percent cut in wages was imposed on the workers by the management.
La direction a imposé aux ouvriers une réduction de salaire de deux pour cent.

He tried several times to foist his old furniture on his nephew.
Il a essayé plusieurs fois de refiler ses vieux meubles à son neveu.

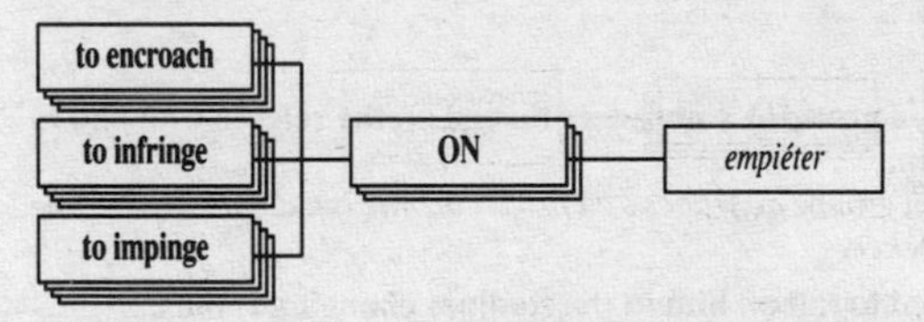

Make sure that your neighbours' new road won't encroach on your land.
Assurez-vous que la nouvelle route de vos voisins n'empiétera pas sur vos terres.

7. Tomber, fondre (sur), attaquer

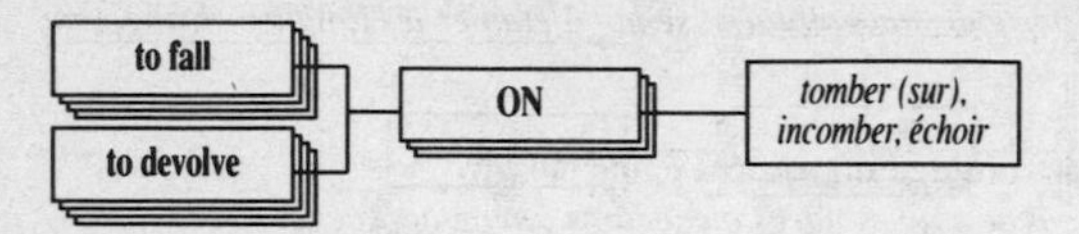

It will undoubtedly fall on me to announce his dismissal.
Il m'incombera certainement de lui annoncer sa mise à pied.

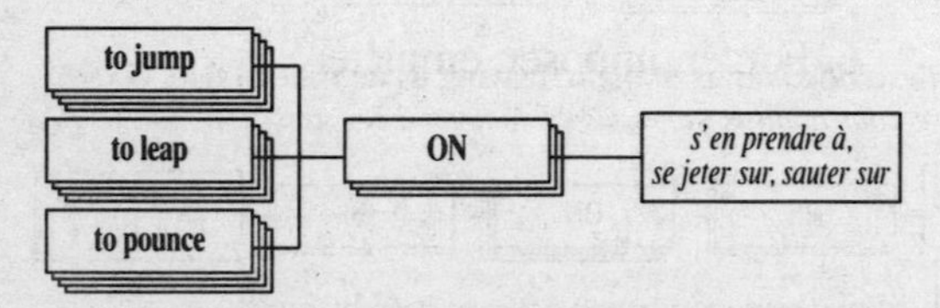

During the meeting, he jumped on me each time I said a word.
Au cours de la réunion, il s'en prenait à moi à chaque fois que je prononçais un mot.

The guards pounced on the man, thinking he was a terrorist.
Les gardes se sont jetés sur l'homme, pensant qu'il était un terroriste.

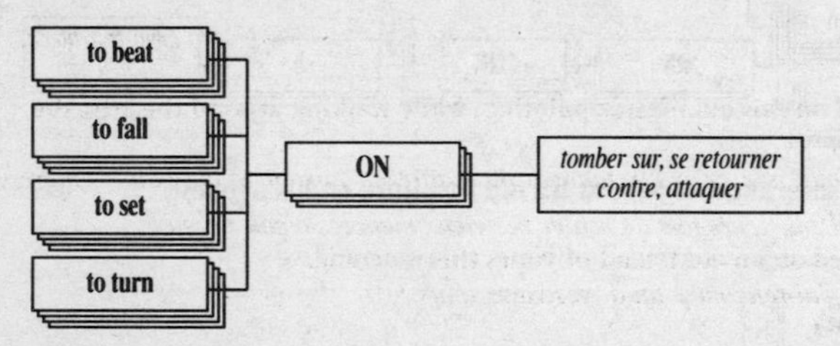

After the match, a group of youngsters turned on the referee who had to ask for protection.
Après le match, un groupe de jeunes s'en prit à l'arbitre qui dut demander une protection rapprochée.

They had planned to fall on him in the stadium changing rooms.
Ils avaient prévu de l'attaquer dans les vestiaires.

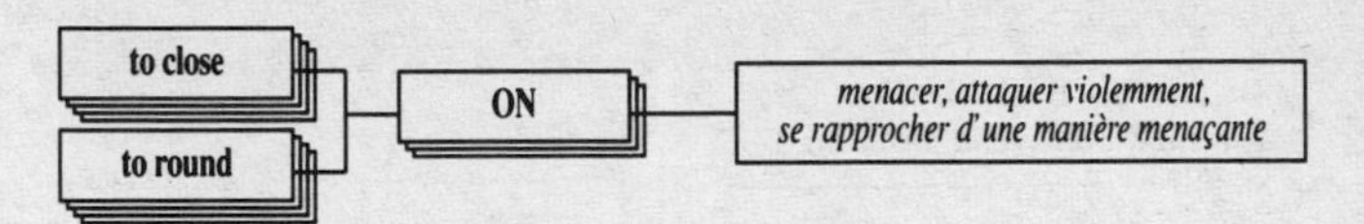

The two guards rounded on me as I came closer.
Les deux gardiens se sont montrés menaçants à mon approche.

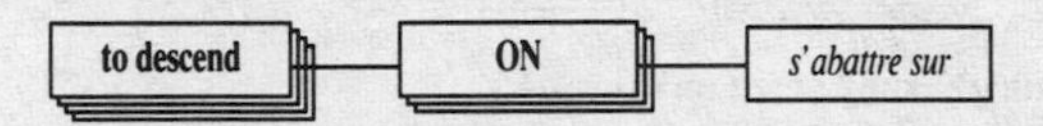

The enemies descended on us at night, leaving us no time to flee.
Les ennemis se sont abattus sur nous la nuit tombée, sans nous laisser le temps de fuir.

8. Tomber sur, rencontrer par hasard

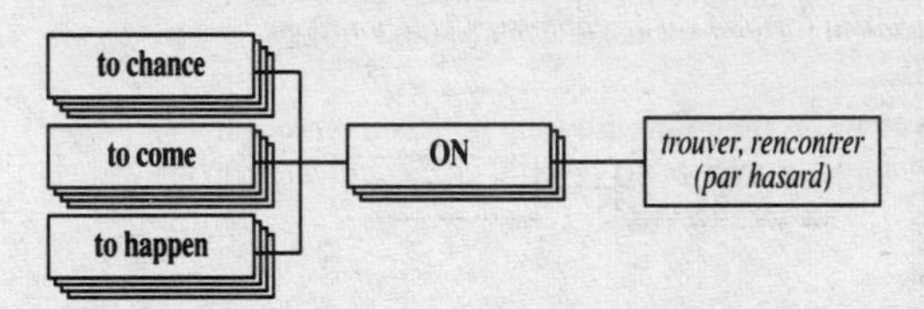

I chanced on this old master painting, while walking around the attic the other day.
Je suis tombé sur ce vieux tableau de maître en faisant le tour du grenier l'autre jour.

I happened on an old friend of yours this morning.
Ce matin, j'ai rencontré un de tes vieux amis.

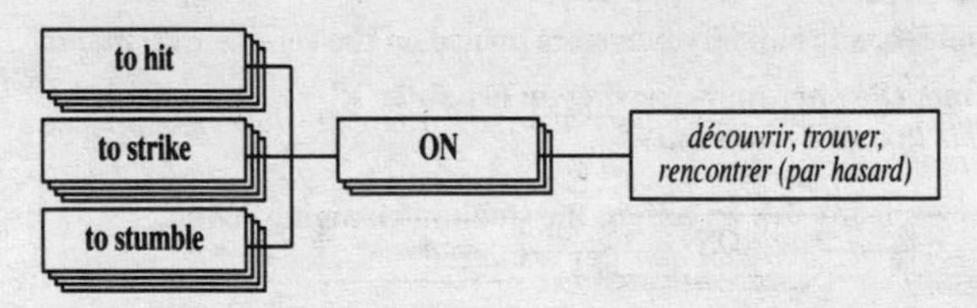

- How did you hit on the idea?
- Comment l'idée t'est-elle venue?

- By reading a DIY book.
- En lisant un livre de bricolage.

9. Indique la source, l'origine de

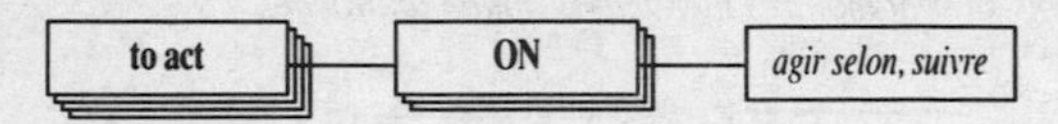

Don't shout at him, he only acted on my advice.
Ne le gronde pas, il n'a fait que suivre mon conseil.

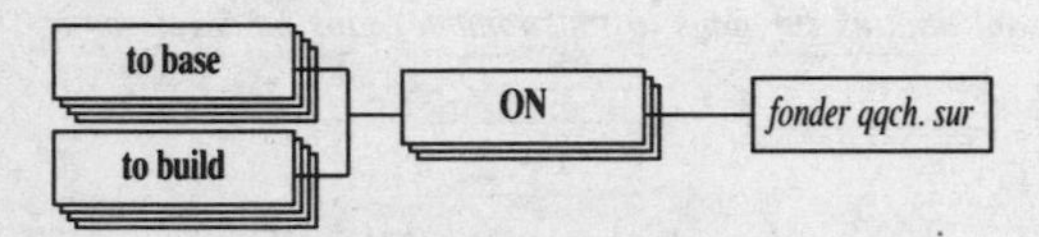

The city built its fortune on trade and tourism.
La ville a construit sa fortune sur le commerce et le tourisme.

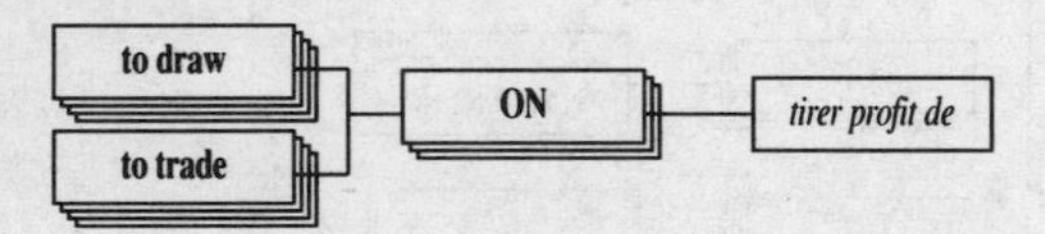

These new politicians are trading on the errors of their predecessors.
Ces nouveaux hommes politiques tirent profit des erreurs de leurs prédécesseurs.

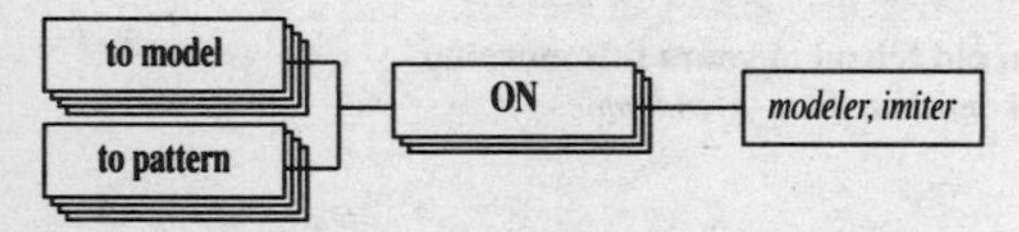

Jane has modelled her hair-dressing on her sister's.
Jane a copié la coiffure de sa sœur.

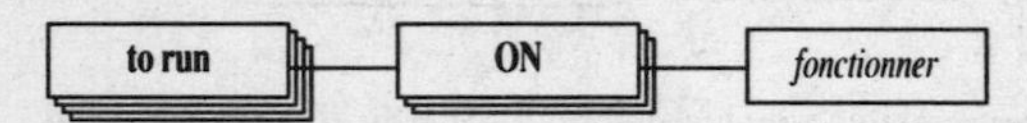

By the year 2000, all cars will have to run on unleaded (lead-free) petrol.
D'ici à l'an 2000, toutes les voitures devront rouler à l'essence sans plomb.

10. Attacher, fixer

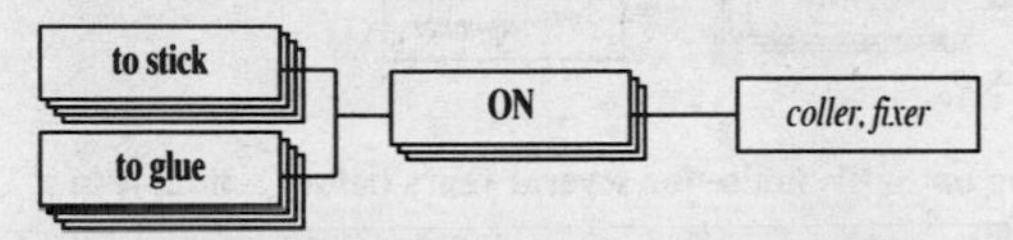

- Have you posted the letter yet?
- As-tu posté la lettre?

- No, I haven't. You forgot to stick a stamp on the envelope!
- Non, tu as oublié de coller un timbre sur l'enveloppe!

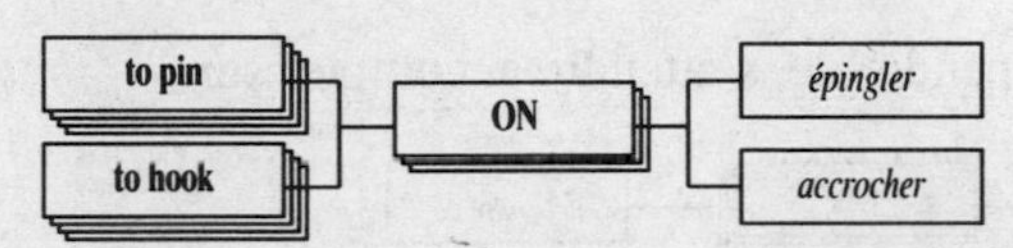

Who told you to pin all these pictures of Madonna on my bedroom walls?
Qui t'a dit de mettre toutes ces photos de Madonna sur les murs de ma chambre?

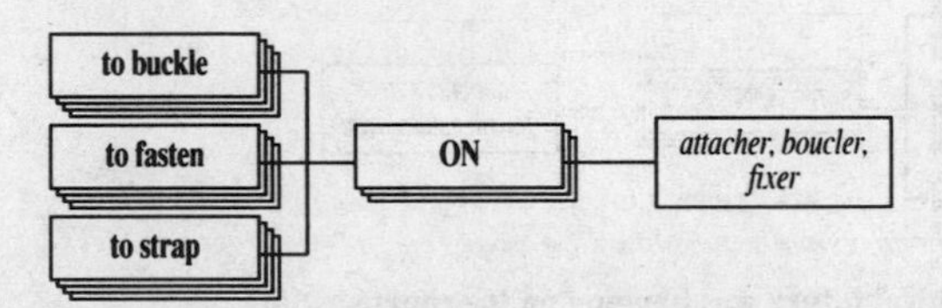

Ann(e) kept her eyes fastened on him all evening.
Anne a gardé les yeux rivés sur lui toute la soirée.

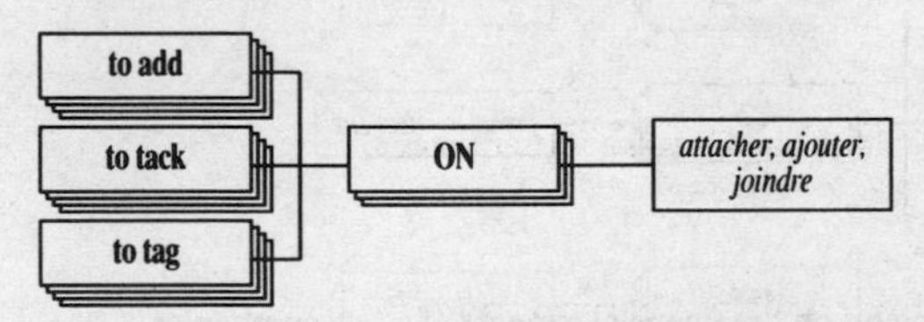

Who was the famous writer who insisted on having his title tagged on to his name?
Qui était l'écrivain célèbre qui tenait à avoir son titre attaché à son nom?

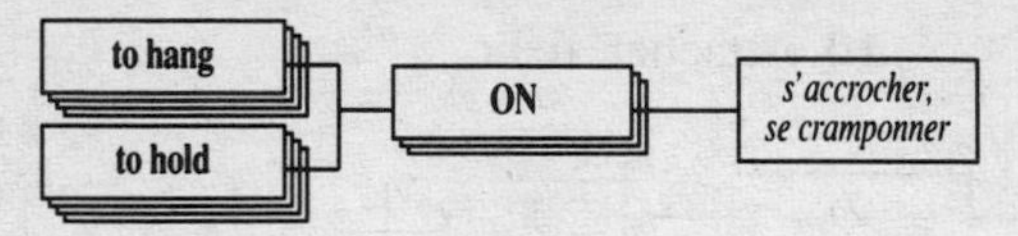

The old man hung on to his house for several years before selling it to a property developer.
Le vieil homme s'est cramponné plusieurs années à sa maison avant de la vendre à un promoteur immobilier.

11. Dépendre de, s'attendre à, compter sur

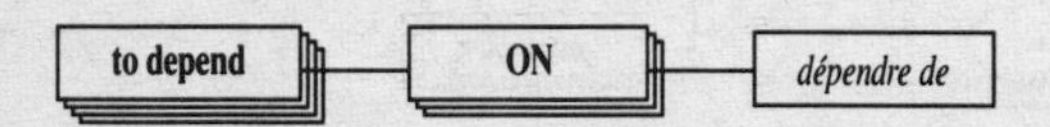

It all depends on his ability to convince the management.
Tout dépend de sa capacité à convaincre la direction.

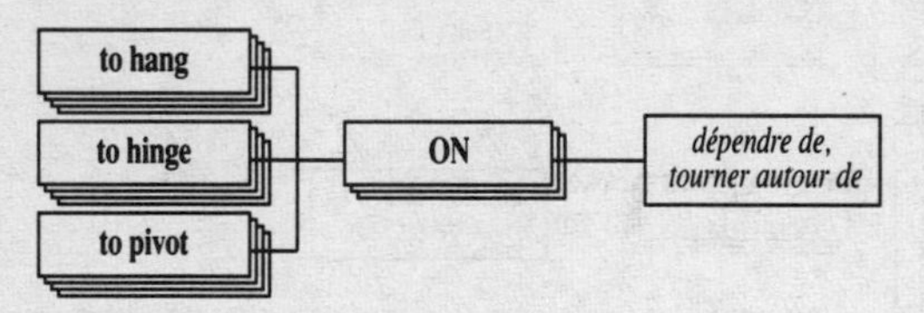

His whole political future was hanging on the court's ruling.
Toute sa carrière politique dépendait de la décision de la cour.

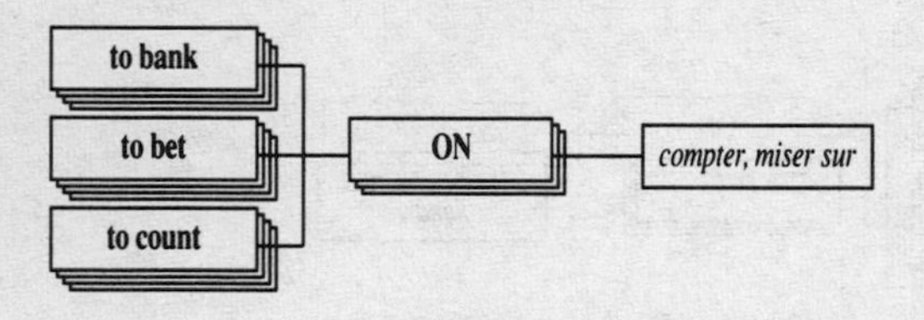

I think we can count on the financial support of a few companies.
Je pense que nous pouvons escompter le soutien financier de quelques sociétés.

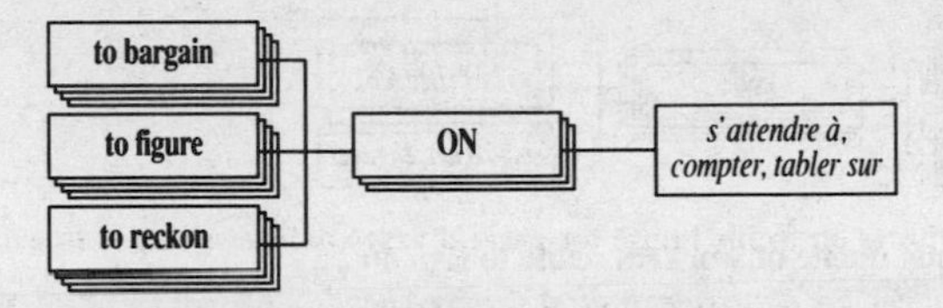

They had not reckoned on so many people coming to the meeting.
Ils n'attendaient pas tant de monde à la réunion.

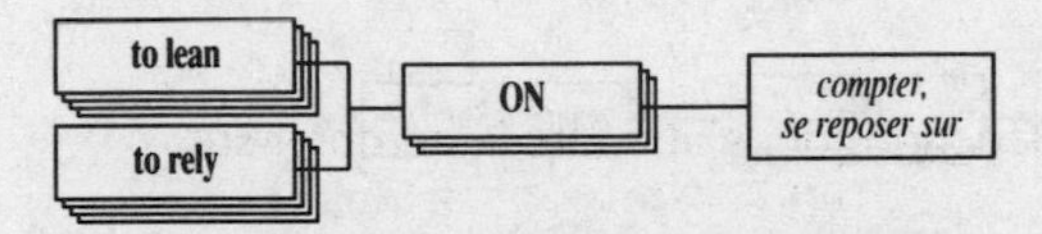

I think she leans too much on her elder daughter.
Je pense qu'elle se repose trop sur sa fille aînée.

I wouldn't bet a penny on that horse if I were you.
A votre place, je ne parierais pas un sou sur ce cheval.

12. Être, devenir membre de, embaucher

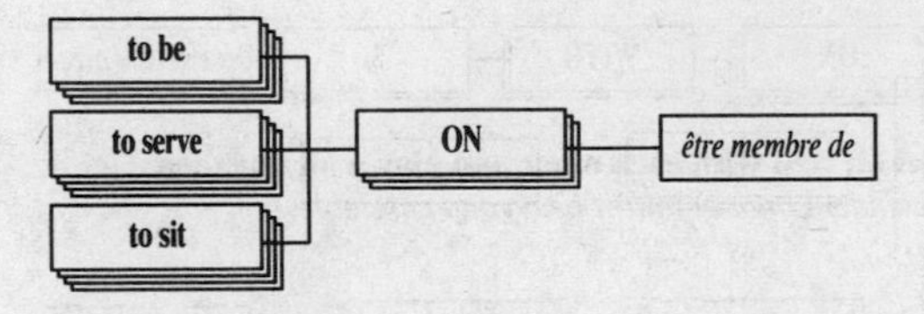

He has been on the Board of Directors for many years.
Il est membre du conseil d'administration depuis de nombreuses années.

As such, he is sitting on several committees.
En tant que tel, il participe à plusieurs commissions.

There was a long queue of workers ready to sign on...
Il y avait une longue file d'ouvriers prêts à s'embaucher...

... but we could only take on a few of them.
... mais on ne pouvait en engager que quelques-uns.

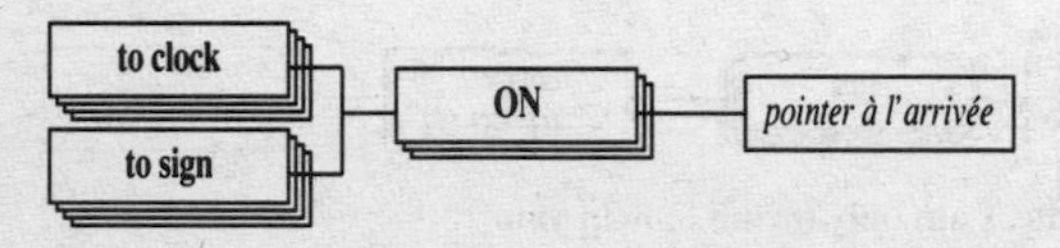

You know you have to clock on at six, don't you?
Vous savez que vous devez pointer à six heures, n'est-ce pas?

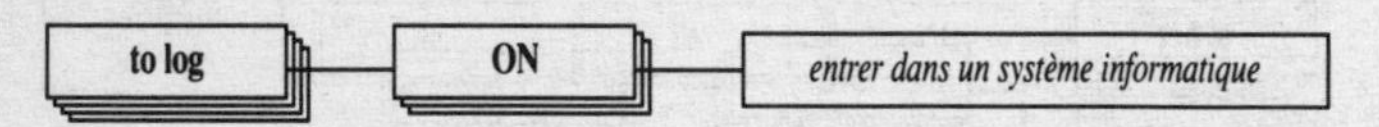

He refused to show me how to log on.
Il a refusé de me montrer comment avoir accès au système informatique.

13. Exprimer un sentiment, une relation

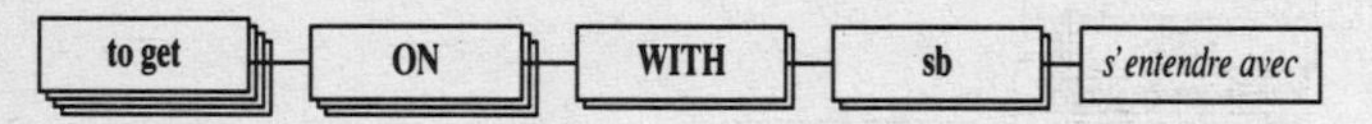

Both our sons get on well with each other and play a lot together.
Nos deux fils s'entendent bien et jouent beaucoup ensemble.

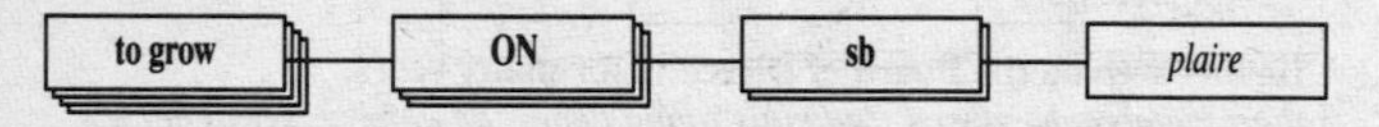

This place has an incredible charm that rapidly grew on me.
Cet endroit possède un charme incroyable qui m'a très rapidement séduit.

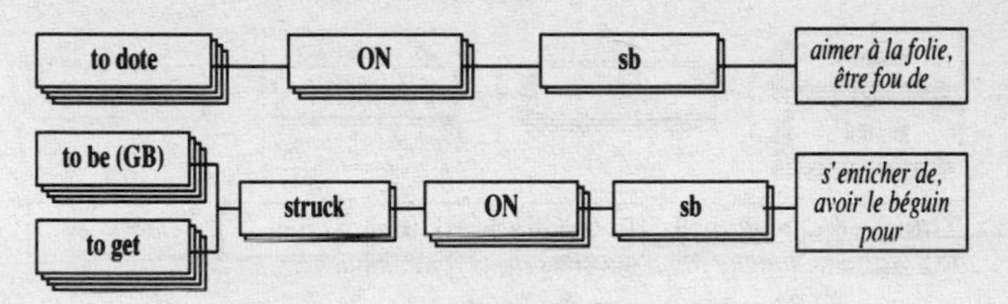

His mother wouldn't believe that he had got struck on this girl.
Sa mère refusait de croire qu'il s'était entiché de cette fille.

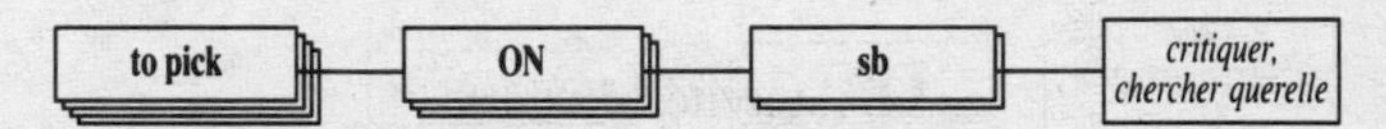

Don't pick on me, I am only trying to help you.
Ne me cherche pas querelle, j'essaie simplement de t'aider.

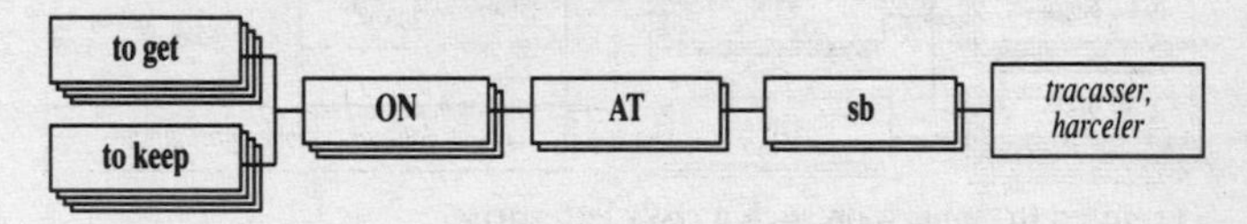

If you refuse, he will keep on at you until you eventually give in.
Si tu refuses, il te harcèlera jusqu'à ce que tu finisses par céder.

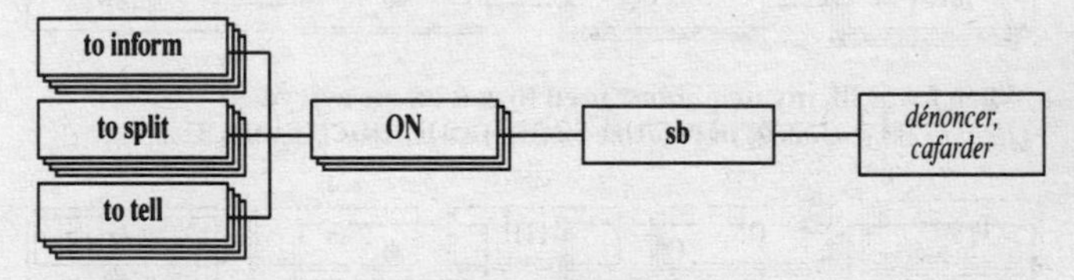

They had pledged never to tell on one another.
Ils avaient pris l'engagement de ne jamais se dénoncer l'un l'autre.

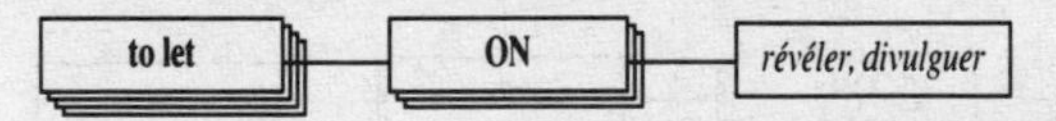

He never let on that he had seen the two men running out of the house.
Il n'a jamais révélé qu'il avait vu les deux hommes sortir en courant de la maison.

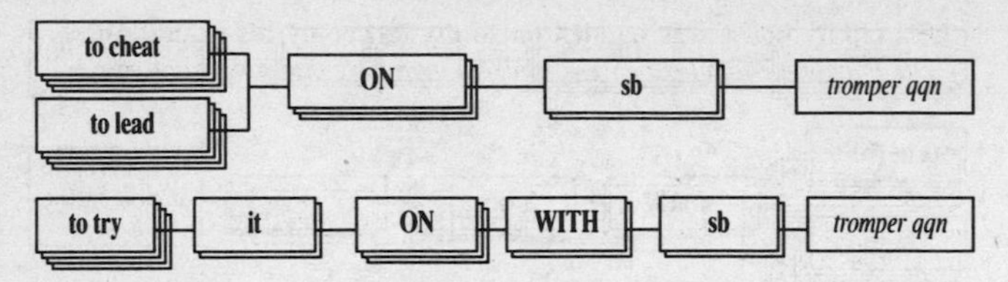

He tried it on with me once ; I don't trust him anymore.
Il m'a trompé une fois ; je ne lui fais plus confiance.

14. Activités diverses

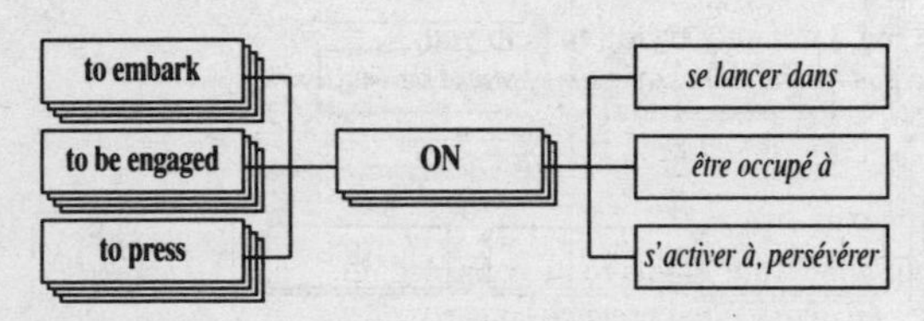

I refused to embark on such a risky enterprise.
J'ai refusé de me lancer dans une telle aventure.

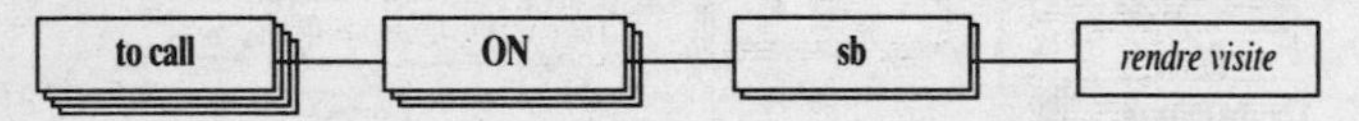

When I was ill, my neighbour used to call on me everyday.
Quand j'étais malade, ma voisine venait me voir tous les jours.

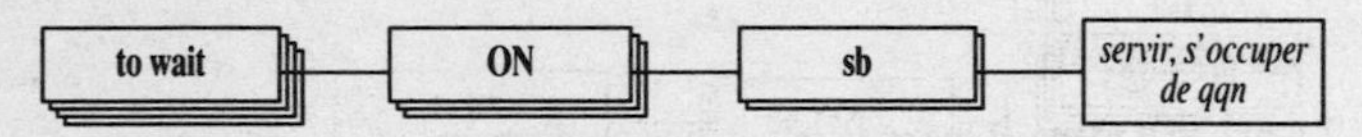

There was no one to wait on us, so we left!
Il n'y avait personne pour nous servir, alors nous sommes partis!

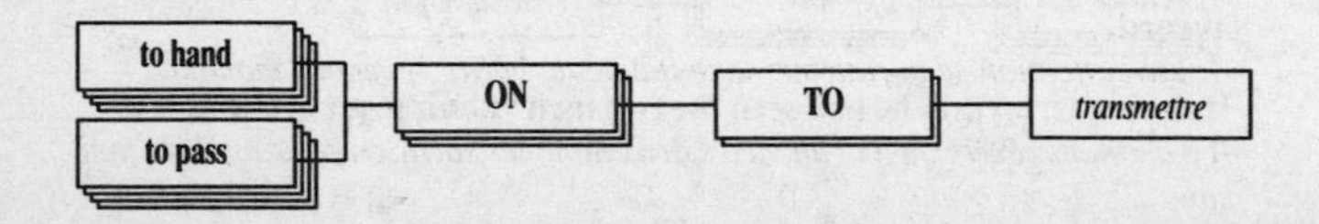

This family house was handed on to my father by his grandfather.
Cette maison de famille a été transmise à mon père par son grand-père.

It's unusual for the boss to heap praises on the members of staff.
Il n'est pas dans les habitudes du patron de combler d'éloges les membres du personnel.

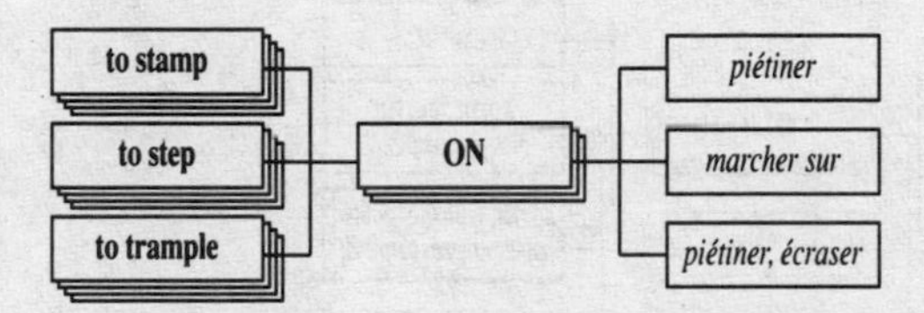

You should not allow your rights to be trampled on.
Vous ne devriez laisser personne empiéter sur vos droits.

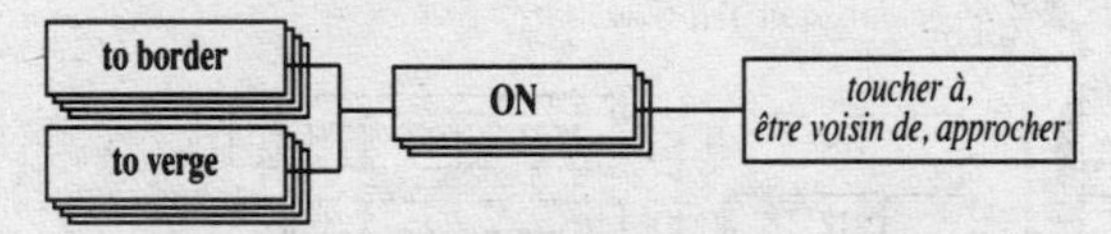

The theories, expounded in his latest book, verge on fascism.
Les théories exposées dans son dernier livre frisent le fascisme.

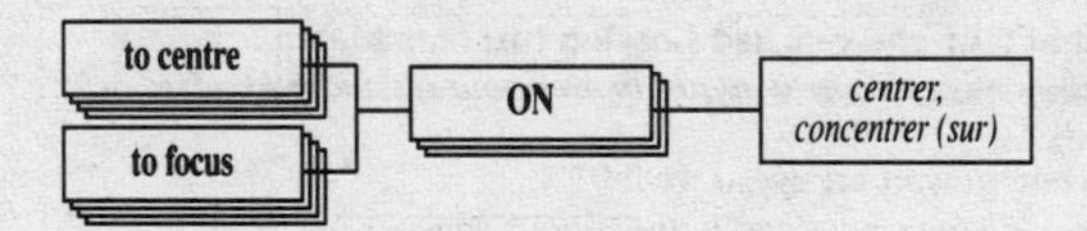

All the attention was centred on his attempt at breaking the world record.
Toute l'attention se portait sur sa tentative de battre le record mondial.

OUT

➪ **SENS GÉNÉRAL :** dehors, vers l'extérieur

My wife is out at the moment, she won't be back before two.
Ma femme est sortie, elle ne sera pas de retour avant deux heures.

➪ **SENS PARTICULIER :**

1. Partir, s'en aller, sortir

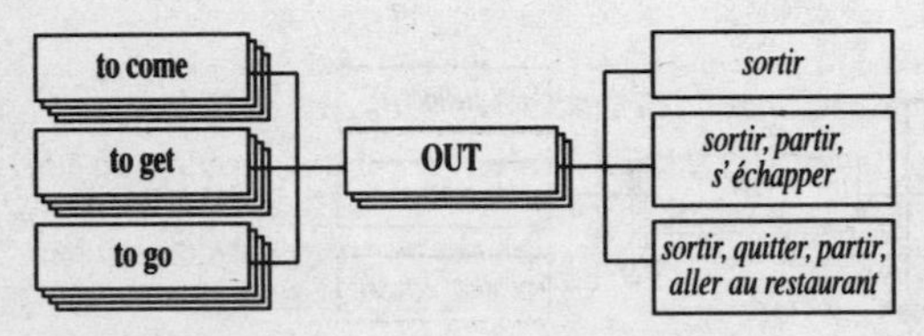

I couldn't get out in time and was hurt by the roof that collapsed.
Je n'ai pu m'échapper à temps et ai été blessé par le toit qui s'est effondré.

Are you going out tonight?
Sortez-vous ce soir?

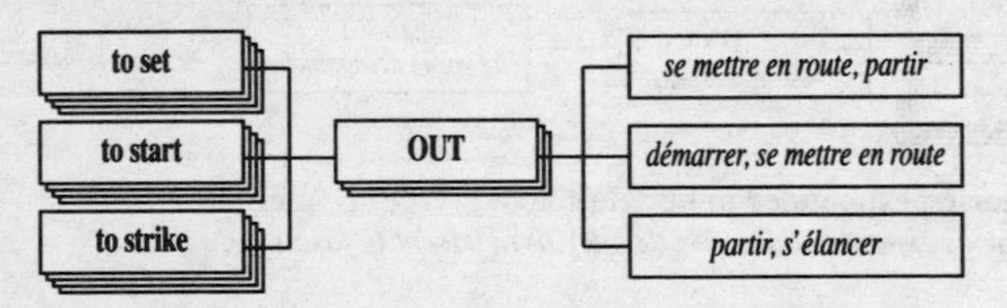

We started out at four and reached London two hours later.
Nous nous sommes mis en route à quatre heures pour atteindre Londres deux heures plus tard.

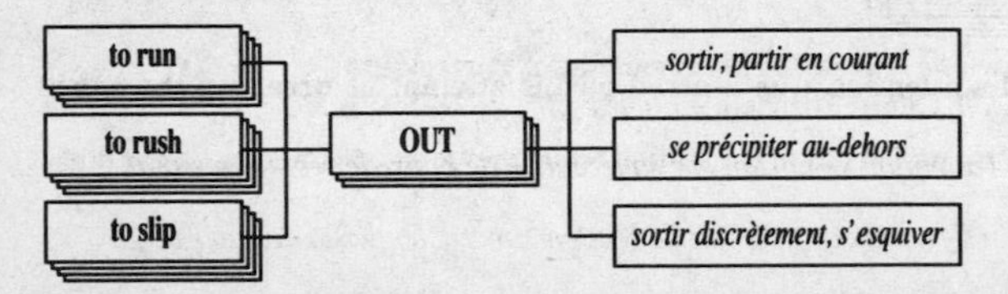

We were in a hurry, so we slipped out during the speech.
Nous étions pressés et nous nous sommes éclipsés pendant l'allocution.

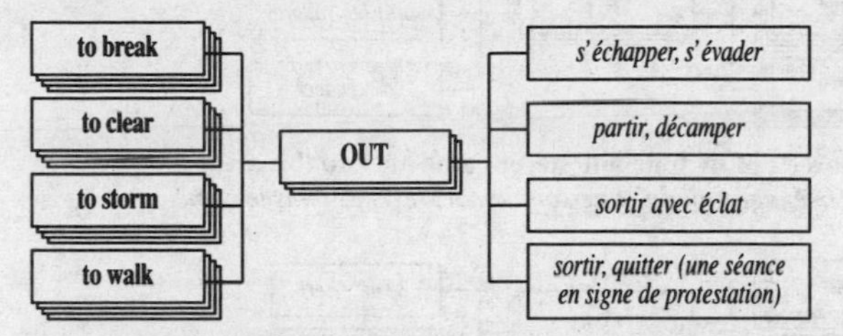

We have been asked to clear out of here by the end of the month.
On nous a demandé de quitter les lieux d'ici à la fin du mois.

The minister's proposal was voted down in the cabinet meeting, so he walked out in protest.
Son projet ayant été refusé en conseil, le ministre est sorti de la salle en signe de protestation.

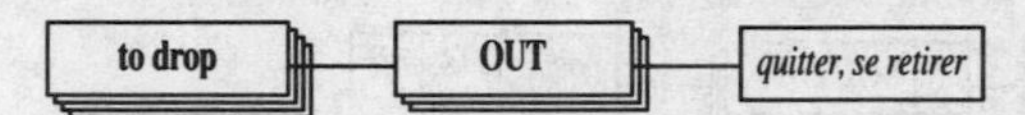

Here, very few students drop out before the end of their studies.
Ici, bien peu d'étudiants abandonnent avant la fin de leurs études.

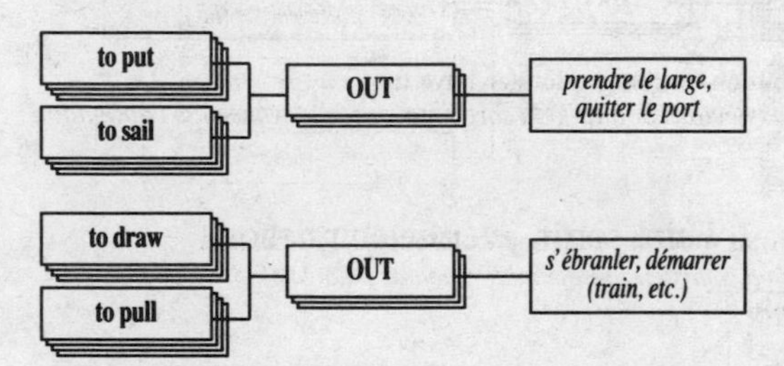

We saw *The Queen Elizabeth* sail out of Portsmouth.
On a vu le Queen Elizabeth *quitter le port de Portsmouth.*

The train pulled out of the station while they were still talking on the platform.
Le train s'ébranla alors qu'ils étaient encore sur le quai à discuter.

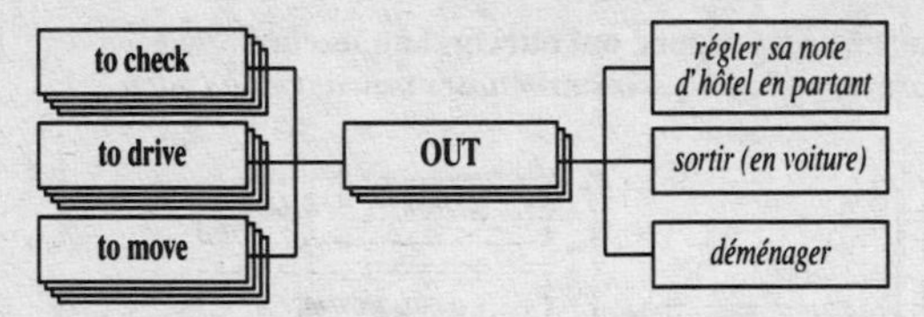

They moved out in June and never came back to this area.
Ils ont déménagé en juin et ne sont jamais revenus dans le coin.

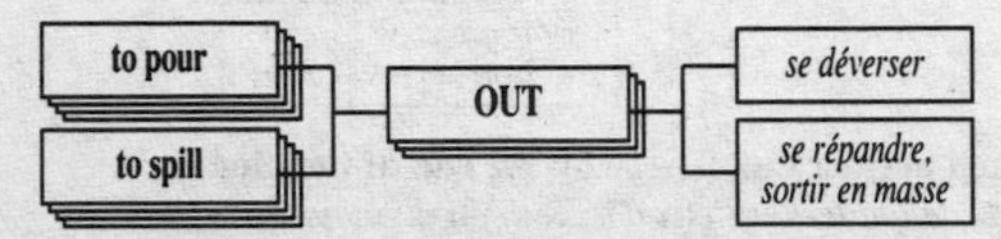

At the end of the film, the people spilled out onto the streets and caused traffic jams.
A la fin du film, les gens se déversèrent dans la rue et provoquèrent des embouteillages.

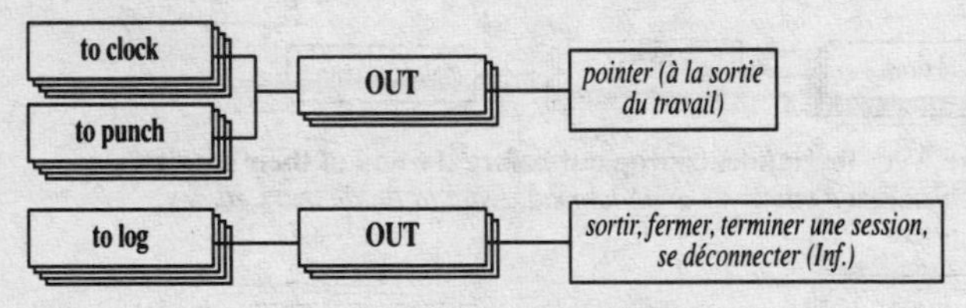

We used to punch out but no longer have to.
Autrefois, nous devions pointer à la sortie mais nous n'avons plus l'obligation de le faire.

2. Faire sortir, jeter, retenir dehors

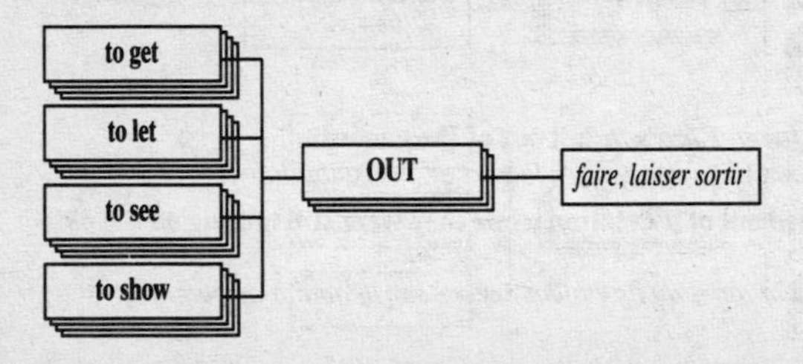

The front door is locked, I'll show you out through the back door.
La porte de devant est fermée, je vais vous faire sortir par celle de derrière.

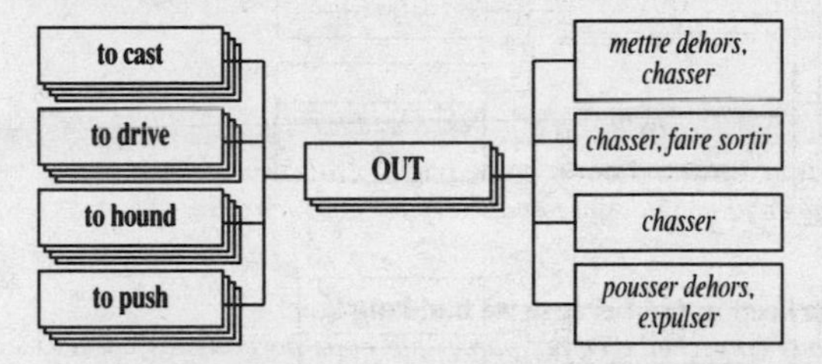

It was closing time and we were pushed out by the attendants.
C'était l'heure de fermeture et nous avons été mis dehors par les gardiens.

We protested to the management because they had driven us out in a most impolite way.
Nous avons protesté auprès de la direction parce qu'ils nous avaient chassés de manière très incorrecte.

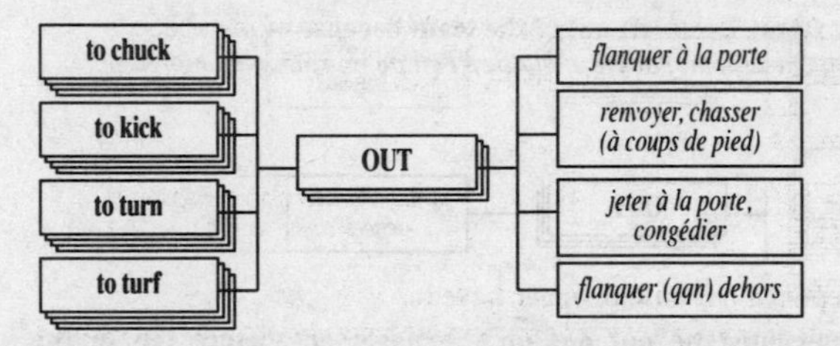

We got chucked out of the meeting because of our banner.
On s'est fait mettre à la porte du meeting à cause de notre banderole.

We didn't think they would dare turn us out for such a minor reason.
Nous ne pensions pas qu'ils oseraient nous jeter dehors pour une raison aussi mineure.

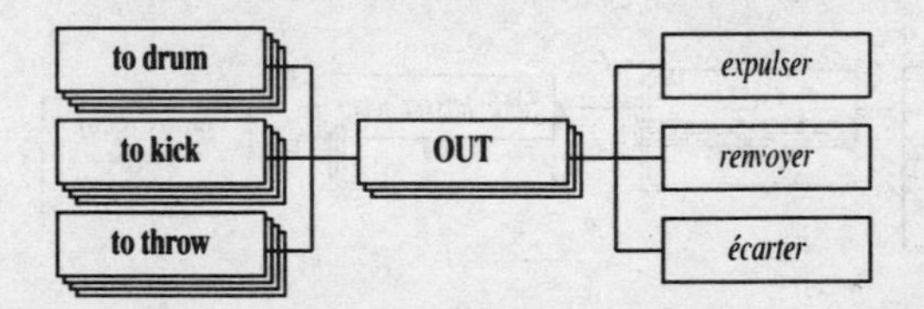

John was thrown out of his club for misbehaviour.
John a été renvoyé de son club pour mauvaise conduite.

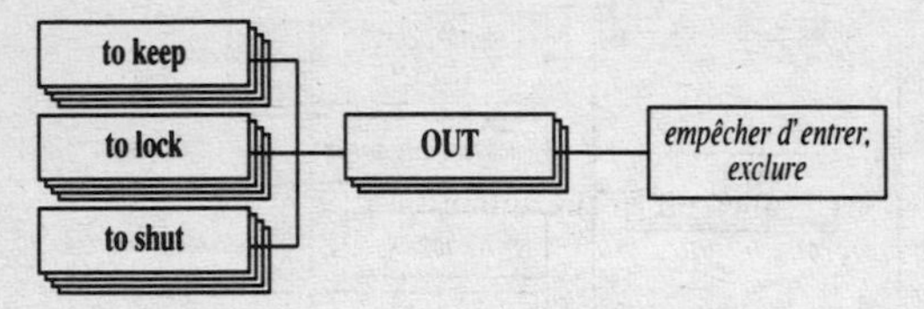

They wanted to keep us out because we had long hair!
Ils voulaient nous empêcher d'entrer parce que nous portions les cheveux longs!

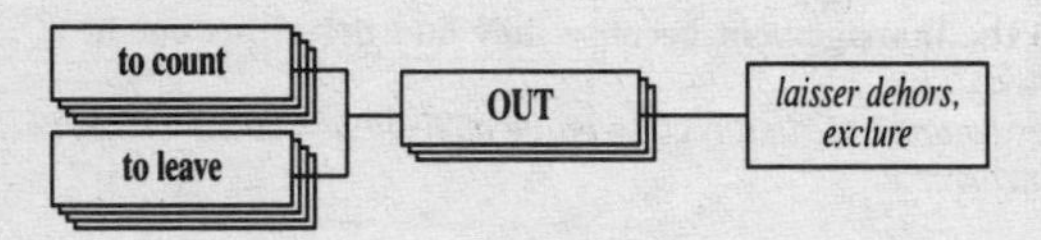

My coach told me I was left out of the team because of my age.
D'après mon entraîneur, j'ai été exclu de l'équipe en raison de mon âge.

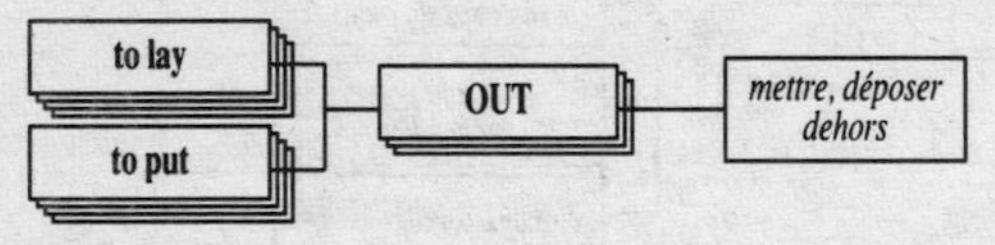

The garbage must be put out on the pavement before ten in the evening.
Prière de déposer les ordures sur le trottoir avant dix heures.

3. Être, faire quelque chose hors de chez soi

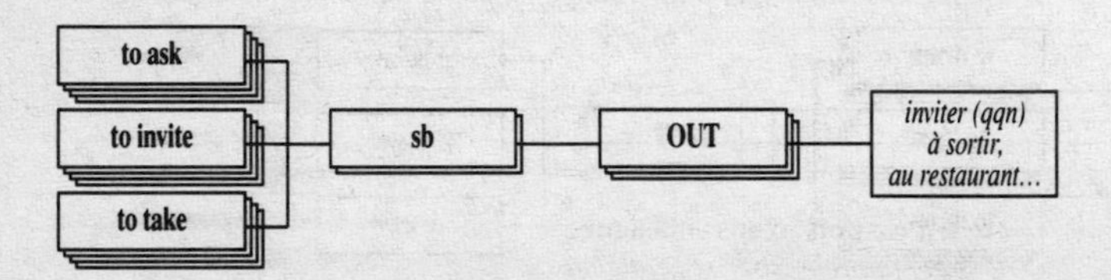

I wanted to take her out but she preferred to stay at home and watch TV.
Je voulais l'inviter au restaurant mais elle a préféré rester à la maison pour regarder la télévision.

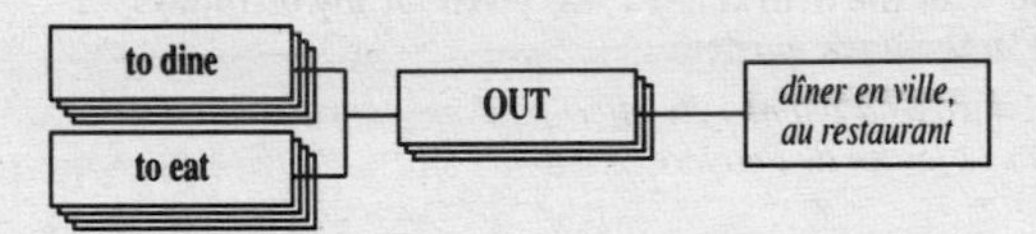

We can't eat out as much as we used to.
Nous ne pouvons plus aller au restaurant autant que par le passé.

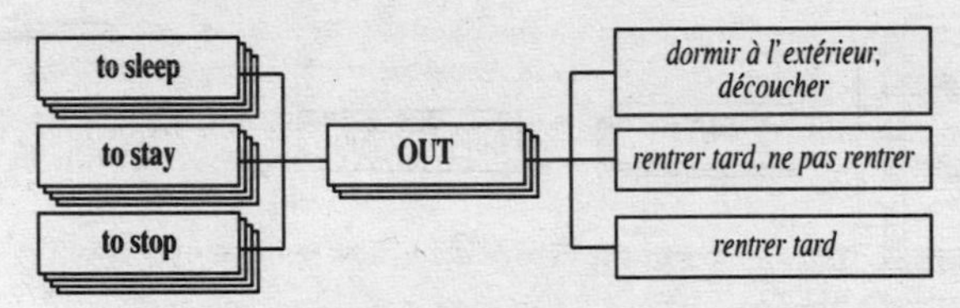

It's the first time her parents allow her to stay out late.
C'est la première fois que ses parents l'autorisent à rentrer tard le soir.

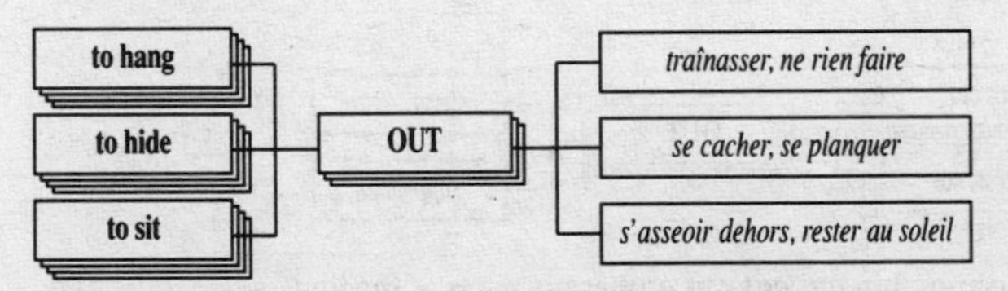

During the holidays, you can see them hanging out all day.
Pendant les vacances, on peut les voir traîner toute la journée.

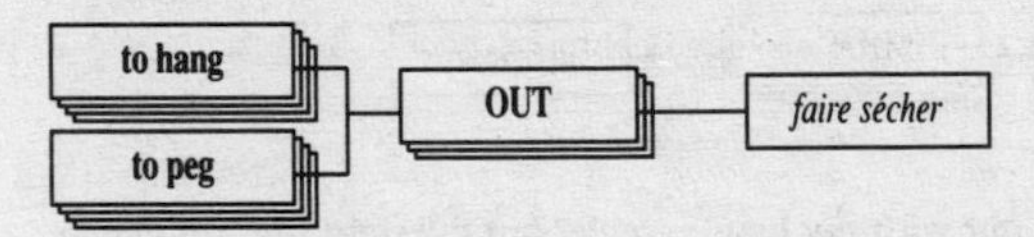

Hang your washing out on the line ; it'll be dry in an hour or two.
Etends ta lessive dehors sur la corde ; elle sera sèche en une heure ou deux.

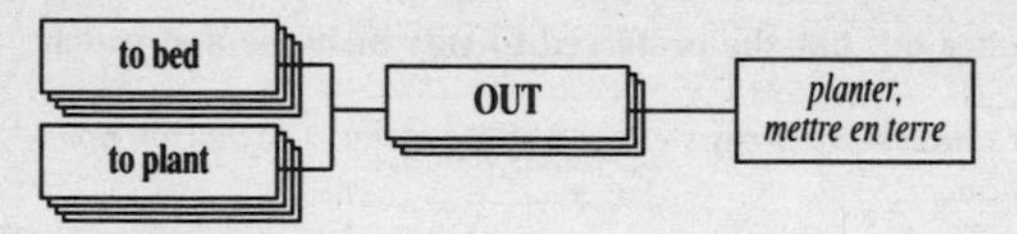

- What did you do with the hydrangea I was given for my birthday?
- I planted it out in the back garden.

- Qu'as-tu fait de l'hortensia qui m'a été offert pour mon anniversaire?
- Je l'ai planté dans le jardin de derrière.

4. Éliminer, empêcher

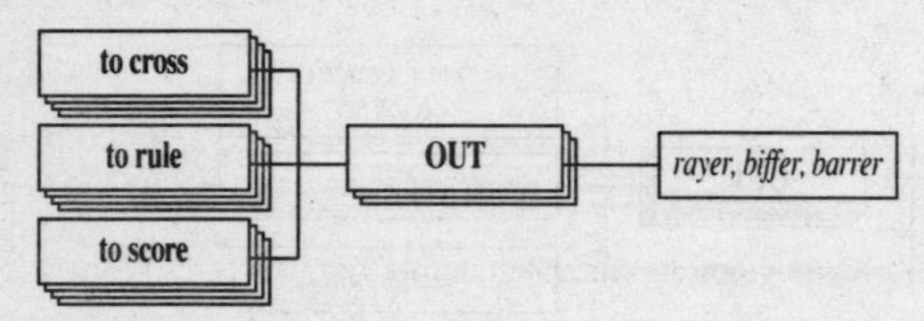

The boss had scored out so many paragraphs that I had to write the whole report again.
Le patron avait supprimé tant de paragraphes que je dus réécrire la totalité du rapport.

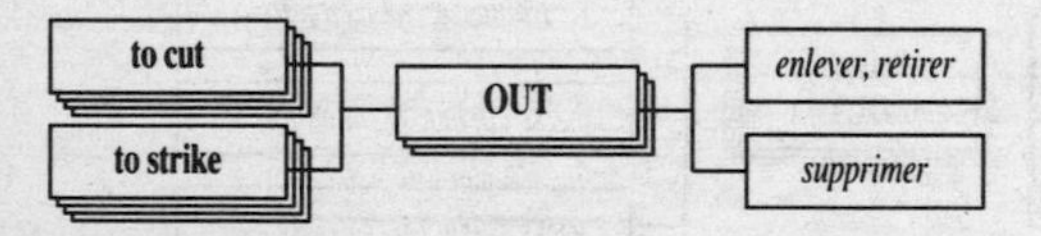

The censorship has cut out numerous parts of the film.
La censure a coupé de nombreux passages du film.

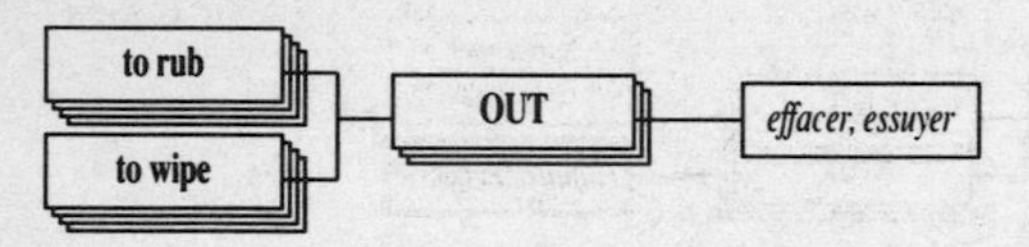

I tried to wipe it out with my handkerchief but the stain wouldn't come off.
J'ai essayé de l'essuyer avec mon mouchoir mais la tache n'est pas partie.

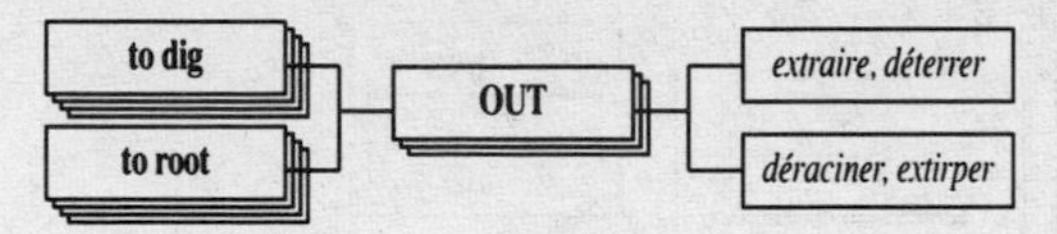

He wanted to start a crusade to root out all corruption in his company.
Il voulait partir en guerre contre la corruption dans sa société.

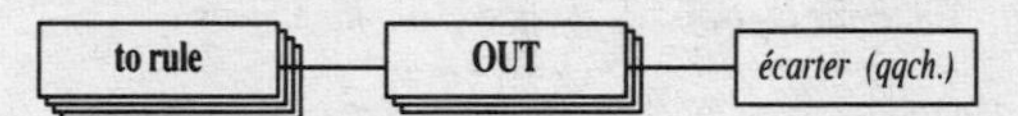

The government has recently ruled out all possibility of further privatisations.
Le gouvernement a récemment écarté toute possibilité de nouvelles privatisations.

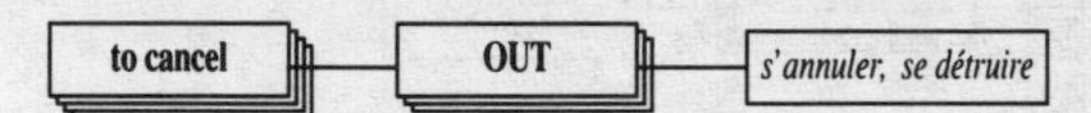

Our new export strategy might be cancelled out by the effects of this new tax.
Notre nouvelle stratégie à l'exportation risque d'être anéantie par les effets de ce nouvel impôt.

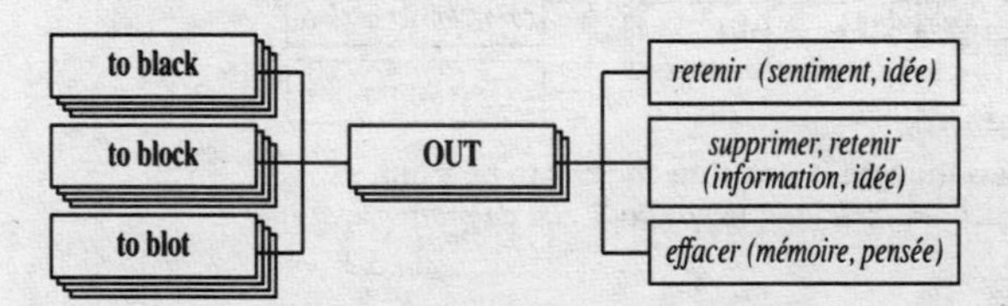

The rumour had started spreading and no one could block it out.
La rumeur avait commencé à circuler et personne ne pouvait l'arrêter.

This product will be phased out next year and replaced by a new one.
Ce produit sera progressivement retiré du marché l'année prochaine et remplacé par un nouveau.

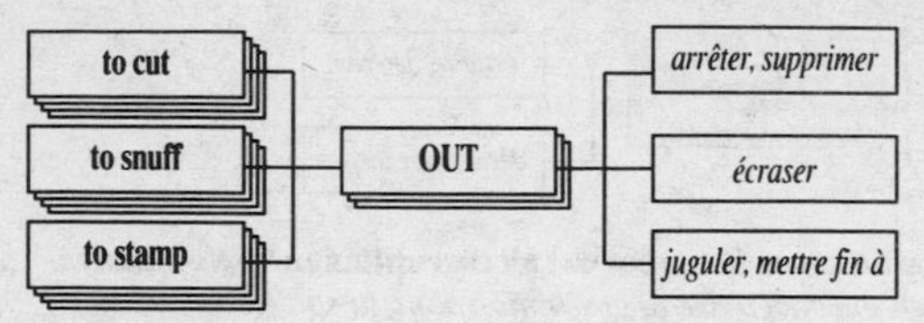

We won't be able to stamp out drug trafficking for a long time.
On ne pourra mettre un terme au trafic de drogue avant longtemps.

5. (S') arrêter, (s') éteindre, perdre connaissance

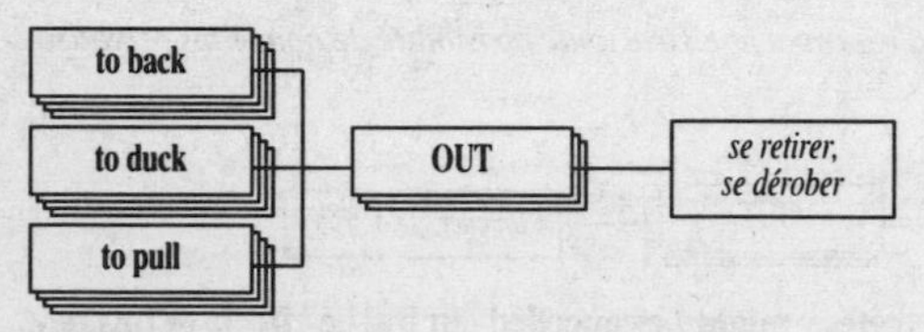

I decided to back out the very day I met the other partners.
J'ai décidé de me retirer le jour même où j'ai rencontré les autres associés.

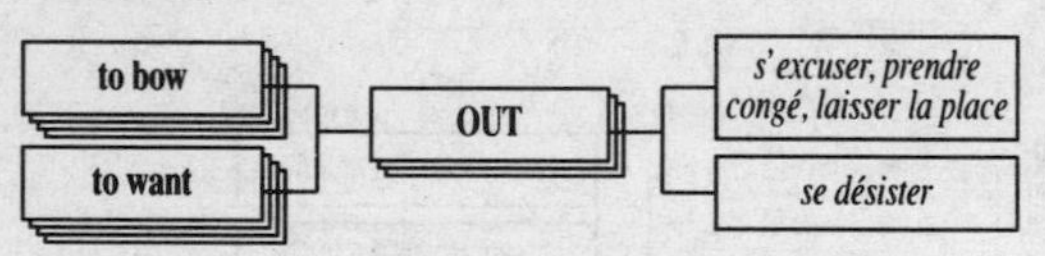

The actress thought it was time for her to bow out.
L'actrice pensait qu'il était temps pour elle de quitter la scène.

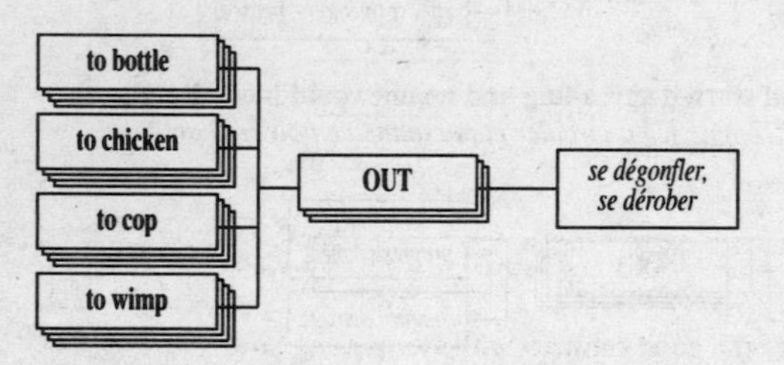

How dare you want to cop out now that all the plans have been fixed?
Comment oses-tu vouloir te débiner maintenant que tous les plans sont arrêtés?

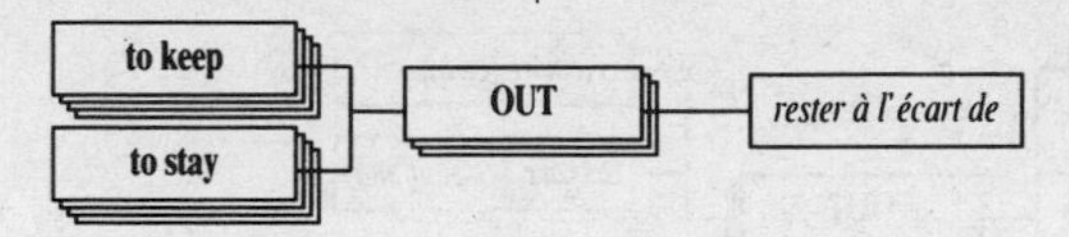

I think it is a risky business and wish to keep out of it.
Je pense que c'est une affaire risquée et je souhaite rester à l'écart.

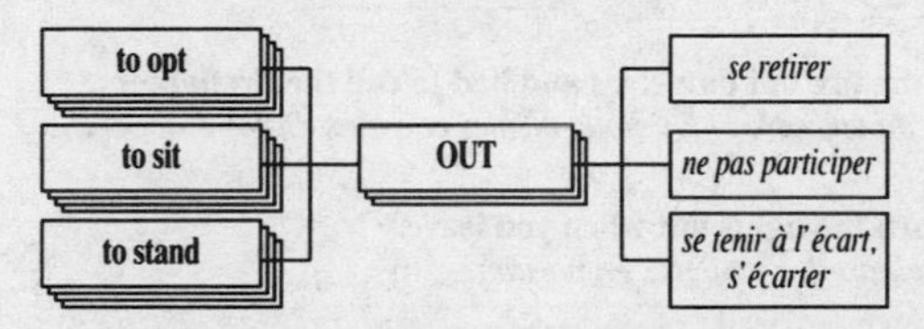

I felt I wasn't fit enough for the race and decided to stand out.
Je ne me sentais pas assez en forme pour la course et j'ai décidé de déclarer forfait.

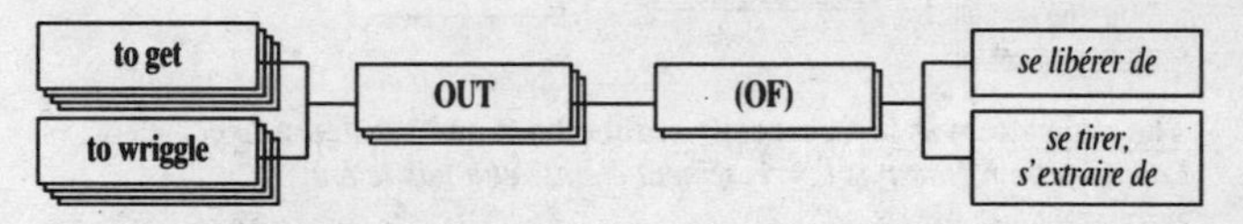

I once answered their letter and do not know how to get out of it now.
Il m'est arrivé de répondre à une de leurs lettres et je ne sais plus comment m'en défaire maintenant.

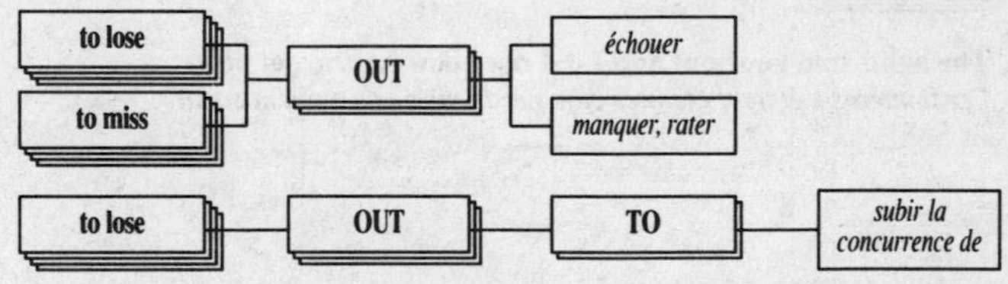

We were working on a good contract with Hong Kong but we lost out to the Japanese.
On travaillait sur un contrat intéressant avec Hong Kong mais ce sont les Japonais qui l'ont emporté.

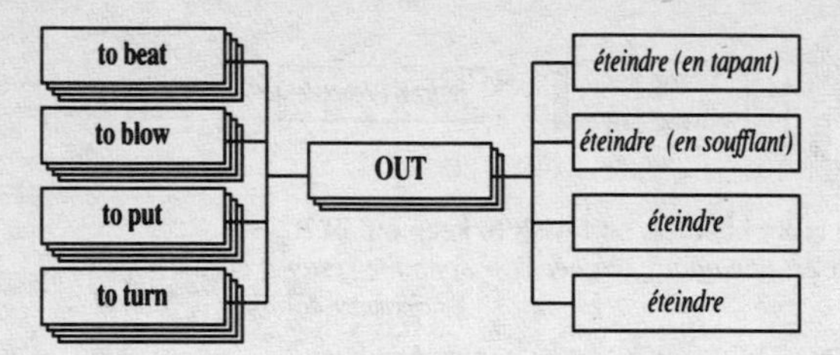

We couldn't put the fire out ourselves and had to call the firefighters.
Nous n'avons pas pu éteindre le feu nous-mêmes et avons dû faire appel aux pompiers.

Don't forget to turn the lights out when you leave.
N'oubliez pas d'éteindre les lumières en partant.

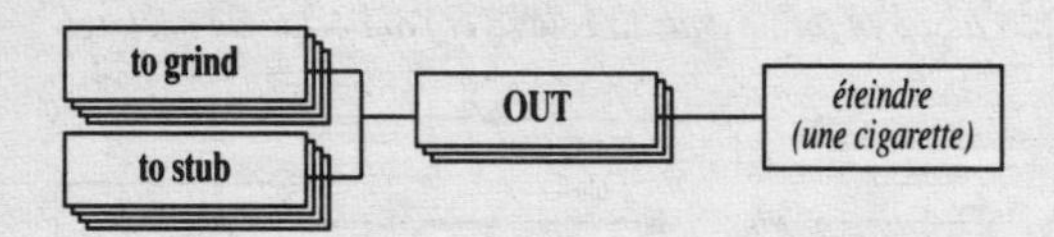

The cigarette was not correctly stubbed out and started a fire.
La cigarette n'était pas correctement éteinte et a mis le feu.

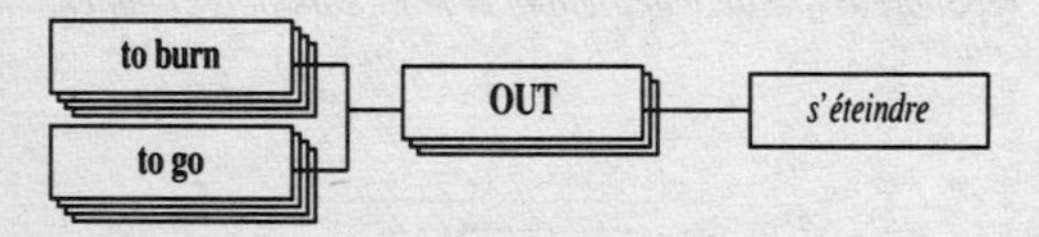

The lights had gone out and I did not know how to get out.
Les lumières s'étaient éteintes et je ne savais pas comment sortir.

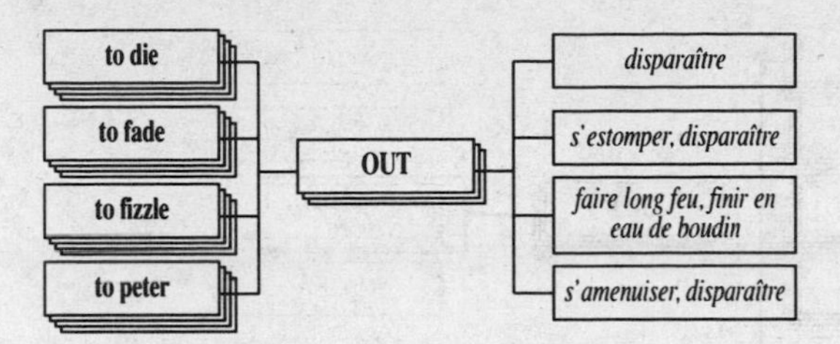

His enthusiasm for this sport soon petered out.
Son enthousiasme pour ce sport eut tôt fait de s'envoler.

I thought this fashion had died out!
Je pensais que cette mode avait disparu!

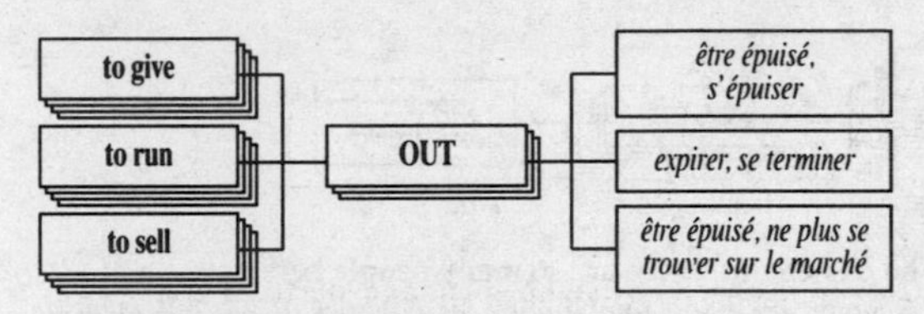

My subscription is running out in May.
Mon abonnement se termine en mai.

His pamphlet was sold out in one day.
Son pamphlet fut épuisé en un jour.

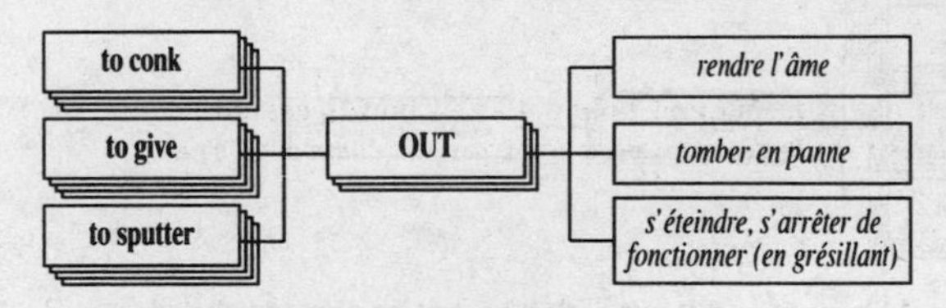

My old record player has conked out.
Mon vieux tourne-disque a rendu l'âme.

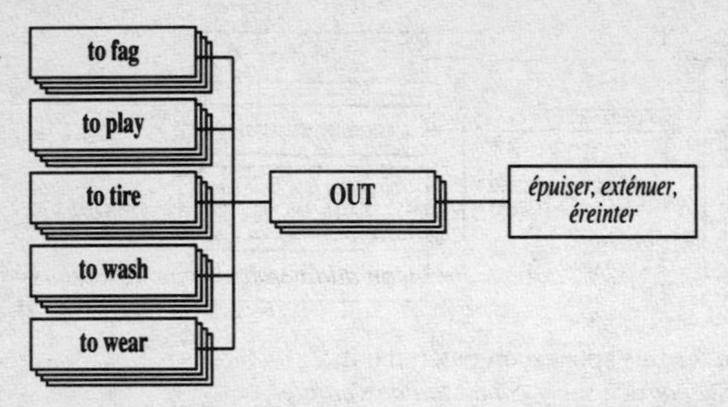

We spent a whole day harvesting and were so fagged out that we couldn't even walk back home!
Nous avons passé une journée entière à moissonner et étions si exténués que nous ne pouvions même pas rentrer à pied à la maison.

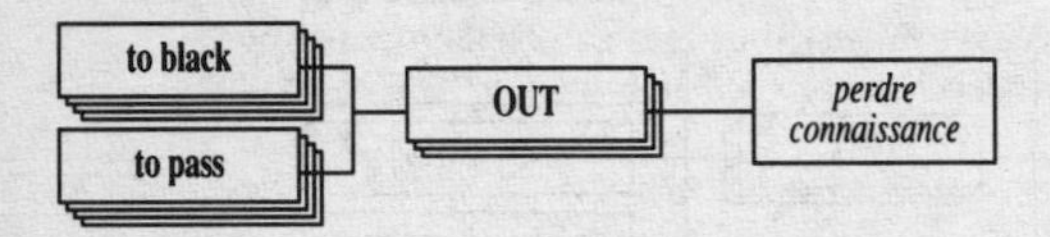

No wonder he passed out, there are so many people here!
Il n'est pas étonnant qu'il soit tombé dans les pommes, il y a tellement de monde ici!

6. Faire quelque chose à fond, réussir, aboutir

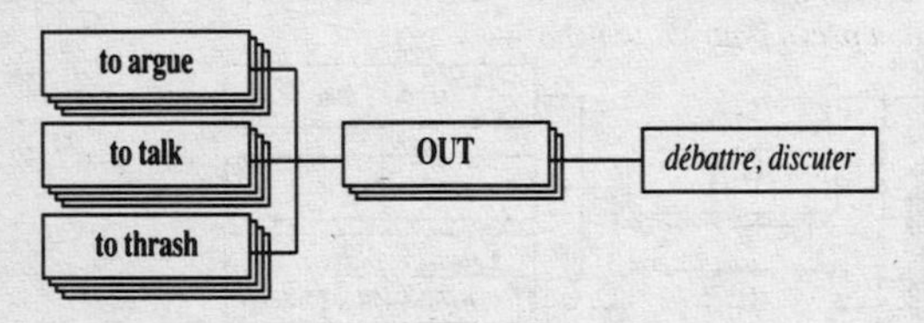

I wish I could have talked it out with him, but he always refused.
J'aurais aimé pouvoir en discuter avec lui, mais il a toujours refusé.

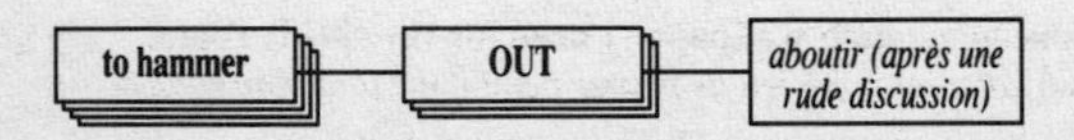

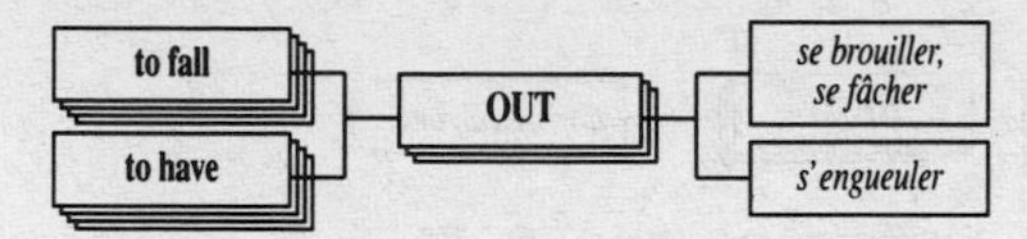

He was getting on my nerves and I really thought we were going to fall out over such a silly thing!
Il me tapait sur les nerfs et j'ai bien cru qu'on allait se fâcher pour une histoire aussi idiote!

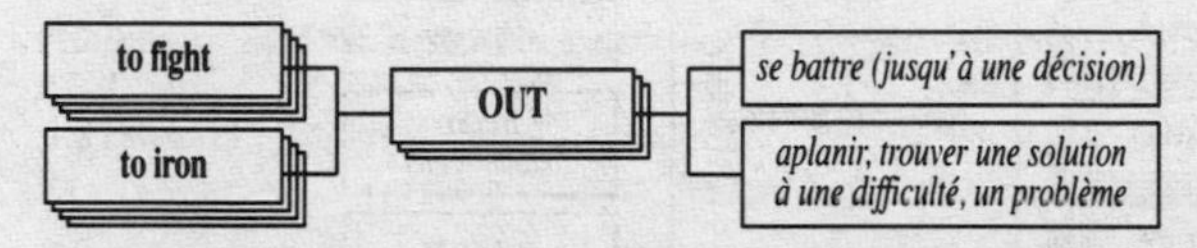

The negotiations have failed ; they are ready to fight it out now.
Les négociations ont échoué ; ils sont désormais prêts à en découdre.

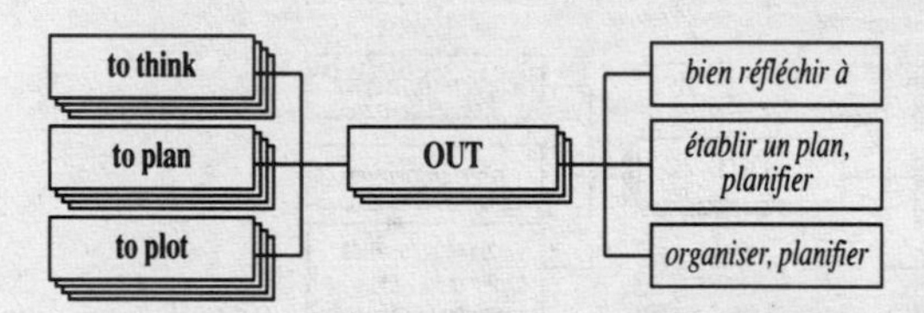

Everything was well planned out for our little outing.
On avait bien tout prévu pour notre petite excursion.

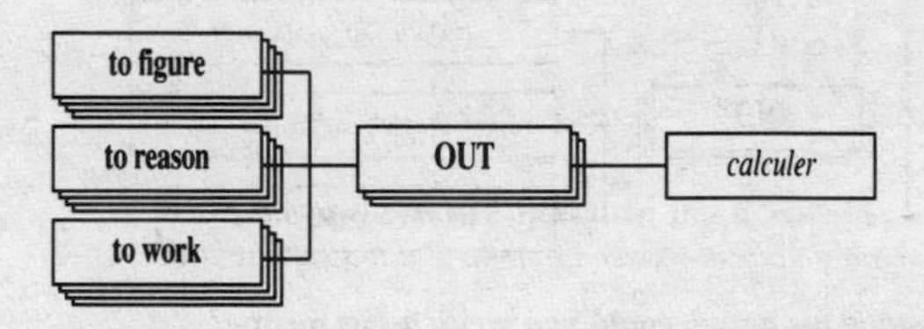

I can't figure out how much wallpaper I need for my sitting room.
Je n'arrive pas à calculer combien de papier peint il me faut pour mon salon.

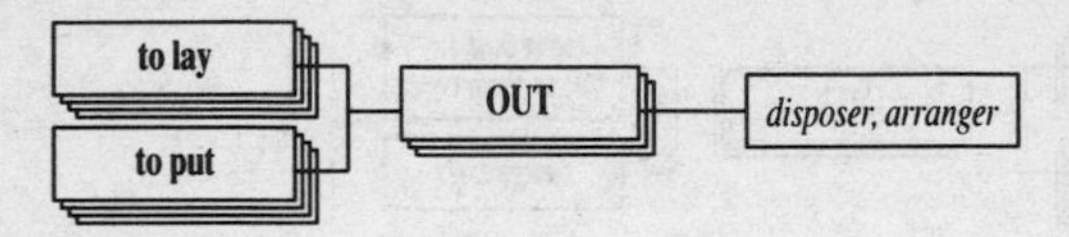

Everything in the house was laid out with care and attention.
Tout dans la maison était disposé avec soin et attention.

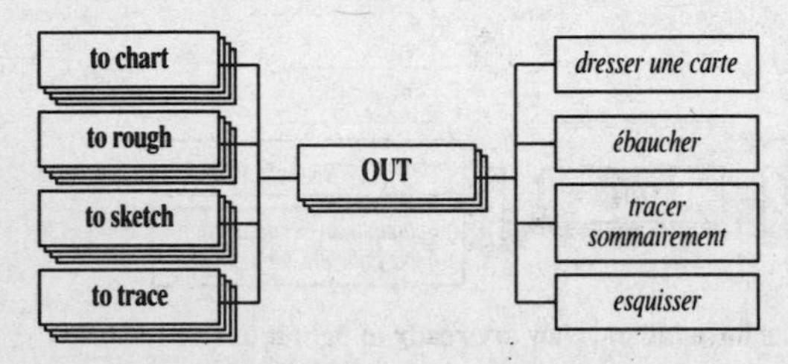

I simply sketched out the main outlines of our plan to the press.
Je me suis contenté de donner à la presse les grandes lignes de notre projet.

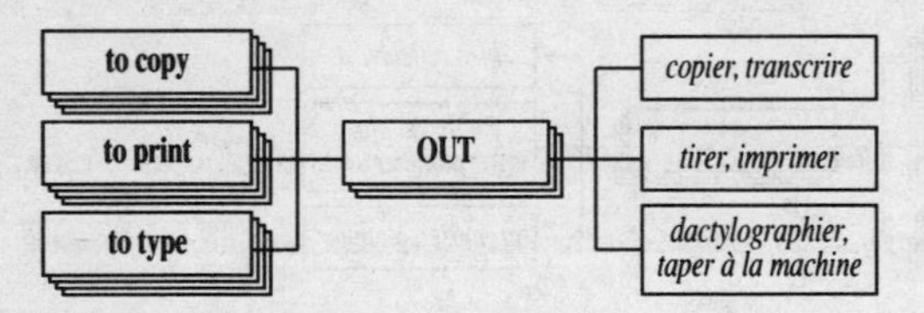

It took me several days to type my report out.
Il m'a fallu plusieurs jours pour taper mon rapport en entier.

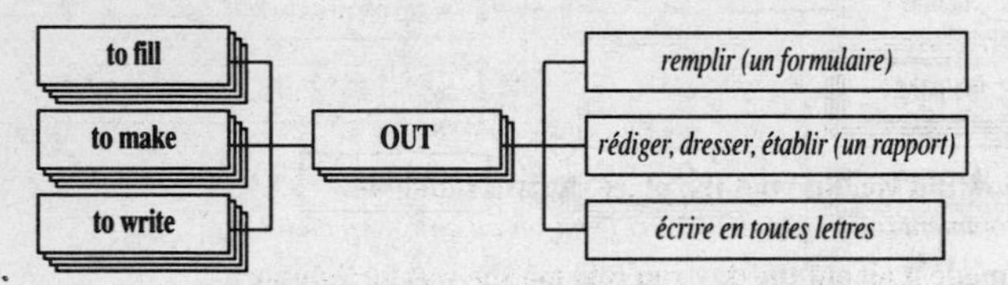

I haven't understood his name, could you write it out for me?
Je n'ai pas compris son nom, pouvez-vous me l'écrire?

I'd like to check him out.
J'aimerais en savoir plus sur lui.

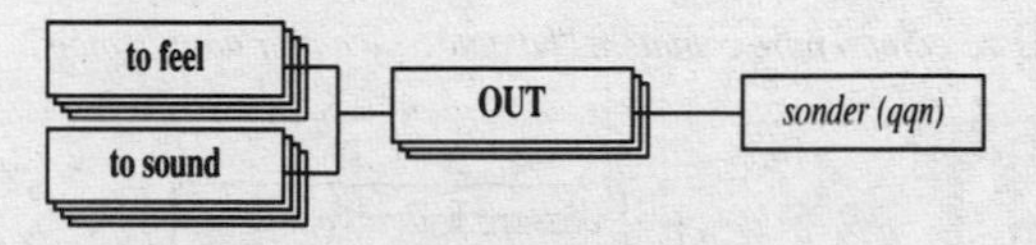

Feel him out and tell me what he's up to.
Essaie de le sonder et dis-moi ce qu'il nous mijote.

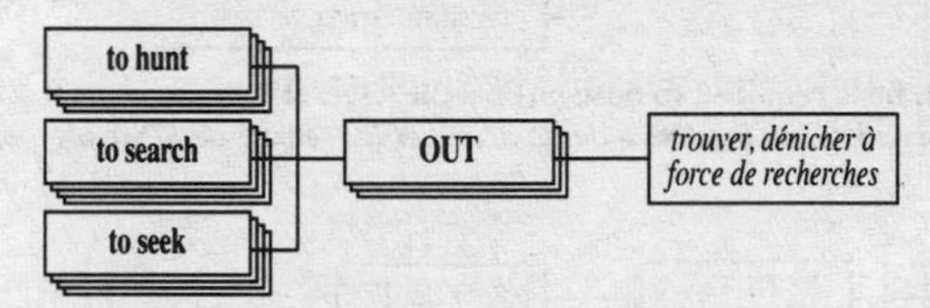

The police have been seeking out the members of this gang for many years.
La police recherchait les membres de ce gang depuis de nombreuses années.

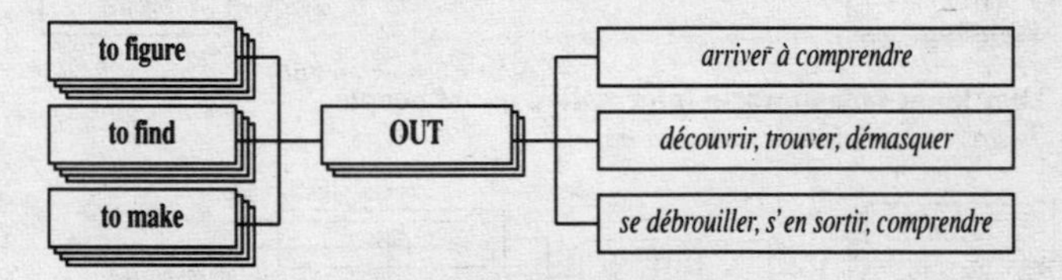

How did you find out the place she was hiding in?
Comment avez-vous découvert l'endroit où elle se cachait?

I made it all out the day you told me she was foreign-born.
J'ai tout compris le jour où vous m'avez dit qu'elle était née à l'étranger.

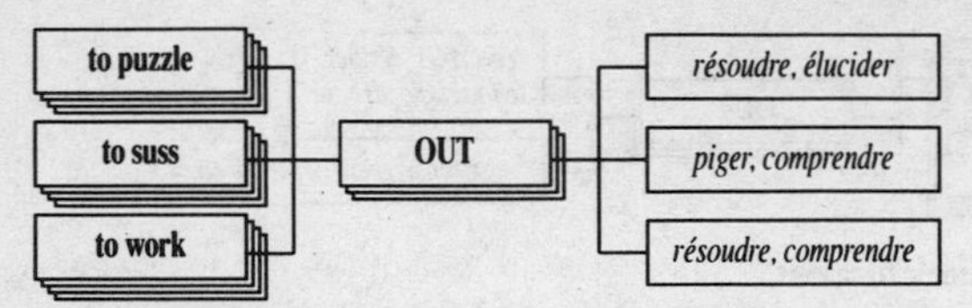

I have never been able to work out how the man managed to enter the house.
Je n'ai jamais réussi à comprendre comment l'homme a pu entrer dans la maison.

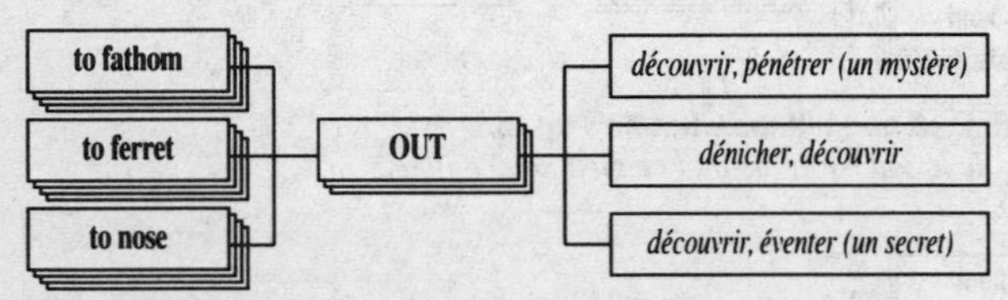

As a journalist, he is required to nose out people's secret lives.
En tant que journaliste, on lui demande de dénicher les secrets de la vie privée des gens.

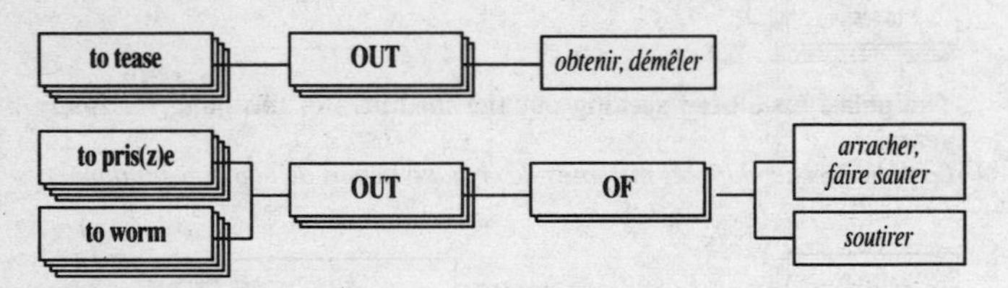

They know how to worm information out of people.
Ils savent vous tirer les vers du nez.

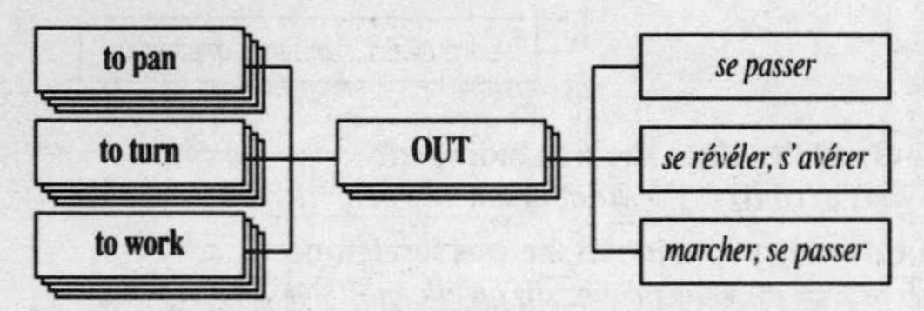

It didn't turn out the way the burglars had expected.
Les choses ne se sont pas passées comme les cambrioleurs l'avaient imaginé.

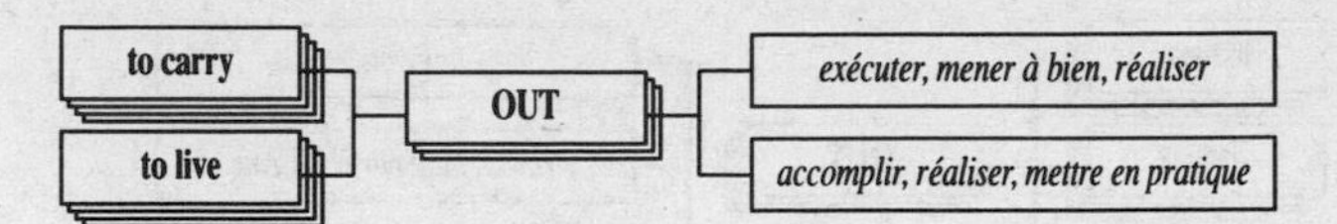

Because of the recession, the government hasn't been able to carry out the economic policy it had put forward during the electoral campaign.
En raison de la récession, le gouvernement n'a pas été en mesure de réaliser la politique économique mise en avant pendant la campagne électorale.

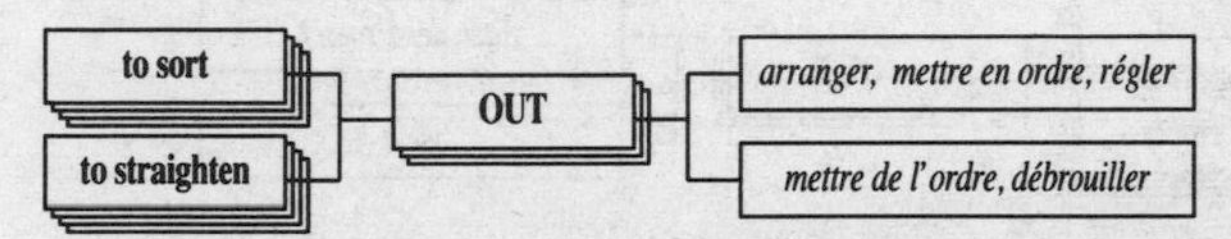

He was in a tricky situation and asked me to straighten things out for him.
Il se trouvait dans une situation délicate et m'a demandé d'arranger les choses à sa place.

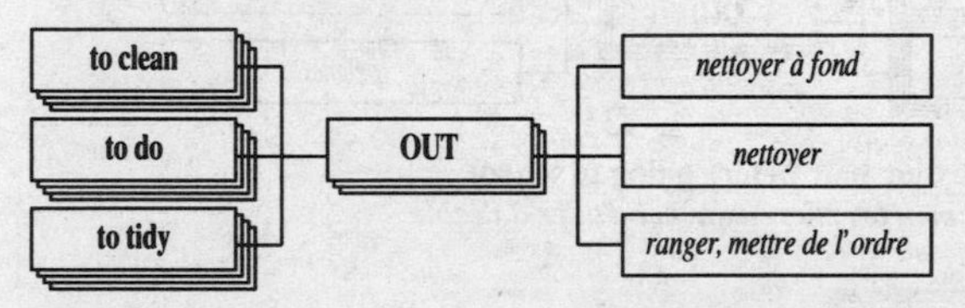

Have you done out your room?
As-tu fait ta chambre à fond?

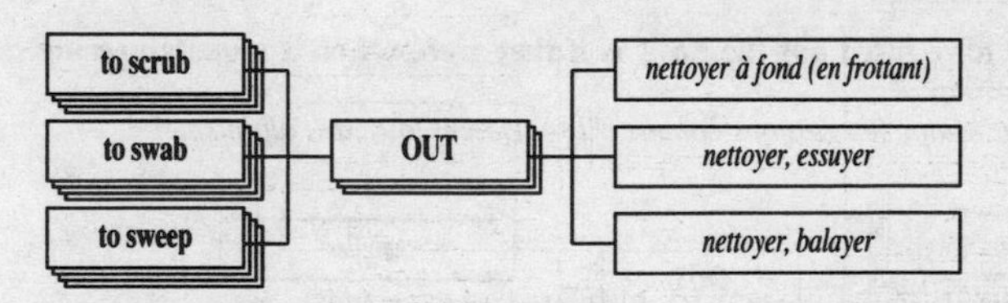

This house must be swept out before we leave.
Cette maison doit être balayée à fond avant notre départ.

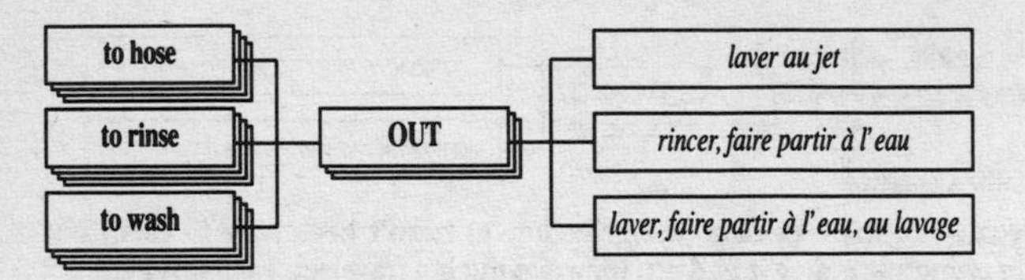

You should rinse this bottle out before filling it with red wine.
Tu devrais bien rincer cette bouteille avant de la remplir de vin rouge.

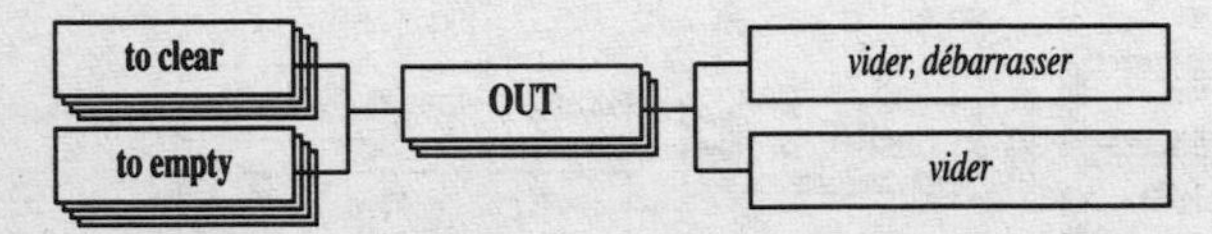

We were asked to empty out all our handbags and pockets before boarding the plane.
On nous a demandé de vider poches et sacs à main avant de monter à bord de l'avion.

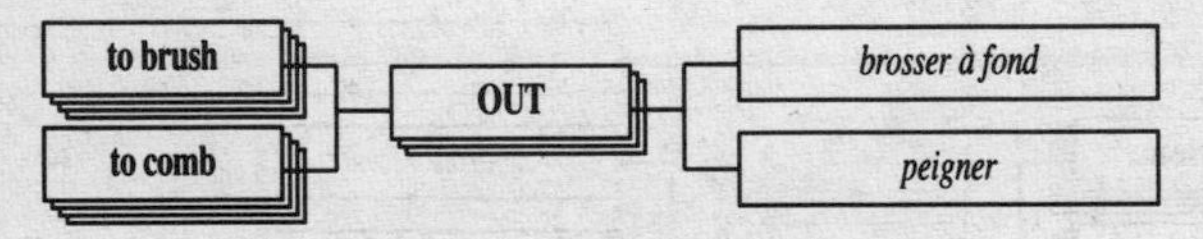

Brush out your hair before going to school.
Brosse-toi bien les cheveux avant d'aller à l'école.

They have fitted out the boys as if they were off on a mountaineering expedition!
Ils ont équipé les garçons comme s'ils partaient faire de l'alpinisme!

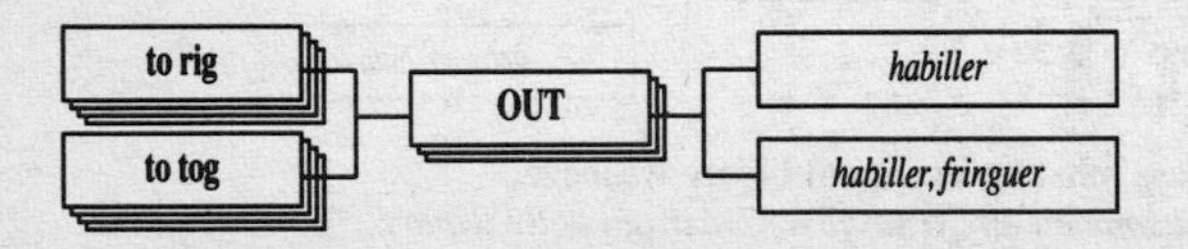

They were all togged out in their best clothes.
Ils s'étaient tous mis sur leur trente et un.

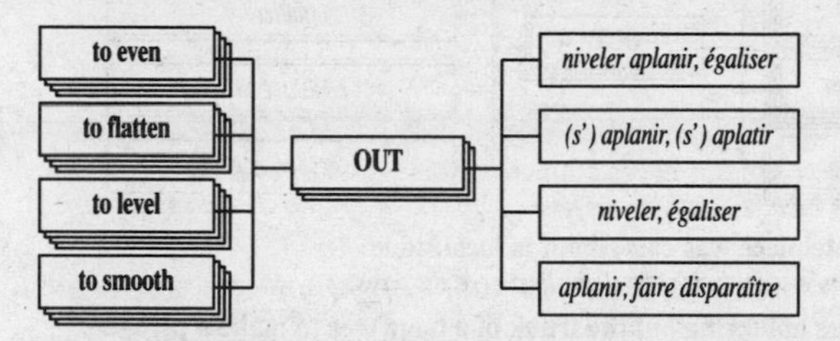

What a bumpy road! Can't you have it flattened out?
Quelle route bosselée! Ne pouvez-vous demander qu'on vous l'aplanisse?

I thought my presence would have smoothed most difficulties out.
Je pensais que ma présence aurait aplani une grande partie des difficultés.

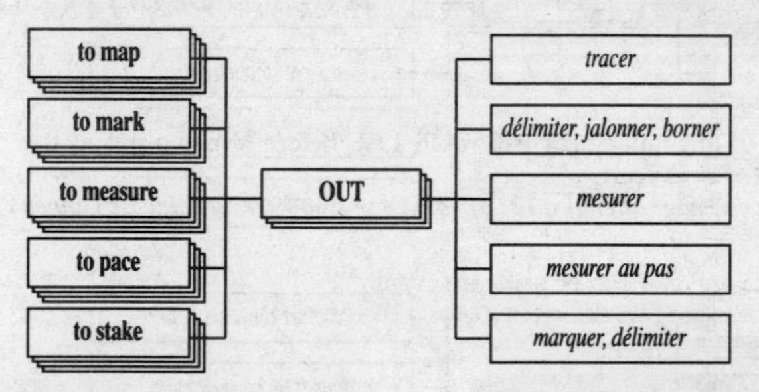

The field was measured and marked out for the future housing project.
Ils ont mesuré et délimité le champ en vue de le lotir prochainement.

We will have to map out the plans for the expedition to the South Pole before the 20th October.
Nous devrons mettre au point les plans pour l'expédition au pôle Sud avant le 20 octobre.

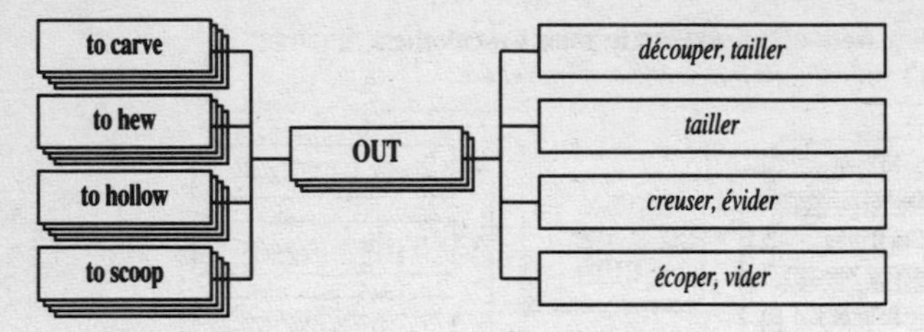

The mantelpiece was carved out in local stone.
La cheminée a été sculptée dans la pierre du pays.

They were hollowing out the trunk of a huge tree to make a pirogue.
Ils évidaient le tronc d'un arbre géant pour fabriquer une pirogue.

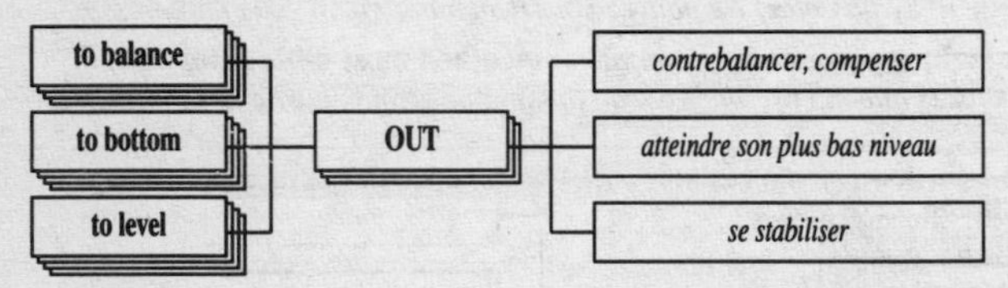

The rate of unemployment will reach 12% before levelling out at the beginning of next year.
Le taux de chômage atteindra 12 % avant de se stabiliser au début de l'année prochaine.

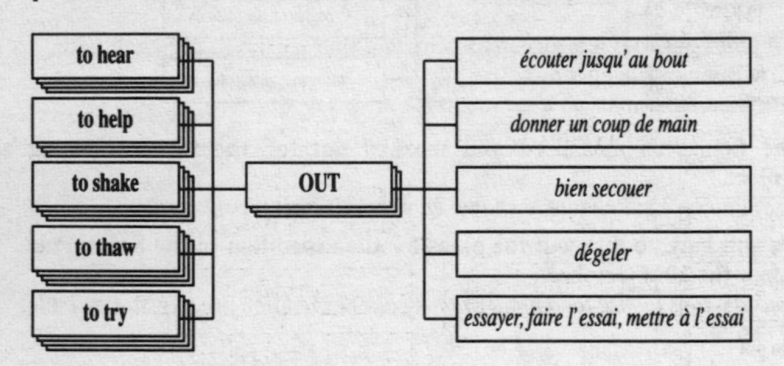

Would you mind helping me out, please?
Pourriez-vous me donner un coup de main, s'il vous plaît?

This is a new drug I have to try out for two weeks (US) (a fortnight [GB]).
Voici un nouveau médicament que je dois tester pendant deux semaines.

7. Paraître, annoncer, s'exprimer

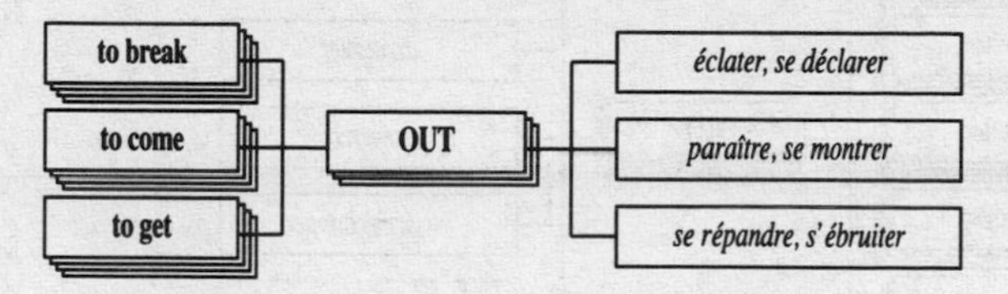

When the war broke out, he was still working in Berlin.
Lorsque la guerre a éclaté, il travaillait encore à Berlin.

The news of the King's death came out yesterday.
La mort du roi a été annoncée hier.

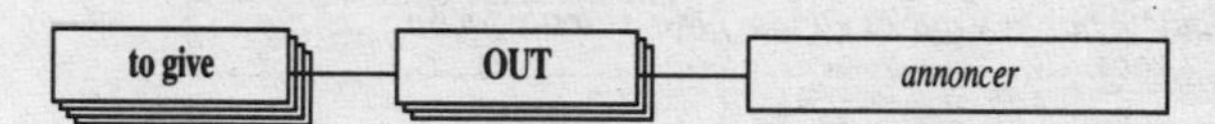

The news was given out two days after he died, in order to get everything ready for the succession.
La nouvelle fut rendue publique deux jours après sa mort afin que tout soit organisé pour la succession.

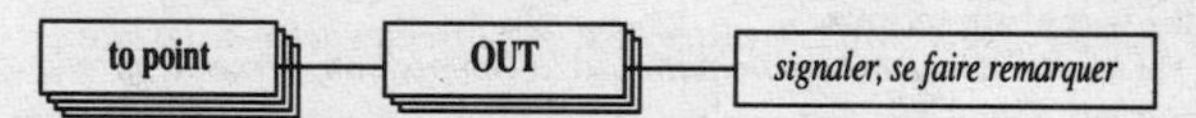

May I point out that it is already 5 p.m. and that we have only dealt with the first item on the agenda?
Puis-je faire remarquer qu'il est déjà cinq heures et que nous n'avons traité que le premier point à l'ordre du jour?

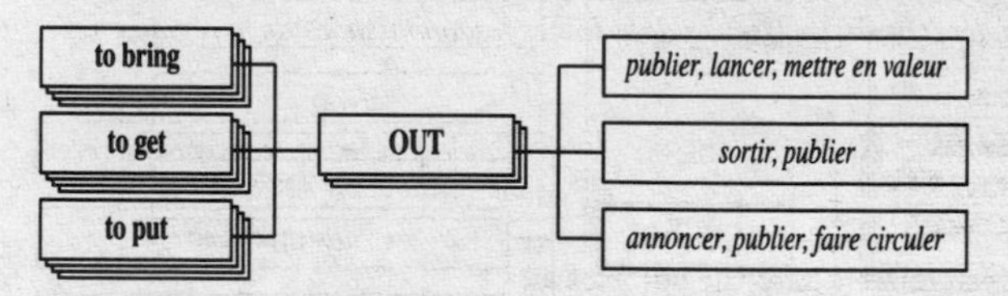

An official statement on foreign policy was put out by the government today.
Le gouvernement a rendu public aujourd'hui un communiqué officiel de politique étrangère.

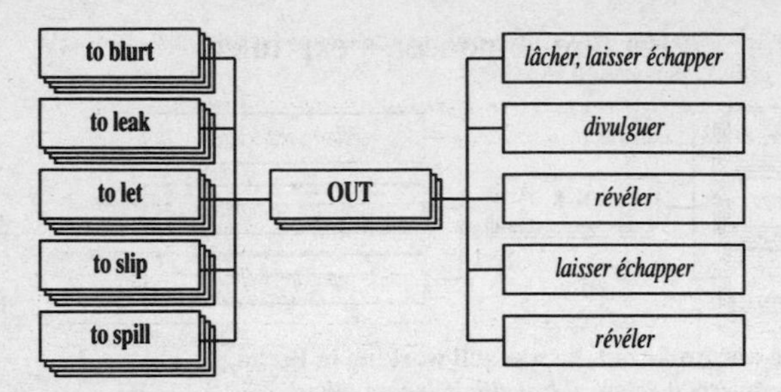

I shouldn't have let out the news of his discovery so soon.
Je n'aurais pas dû divulguer si tôt la nouvelle de sa découverte.

Don't worry, it would have leaked out anyway!
Ne t'inquiète pas, il y aurait eu une fuite de toute façon.

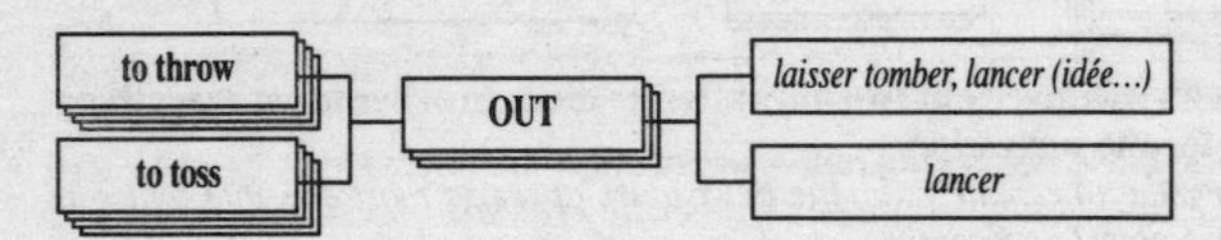

When I threw out the idea of taking part in the competition, nobody thought I was being serious.
Quand j'ai lancé l'idée d'une participation à la compétition, personne ne m'a pris au sérieux.

Emissaries were sent out to all the embassies in the area.
On a dépêché des émissaires dans toutes les ambassades de la région.

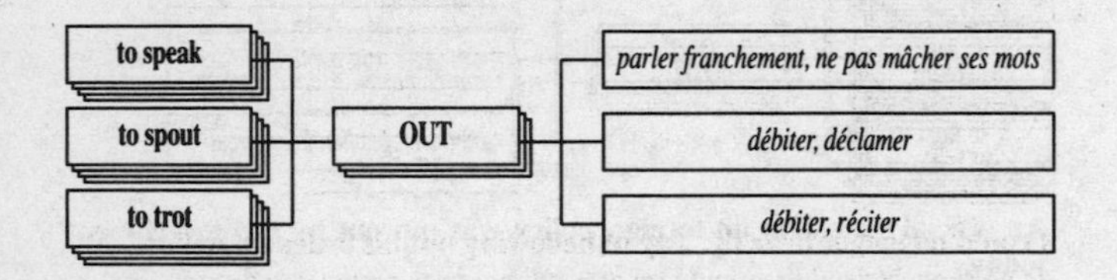

The secretary of state, who spoke out on television against the cabinet's economic policy, was asked to resign.
Le ministre qui s'est exprimé à la télévision contre la politique économique du gouvernement a dû démissionner.

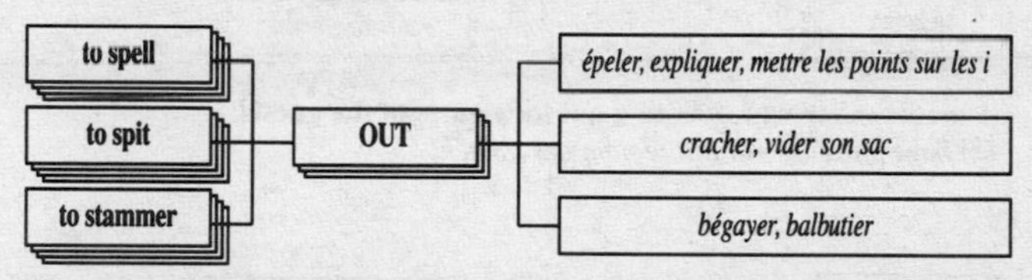

He was so nervous that he stammered out a few words that I hardly understood...
Il était tellement intimidé qu'il bredouilla quelques mots que j'eus du mal à comprendre...

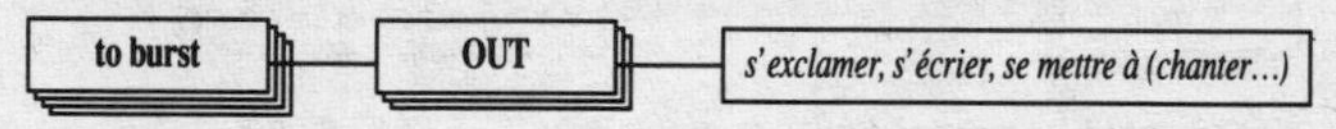

... and he burst out crying half-way through the interview.
... et il éclata en sanglots au beau milieu de l'entretien.

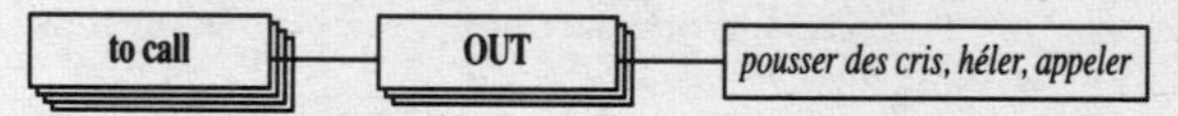

It was useless calling out for help, there was nobody around!
Il était inutile d'appeler au secours, il n'y avait personne aux alentours!

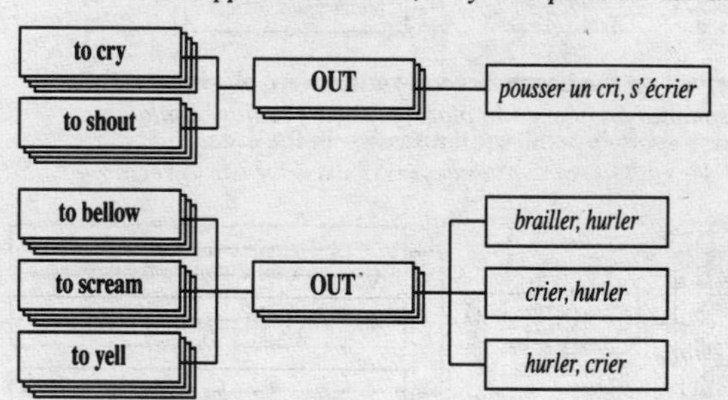

I could no longer bear his way of bellowing out his orders at me.
Je ne supportais plus sa manière de me lancer ses ordres à la figure.

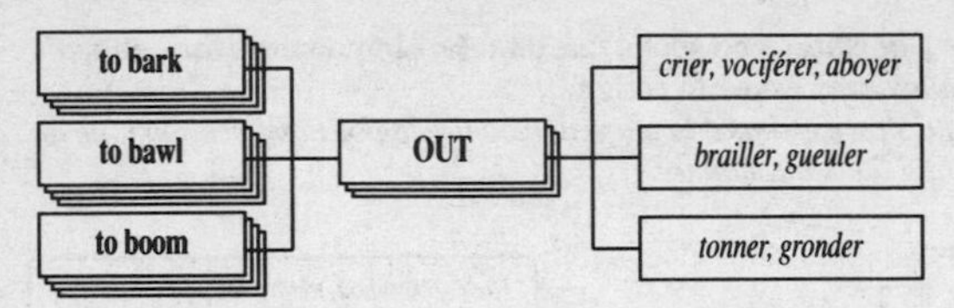

A loudspeaker was booming out the names of the guests.
Un haut-parleur braillait le nom des invités.

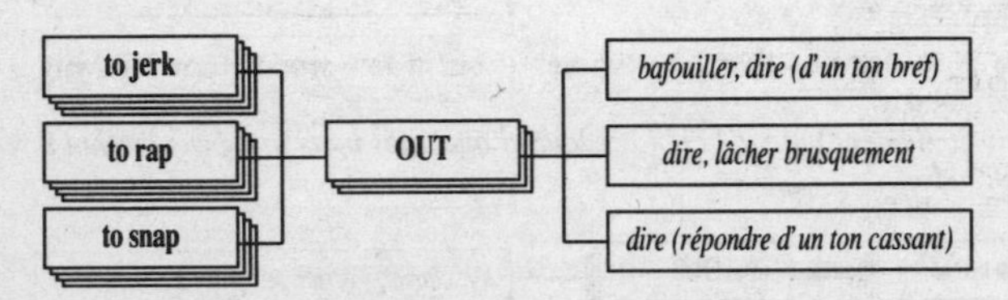

"Go away!" he snapped out.
«Partez!» lança-t-il sèchement.

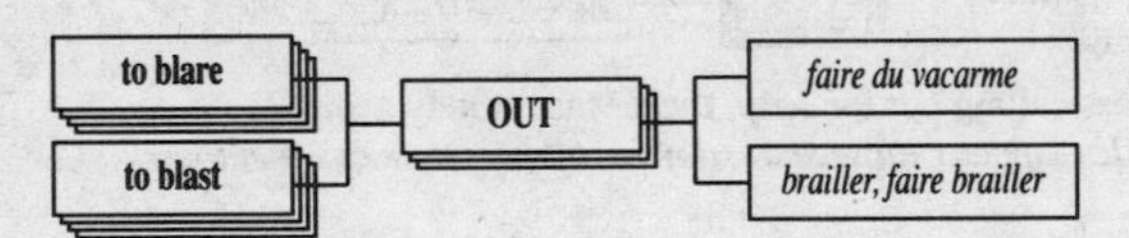

When we arrived on the beach, several radios were blaring out.
Quand nous sommes arrivés sur la plage, plusieurs radios braillaient.

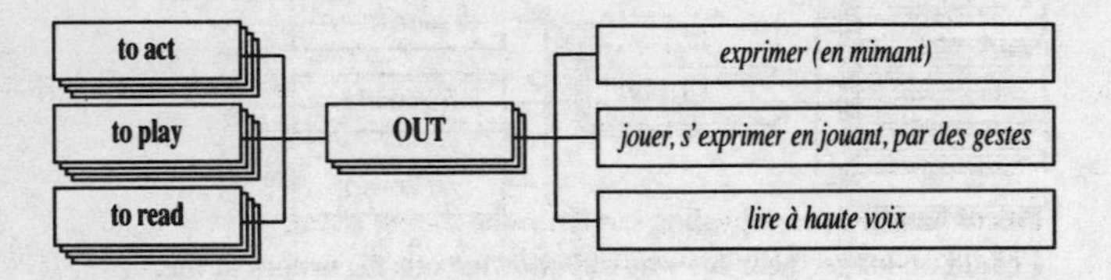

Read out your part, you will learn it faster.
Lis ton texte à haute voix, tu l'apprendras plus vite.

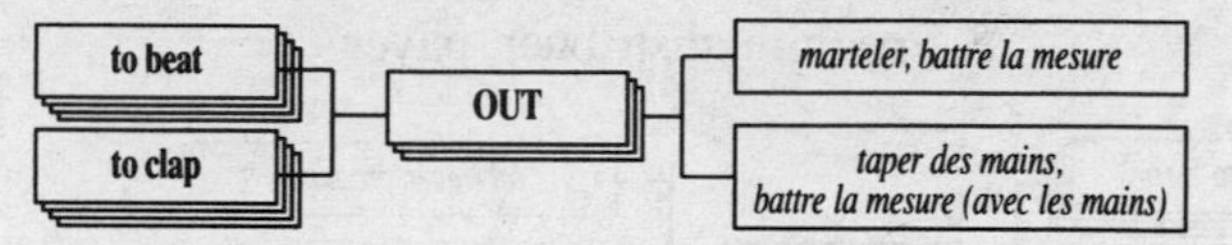

He wants to sing but he doesn't even know how to beat out the rhythm!
Il veut chanter mais il ne sait même pas marquer le rythme!

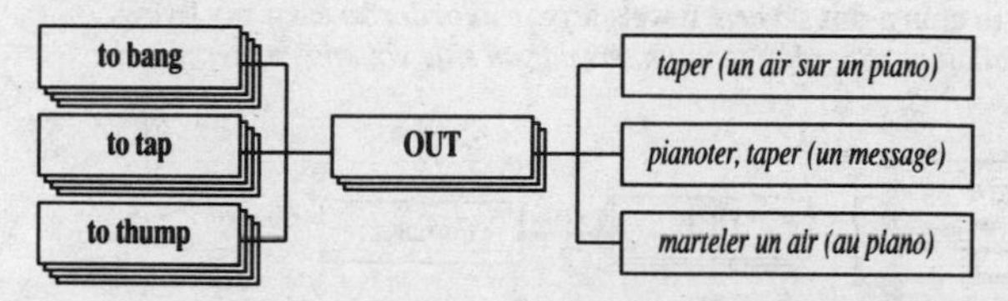

I can get the information by tapping out on the Minitel if you wish.
Je peux obtenir l'information en pianotant sur le Minitel si vous le souhaitez.

Here you can sing out as loud as you want without bothering the neighbours.
Ici on peut chanter à pleins poumons sans ennuyer les voisins.

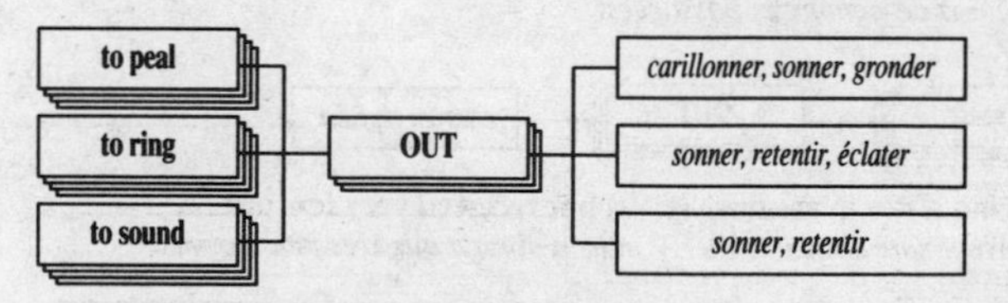

Fits of laughter were pealing out from the dining room.
Des éclats de rire retentissaient de la salle à manger.

8. Produire, distribuer, payer

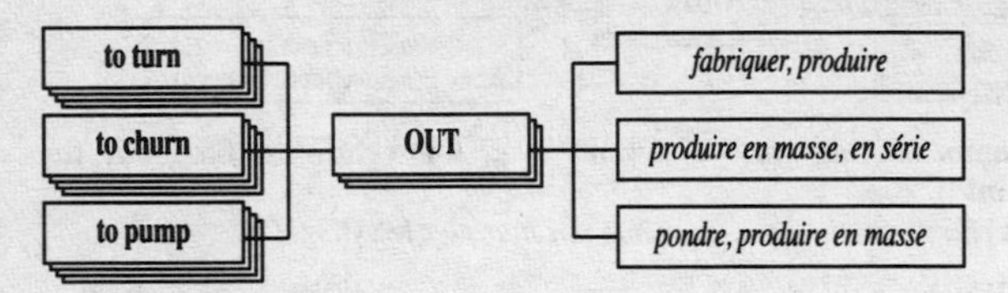

I had to churn out several novels a year in order to earn my living.
Il me fallait pondre plusieurs romans par an si je voulais gagner ma vie.

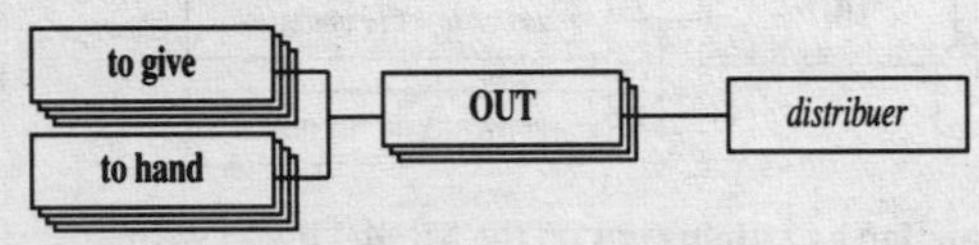

The tourist information office will hand out as many brochures on the region as you need.
L'office du tourisme vous distribuera autant de prospectus sur la région que vous le désirez.

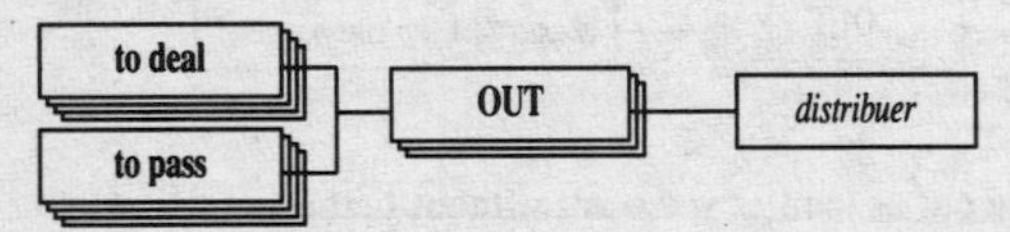

It was a rough crossing and members of the crew had to pass out plastic bags to numerous passengers.
La traversée fut agitée et les membres de l'équipage durent distribuer des sacs plastique à de nombreux passagers.

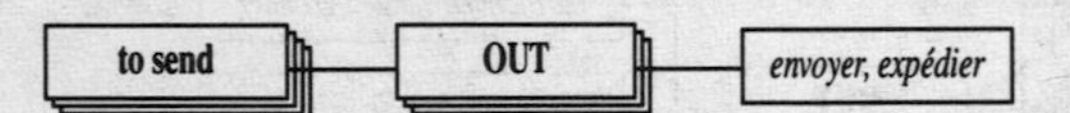

I sent out a dozen résumés (CVs) but received very few offers.
J'ai envoyé une douzaine de CV mais n'ai reçu que très peu d'offres.

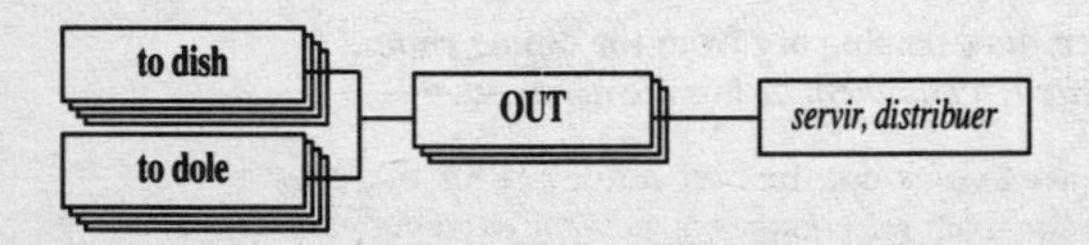

The old lady likes dishing out sweets to all the children in the village.
La vieille dame aime bien distribuer des bonbons à tous les enfants du village.

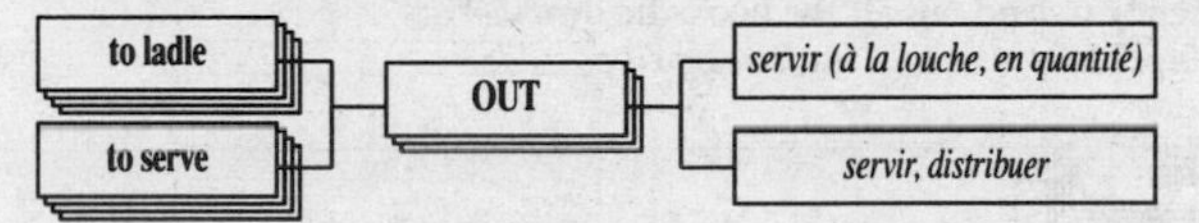

We were too busy serving out the dishes to enjoy the show.
Nous étions trop occupés à servir les plats pour profiter du spectacle.

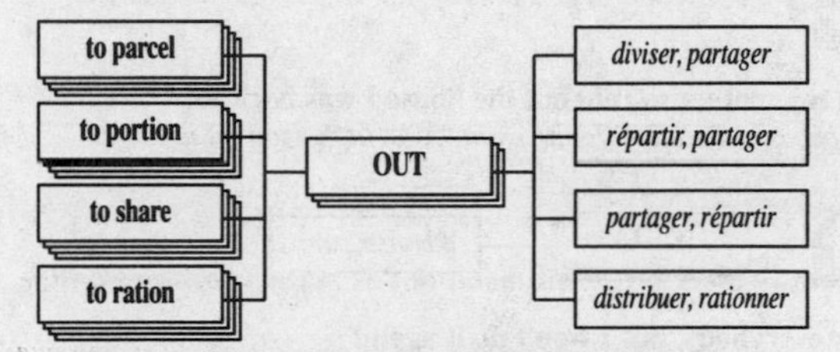

The property was parcelled out into seven plots.
La propriété a été divisée en sept lots.

It had to be shared out among all the inheritors.
Elle a dû être partagée entre tous les héritiers.

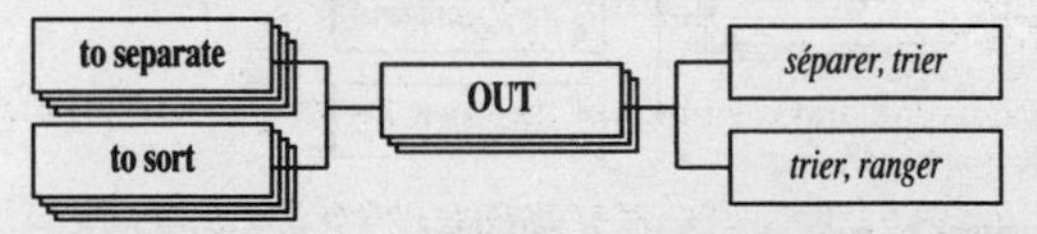

On my return from holiday, I had an awful lot of papers to sort out.
A mon retour de vacances, j'avais des tas de papiers à trier.

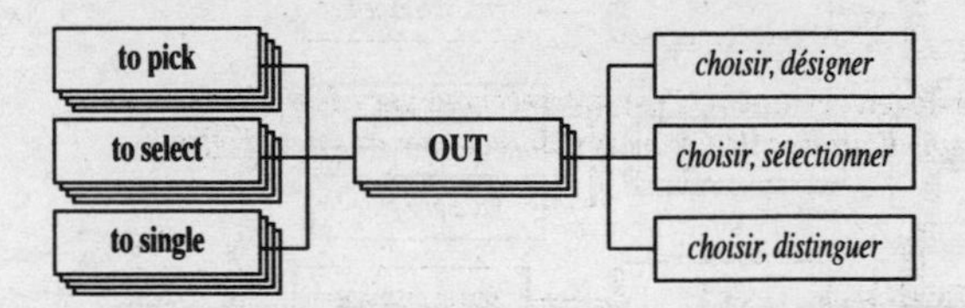

It won't be easy to pick out the best candidate for this job.
Il ne sera pas facile de sélectionner le meilleur candidat pour ce travail.

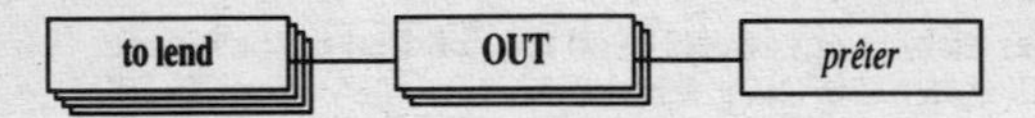

He is ready to lend out all the books he owns.
Il est disposé à prêter tous les livres qu'il possède.

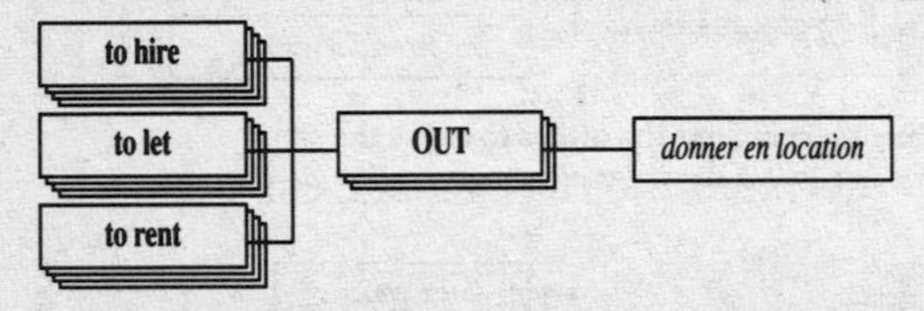

I didn't want my mother to rent out the house I was born in.
Je ne voulais pas que ma mère donne en location la maison où je suis né.

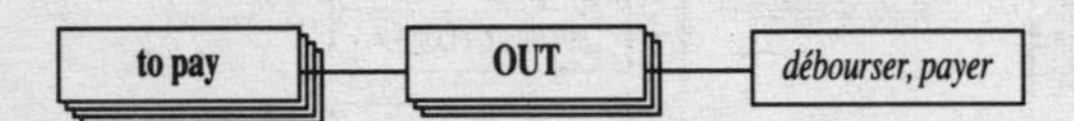

I paid out for everybody, but I won't do it again!
J'ai payé pour tout le monde mais je ne le ferai plus!

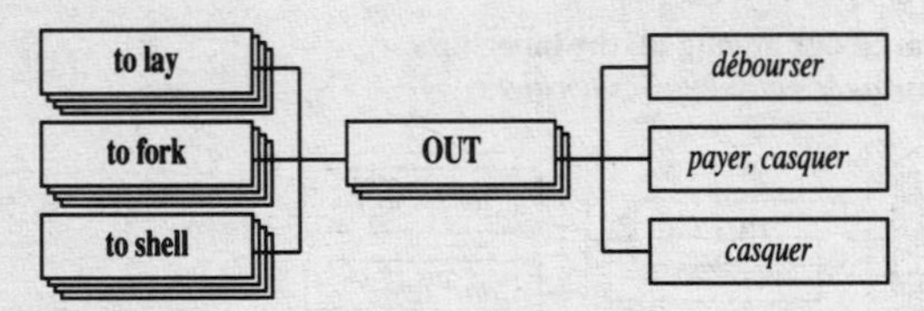

I laid out large sums of money to have it repaired... I don't want to part with it now.
J'ai dépensé une fortune pour le faire réparer... je ne veux pas m'en séparer maintenant.

You should think twice before splashing out on such a useless thing.
Vous devriez réfléchir à deux fois avant de dépenser une telle somme pour quelque chose d'aussi inutile.

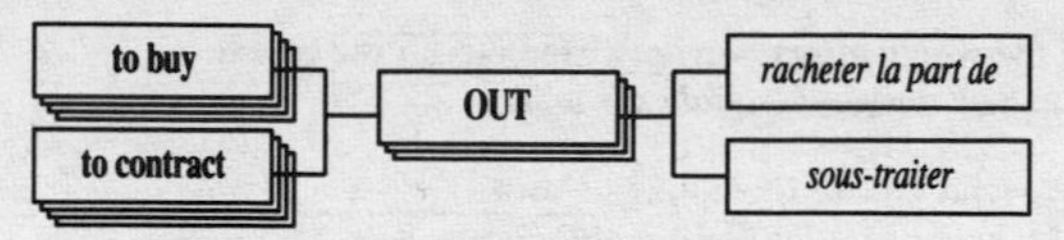

They contracted out the work to a local firm.
Ils ont sous-traité à une entreprise locale.

9. Tendre, projeter en avant, étirer

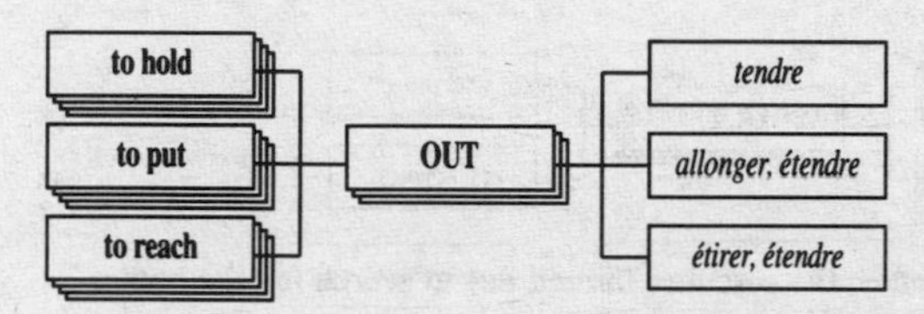

He will recognize you if you hold out this sign in front of you.
Il vous reconnaîtra si vous tenez ce panonceau devant vous.

I put out my arms and felt my way down to the cellar.
J'étendis les bras et descendis à la cave à tâtons.

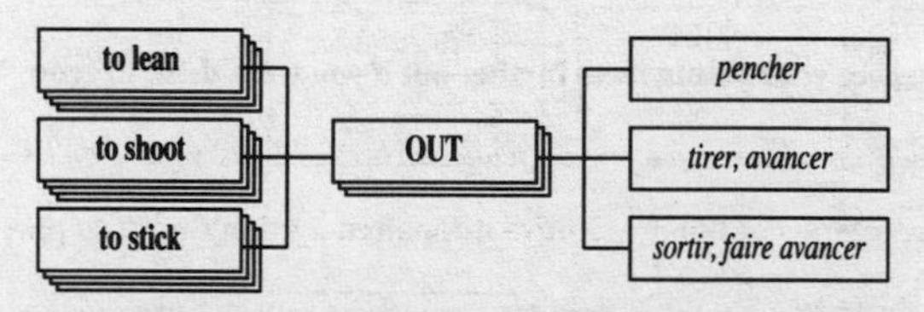

I saw him shoot out his leg to make her fall.
Je l'ai vu mettre la jambe en avant pour la faire tomber.

The man stretched out and left without saying a word.
L'homme s'étira et partit sans dire un mot.

He had spent the whole afternoon sprawled out on the bench.
Il avait passé toute l'après-midi affalé sur le banc.

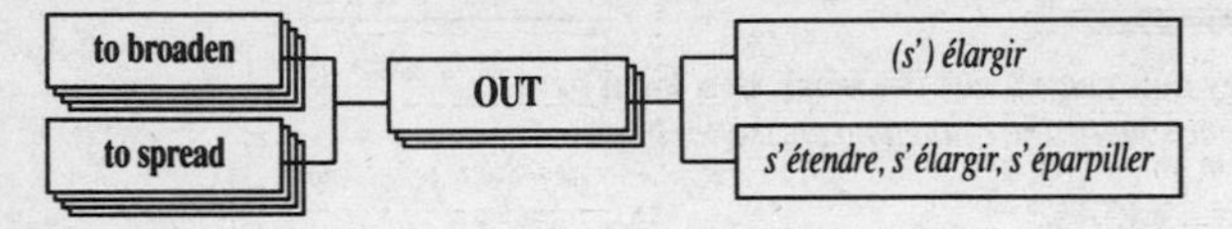

The city now spreads out into the three valleys.
La ville s'étend désormais dans les trois vallées.

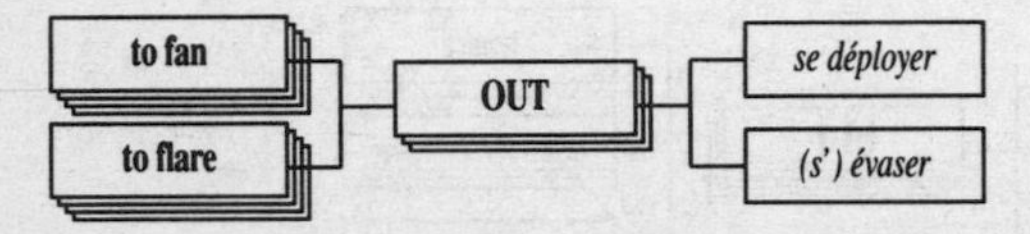

Once in the valley, the rescuers fanned out to search for the bodies.
Une fois dans la vallée, les sauveteurs se déployèrent pour rechercher les corps.

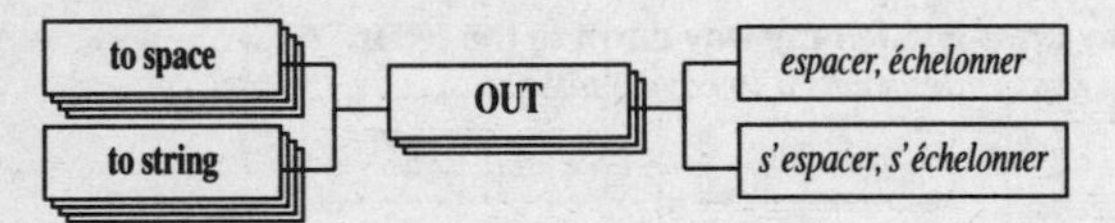

You'd better space your young trees further out if you want them to grow properly.
Vous feriez bien de mieux espacer vos jeunes arbres si vous voulez qu'ils s'épanouissent.

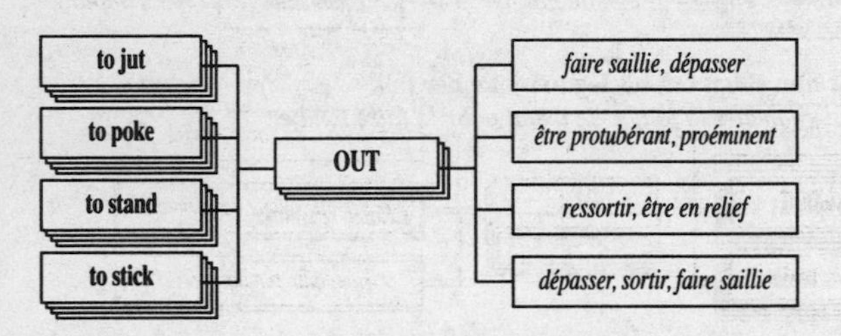

They have a large terrace jutting out over the sea.
Ils ont une vaste terrasse surplombant la mer.

It was funny seeing his feet sticking out of the tent.
C'était drôle de voir ses pieds dépasser de la tente.

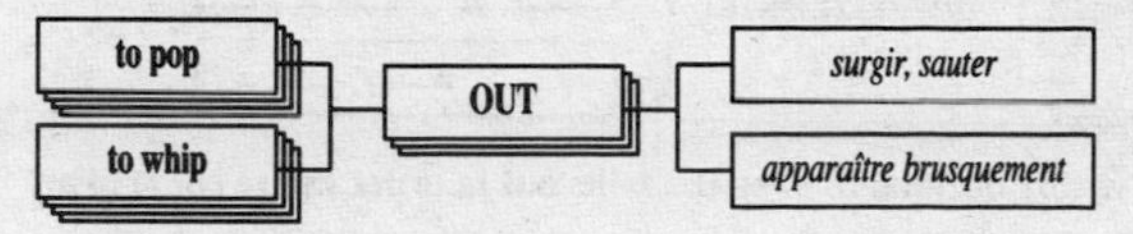

The little boy popped out from behind like a jack-in-the-box.
Le petit garçon surgit de derrière tel un diable de sa boîte.

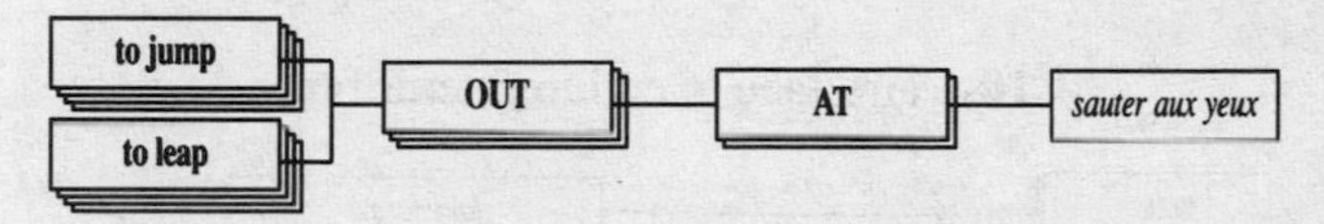

My name leapt out at me from the front page of the local paper.
Mon nom sur la première page du journal local m'a sauté aux yeux.

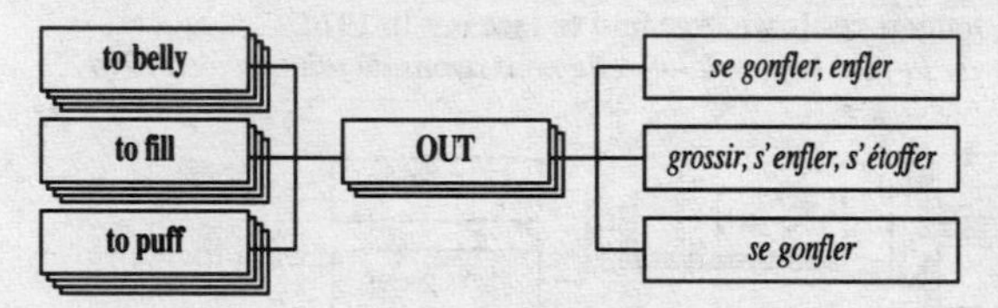

He had a funny way of puffing his cheeks out each time he was getting impatient.
Il avait une étrange façon de gonfler ses joues à chaque fois qu'il s'impatientait.

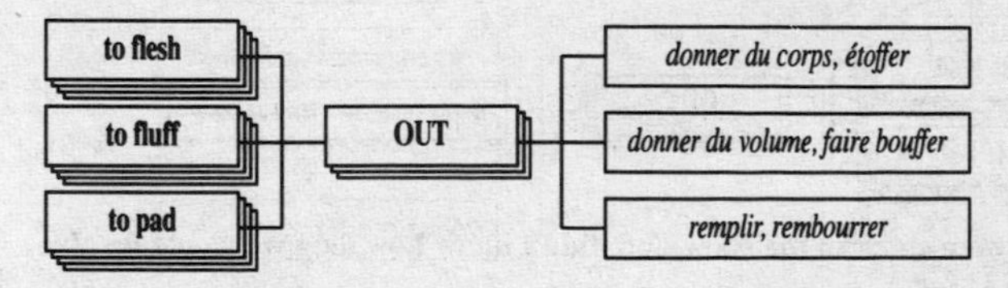

Your hair looks dull, wash it and fluff it out with a brush!
Tes cheveux sont ternes, lave-les et brosse-les, ça leur donnera du volume.

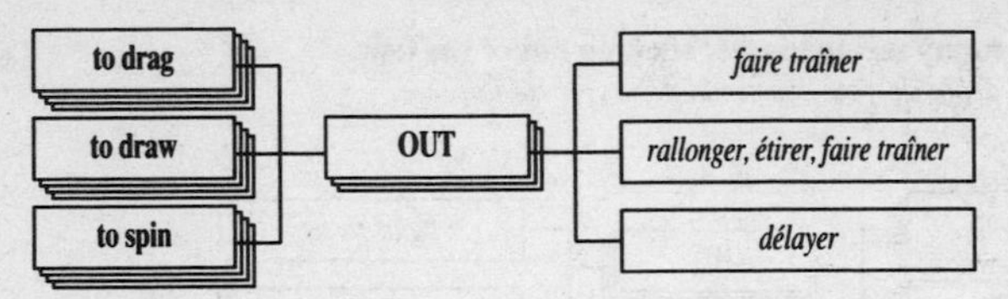

They had visibly decided to drag the talks out in order not to come to an agreement.
Ils avaient visiblement décidé de faire traîner les discussions afin de ne pas aboutir à un accord.

10. Faire face à, endurer, tenir bon

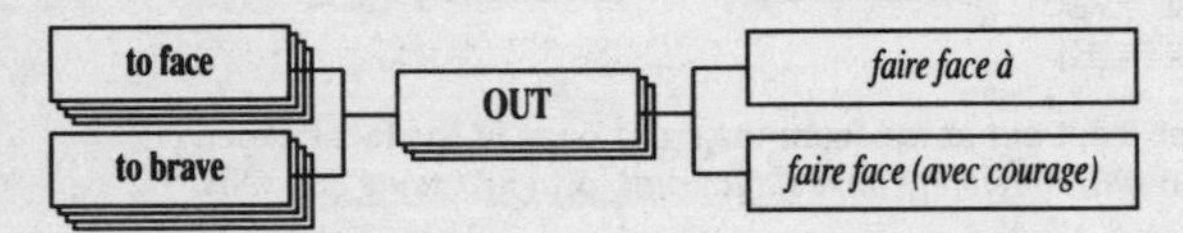

It was the longest crisis we ever had to face out in 1974.
Ce fut la crise la plus longue à laquelle nous ayons dû faire face en 1974.

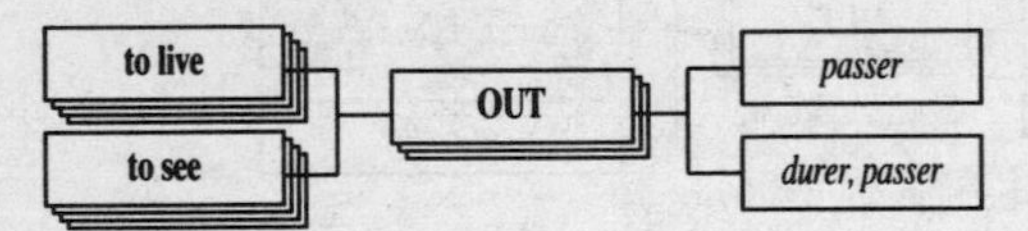

He lived out the revolutionary years in the countryside, hidden by a friend of his.
Il a passé les années de la révolution à la campagne, caché par un de ses amis.

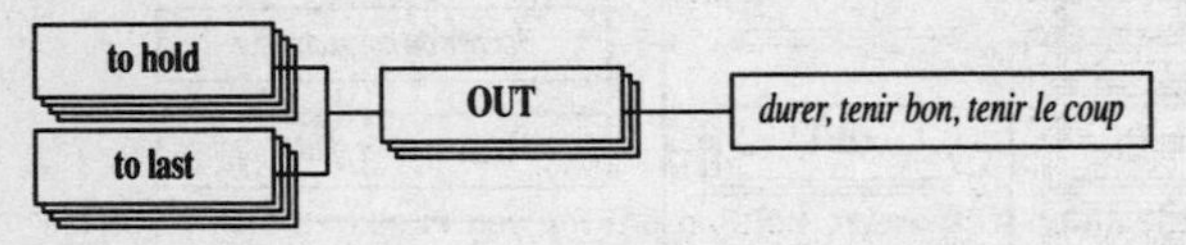

We were stuck in the snow and didn't know how long we would be able to hold out.
Nous étions pris par les neiges et ne savions pas combien de temps nous serions capables de tenir.

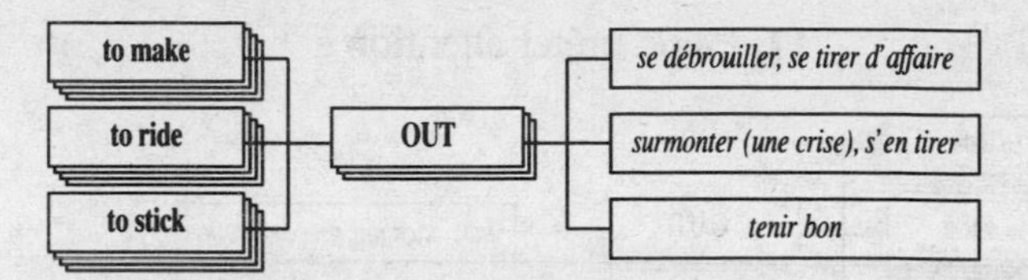

We wouldn't have made out without the presence of two experienced mountaineers.
On ne s'en serait pas tirés sans la présence de deux montagnards confirmés.

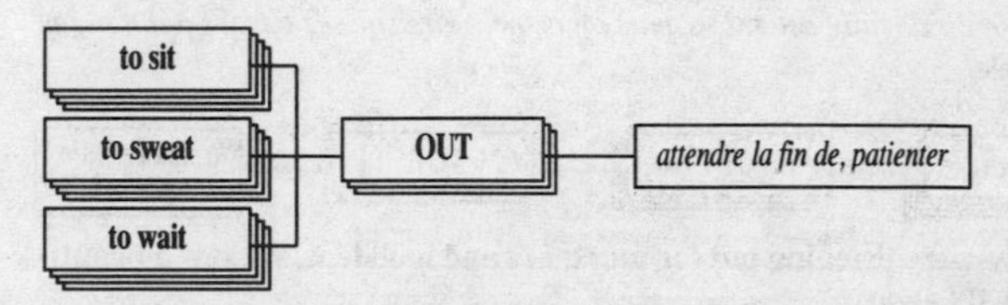

The government advised all the industrialists to wait out the end of the recession before they could resume their investments abroad.
Le gouvernement conseilla à tous les industriels d'attendre la fin de la récession avant de reprendre leurs investissements à l'étranger.

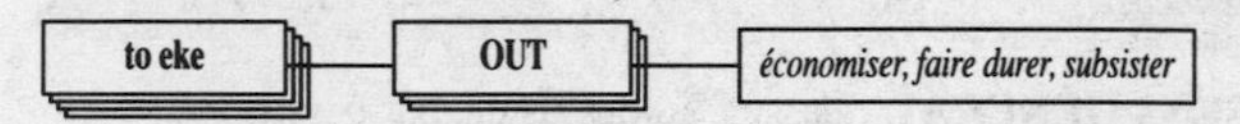

At that time, I used to eke out a living by selling postcards.
A cette époque, j'ai réussi à vivoter en vendant des cartes postales.

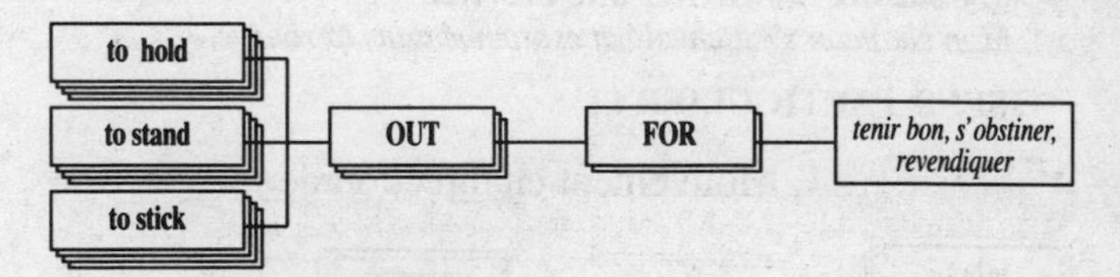

The trade union leaders are holding out for pay rises and may force the government to open negotiations.
Les dirigeants syndicaux persistent à réclamer des augmentations de salaires et pourraient contraindre le gouvernement à ouvrir des négociations.

11. Faire, prêter attention à

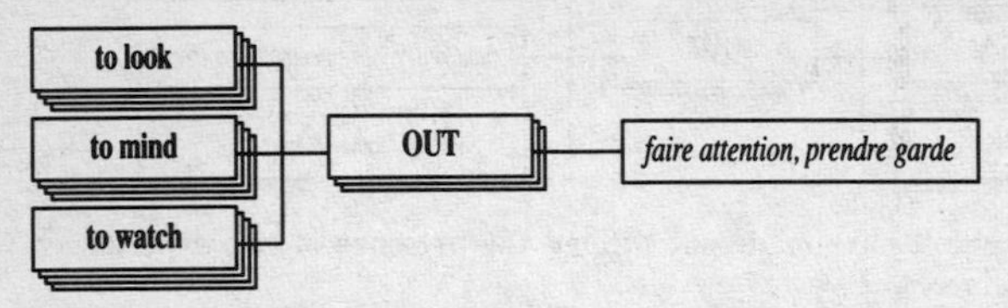

We were told to watch out, but you can't be on the lookout all day long!
On nous a dit de faire attention mais on ne peut être sur ses gardes à longueur de journée!

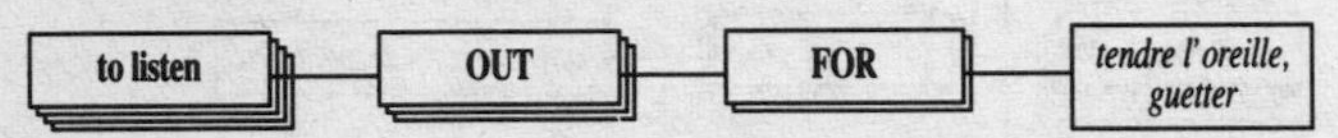

While we were listening out for murmurs and footsteps, we saw a beautiful eagle fly away.
Tandis que nous étions à l'écoute de murmures et de bruits de pas, nous vîmes un aigle magnifique s'envoler.

OVER

⇨ **SENS GÉNÉRAL :** dessus, au-dessus de, par-dessus

Two planes passed over us during the ceremony.
Deux avions nous ont survolés au cours de la cérémonie.

My hat was blown over into the river.
Mon chapeau s'est envolé et est tombé dans la rivière.

⇨ **SENS PARTICULIER :**

1. Mouvement en direction de

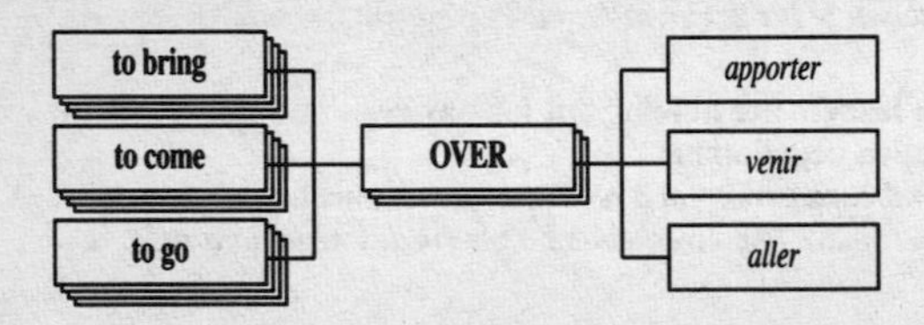

The president came over to greet me.
Le président est venu me saluer.

They have gone over to England for a week.
Ils sont partis passer une semaine en Angleterre.

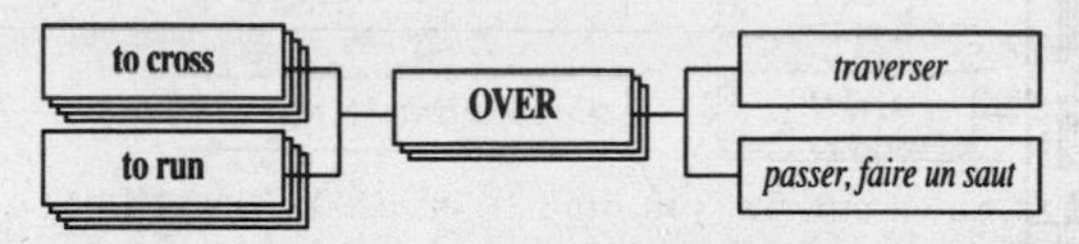

When he saw me, he crossed over and we had a long chat together.
Dès qu'il me vit, il traversa et nous eûmes une longue conversation.

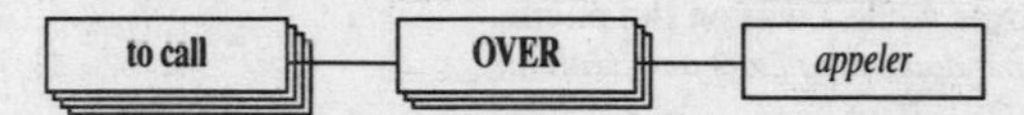

Please, do call me over if you need some help!
N'hésitez pas à m'appeler si vous avez besoin d'aide!

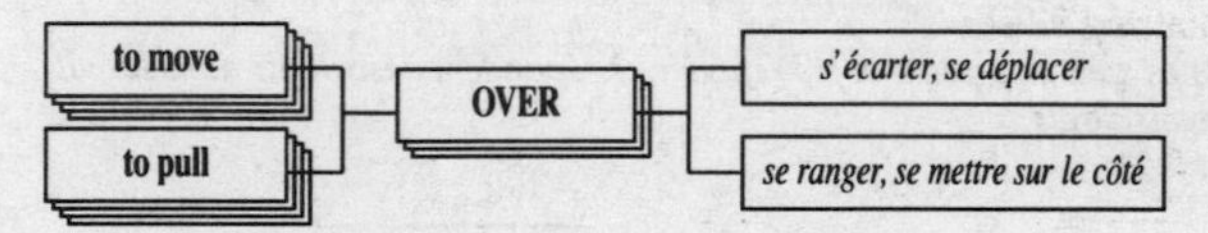

A lady sitting in the back asked me to move over but I refused (to).
Une dame assise à l'arrière m'a demandé de me déplacer mais j'ai refusé.

I pulled over to the side as soon as I heard the siren.
Je me suis rangé sur le côté dès que j'ai entendu la sirène.

When Jane heard the noise, she turned over and started shouting.
Dès que Jane entendit le bruit, elle se retourna et se mit à crier.

2. Déborder, renverser, tomber

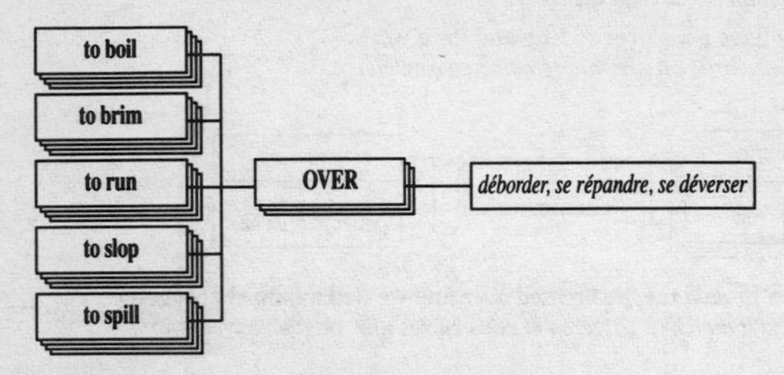

The milk boiled over while I was on the phone.
Le lait a débordé pendant que j'étais au téléphone.

The show ran over by half an hour and we missed the last train.
Le spectacle a duré une demi-heure de plus que prévu et nous avons raté le dernier train.

The camps are too small and the refugees are now spilling over into the neighbouring villages.
Les camps sont trop petits et les réfugiés se répandent désormais dans les villages avoisinants.

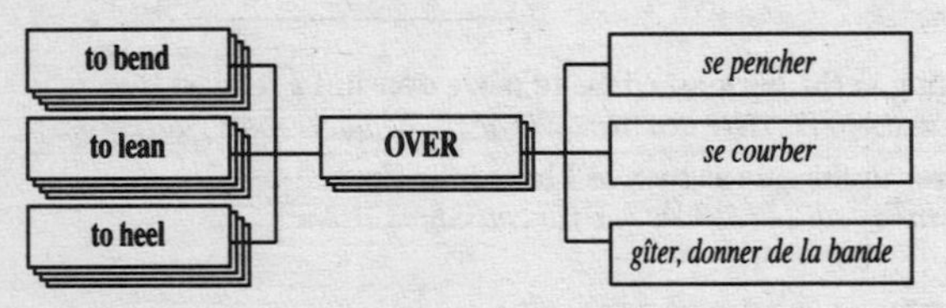

I got so scared when I saw the boys leaning over to see the torrent down below.
J'ai eu si peur quand j'ai vu les garçons se pencher pour voir le torrent en contrebas.

The sailing-boat was dangerously heeling over.
Le voilier gîtait dangereusement.

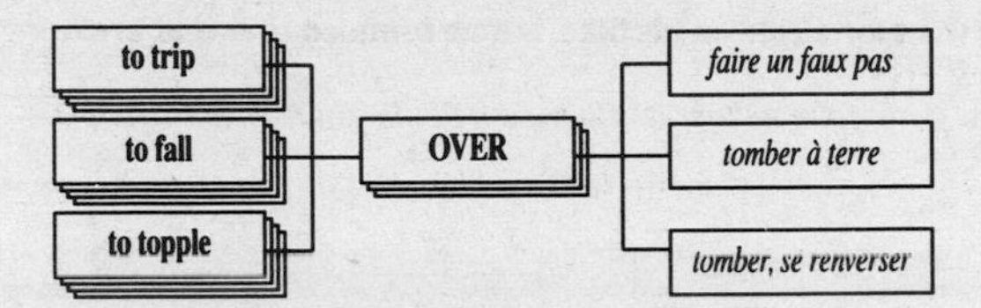

I tripped over and nearly fell under a car.
J'ai fait un faux pas et failli tomber sous une voiture.

The policeman asked if anyone had seen the man topple over the parapet.
Le policier demanda si quelqu'un avait vu l'homme basculer par-dessus le parapet.

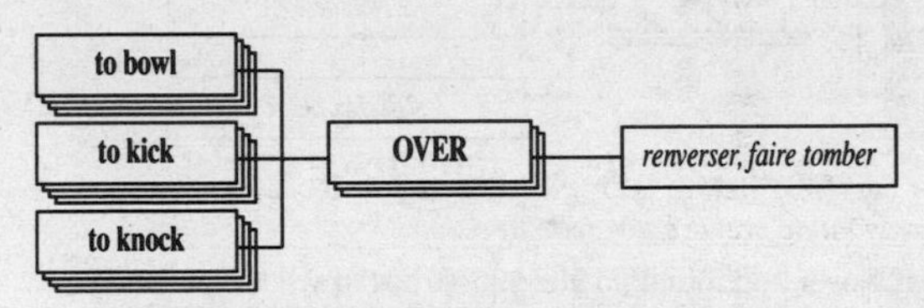

He knocked over all the chairs and tables in the pub before being overcome by two customers.
Il a renversé toutes les chaises et les tables du café avant d'être maîtrisé par deux consommateurs.

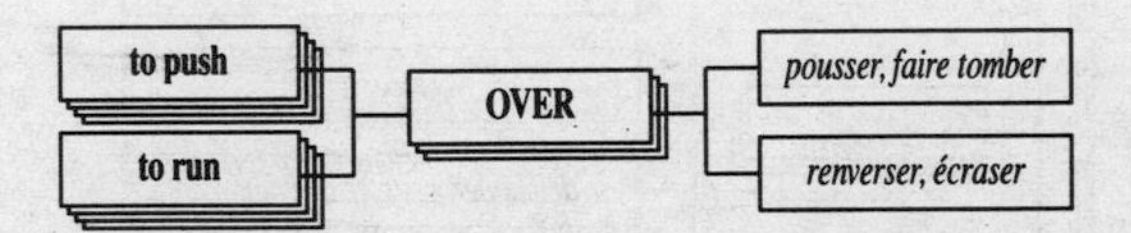

He got run over by a truck as he was walking along the pavement.
Il a été renversé par un camion alors qu'il marchait sur le trottoir.

to tip
to tumble
to keel
OVER
basculer
culbuter, (se) renverser
chavirer, se trouver mal

The old man went for a ride on his bike, but he tumbled over and broke his leg.
Le vieil homme partit faire un tour à vélo mais il fit une chute et se cassa une jambe.

3. Faire quelque chose avec soin, complètement ; mettre fin à, (se) terminer

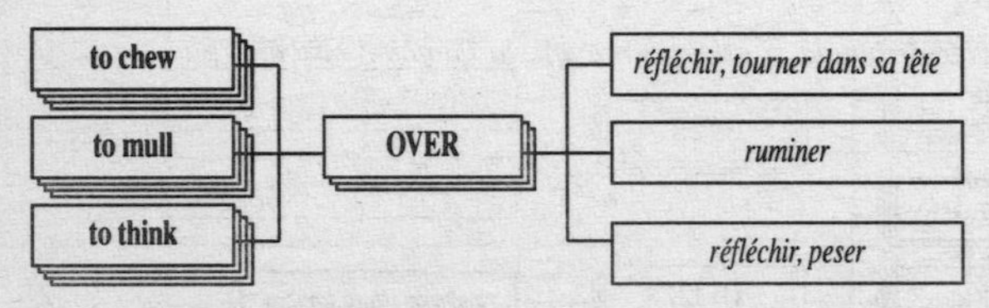

Think it over carefully before taking such a major decision.
Réfléchis bien avant de prendre une telle décision.

I have chewed it over and found no alternative but to sell the property.
J'ai pesé le pour et le contre et n'ai trouvé d'autre solution que de vendre la propriété.

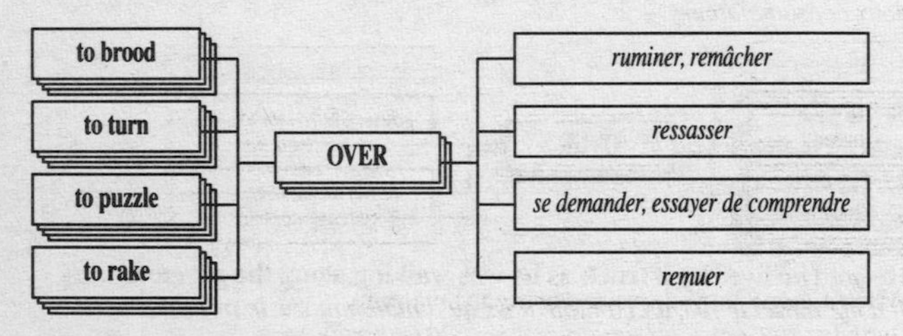

Stop brooding over this matter!
Arrête de ressasser cette affaire!

I can't help puzzling over how all this could have happened.
Je ne peux m'empêcher d'essayer de comprendre comment tout cela a pu arriver.

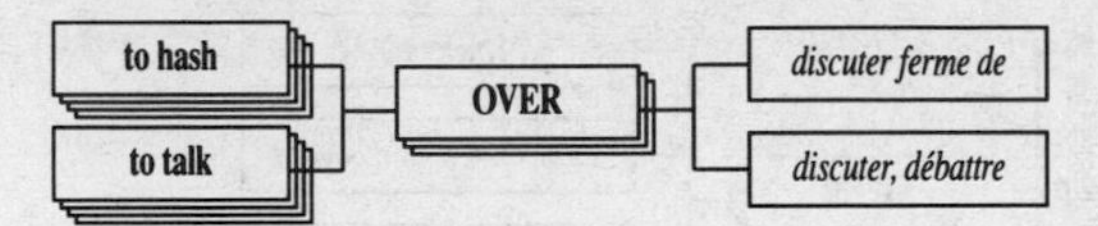

You'd better talk it over with your advisers before announcing your candidacy.
Vous feriez bien d'en débattre avec vos conseillers avant d'annoncer votre candidature.

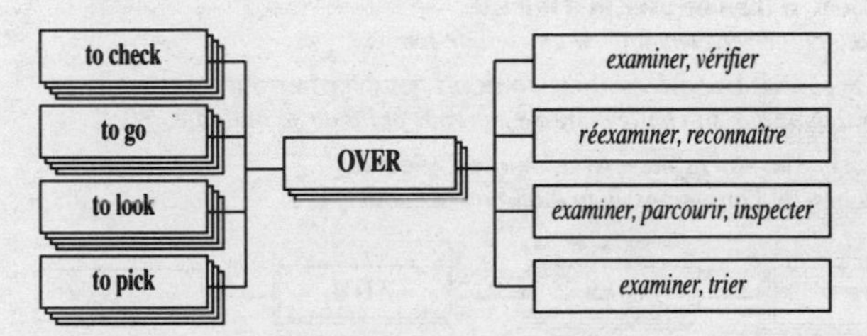

I checked it over before buying it, and everything seemed in good state.
Je l'ai bien examiné avant de l'acheter et tout me paraissait en bon état.

Yes, but you should have asked me to look over the engine with you.
Oui, mais tu aurais dû me demander d'inspecter le moteur avec toi.

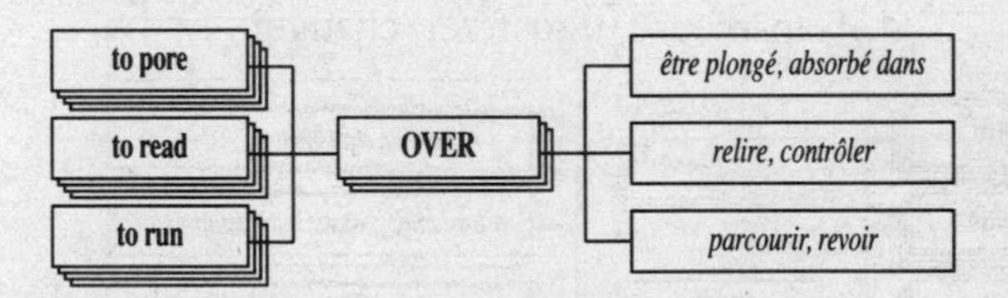

When I came in, they were poring over a map.
Quand je suis entré, ils étudiaient une carte attentivement.

The manager always asks his legal adviser to read over all the documents before they are published.
Le directeur demande toujours à son conseiller juridique de relire tous les documents avant publication.

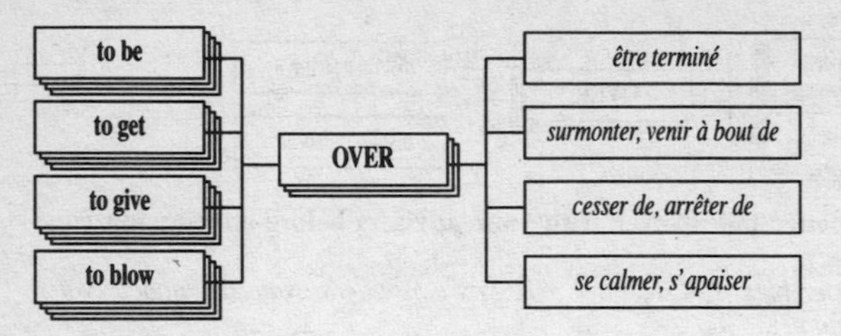

Be patient, it'll all be over in a minute.
Sois patient, ce sera terminé en un rien de temps.

She feared that her old mother wouldn't get over her illness.
Elle craignait que sa vieille mère ne se remît point de sa maladie.

Curiously, the storm blew over in a few seconds.
Curieusement, l'orage passa en quelques secondes.

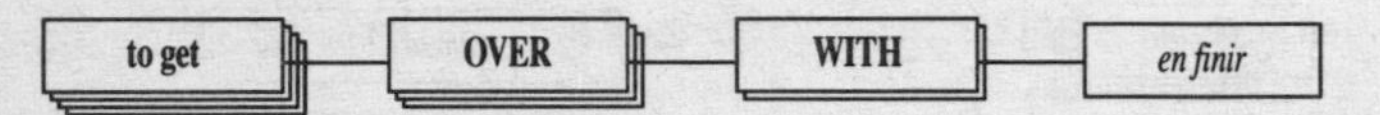

We won't get this business over with as long as you don't apologize to him.
Nous n'en terminerons pas avec cette affaire tant que tu ne te seras pas excusé auprès de lui.

4. Transmettre, transférer, changer

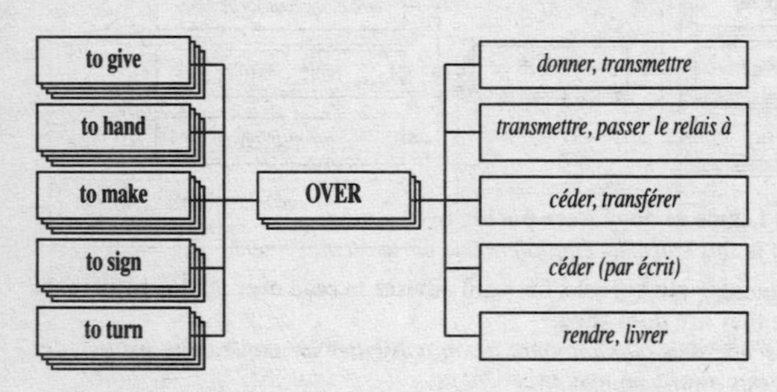

I am no longer in charge, I have handed all responsibility in the business over to my elder son.
Je n'ai plus de responsabilité dans l'affaire, j'ai tout cédé à mon fils aîné.

I also made the land over to a foreign investor.
J'ai également cédé la terre à un investisseur étranger.

The whole area has been taken over by rebel troops.
La région tout entière est passée sous le contrôle des troupes rebelles.

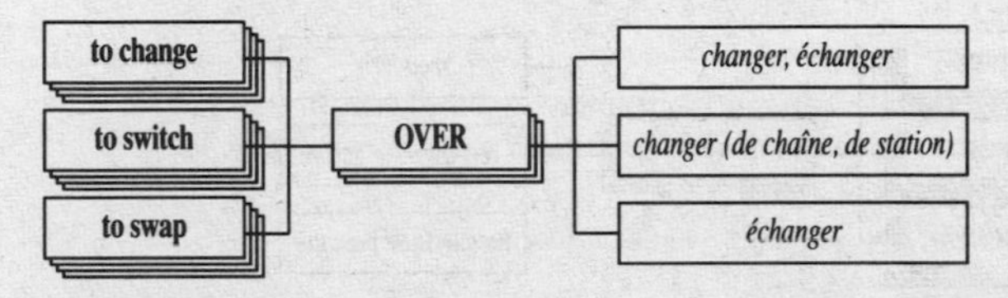

In September, we shall change over from a five-day school week to a four-day one.
En septembre, nous passerons d'une semaine scolaire de cinq jours à une semaine de quatre jours.

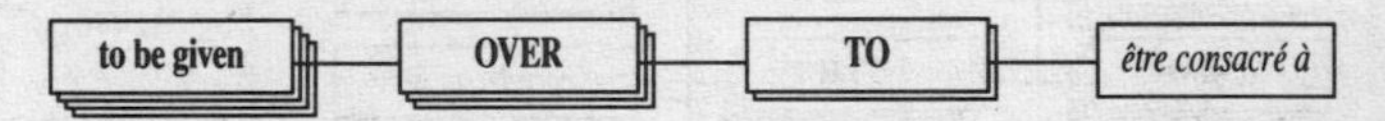

These premises are now given over to music and fine arts.
Ces lieux sont maintenant consacrés à la musique et aux beaux-arts.

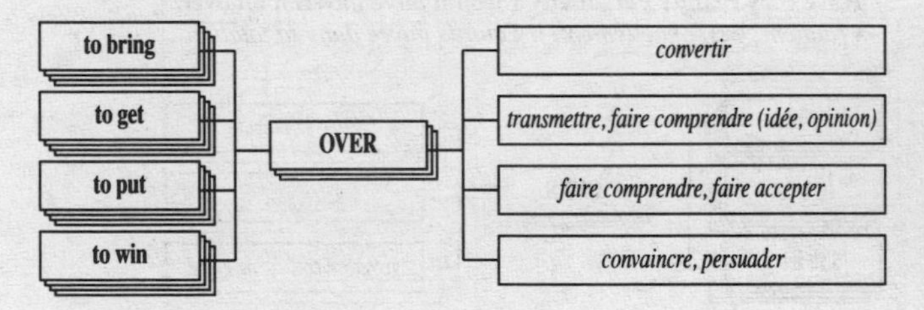

We were all wondering how to get our ideas over to the electorate.
Nous nous demandions tous comment faire passer nos idées à l'électorat.

- Isn't the pub the best place to try and win people over to our views?
- Le café n'est-il pas le meilleur endroit pour essayer de gagner les gens à notre point de vue?

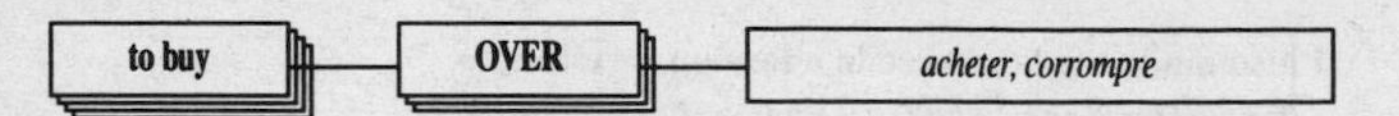

- Indeed, but they will never let themselves be bought over.
- En effet, mais ils ne se laisseront jamais acheter.

5. Couvrir, recouvrir

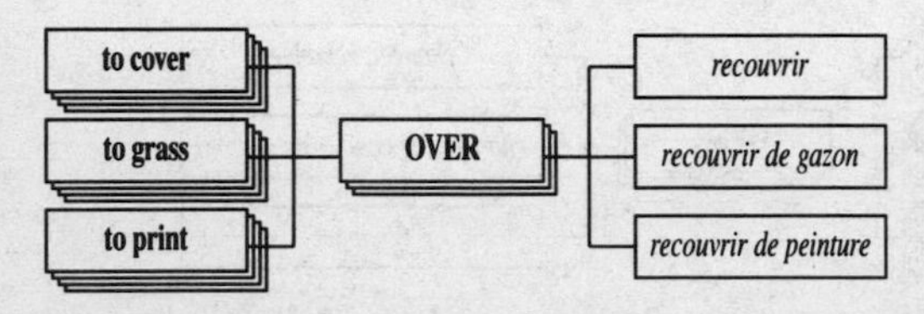

- What a change, they have grassed over the back yard!
- Quel changement, ils ont engazonné la cour de derrière!

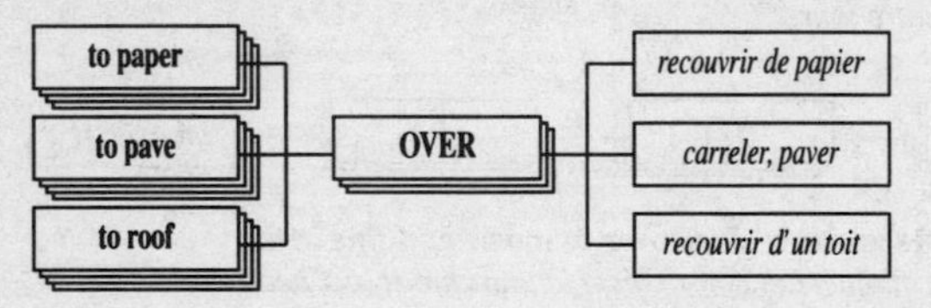

- Have they really? Personally I would have paved it all over.
- Vraiment? Personnellement, je l'aurais pavée dans sa totalité.

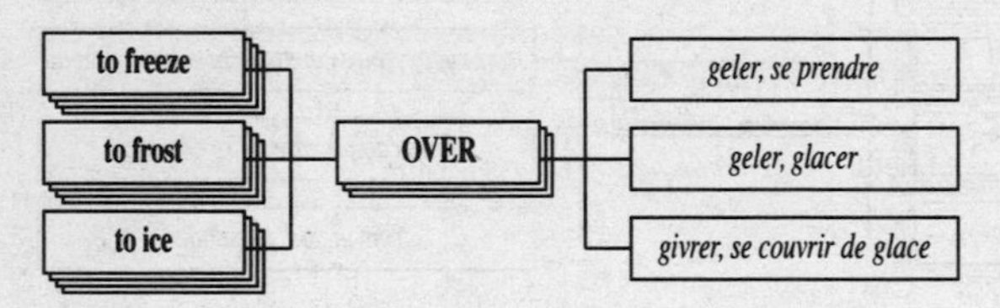

I will be late for work ; the windscreen has iced over.
Je serai en retard au travail ; le pare-brise est couvert de givre.

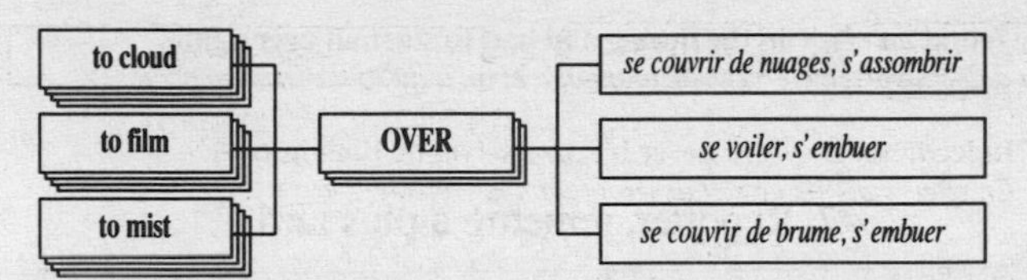

The sky clouded over just as we were getting ready for a swim.
Le ciel s'est couvert juste au moment où nous nous préparions à aller nager.

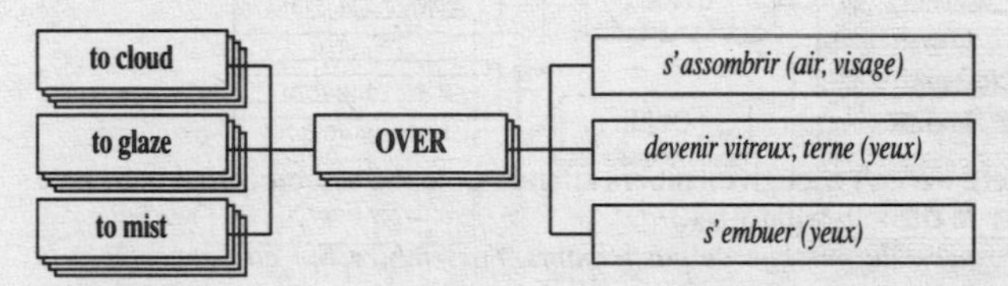

I noticed that her eyes misted over when she heard about the death of her cat.
Je notai que ses yeux se voilèrent à l'annonce de la mort de son chat.

6. Recommencer, refaire

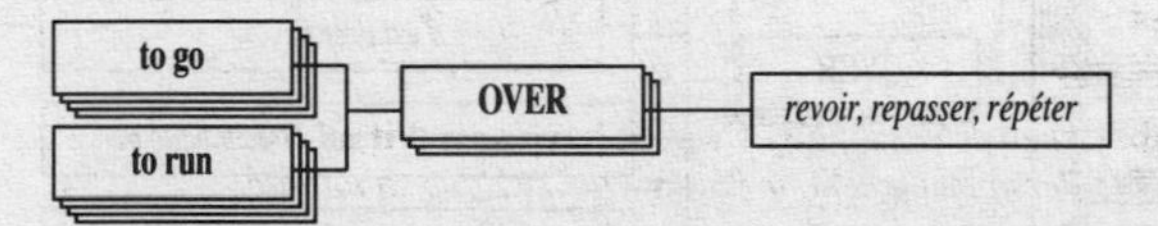

I'll go over your lesson with you and I'm sure you'll understand it better.
Je vais revoir la leçon avec toi et je suis sûr que tu la comprendras mieux.
We all ran over the plan of the ceremony yesterday.
On a tous revu le programme de la cérémonie hier.

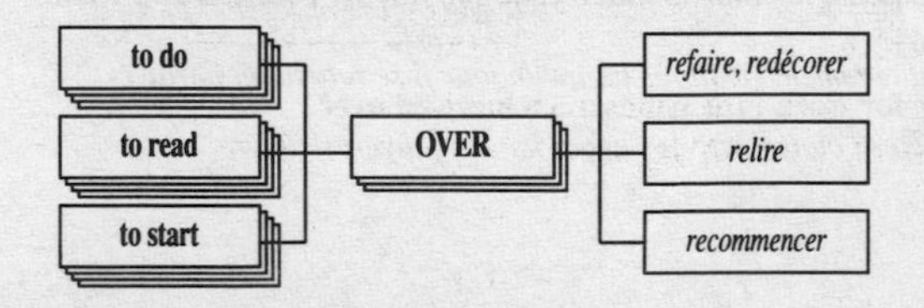

We found an error in the timing and had to start all over again.
On a découvert une erreur de minutage et on a dû tout recommencer.

7. Reporter, remettre à plus tard

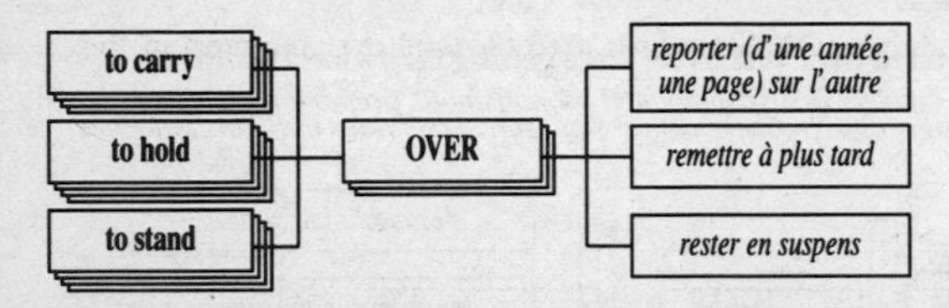

There weren't enough members attending, so the assembly had to be held over to the following week.
En raison du manque de participants, l'assemblée dut être reportée à la semaine suivante.

8. Relations entre individus

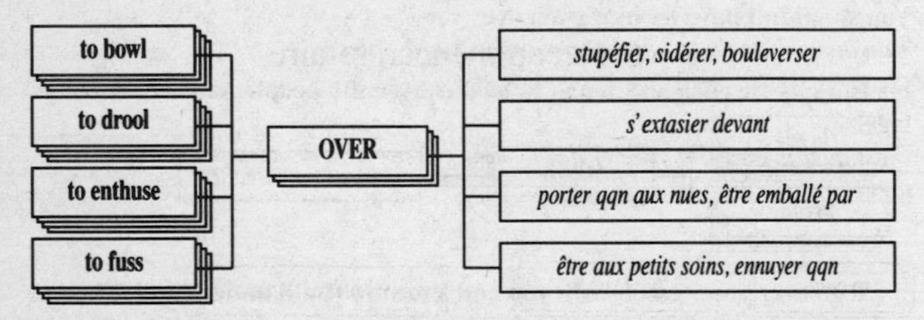

The painter was bowled over by the charm of the island and decided to settle there.
Le peintre fut enthousiasmé par le charme de l'île et décida de s'y installer.

His parents fussed over him so much that one day he rebelled and went away.
Ses parents ont tellement été après lui qu'un jour il se rebella et partit.

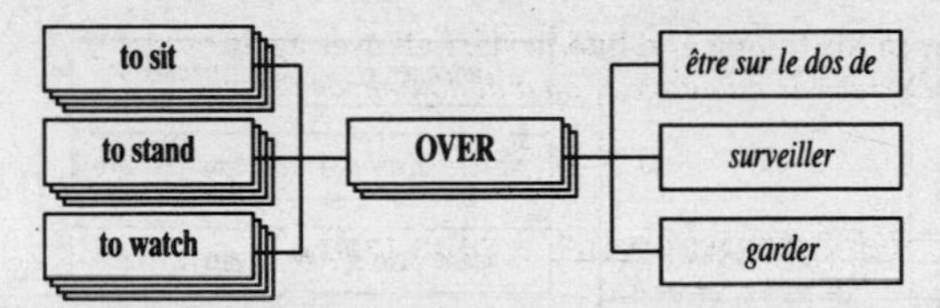

During my training period, my boss used to stand over me most of the time.
Durant mon stage, mon patron était presque sans arrêt dans mon dos pour me surveiller.

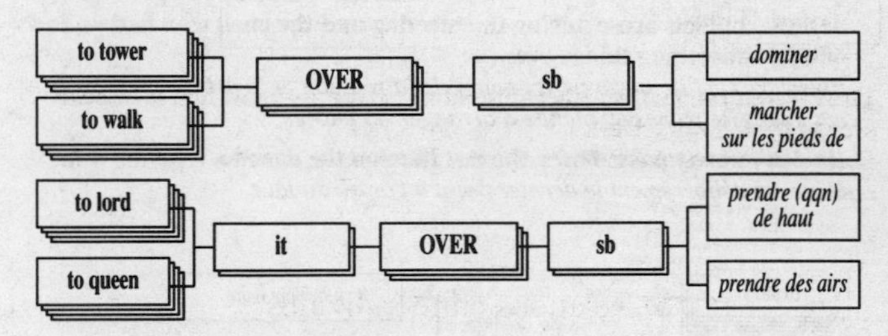

You shouldn't have let him walk over you.
Tu n'aurais pas dû le laisser te marcher sur les pieds.

He is a city dweller and tends to lord it over the people here in the village.
C'est quelqu'un de la ville et il a tendance à prendre de haut les gens du village.

Did he come over well during the meeting?
A-t-il fait bonne impression au cours de la réunion?

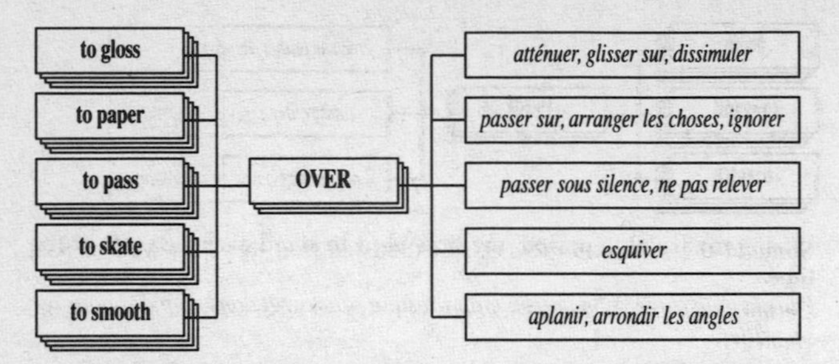

Several conflicts arose during the meeting and the chairman had no end of a job smoothing things over.
Plusieurs conflits surgirent au cours de la réunion et le président de séance eut toutes les peines du monde à arranger les choses.

He deliberately passed over the last item on the agenda.
Il ignora délibérément le dernier point à l'ordre du jour.

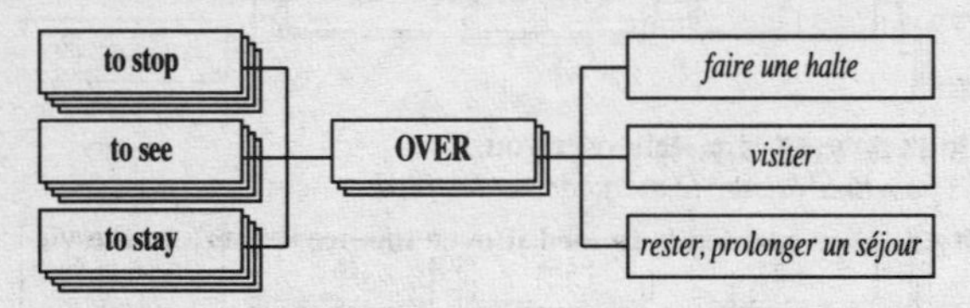

On our way to Switzerland, we stopped over in the Rhone Valley. We enjoyed ourselves so much that we stayed over for a week.
En route pour la Suisse, nous nous sommes arrêtés dans la vallée du Rhône. Cela nous a tellement plu que nous y sommes restés une semaine.

PAST

➪ **SENS GÉNÉRAL :** passer près de, au-delà de

They drove past (us) without even waving to (at) us!
Ils nous ont dépassés en voiture sans même nous faire un signe!

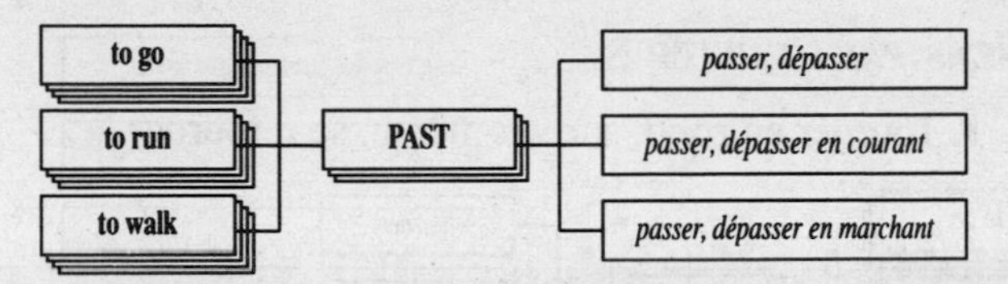

Some of the competitors were so exhausted that they just walked past us.
Certains concurrents étaient si épuisés qu'ils sont passés devant nous en marchant.

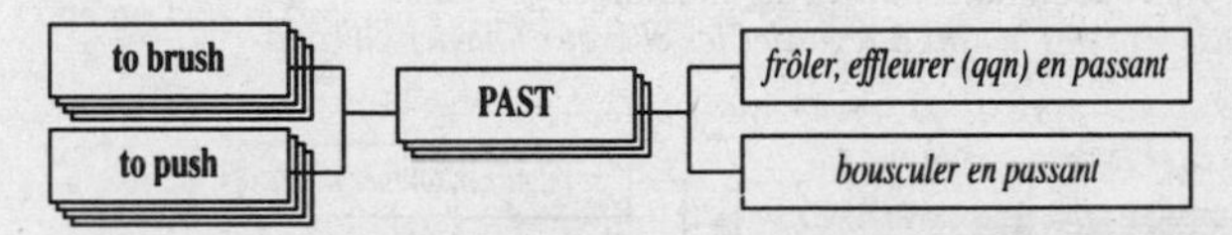

He brushed past me so fast that I didn't realize he had stolen my wallet.
Il est passé si vite, m'effleurant à peine, que je ne me suis pas rendu compte qu'il m'avait volé mon portefeuille.

➪ SENS PARTICULIER :

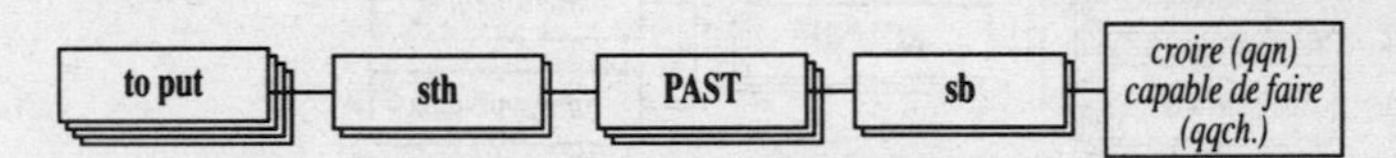

I wouldn't put it past him to go by himself and ask for his money back.
Je ne le pense pas capable d'aller lui-même réclamer son argent.

ROUND

➪ SENS GÉNÉRAL : autour de

I hate these sea-gulls flying round the boat.
J'ai horreur de ces mouettes qui tournoient autour du bateau.

She put her arm round her boyfriend's waist.
Elle mit son bras autour de la taille de son ami.

➪ SENS PARTICULIER :

1. Tourner en rond, sur soi-même, se retourner

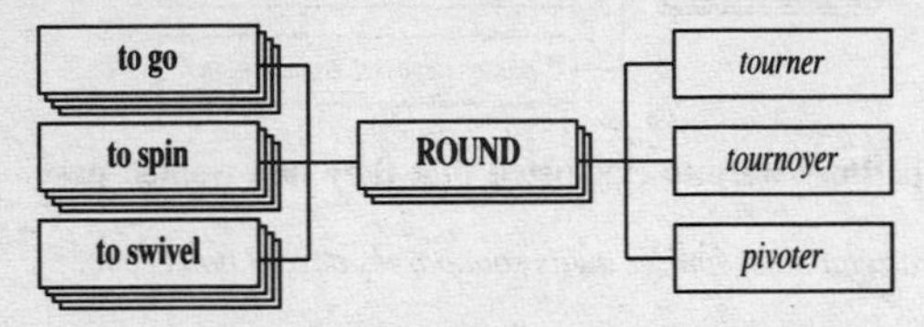

We would spend hours watching the horses go round.
On passerait des heures à regarder les chevaux tourner en rond.

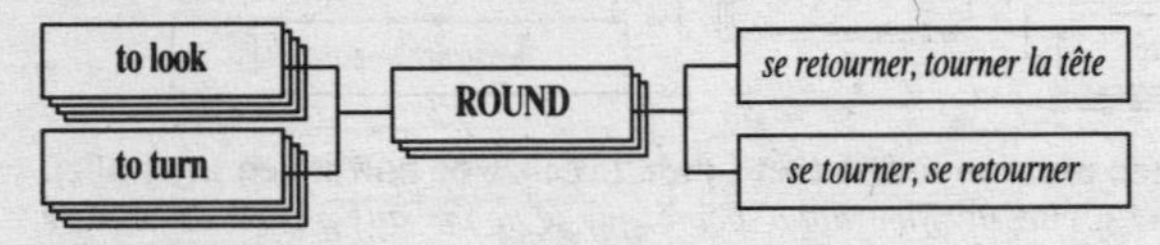

Turn round and let me see your new hairstyle.
Tourne-toi, que je puisse voir ta nouvelle coiffure!

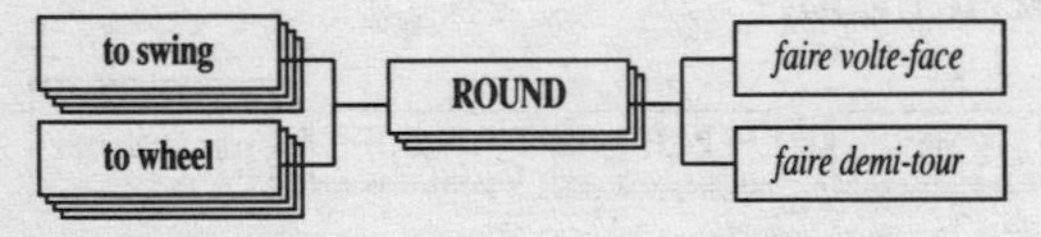

The animal swung round and faced me menacingly.
L'animal fit volte-face et me regarda avec un air menaçant.

2. Faire le tour de, entourer

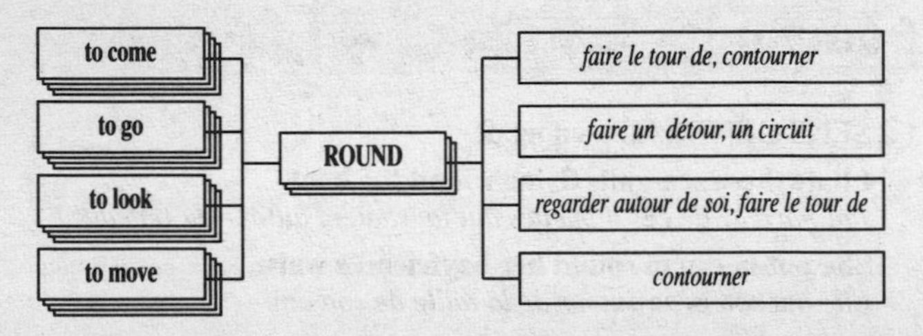

He looked round the estate and decided to buy it.
Il fit le tour du domaine et se décida à l'acheter.

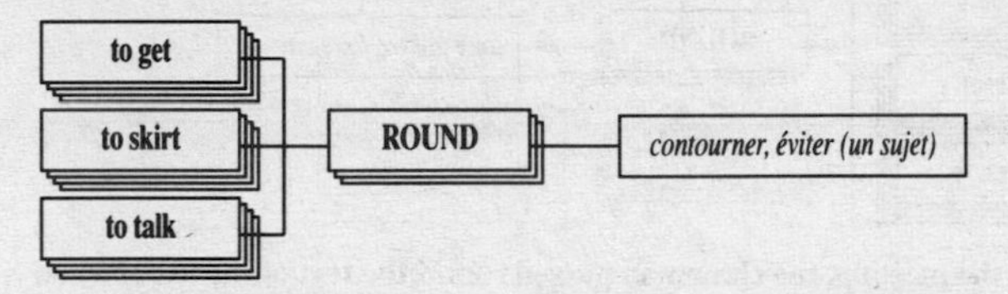

I have the feeling that they talked round the question on purpose.
J'ai l'impression qu'ils faisaient exprès de tourner autour du pot.

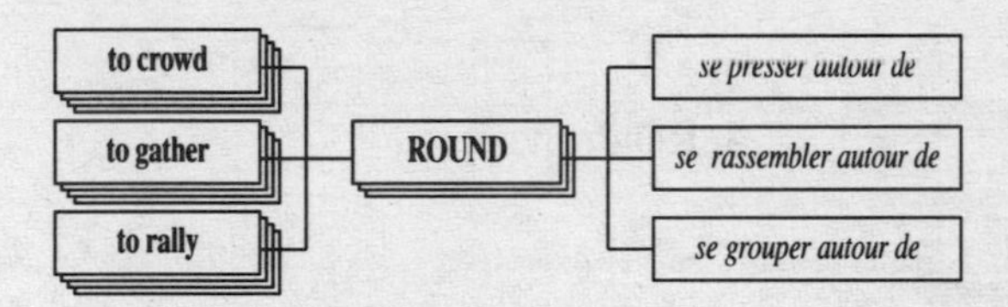

All the pupils gathered round the fireplace to listen to the storyteller.
Tous les élèves se rassemblèrent autour de la cheminée pour écouter le conteur.

Do you think the electors will rally round their new mayor?
Croyez-vous que les électeurs vont se rallier à leur nouveau maire?

3. Circuler, faire circuler

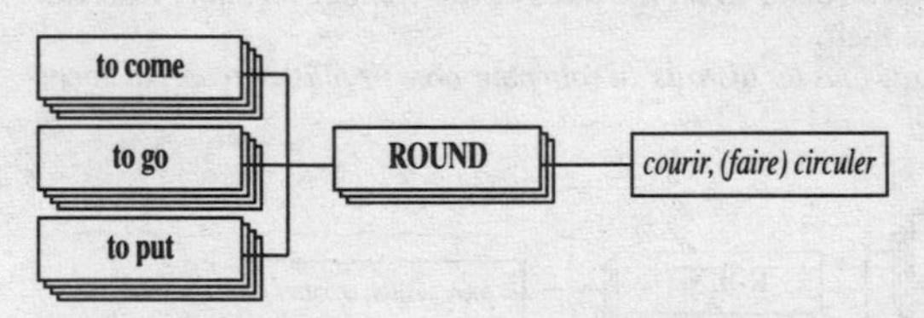

For a while, a rumour went round that the president had resigned. Do you know who put it round?
Pendant un moment la rumeur a circulé que le président avait démissionné. Sais-tu d'où elle est partie?

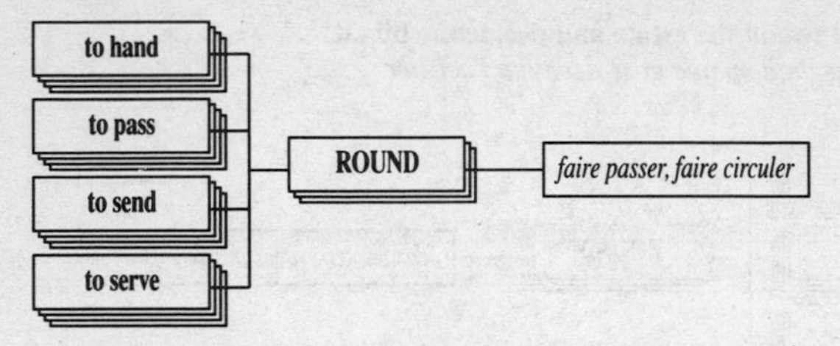

After the meeting, the chairman passed round the text of the declaration that was to be read at the press conference.
Après la réunion, le président fit circuler le texte de la déclaration qui devait être lue au cours de la conférence de presse.

4. Rendre visite

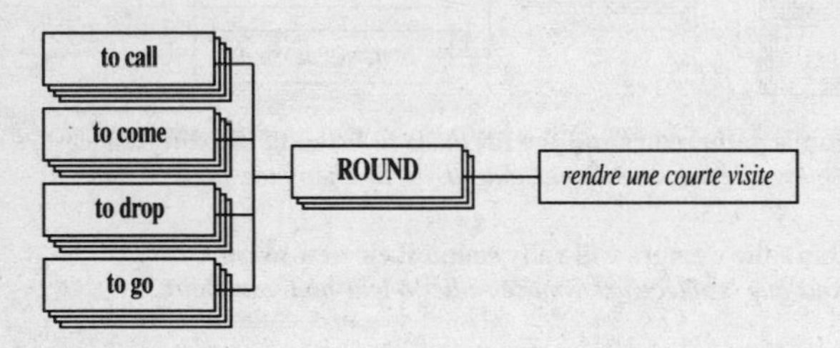

I'll drop round at four, if you don't mind.
Je passerai vous voir à quatre heures, si vous le voulez bien.

The police called round to all the pubs of the vicinity for more information about the theft.
La police a visité tous les bistrots du coin pour obtenir plus de renseignements au sujet du vol.

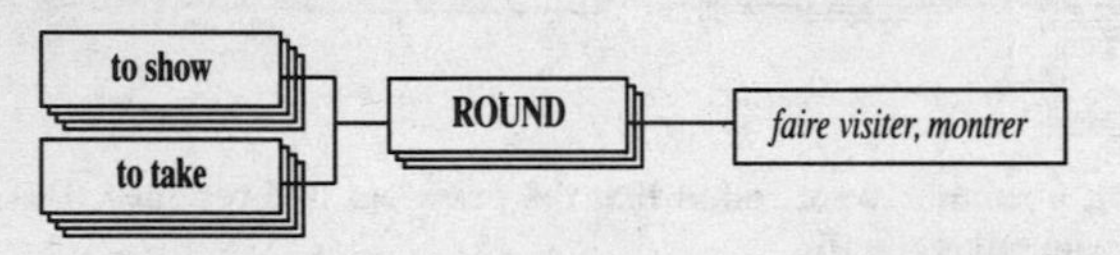

The estate agent swiftly showed me round the place and left.
L'agent immobilier me fit rapidement visiter l'endroit et partit.

5. Changer d'avis

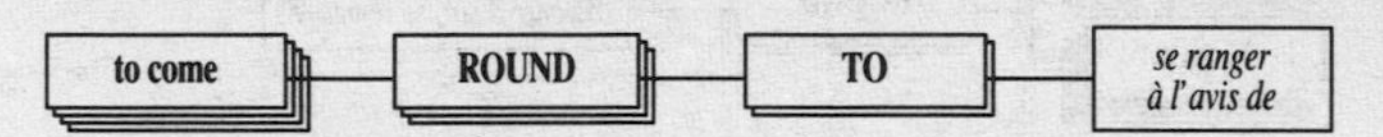

All the delegates finally came round to their leader's opinion.
Tous les délégués ont fini par se rallier à l'opinion de leur chef.

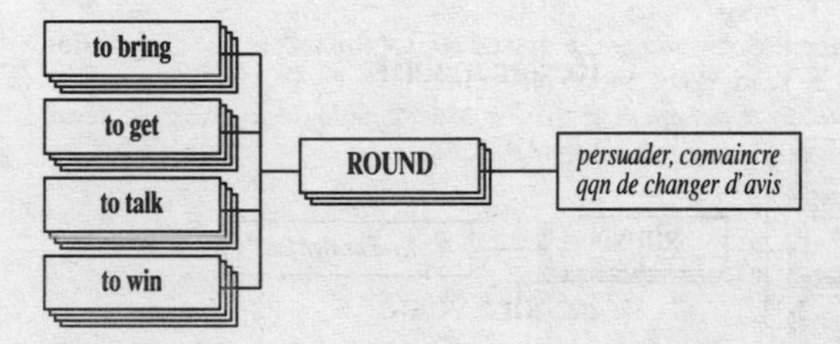

She had always refused to go to an old people's home, but her sons managed to talk her round.
Elle avait toujours refusé d'entrer dans une maison de retraite mais ses fils ont réussi à la décider.

6. Reprendre connaissance

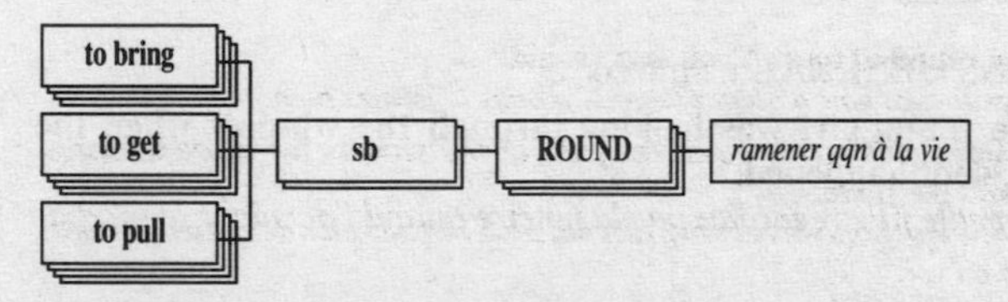

Who would have believed that her doctor would succeed in bringing her round?
Qui aurait pu croire que son médecin réussirait à la ranimer?

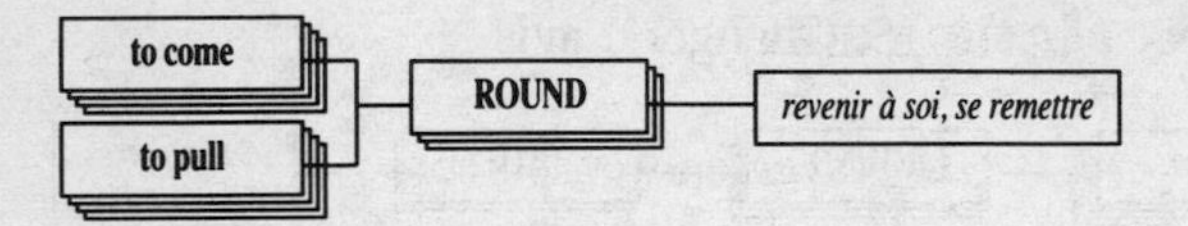

He won't pull round if you don't help him.
Il ne s'en remettra pas si vous ne l'aidez pas.

7. Rester inactif

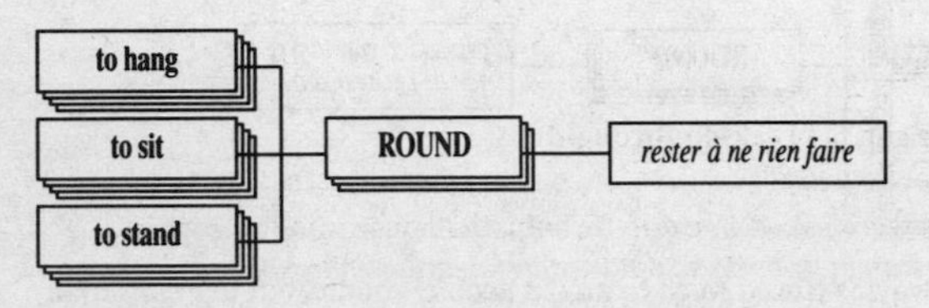

I sat round all day waiting for a phone call that never came.
J'ai perdu ma journée à attendre en vain un coup de téléphone.

THROUGH

➪ **SENS GÉNÉRAL :** à travers

The young girl was looking through the window when the accident happened.
La petite fille regardait par la fenêtre quand l'accident se produisit.

➪ SENS PARTICULIER :

1. Traverser, transpercer

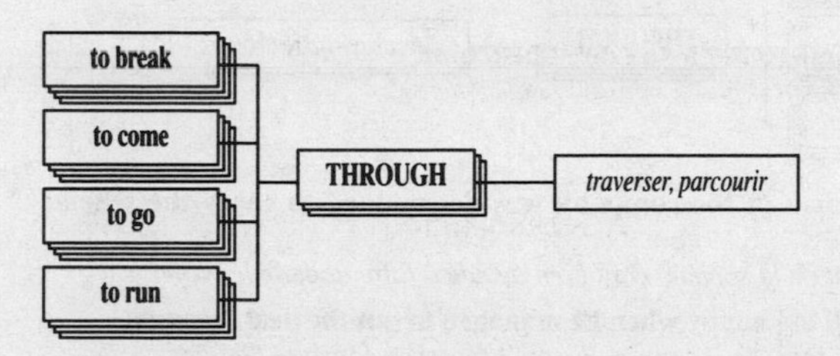

At last, the sun is breaking through!
Enfin, le soleil apparaît!

The guests were asked to come through the house into the garden.
Les invités étaient priés de se rendre dans le jardin en traversant la maison.

A feeling of horror ran through the group.
Un sentiment d'horreur parcourut l'assemblée.

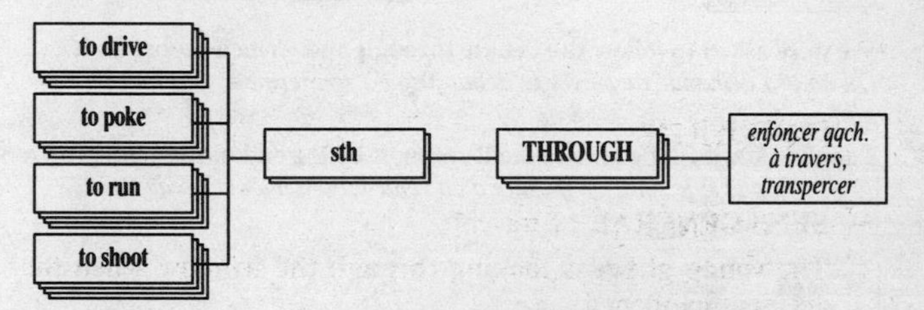

The pupils had driven a nail through their teacher's seat.
Les élèves avaient transpercé le siège de leur professeur avec un clou.

The policeman was shot through the arm.
Le policier eut le bras traversé par une balle.

to soak — THROUGH — *pénétrer, tremper (pluie)*

The children were soaked through on their return from school.
Les enfants étaient trempés jusqu'aux os à leur retour de l'école.

2. Mener à bien, réussir

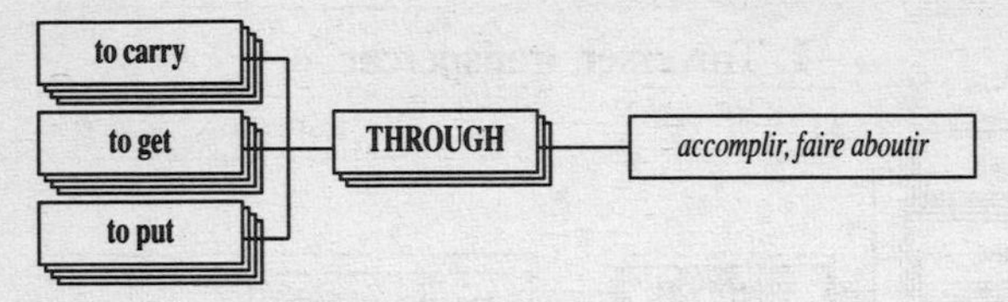

The chairman of the company was determined to carry the scheme through.
Le président de la société était bien décidé à faire aboutir le projet.

We were all too happy when he managed to put the deal through.
Nous étions tous très heureux lorsqu'il réussit à conclure l'affaire.

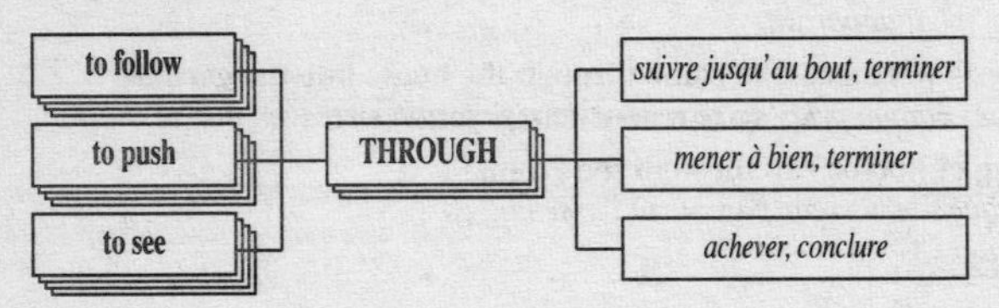

We were asked to follow the debate through and write a report on it.
On nous a demandé de suivre le débat jusqu'à son terme et de faire un rapport.

I don't know if I'll be able to see it through by the end of the year.
Je ne sais pas si je serai en mesure d'en venir à bout d'ici la fin de l'année.

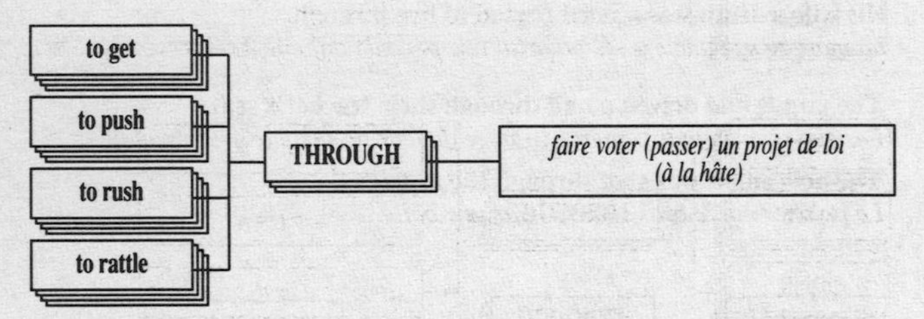

The government succeeded in pushing the bill through despite the opposition's motion of censure.
Le gouvernement a réussi à faire passer son projet de loi malgré la motion de censure de l'opposition.

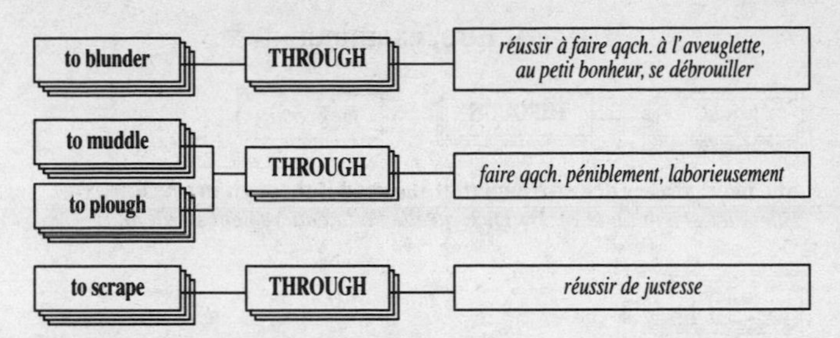

Her two sons scraped through college without much work.
Ses deux fils ont réussi de justesse leurs études universitaires sans jamais trop travailler.

3. Subir, endurer, survivre

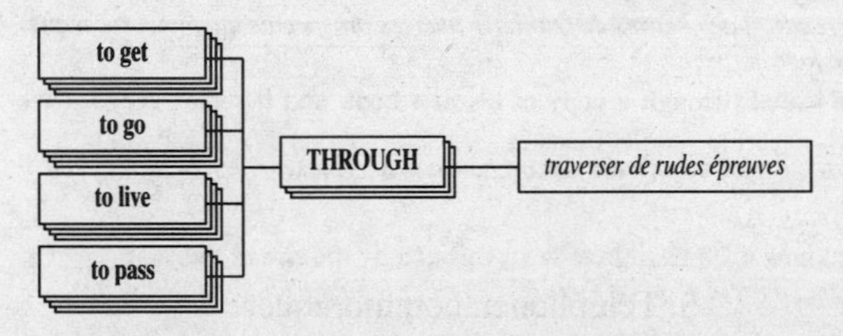

His wife's death was a hard period to live through.
La mort de sa femme a été pour lui une période difficile à traverser.

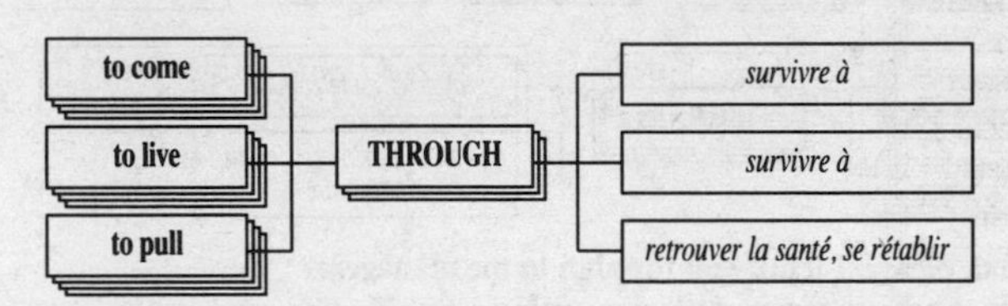

He is critically ill, but the doctors are confident that he will pull through.
Il est sérieusement malade mais les médecins ont bon espoir qu'il s'en sorte.

4. Lire, examiner

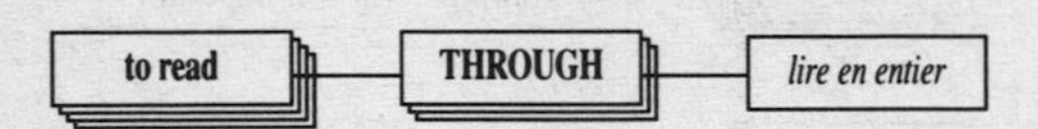

She liked *Moby Dick* so much that she read it through in one day.
Elle a tellement aimé Moby Dick *qu'elle l'a lu entièrement en un jour.*

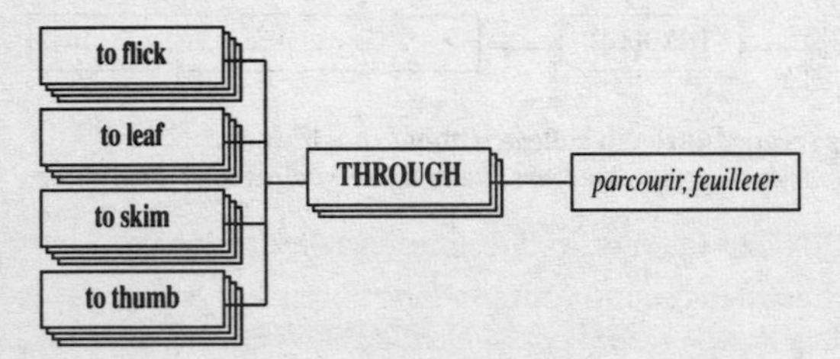

It would take hours skimming through all the brochures we receive every day.
Cela prendrait des heures de feuilleter tous les prospectus que nous recevons chaque jour.

I have leafed through a copy of his new book and it seems very interesting.
J'ai parcouru un exemplaire de son nouveau livre, il semble très intéressant.

5. Téléphoner, communiquer

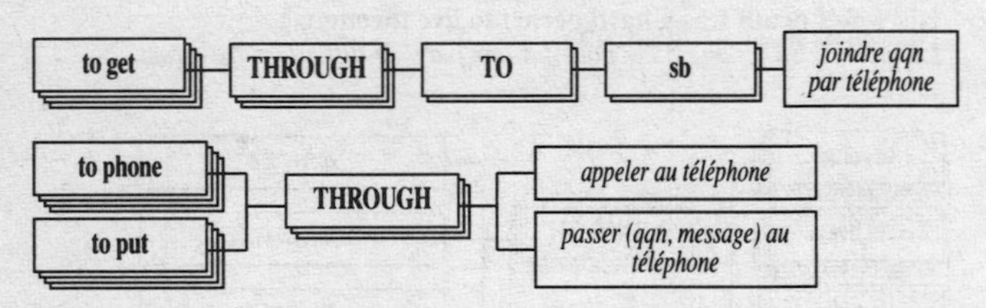

Hold on, please, I'll put you through to the manager!
Ne quittez pas, je vous passe le directeur!

6. Autres

He wouldn't believe that his plan had fallen through.
Il refusait de croire que son plan avait échoué.

TO

➪ **SENS GÉNÉRAL :** vers, en direction de, à destination de

He returned to his country after a long absence.
Il est reparti dans son pays après une longue absence.

➪ **SENS PARTICULIER :**

1. But

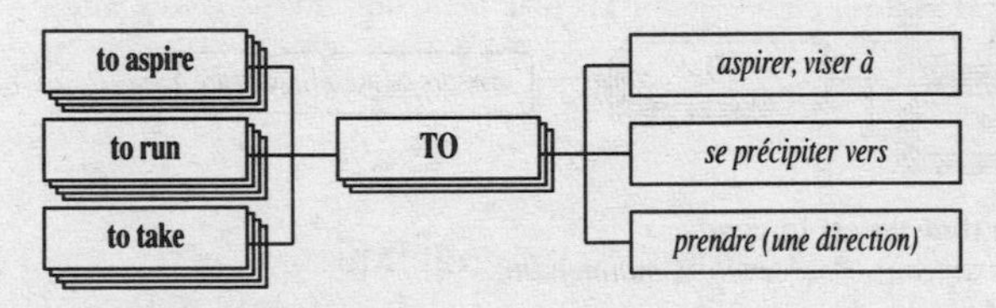

The rebels have all taken to the bush.
Les rebelles ont tous pris le maquis.

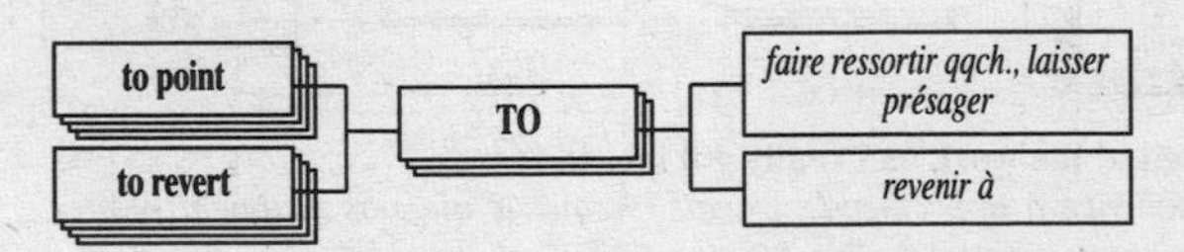

Everything was pointing to a rapid success of the police operation.
Tout laissait prévoir un succès rapide de l'opération policière.

It is not possible to revert to our old teaching methods.
Il n'est pas possible de revenir à nos vieilles méthodes d'enseignement.

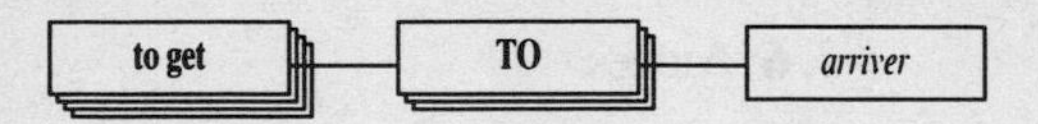

How did you manage to get to this place on your own?
Comment avez-vous fait pour arriver jusqu'ici par vos propres moyens?

2. Se mettre à

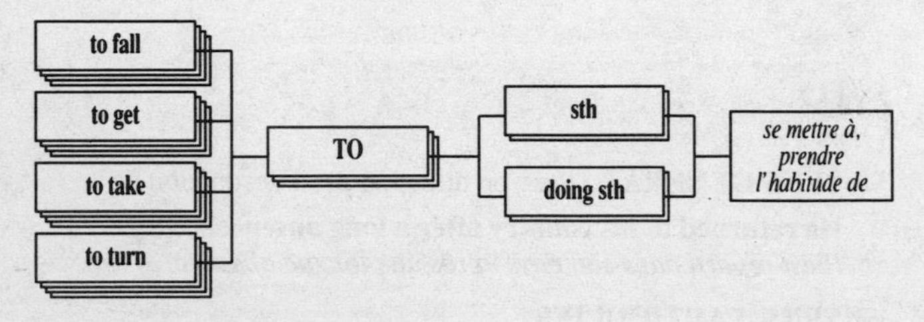

He took to smoking at university.
Il s'est mis à fumer à l'université.

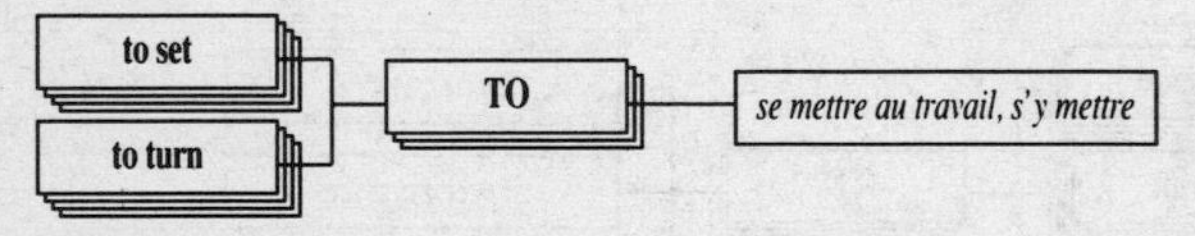

It's high time we set to now!
Il est grand temps de s'y mettre, maintenant!

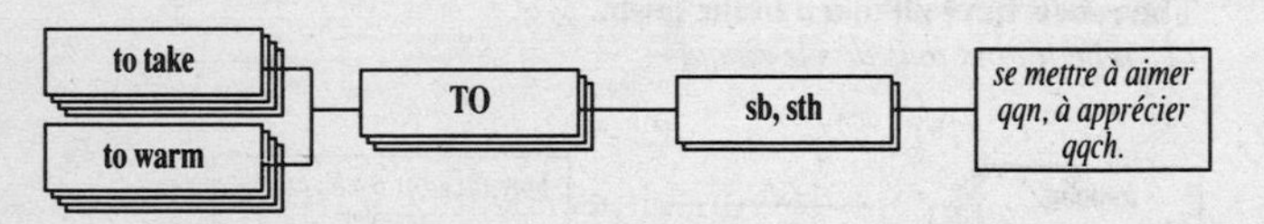

I warmed to the work as I really got into it.
J'ai commencé à apprécier le travail lorsque je me suis vraiment plongé dedans.

3. S'occuper de

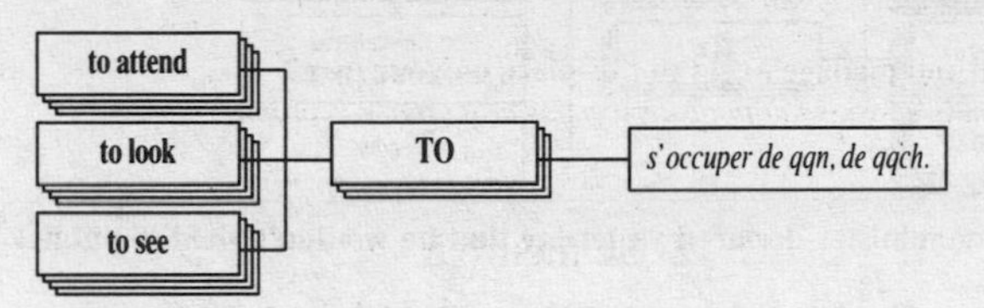

Would you mind attending to this customer, Miss Jones?
Pourriez-vous servir ce client, mademoiselle Jones?
There is no electricity in the house! I'll see to it.
Il n'y a pas d'électricité dans la maison! Je m'en occupe.

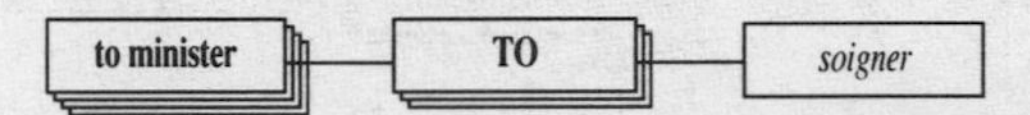

There really must be someone to minister to all his daily needs.
Il a vraiment besoin de quelqu'un pour s'occuper de lui quotidiennement.

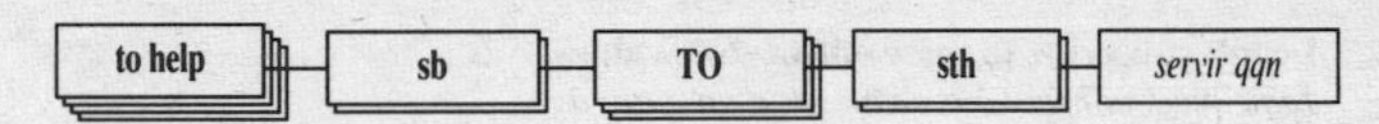

May I help you to another cup of tea?
Puis-je vous servir une autre tasse de thé?

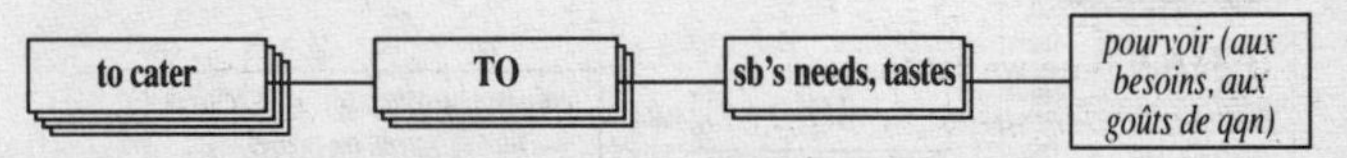

This film caters to the public's vilest tastes.
Ce film flatte les goûts les plus vulgaires du public.

4. Consentir, accéder à

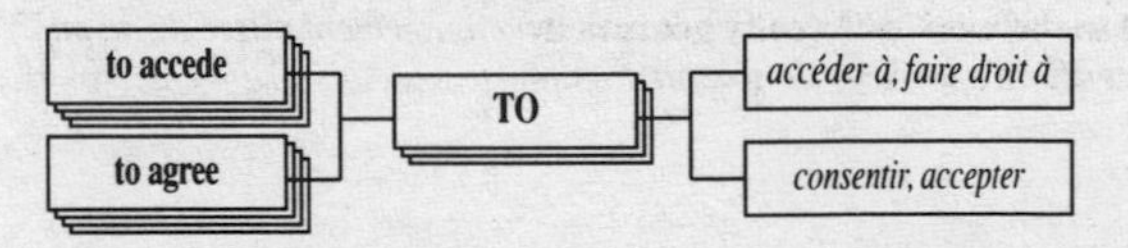

After much hesitation, he finally agreed to our conditions.
Après avoir beaucoup hésité, il se rallia finalement à nos conditions.

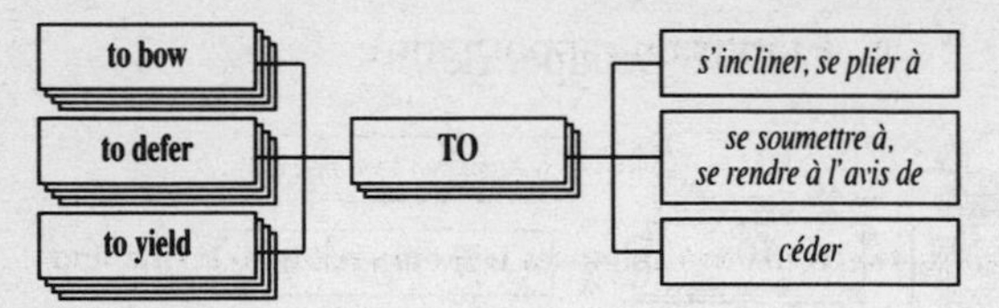

The prime minister declared yesterday that he wouldn't yield to public pressure...
Le premier ministre a déclaré hier qu'il ne céderait pas à la pression populaire...

... but he might have to bow to the cabinet's request for a change of policy.
... mais il se pourrait qu'il ne puisse résister à une demande de changement de politique émanant des membres du gouvernement.

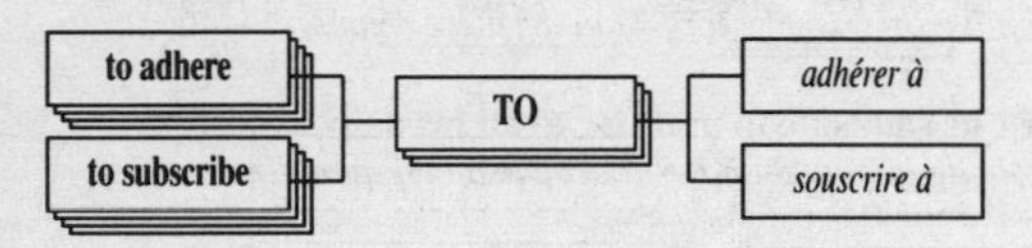

I can't subscribe to these out-of-date values.
Je ne peux adhérer à ces valeurs d'un autre âge.

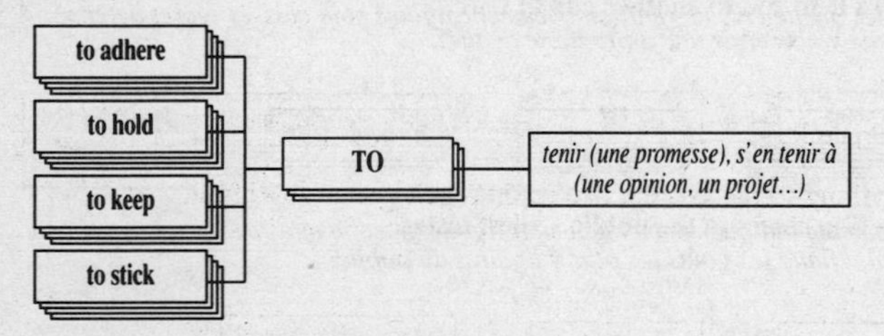

The old man said he would stick to his past decision not to interfere in his son's love affairs.
Le vieil homme affirma qu'il s'en tiendrait à son engagement passé de ne pas se mêler des affaires de cœur de son fils.

5. Établir un rapport entre

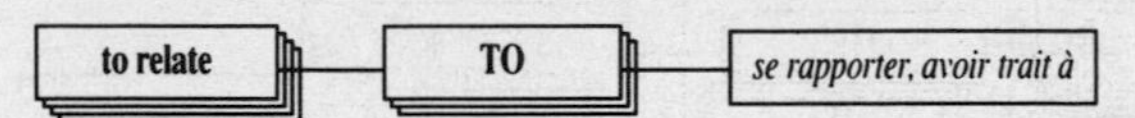

The agreement between the two countries will only relate to tariffs and trade.
L'accord entre les deux pays portera uniquement sur les droits de douane et le commerce.

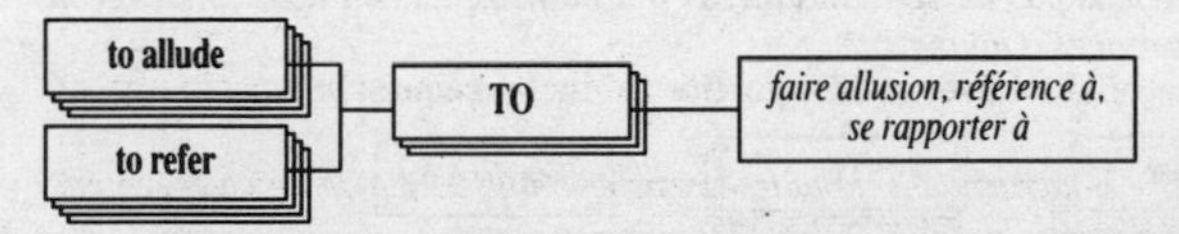

Are you alluding to my absence in the last meeting?
Faites-vous allusion à mon absence lors de la dernière réunion?

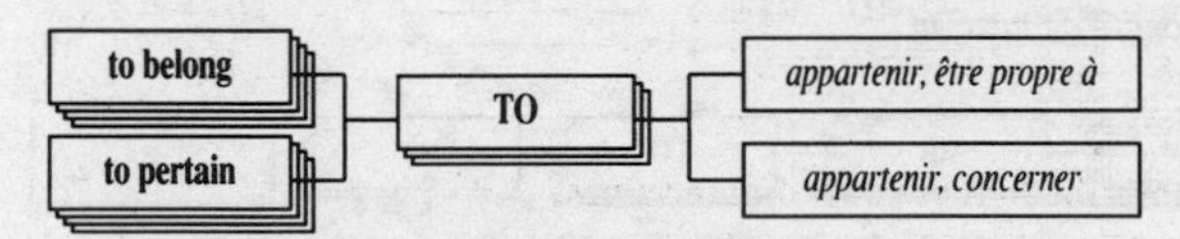

All the documents pertaining to this affair are classified.
Tous les documents en relation avec cette affaire sont classés secret défense.

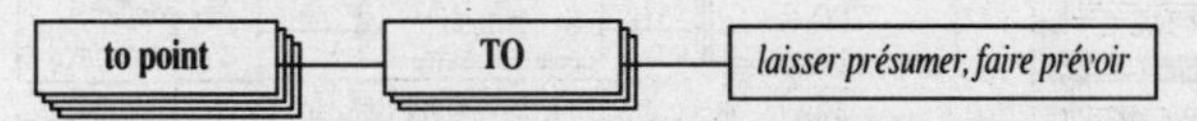

Everything seems to point to a rapid conclusion of this affair.
Tout semble indiquer une conclusion rapide de cette affaire.

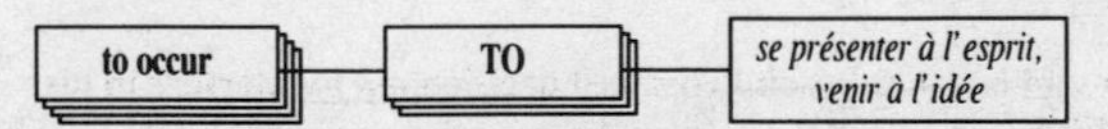

Did it occur to you that she might be in love with you?
Ne t'est-il jamais venu à l'esprit qu'elle pouvait être amoureuse de toi?

6. Établir une relation avec quelqu'un

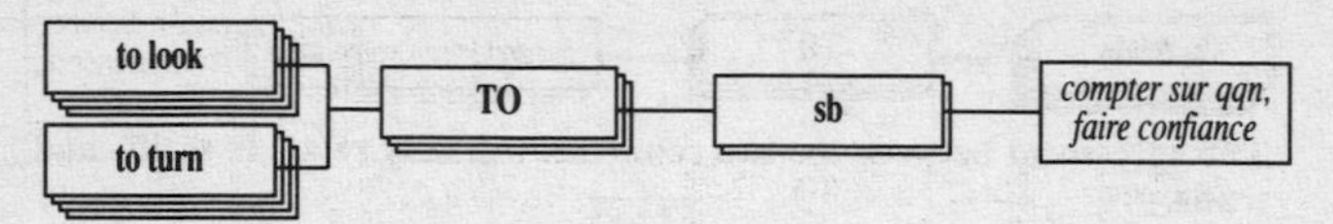

We had no knowledge of French law, so we had to turn to a solicitor for advice.
Nous n'avions pas de connaissances en droit français et il nous fallut recourir aux services d'un avocat.

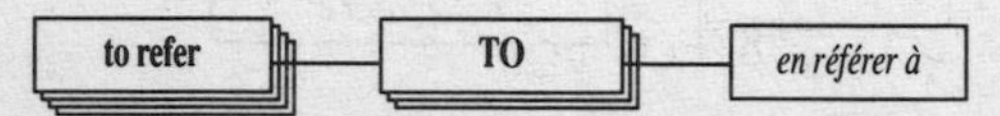

If you are unable to agree on this, we shall have to refer the matter to the management committee.
Si vous êtes incapables de vous entendre sur ce point, nous devrons en référer au comité de gestion.

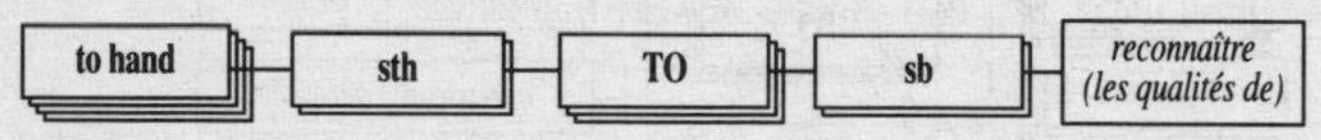

We must hand it to him, he is an excellent orator.
Il faut reconnaître que c'est un excellent orateur.

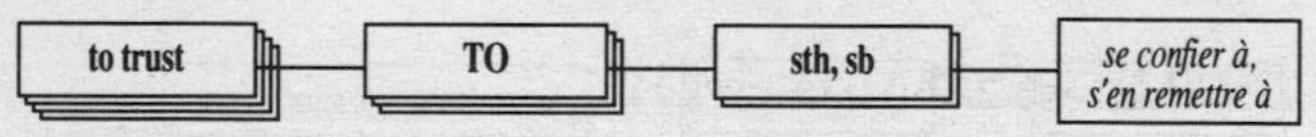

He was ill-prepared for this adventure, but he decided to trust to his lucky star.
Il était mal préparé pour cette aventure mais il décida de s'en remettre à sa bonne étoile.

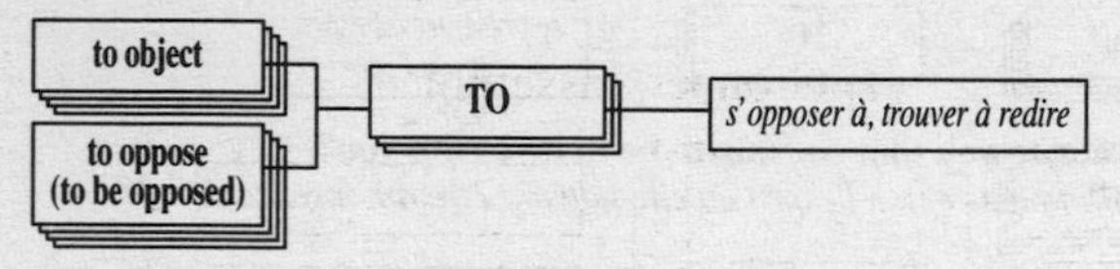

I object to his playing the piano so late!
Je refuse qu'il joue du piano si tard!

Both her parents were opposed to her marriage.
Ses deux parents étaient opposés à son mariage.

7. Revenir, ramener à la vie

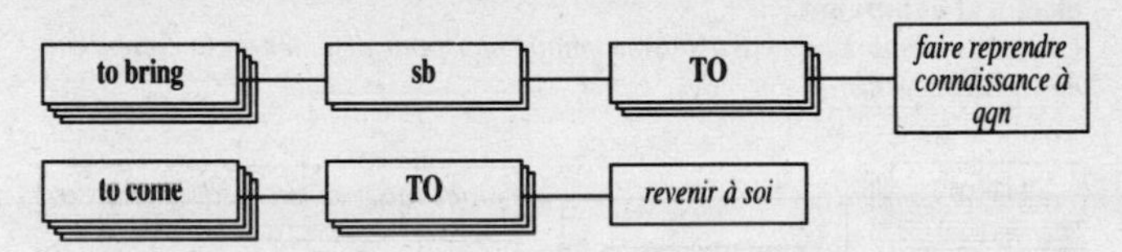

He came to after someone had thrown a bucket of water at him.
Il revint à lui après que quelqu'un lui eut jeté un seau d'eau.

8. Fermer

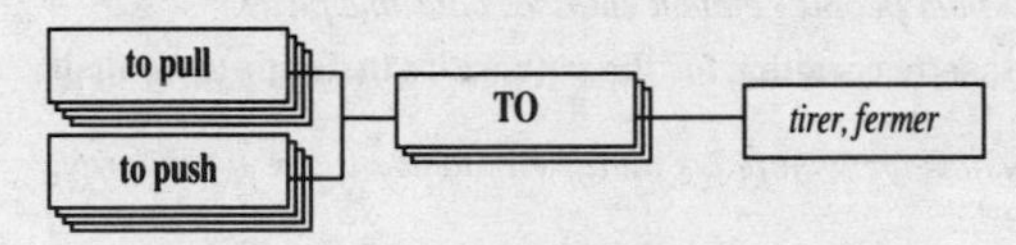

Don't forget to pull the blinds to when you leave.
N'oubliez pas de fermer les stores en partant.

TOGETHER

⇨ **SENS GÉNÉRAL :** ensemble

The Cuban refugees are all living together in the same flat.
Les réfugiés cubains habitent tous ensemble dans le même appartement.

⇨ **SENS PARTICULIER :**

1. Grouper, rassembler

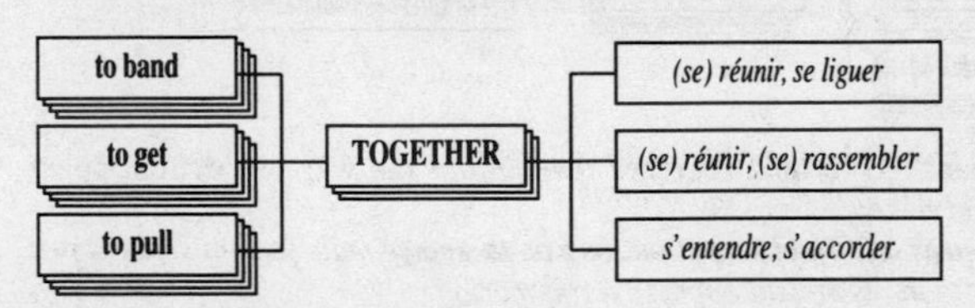

Some party members got together yesterday to discuss the coming electoral campaign.
Quelques membres du parti se sont réunis hier pour discuter de la campagne électorale à venir.

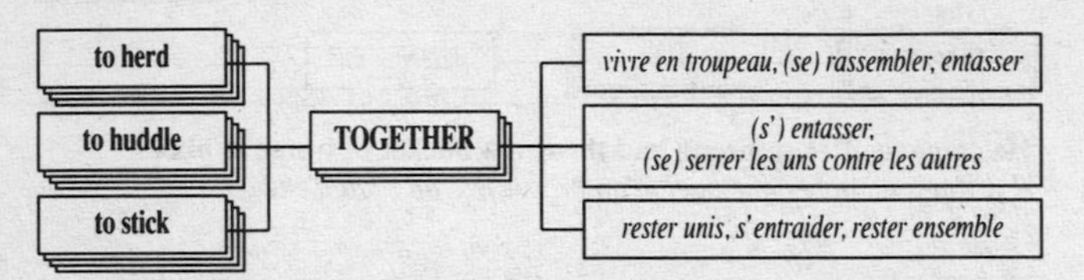

On their arrival, the boat people were herded together in a room.
A leur arrivée, les «boat people» étaient entassés dans une pièce.

They all huddled together waiting for the authorities to decide upon their fate.
Ils se serrèrent tous les uns contre les autres en attendant que les autorités décident de leur sort.

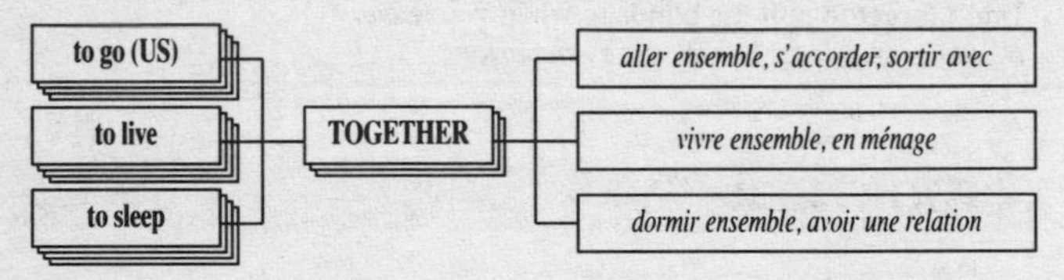

These youngsters have been going together for several years and are now thinking of living together.
Ces jeunes sortent ensemble depuis plusieurs années et songent maintenant à se mettre en ménage.

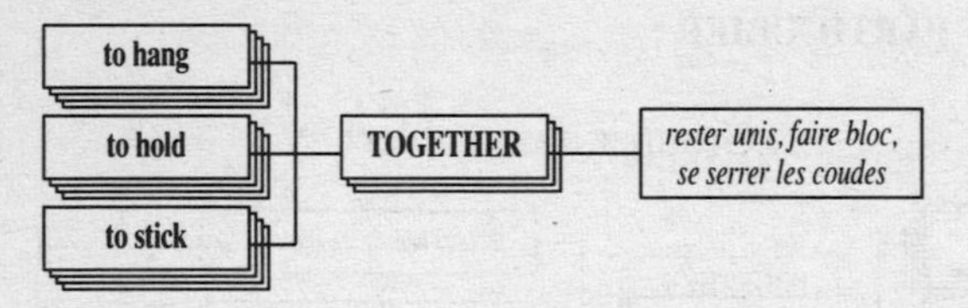

They managed to hold together throughout the war but drifted apart soon afterwards.
Ils ont réussi à faire bloc tout au long de la guerre mais se sont séparés peu après.

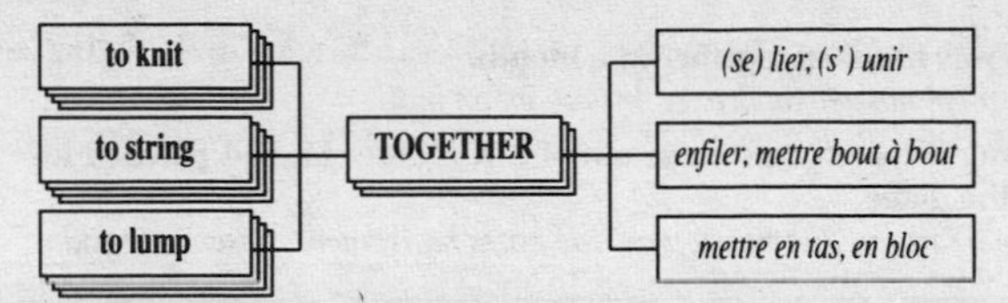

I am sure we can win if we accept to lump our ideas and resources together.
J'ai la conviction que nous pouvons gagner si nous acceptons de mettre nos idées et nos ressources en commun.

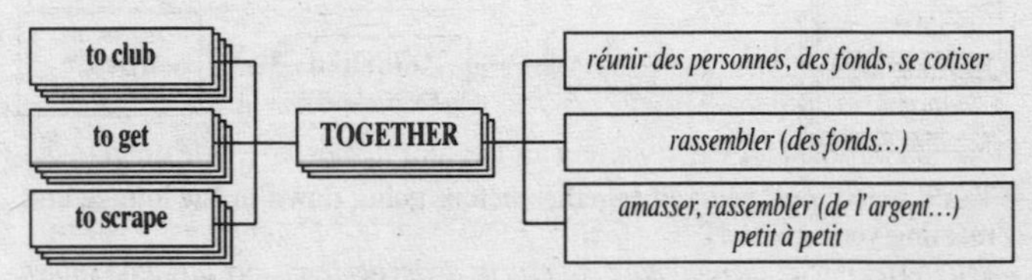

They believed that if they clubbed together they might make their dream come true.
Ils pensaient qu'en se cotisant ils réussiraient à réaliser leur rêve.

2. Assembler, joindre

We won't find out the truth until we succeed in piecing all these elements together.
Nous ne découvrirons la vérité qu'en rassemblant tous ces éléments.

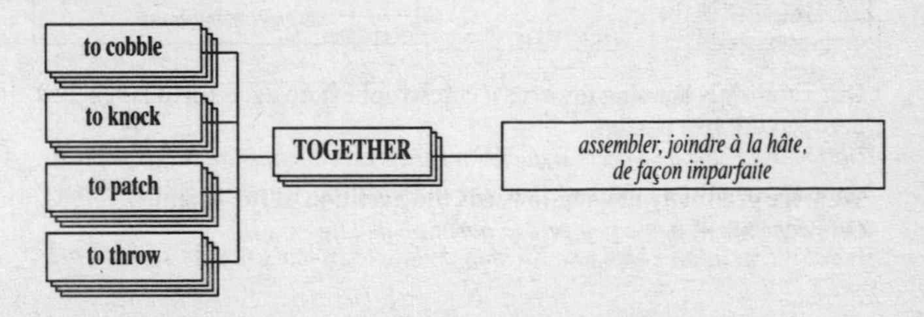

His house was knocked together in a month.
Sa maison a été montée de bric et de broc en un mois.

The minister's speech was made out of a few notes he had patched together in the plane.
Le ministre a fait son discours à partir de notes hâtivement rassemblées dans l'avion.

3. Se reprendre, se ressaisir

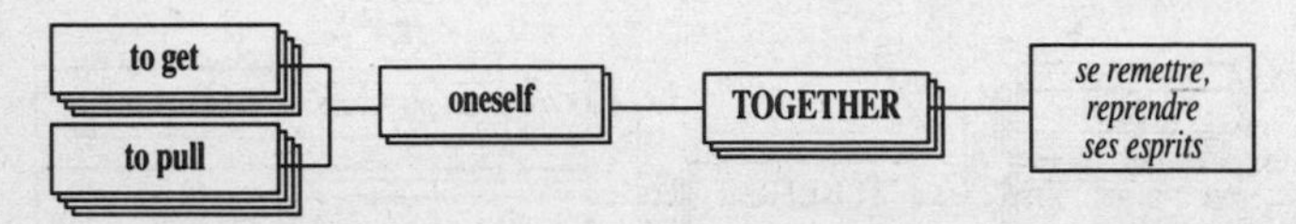

You'd better pull yourself together before going down to the lounge and meeting your guests.
Vous feriez mieux de reprendre vos esprits avant de descendre au salon saluer vos amis.

TOWARDS

➪ SENS GÉNÉRAL : vers, en direction de, dans le but de

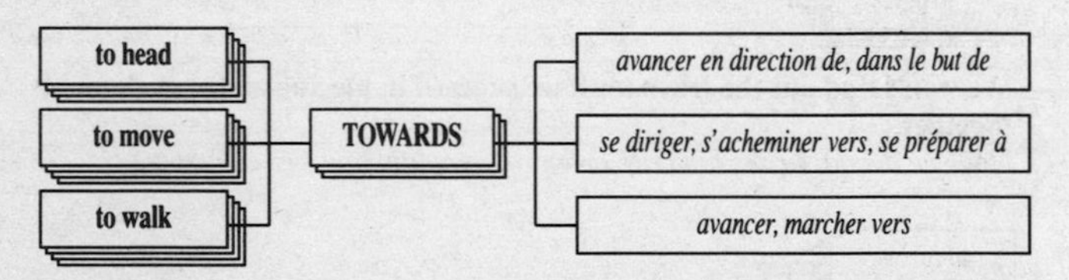

Our country is heading towards a catastrophe if no agreement is reached between the two parties.
Notre pays court à sa perte si aucun accord n'est conclu entre les deux partis.

We were gradually moving towards the partition of the island.
On s'acheminait peu à peu vers la partition de l'île.

The military were pushing towards a crackdown on the rebellion. The prime minister and the cabinet, on the contrary, were working towards a peaceful settlement.
Les militaires étaient partisans de l'usage de la force pour réduire la rébellion. Le premier ministre et le gouvernement, au contraire, œuvraient en faveur d'une solution négociée.

Our platform is not geared towards a reduction of social benefits. It rather tends towards a redistribution of governmental aid.
Notre programme ne vise pas à réduire les allocations sociales. Il tend plutôt à une redistribution des aides gouvernementales.

I noticed that she was gradually warming towards the idea of accepting the part she was offered.
Je remarquai qu'elle se sentait de plus en plus attirée par le rôle qui lui était proposé.

UNDER

➪ **SENS GÉNÉRAL :** sous, au-dessous

He crossed the street because he refused to walk under the ladder.
Il a refusé de passer sous l'échelle et a traversé la rue.

⇨ SENS PARTICULIER :

1. Être sous l'eau, sombrer

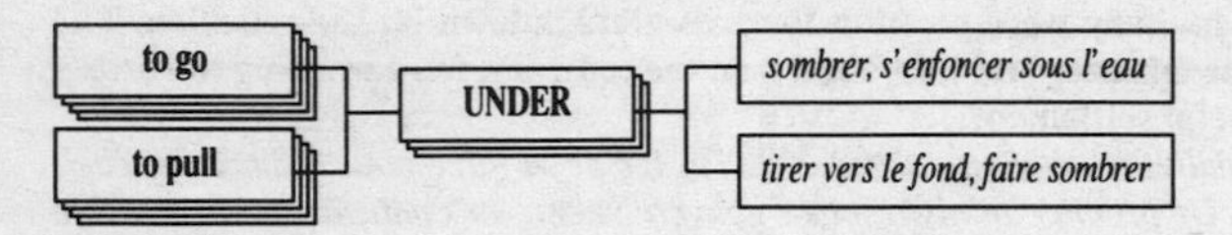

The boys were playing at pulling the girls under when one of them realized that Mary was drowning.
Les garçons s'amusaient à tirer les filles sous l'eau lorsque l'un d'entre eux s'aperçut que Mary était en train de se noyer.

2. Être sous l'autorité de

After several reorganizations, our department has come under the authority of the sales manager.
Après plusieurs réorganisations, notre service est passé sous l'autorité du directeur des ventes.

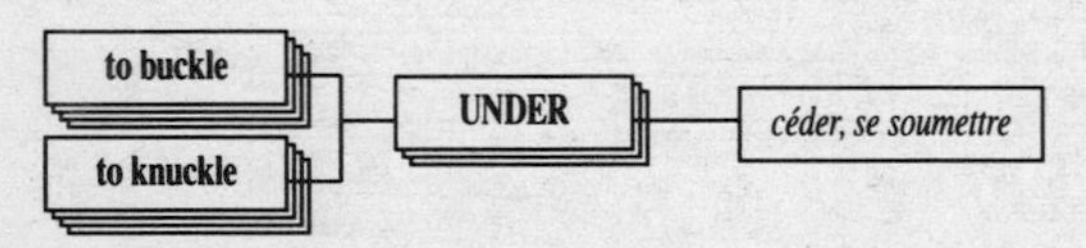

I had just agreed to take this new job on and simply had to knuckle under.
Je venais tout juste d'accepter ce nouvel emploi et fus obligé de céder.

He is the only teacher capable of keeping these pupils under.
Il est le seul professeur capable de mater ces élèves.

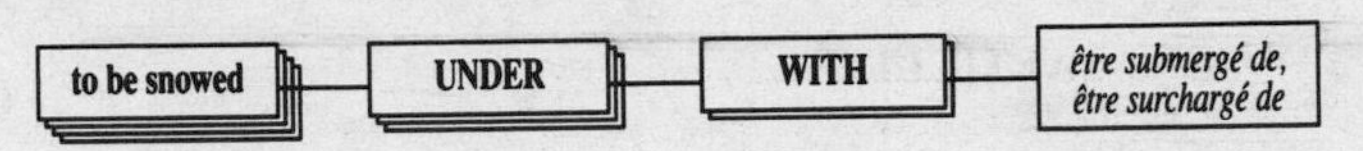

At this time of the year, we are always snowed under with applications for training courses.
A cette époque de l'année, nous croulons toujours sous les demandes de stages.

3. Échouer

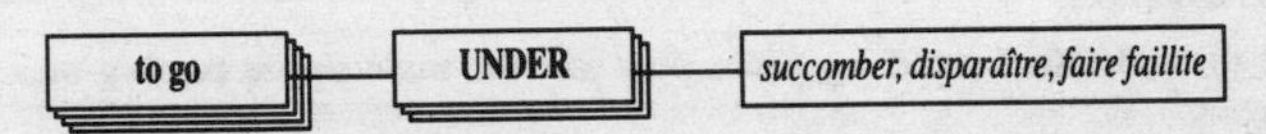

So many companies are going under these days that we are glad to have kept our jobs.
Il y a tant de faillites d'entreprises en ce moment que nous sommes bien heureux d'avoir conservé nos emplois.

4. Classifier

Flowers come under the category of luxury items and are taxed as such.
Les fleurs entrent dans la catégorie des objets de luxe et sont taxées en conséquence.

UP

➪ **SENS GÉNÉRAL :** en haut, en l'air

The boy threw his books up in the air and started running.
Le garçon jeta ses livres en l'air et se mit à courir.

➩ SENS PARTICULIER :

1. Mouvement vers le haut

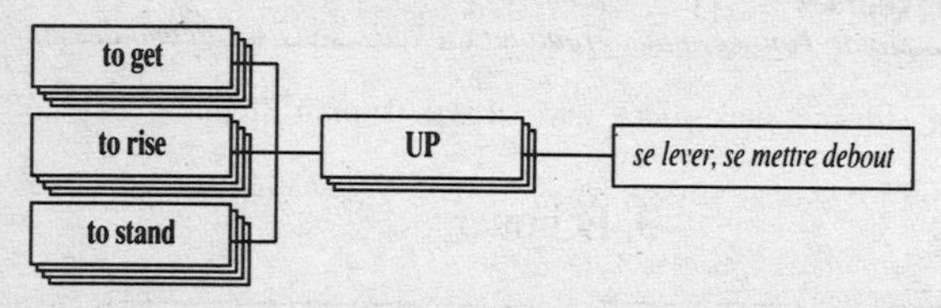

All the spectators stood up when they saw the male singer coming on stage.
Tous les spectateurs se levèrent lorsque le chanteur apparut sur scène.
Big clouds of dark smoke were rising up in the sky.
De gros nuages de fumée noire s'élevaient dans le ciel.

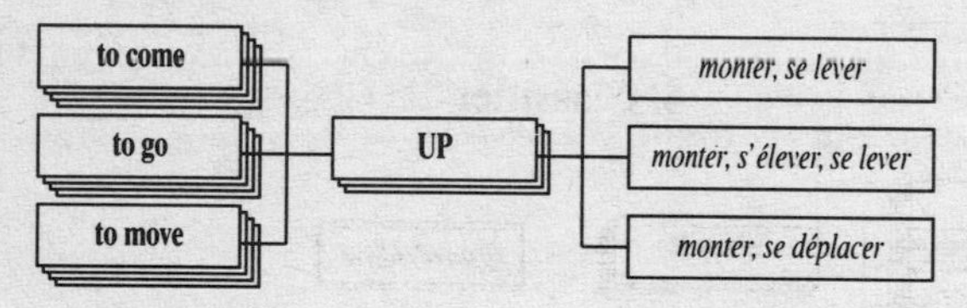

The curtain went up but nobody was on the stage.
Le rideau se leva mais il n'y avait personne sur la scène.
They were not allowed to come up and see me.
Ils n'étaient pas autorisés à monter me rendre visite.

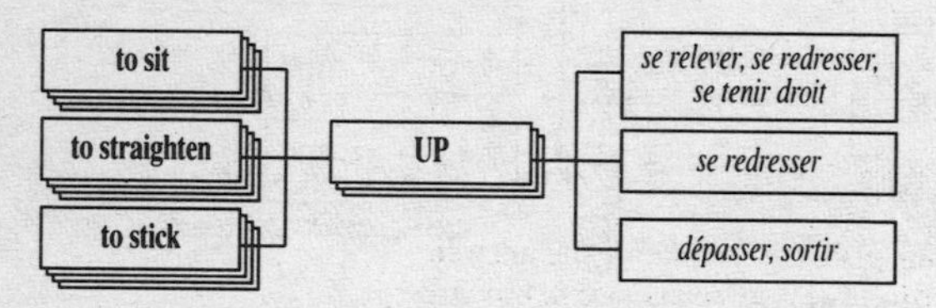

Our teacher often told us to sit up in class.
Notre maître nous demandait souvent de nous tenir bien droits sur nos chaises en classe.

There was some barbed wire sticking up from the lawn.
Il y avait du fil de fer barbelé qui dépassait de la pelouse.

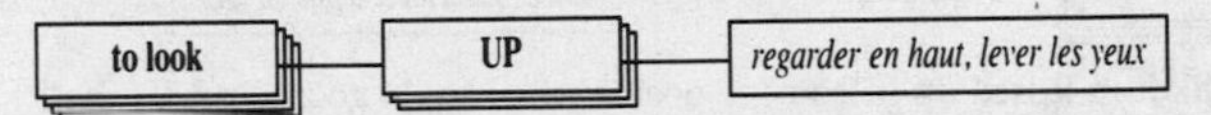

I heard a scream, looked up and saw a woman stepping over a balcony.
J'entendis un cri, levai les yeux et vis une femme enjamber un balcon.

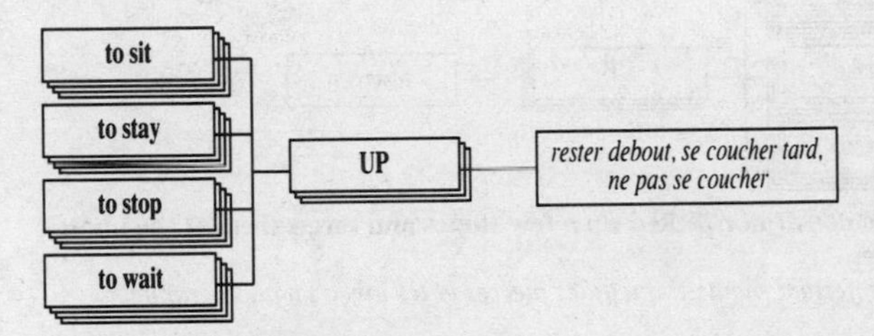

You needn't stay up until we come back, we'll be all right.
Vous n'avez pas besoin de veiller, on se débrouillera.

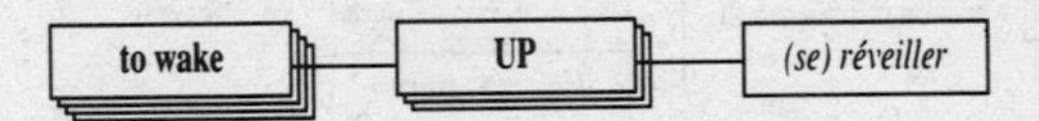

I don't mind waking up at six if necessary.
Cela ne me gêne pas de me réveiller à six heures si nécessaire.

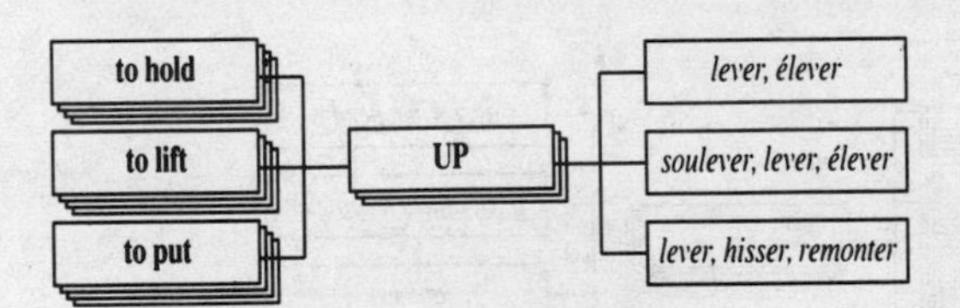

Hold up your pencils if you know the answer.
Levez vos crayons si vous connaissez la réponse.

He tried to lift up his young sister but they both fell on the floor!
Il a essayé de soulever sa petite sœur mais ils sont tombés par terre tous les deux!

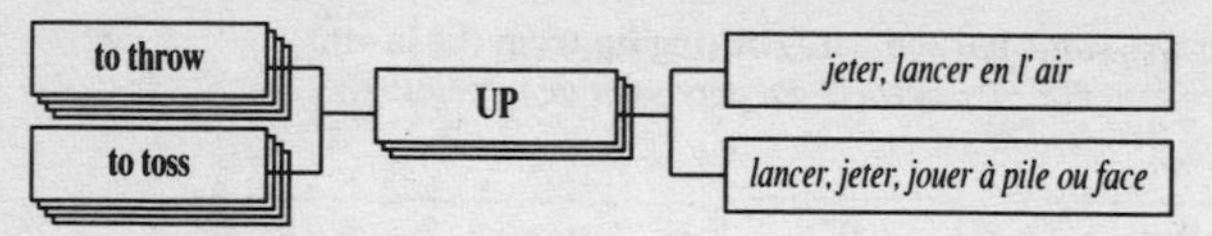

The children tossed up (a coin) to decide who should go and get the ball in the neighbour's garden.
Les enfants décidèrent à pile ou face qui devait aller chercher le ballon dans le jardin du voisin.

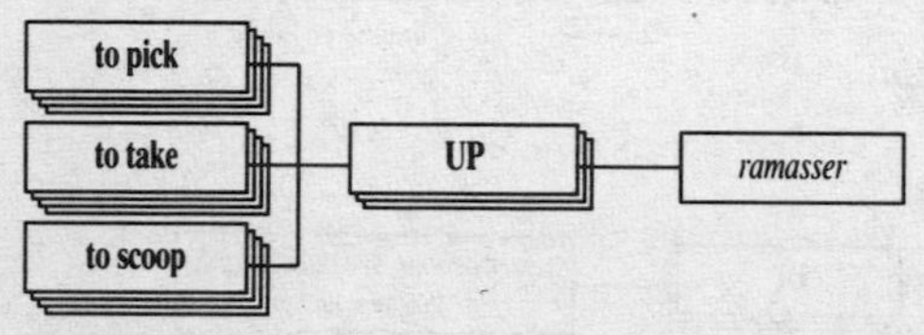

The demonstrator picked up a few stones and threw them at the photographer.
Le manifestant ramassa quelques pierres et les lança au photographe.

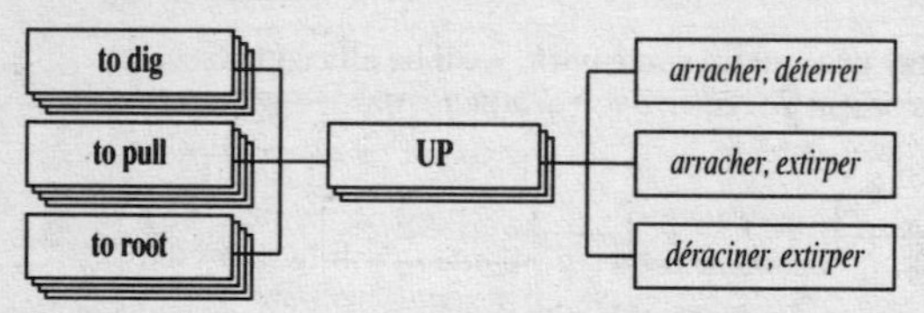

We found several ancient coins when digging up the weeds in the garden.
On a trouvé plusieurs pièces antiques en arrachant les mauvaises herbes dans le jardin.

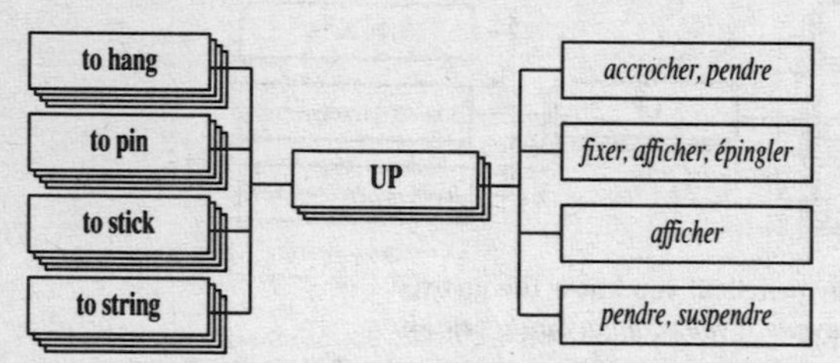

Each schoolboy has to hang up his cap on a hook before entering the classroom.
Chaque élève doit suspendre sa casquette à la patère avant d'entrer en classe.

2. Augmenter

A. Sens général

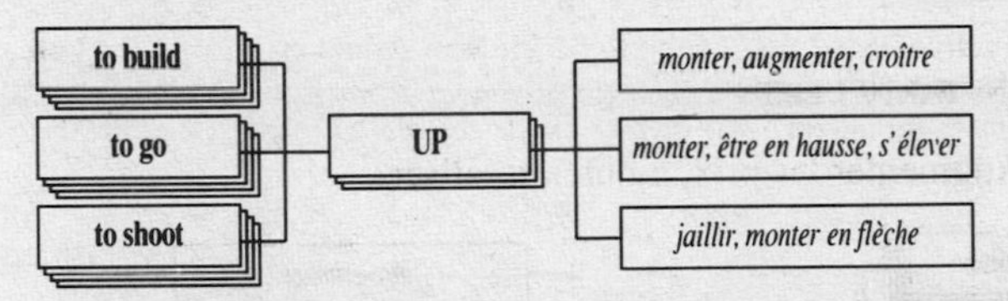

The rate of inflation has shot up since the shares on the Stock Exchange went up last month.
Le taux d'inflation a fait un bond depuis que les actions ont augmenté le mois dernier à la Bourse.

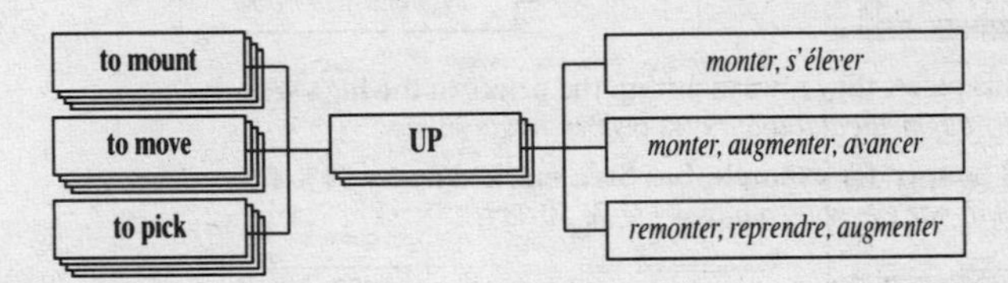

Tension was mounting up so fast that we had to ask for a break.
La tension montait si vite qu'il nous fallut demander une pause.
Experts think that business will pick up in the coming months.
Les experts pensent que les affaires vont reprendre dans les mois qui viennent.

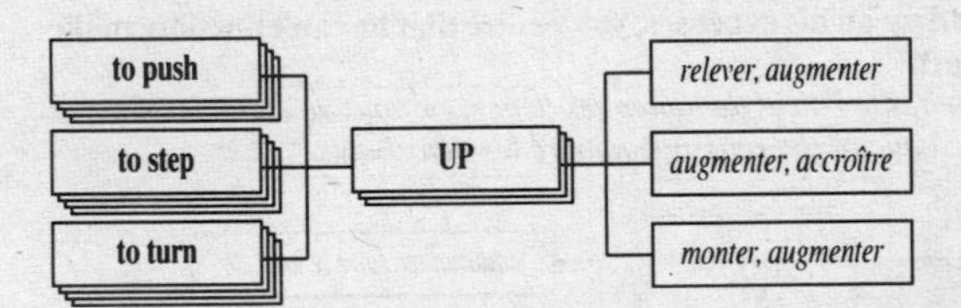

We hope that this campaign will allow us to push up our sales this year.
Nous espérons que cette campagne nous permettra d'accroître nos ventes cette année.

We have already planned to step up production at the end of this month.
Nous avons d'ores et déjà prévu d'augmenter notre production à la fin de ce mois.

B. SENS PARTICULIER

a. Augmenter les prix, ajouter, totaliser

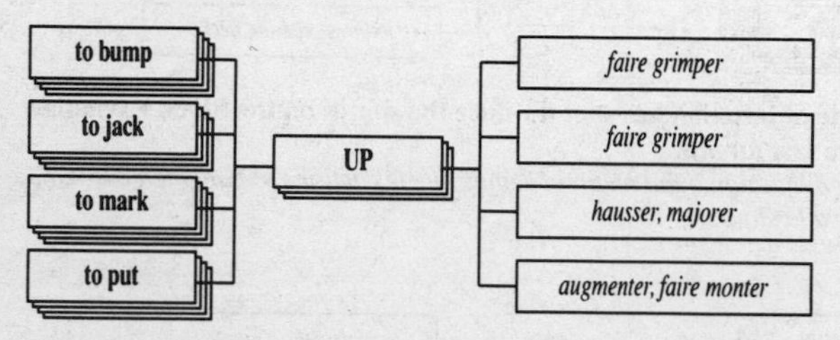

In this place, they always put up the prices in the high season.
Ici, ils augmentent toujours les prix en haute saison.

This jumper, for example, has been marked up by 50% !
Ce pull, par exemple, a augmenté de 50 % !

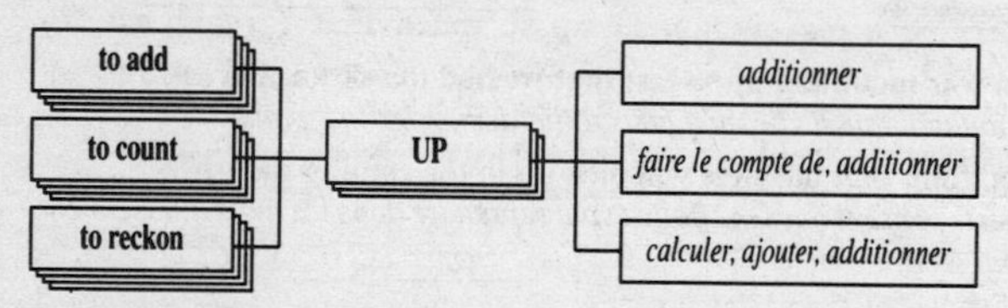

When you add up all his expenses, you realize that he can't possibly make both ends meet.
Quand vous faites le calcul de toutes ses dépenses, vous vous rendez compte qu'il ne peut en aucun cas réussir à joindre les deux bouts.

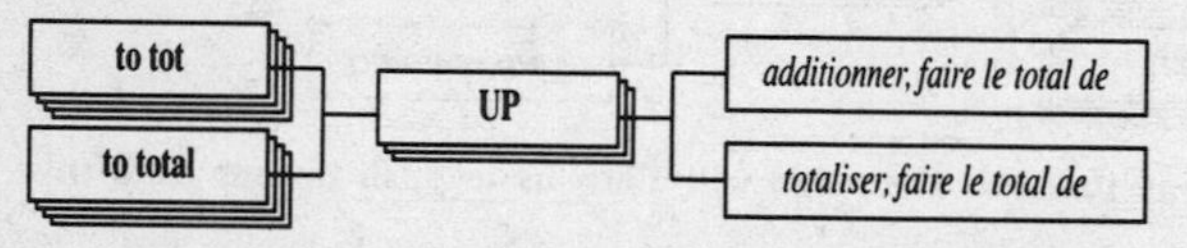

I rapidly totted up what I owed, wrote a check (US) and left.
Je fis un rapide calcul de ce que je devais, fis un chèque et partis.

b. Augmenter en taille

I grew up on a farm and had no brother to play with.
J'ai grandi à la ferme et je n'avais pas de frère avec qui jouer.

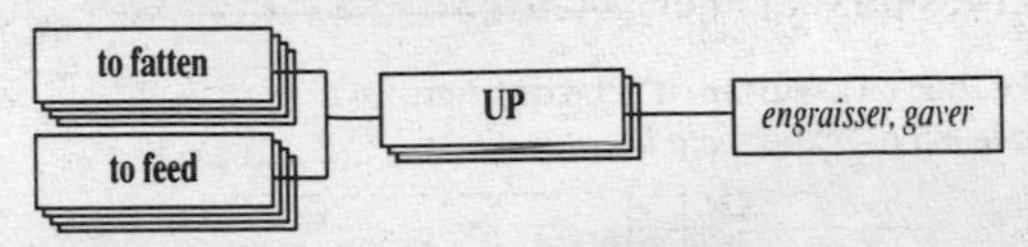

My parents fed me up so that I could become strong enough to help them in the fields.
Mes parents m'ont sur nourri afin que je devienne assez fort pour les aider aux champs.

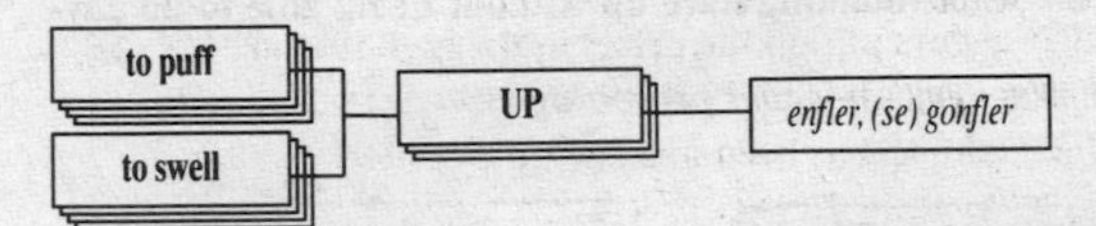

After the blow, my eye puffed up so much that I could not see anything.
Après le coup, mon œil a tellement enflé que je ne pouvais plus rien voir.

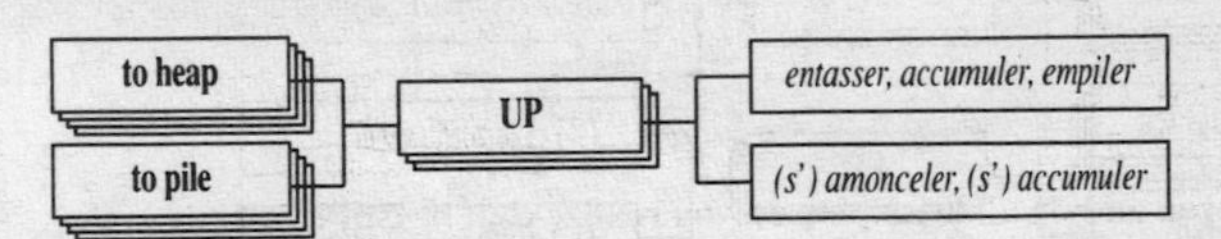

Evidence was piling up against him but he refused to own up to it.
Les preuves s'accumulaient contre lui mais il persistait à nier.

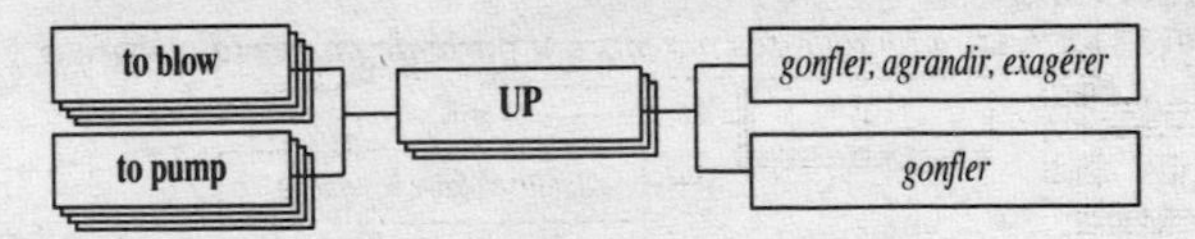

It's useless pumping up the tyre, there is a puncture.
Cela ne sert à rien de gonfler le pneu, il est crevé.

c. Augmenter la température, la lumière

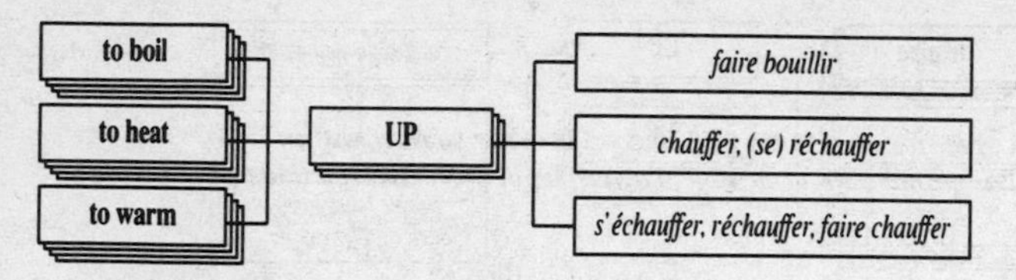

Warm it up in the microwave oven, it'll be quicker.
Réchauffe-le dans le micro-ondes, cela ira plus vite.

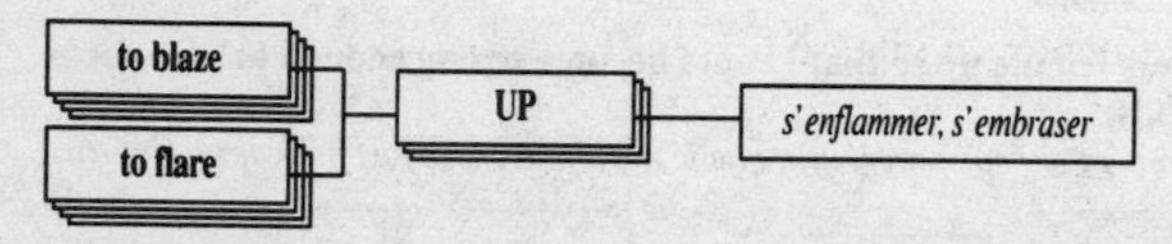

We watched the whole building flare up without being able to do anything.
On a vu le bâtiment s'embraser sans pouvoir agir.

He went to the fireplace and stoked up the fire.
Il se dirigea vers la cheminée et attisa le feu.

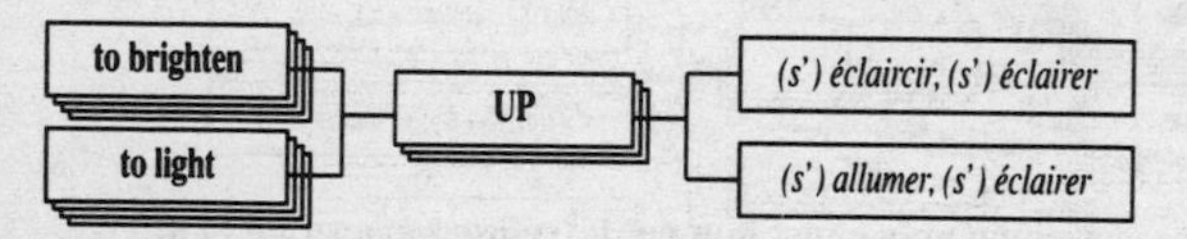

His face brightened up when his parents spoke of spending the day at Disneyland Paris.
Son visage s'est éclairé lorsque ses parents ont parlé de passer la journée à Disneyland Paris.

d. Augmenter le son

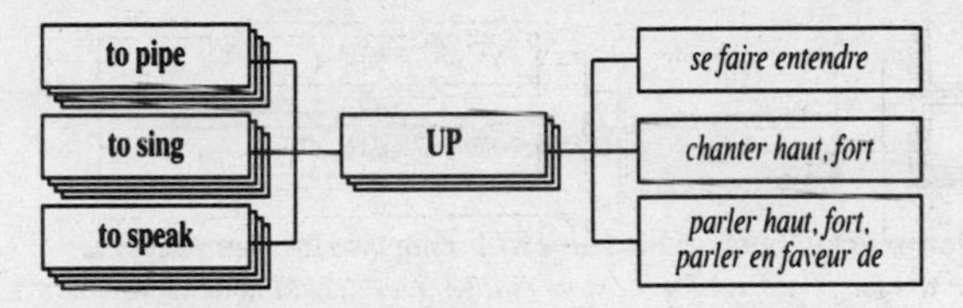

The shame of it! No one dared speak up for him !
Quelle honte ! Personne n'a osé parler en sa faveur !

e. Augmenter la vitesse

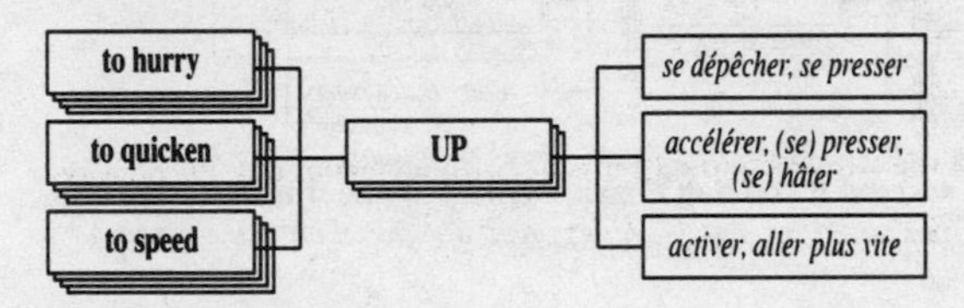

Hurry up, we're going to miss our train !
Dépêche-toi, nous allons rater notre train !

The management wanted to speed up production but the workers refused to work overtime.
La direction voulait accélérer la production mais les ouvriers ont refusé de faire des heures supplémentaires.

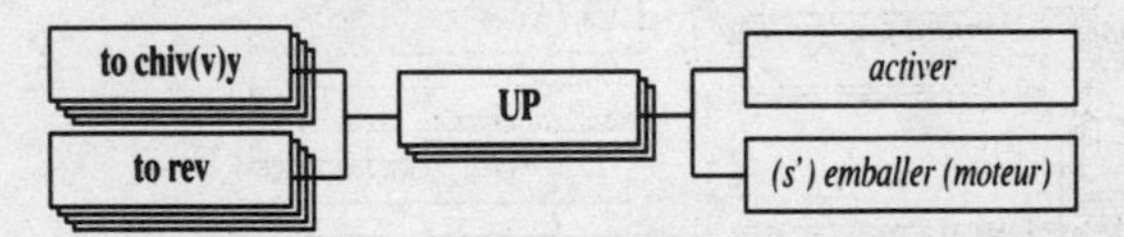

He told the policemen that the engine had revved up and that he had lost control of his motorbike.
Il déclara aux policiers que son moteur s'était emballé et qu'il avait perdu le contrôle de sa moto.

f. Renforcer

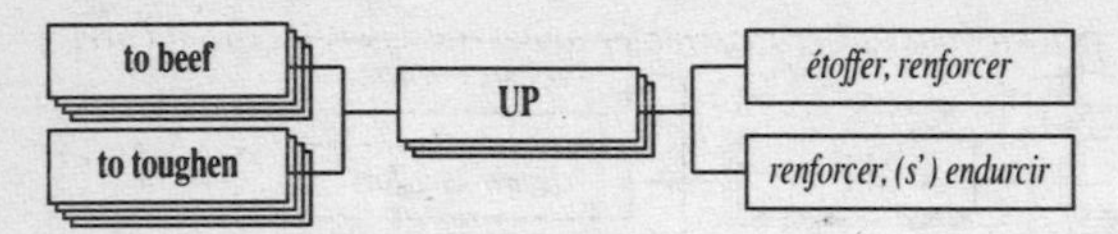

The coach has tried to beef up his team by hiring two foreign players.
L'entraîneur a essayé de renforcer son équipe en recrutant deux joueurs étrangers.

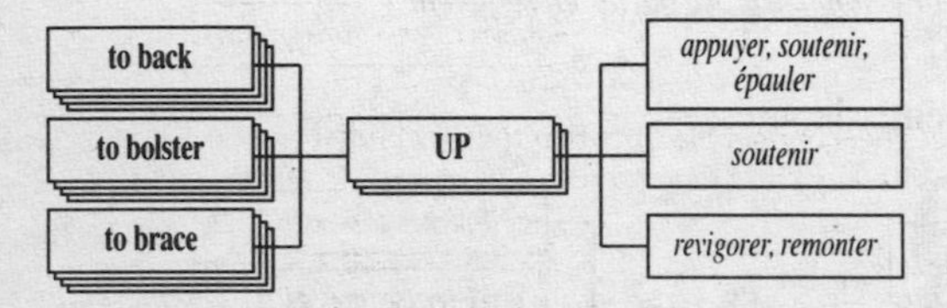

They won't succeed if you don't back them up in one way or another.
Ils ne réussiront pas si vous ne les aidez pas d'une façon ou d'une autre.

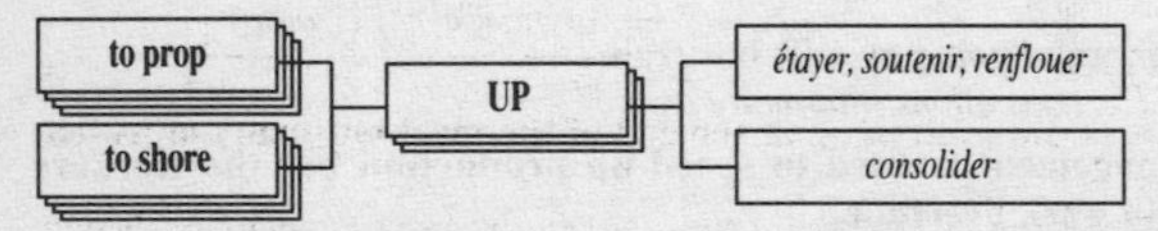

Several savings banks that had been propped up by the US Administration eventually went bankrupt.
Plusieurs caisses d'épargne qui avaient été renflouées par le gouvernement américain ont finalement fait faillite.

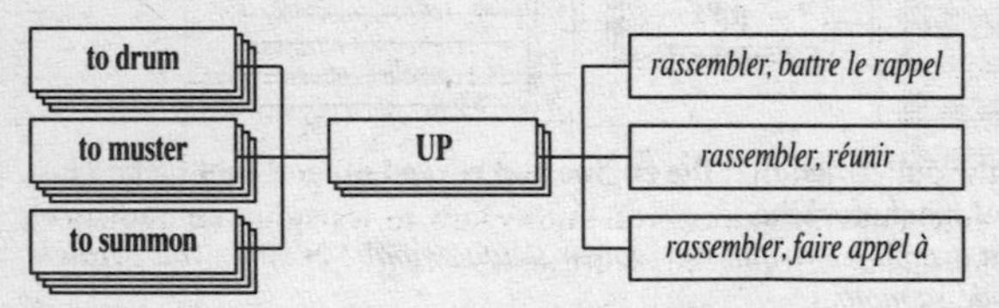

We have founded a non-profit making association to drum up support for the homeless.
On a créé une association à but non lucratif pour battre le rappel en faveur des sans-abri.

We know we shall have to muster up all our energies before winter comes.
Nous savons qu'il va nous falloir rassembler toutes nos énergies avant l'arrivée de l'hiver.

g. Réconforter

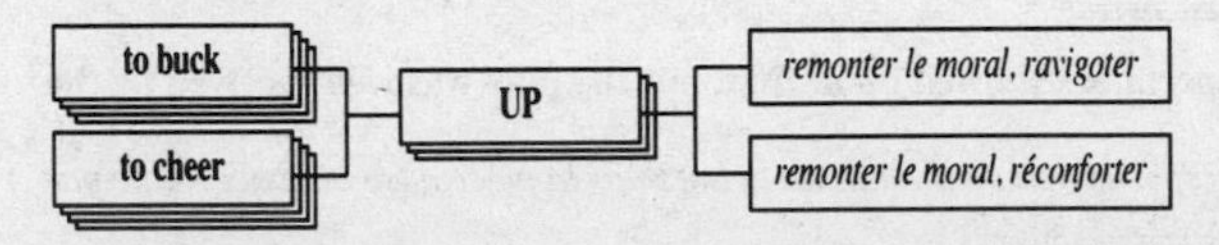

He's so good at cheering people up when they feel low !
Il s'y entend pour remonter le moral à ceux qui se sentent déprimés !

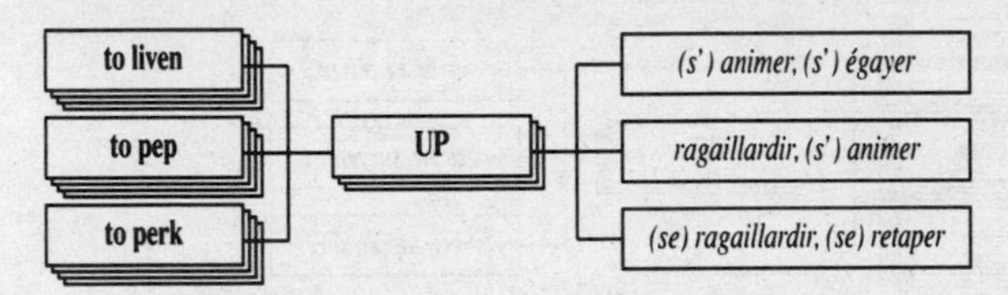

The guests began to liven up at the end of the meal but many of us felt bored.
Les invités ont retrouvé un peu d'entrain à la fin du repas mais beaucoup d'entre nous se sont ennuyés.

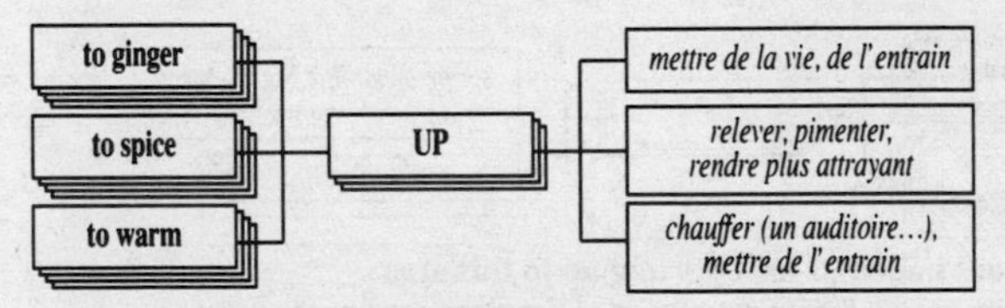

He is an excellent entertainer who knows how to warm up an audience.
C'est un excellent artiste qui sait mettre de l'ambiance.

3. Apparaître, arriver, faire apparaître

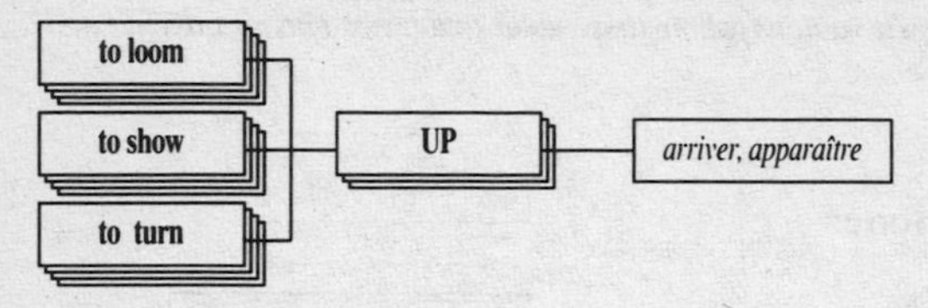

Few spectators showed up at first, but the play was well received by the press.
Peu de spectateurs sont venus au début mais la pièce a été bien accueillie par la presse.

A small white plane loomed up in the sky.
Un petit avion blanc apparut dans le ciel.

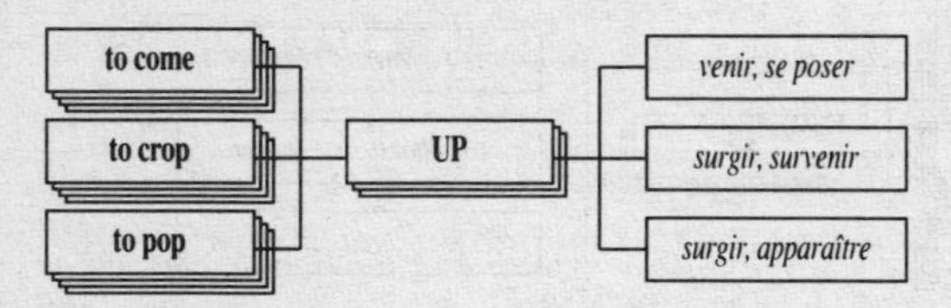

If the question crops up in the debate, just say that you know nothing about this affair.
Si la question est posée au cours du débat, dites simplement que vous n'êtes au courant de rien.

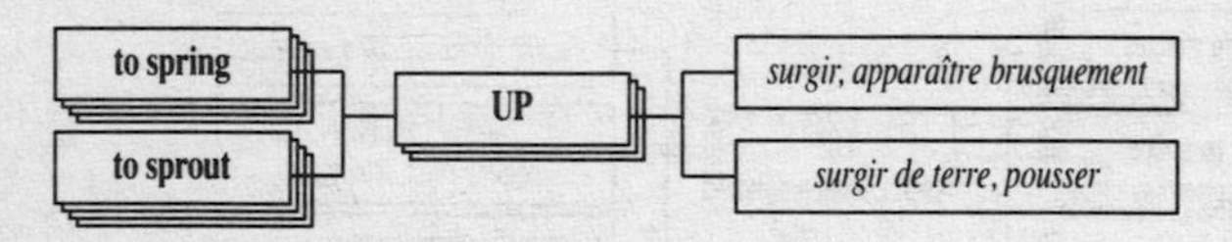

Numerous buildings have sprung up in this area.
De nombreux bâtiments ont surgi de terre dans cette zone.

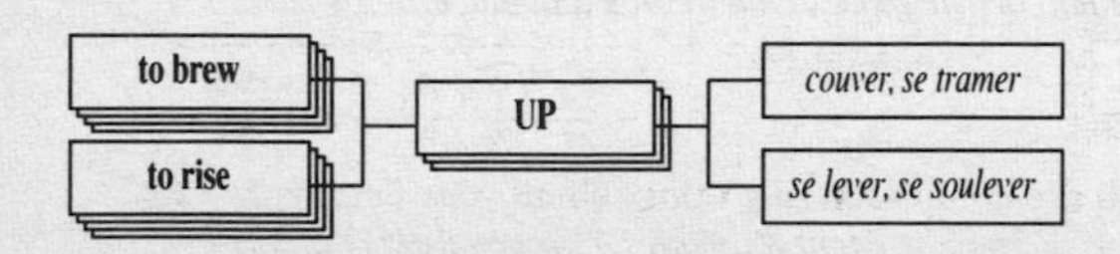

We felt something was brewing up in this district but we didn't know what.
Nous avions l'impression que quelque chose se tramait dans ce quartier mais nous ne savions pas quoi.

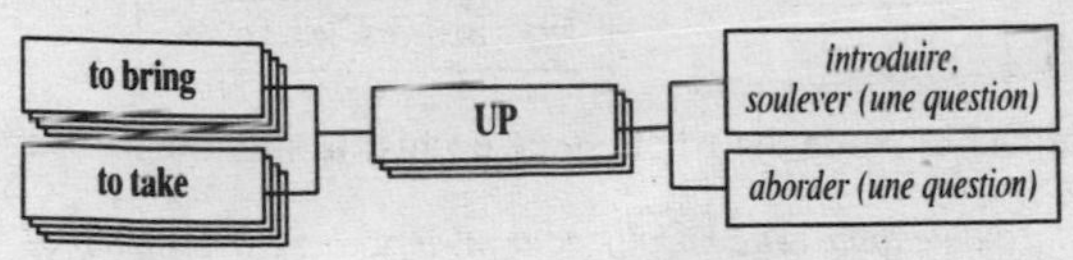

When the problem of his dismissal was brought up, everybody looked up anxiously, waiting for his reaction.
Lorsque la question de sa mise à pied fut évoquée, tout le monde leva les yeux avec anxiété dans l'attente de sa réaction.

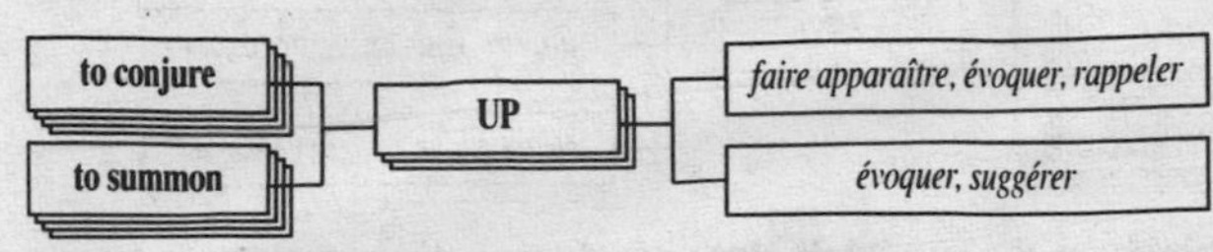

This old postcard conjures up memories of the farmers' hard labour in the last century.
Cette vieille carte postale évoque le souvenir du dur labeur des paysans au siècle dernier.

4. Inventer, concevoir, élaborer

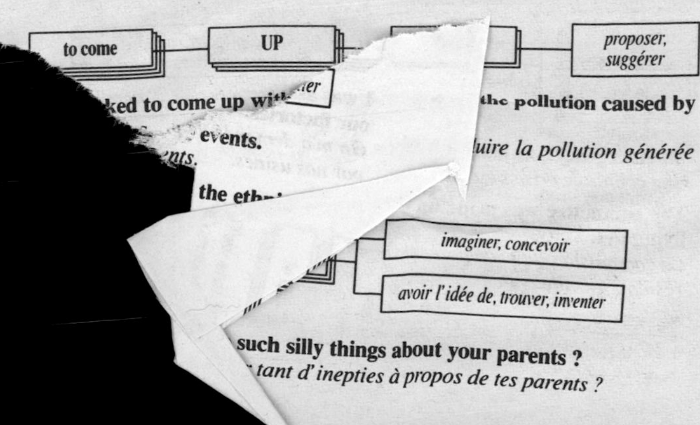

...ked to come up wi... the pollution caused by ... events.
...nts. ...luire la pollution générée

... the eth...

... such silly things about your parents ?
... tant d'inepties à propos de tes parents ?

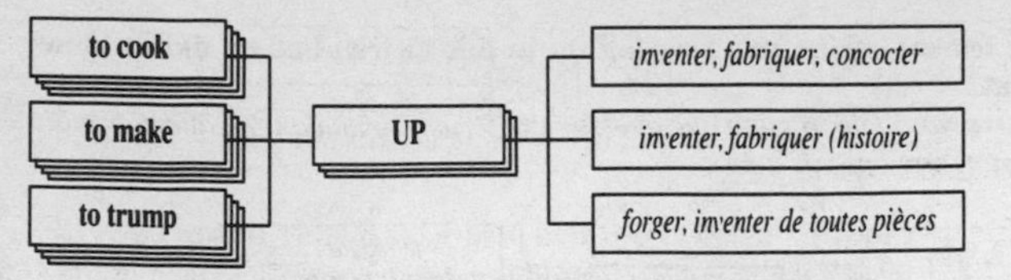

I am sure that he has made the whole story up just to stop me having promotion.
Je suis sûr qu'il a monté toute cette histoire pour m'empêcher d'avoir ma promotion.

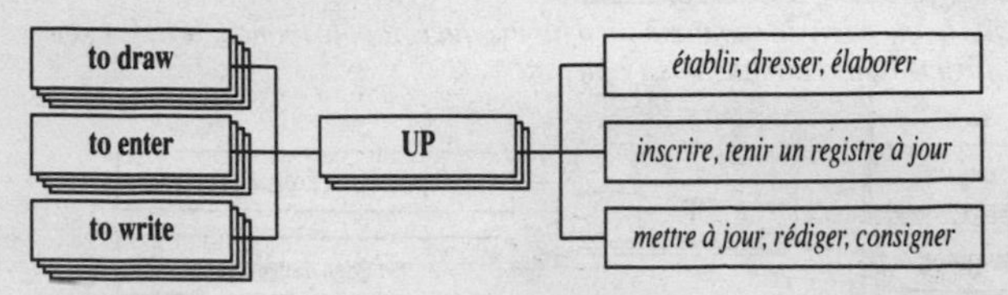

The platform the candidate drew up during the campaign is totally unrealistic.
Le programme élaboré par le candidat pendant la campagne est totalement irréaliste.

5. Installer, préparer, réviser, (s') entraîner, se préparer

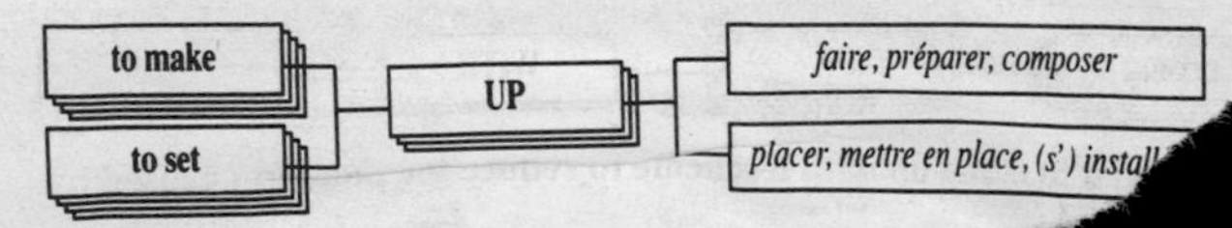

An emergency committee was set up shortly after the
Une cellule de crise s'est créée peu après

The committee was made up of representatives of all living in the city.
La commission était composée de représentants de tous le résidant en ville.

to do
to fix

He is very busy fi
Il est très occupé à

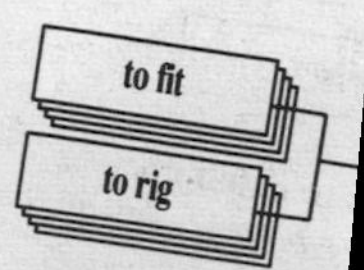

Her new home will
Sa nouvelle maison

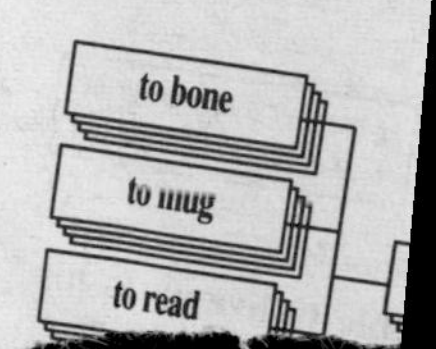

We felt something was brewing up in this district but we didn't know what.
Nous avions l'impression que quelque chose se tramait dans ce quartier mais nous ne savions pas quoi.

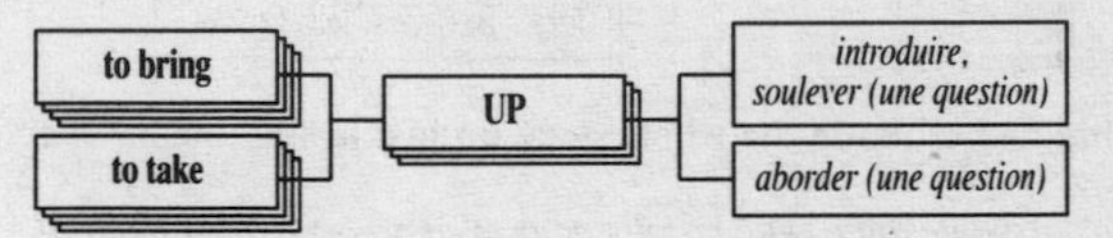

When the problem of his dismissal was brought up, everybody looked up anxiously, waiting for his reaction.
Lorsque la question de sa mise à pied fut évoquée, tout le monde leva les yeux avec anxiété dans l'attente de sa réaction.

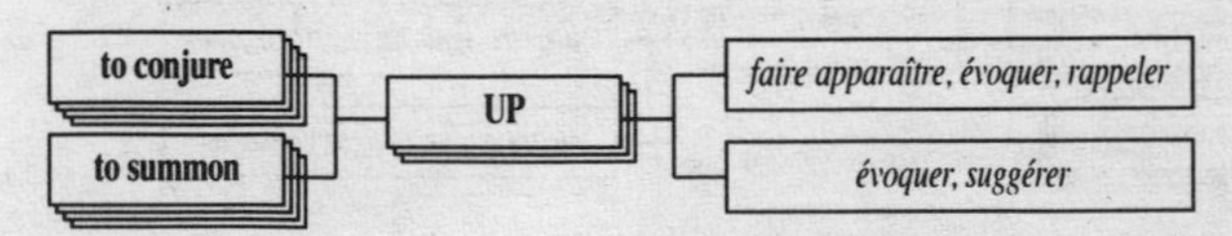

This old postcard conjures up memories of the farmers' hard labour in the last century.
Cette vieille carte postale évoque le souvenir du dur labeur des paysans au siècle dernier.

4. Inventer, concevoir, élaborer

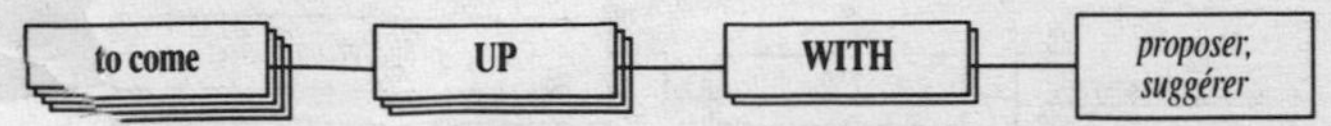

I was asked to come up with a scheme to reduce the pollution caused by our factories.
On m'a demandé de proposer un plan visant à réduire la pollution générée par nos usines.

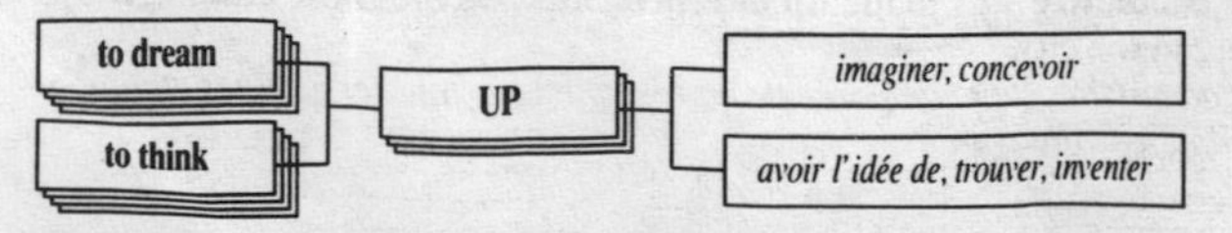

How can you dream up such silly things about your parents ?
Comment peux-tu imaginer tant d'inepties à propos de tes parents ?

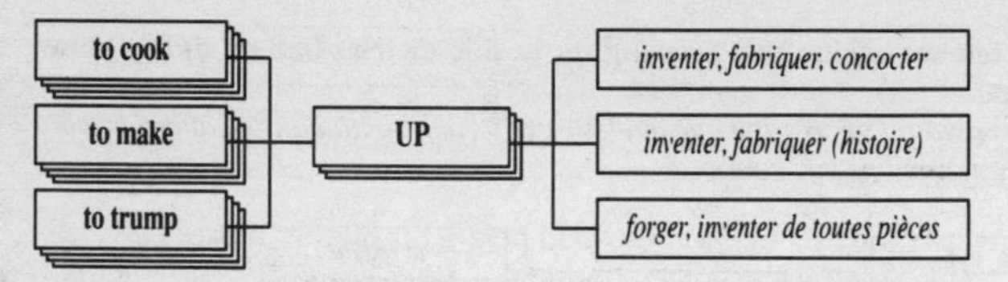

I am sure that he has made the whole story up just to stop me having promotion.
Je suis sûr qu'il a monté toute cette histoire pour m'empêcher d'avoir ma promotion.

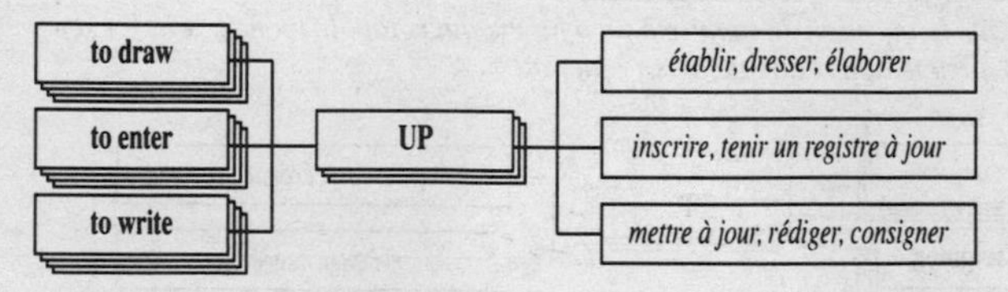

The platform the candidate drew up during the campaign is totally unrealistic.
Le programme élaboré par le candidat pendant la campagne est totalement irréaliste.

5. Installer, préparer, réviser, (s') entraîner, se préparer

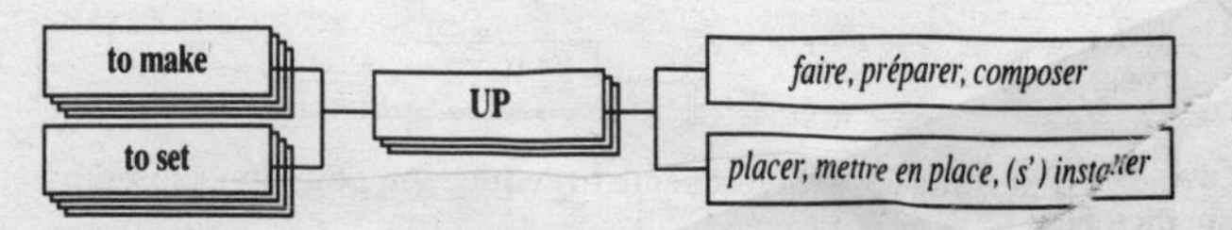

An emergency committee was set up shortly after the events.
Une cellule de crise s'est créée peu après les [illegible].

The committee was made up of representatives of all the ethnic groups living in the city.
La commission était composée de représentants de tous les groupes ethniques résidant en ville.

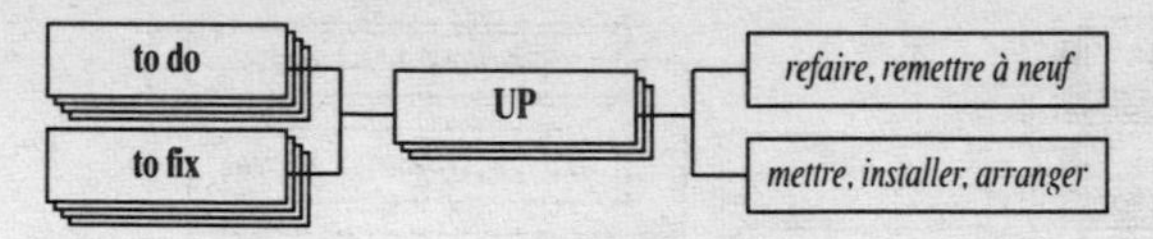

He is very busy fixing up everything before his mother moves in.
Il est très occupé à tout préparer avant l'emménagement de sa mère.

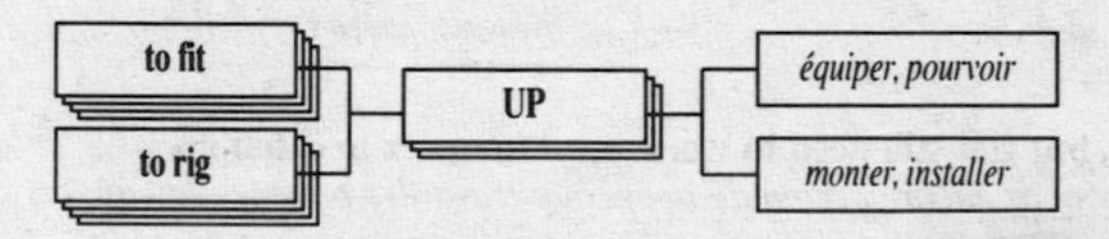

Her new home will be fitted up with modern equipment.
Sa nouvelle maison sera pourvue d'équipements modernes.

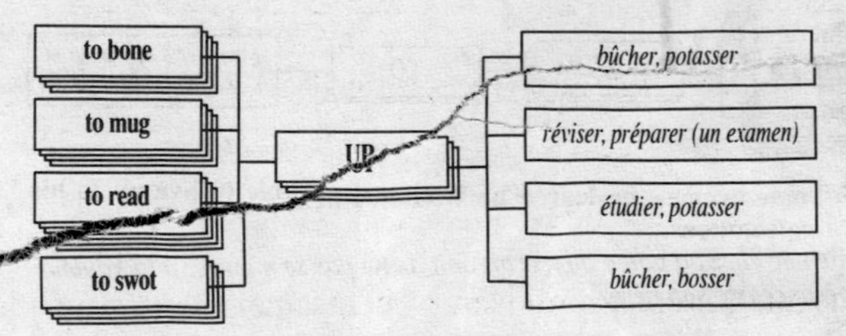

He had read up all on the Second World War but the subject at the exam was on World War I!
Il avait potassé la Seconde Guerre mondiale mais l'examen portait sur la Première Guerre mondiale !

You'd better mug up your English now !
Maintenant tu ferais bien de réviser ton anglais !

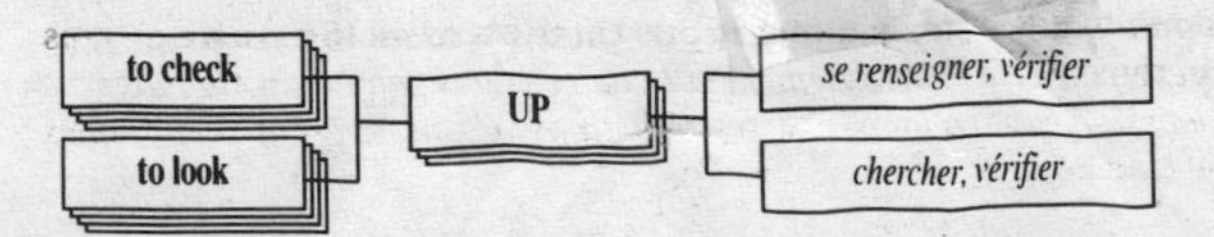

- I've already looked up all these words in the dictionary.
- J'ai déjà recherché tous ces mots dans le dictionnaire.

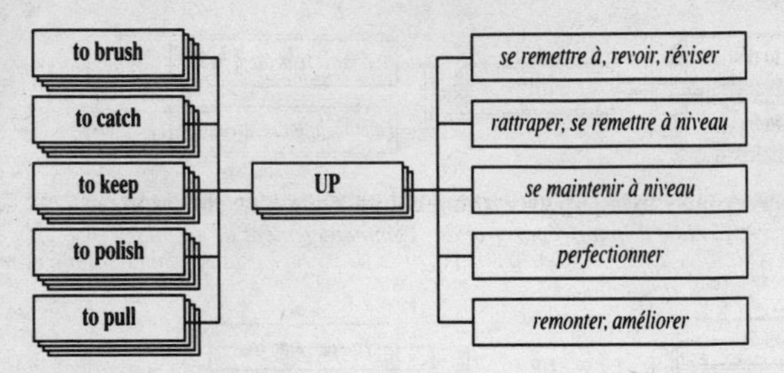

- Yes, indeed, but you still need to work hard in order to catch up.
- Certes, mais tu as encore besoin de beaucoup travailler pour te remettre à niveau.

I need to brush up my Chinese.
Je dois me remettre au chinois.

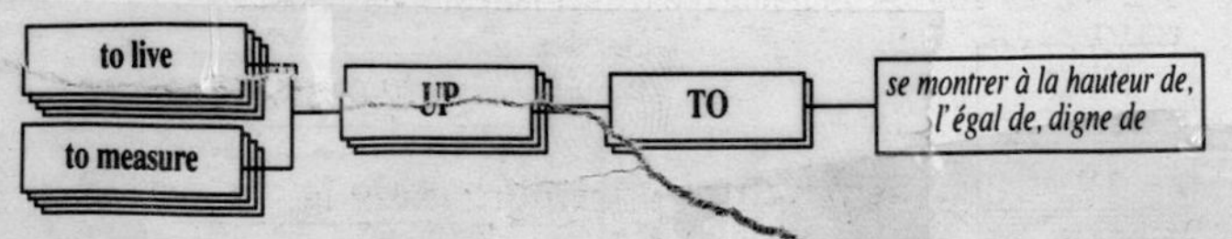

He left home because he feared he wouldn't be able to live up to his father's expectations.
Il est parti de chez lui parce qu'il craignait de ne pas se montrer à la hauteur des espérances de son père.

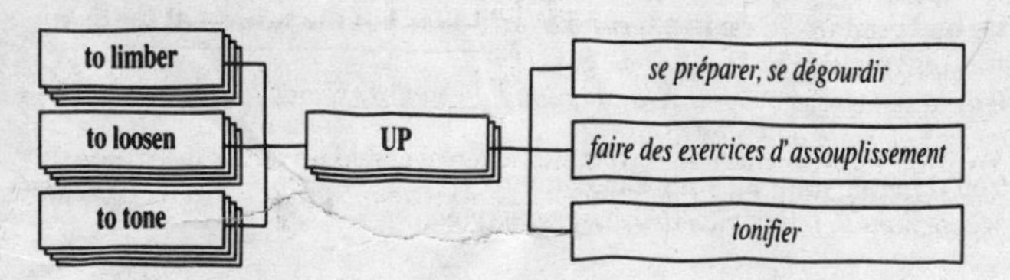

If you don't want to strain a muscle, do these exercises to loosen up.
Fais ces exercices d'assouplissement si tu ne veux pas te faire un claquage.

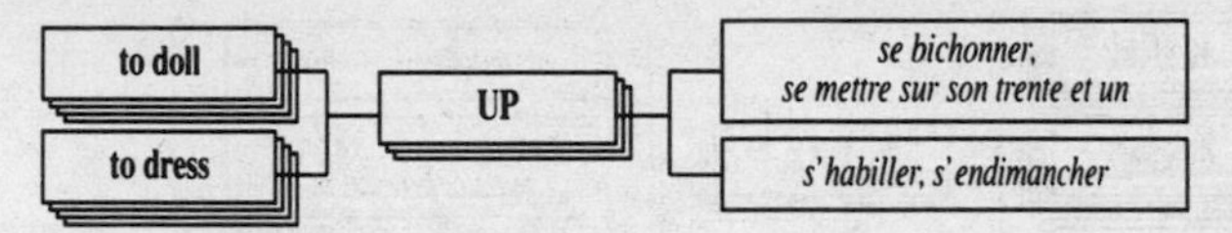

We were all dressed up for the evening but the car broke down, and we had to stay at home !
On s'était tous habillés pour la soirée, mais la voiture est tombée en panne et on a dû rester à la maison !

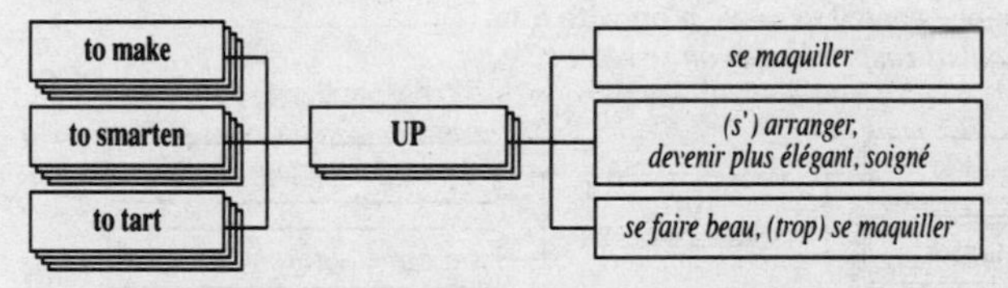

You are not allowed to make (your face) up at high school.
Vous n'êtes pas autorisées à vous maquiller au lycée.

6. Mettre la dernière main à, aller jusqu'au bout de, achever

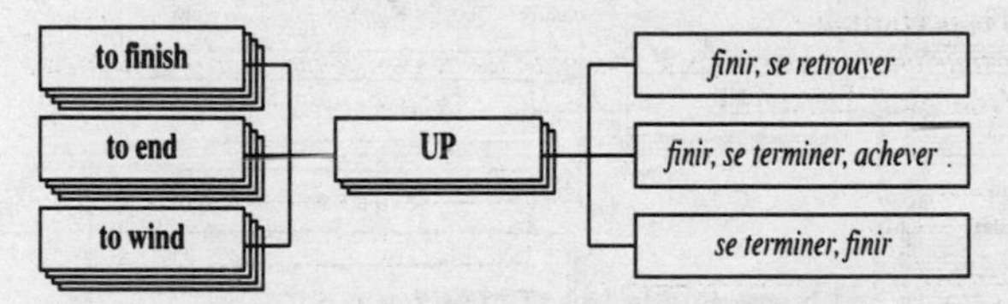

We didn't know where to have dinner, so we ended up at the local pub.
Nous ne savions pas où dîner, si bien que nous nous sommes retrouvés au café du coin.

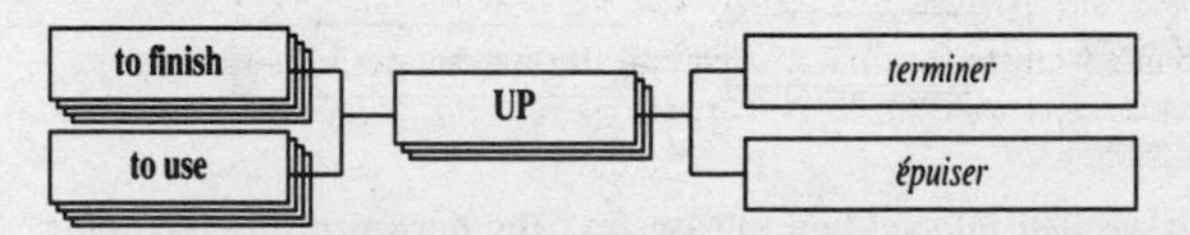

If we carry on like this, we'll have used up all our money in two days.
Si nous continuons à ce rythme, nous aurons épuisé tout notre argent en deux jours.

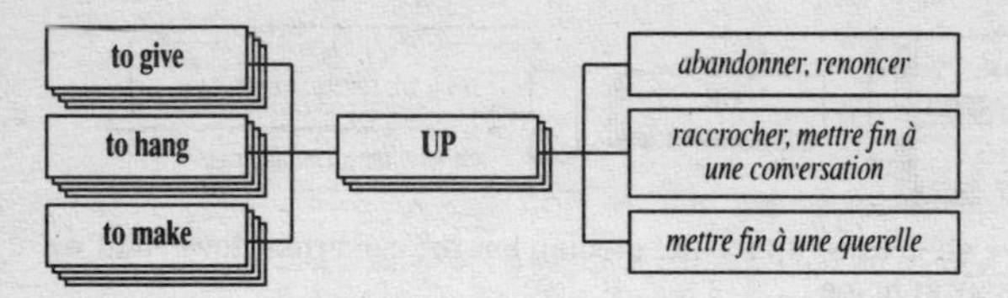

I wonder why he hung up without saying goodbye.
Je me demande pourquoi il a raccroché sans dire au revoir.

I simply wanted to make it up with him.
Je voulais simplement qu'on se réconcilie.

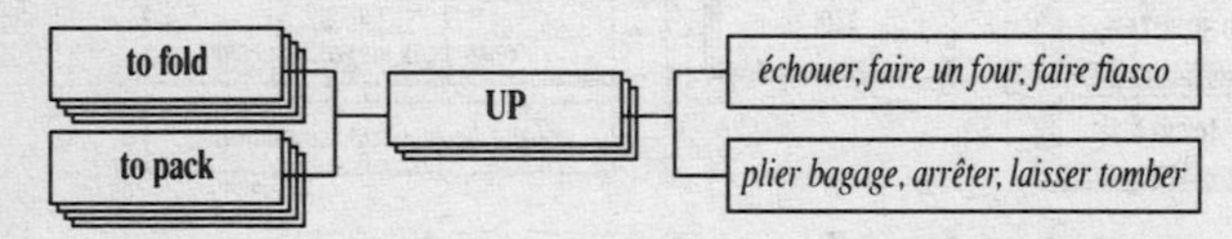

There were fewer and fewer members in the club, so we packed up a year ago.
Nous avions de moins en moins de membres, si bien que nous avons fermé le club il y a un an.

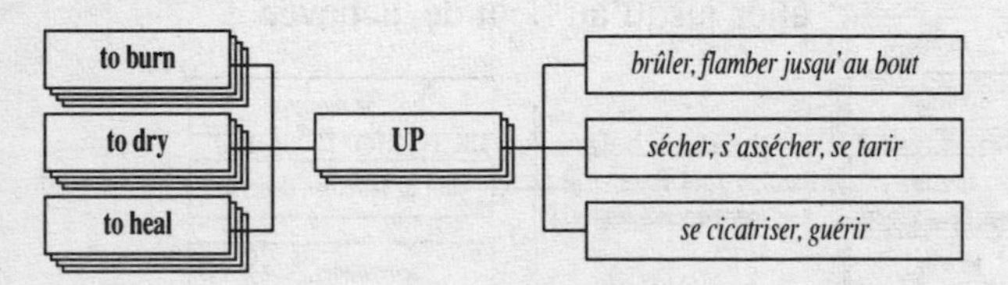

The warehouse had burned up in less than an hour.
L'entrepôt avait été totalement détruit par les flammes en moins d'une heure.

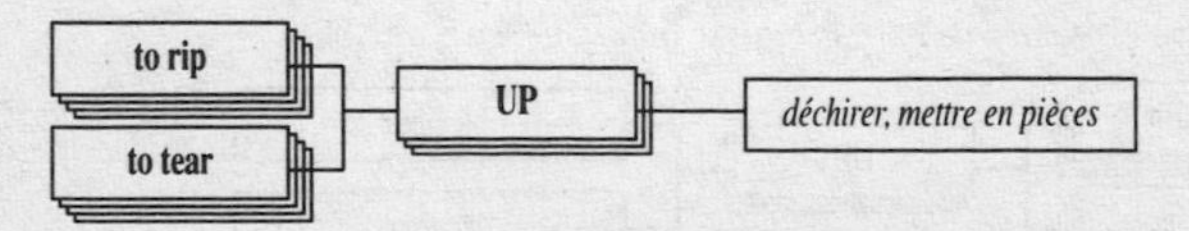

This is classified information, please tear the document after reading it.
Ceci est un document classé secret, prière de le détruire après l'avoir lu.

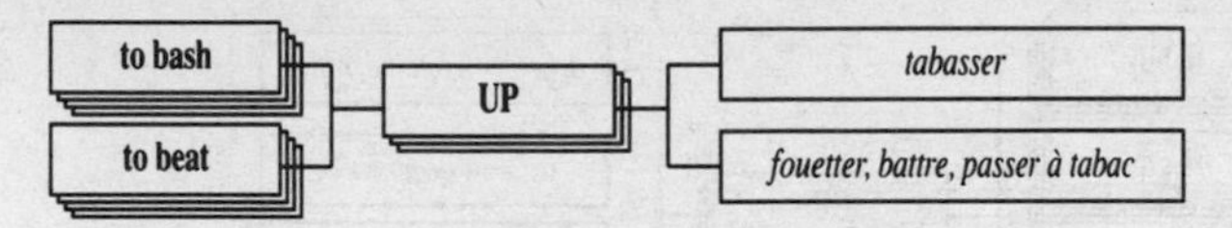

He was beaten up by a mob on his way back from work.
Il a été passé à tabac par une bande à son retour du bureau.

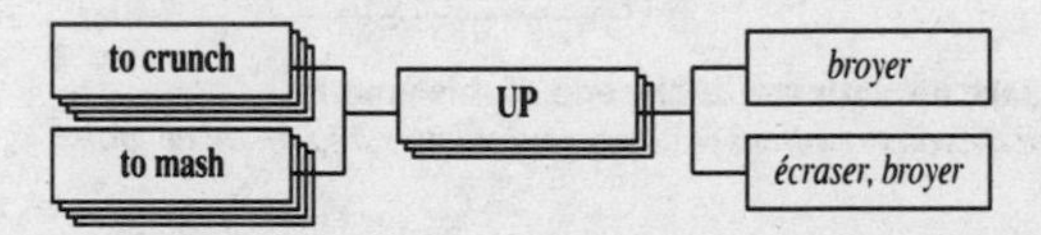

The little boy nearly choked with the potatoes that were not properly mashed up.
Le petit garçon a failli s'étrangler avec des pommes de terre qui n'étaient pas correctement écrasées.

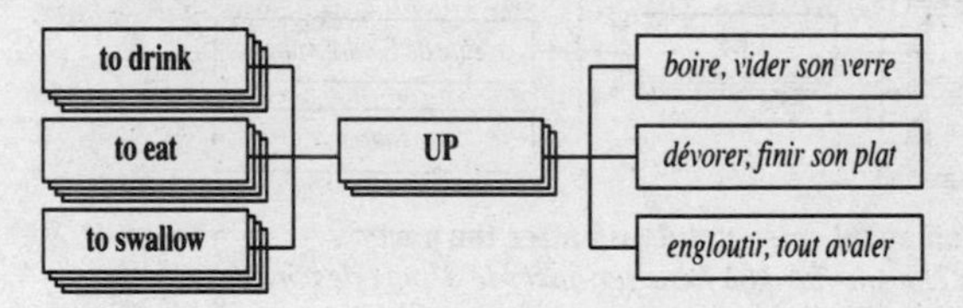

You may not leave the table before you have eaten it all up.
Tu ne quitteras pas la table tant que tu n'auras pas fini ce que tu as dans ton assiette.

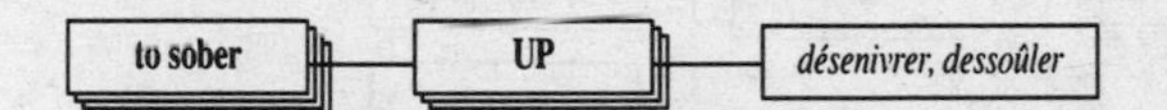

You will have to explain what happened when you sober up.
Tu devras expliquer ce qui s'est passé quand tu seras dessoûlé.

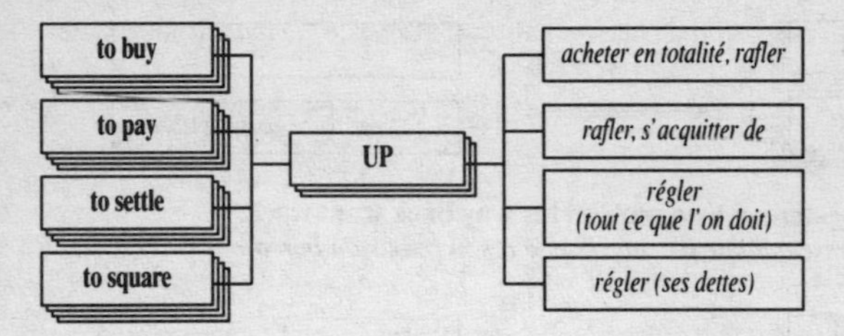

I'll be able to square up with you at the end of this month.
Je serai en mesure de vous rembourser toutes mes dettes à la fin de ce mois.

7. Nettoyer, ranger

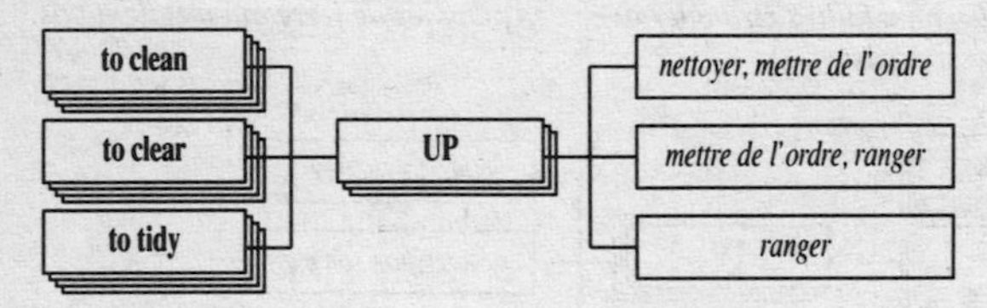

There was an awful mess to tidy up after the party.
Il y avait un énorme fatras à nettoyer après le départ des invités.

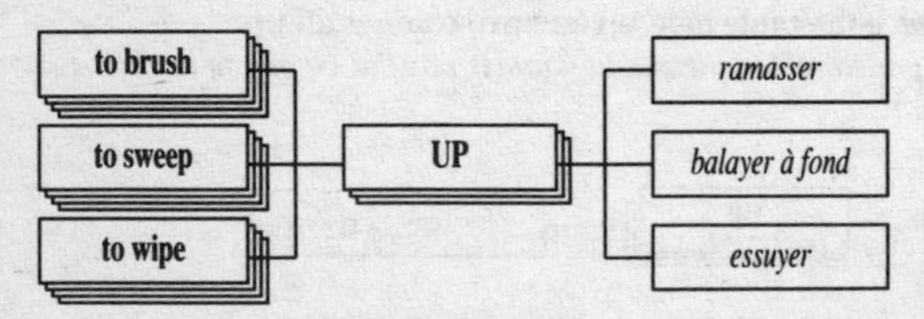

We had to sweep up the whole house !
Il nous a fallu balayer toute la maison !

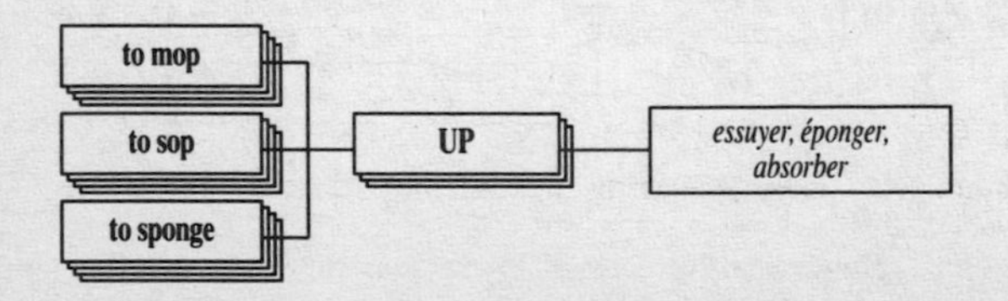

He tried to mop up the coke he had spilled on the carpet with his handkerchief.
Il essayait d'éponger avec son mouchoir le coca qu'il avait renversé sur la moquette.

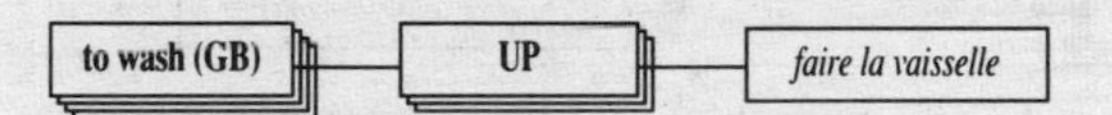

Could you do some washing up for me, please ?
Pourrais-tu me laver un peu de vaisselle, s'il te plaît ?

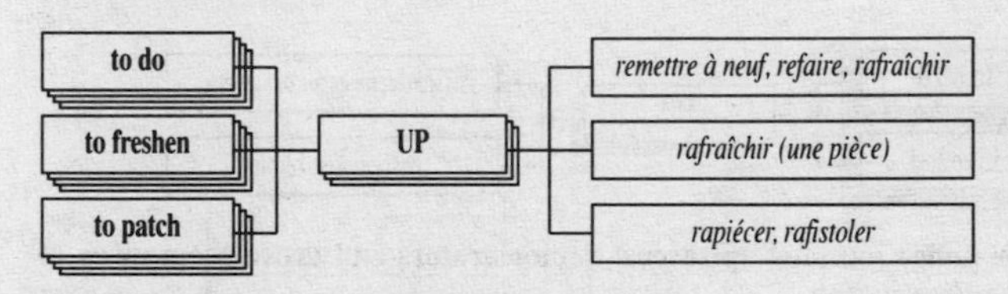

It's an old house that we'll do up little by little.
C'est une vieille maison que l'on va retaper petit à petit.

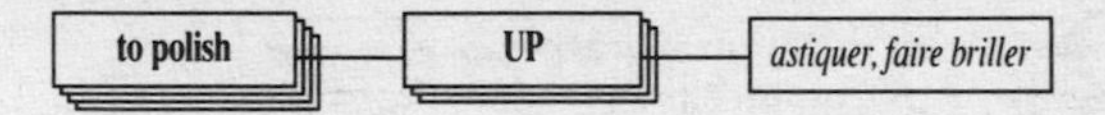

She would spend hours polishing up her cutlery.
Elle passait des heures à astiquer ses couverts.

8. Mettre ensemble, rassembler

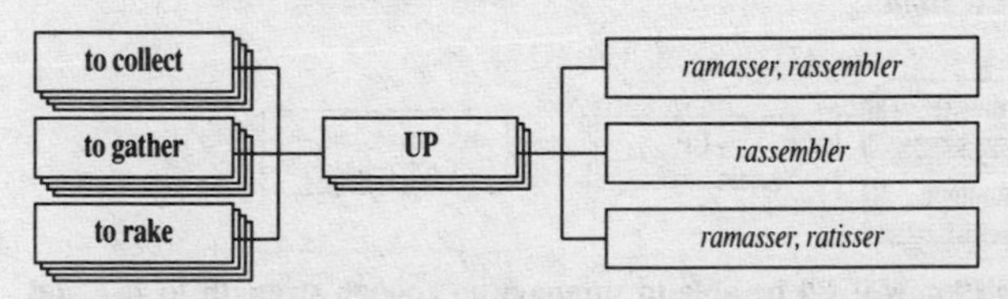

The teacher was busy collecting up all the exercise books for correction.
Le maître était occupé à ramasser tous les cahiers pour les corriger.

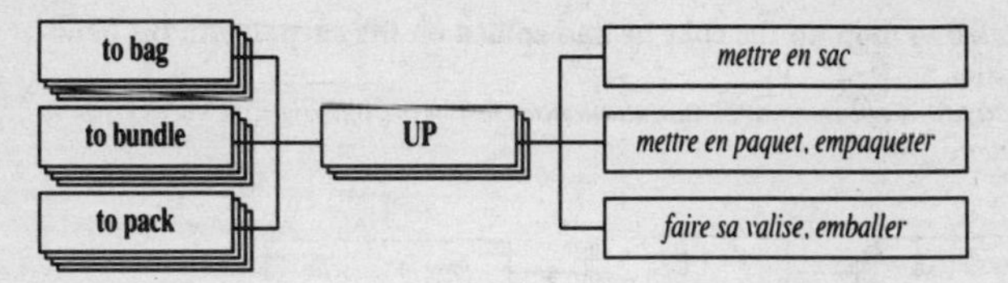

We had such a short time to pack up that we left a lot of our belongings behind.
Nous avions si peu de temps pour faire nos valises que nous avons oublié de nombreuses affaires.

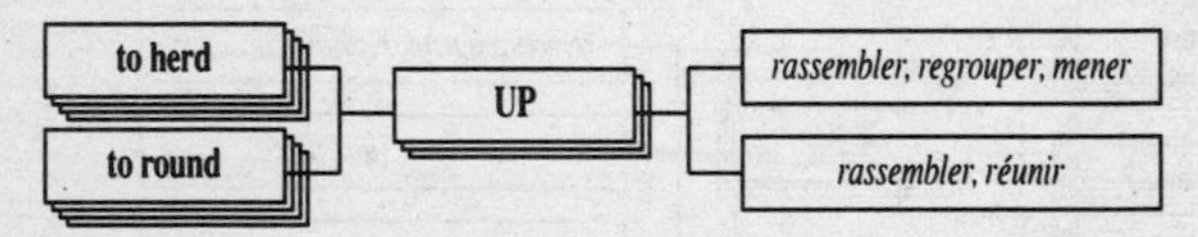

The police rounded up several demonstrators and drove them away to the police station.
La police a rassemblé plusieurs manifestants pour les conduire au commissariat.

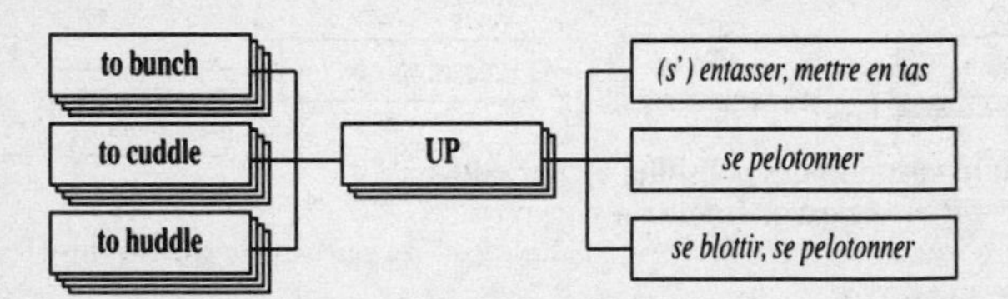

The prisoners were sitting there, huddled up against the cold.
Les prisonniers étaient assis là, blottis les uns contre les autres pour lutter contre le froid.

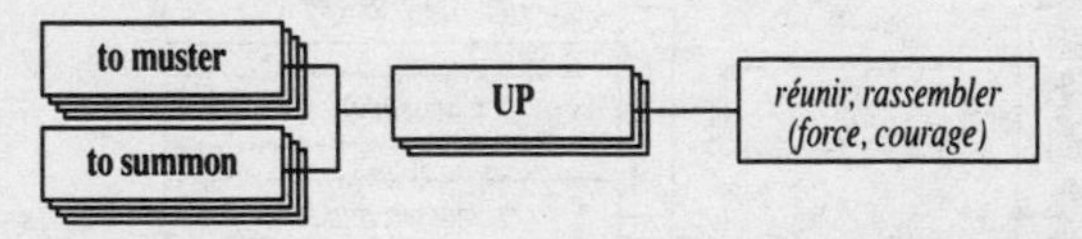

I don't know if I'll be able to summon up enough strength to rise and speak before the whole assembly.
Je ne sais pas si j'aurai la force de me lever et de parler devant toute l'assemblée.

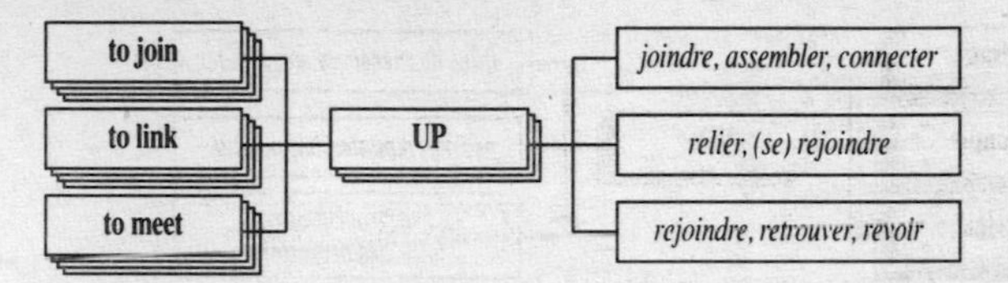

We joined up with the group in Rome and spent the rest of the week all together.
Nous avons rejoint le groupe à Rome et avons passé le reste de la semaine tous ensemble.

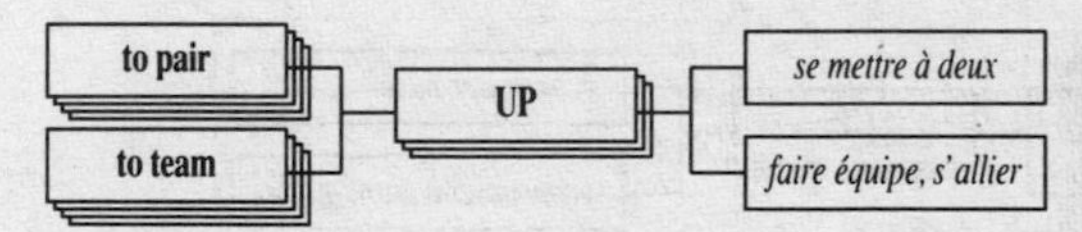

If the Liberal MPs team up with the Labour MPs, the House will soon be dissolved.
Si les députés libéraux s'allient avec les députés travaillistes, la Chambre sera prochainement dissoute.

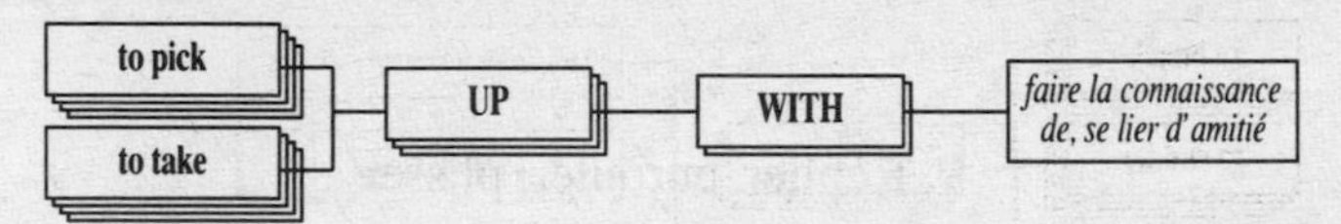

She easily takes up with the people she meets in parties or during the summer holidays.
Elle se lie facilement d'amitié avec les gens qu'elle rencontre dans les soirées ou pendant les vacances d'été.

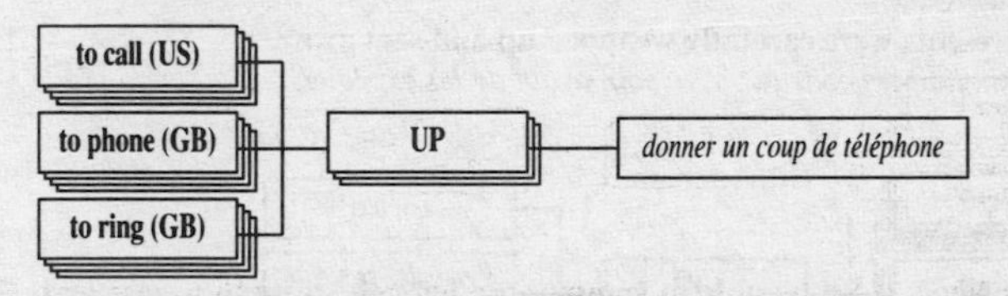

I rang up twice before leaving but couldn't get through.
J'ai appelé deux fois avant de partir mais je n'ai pas pu aboutir.

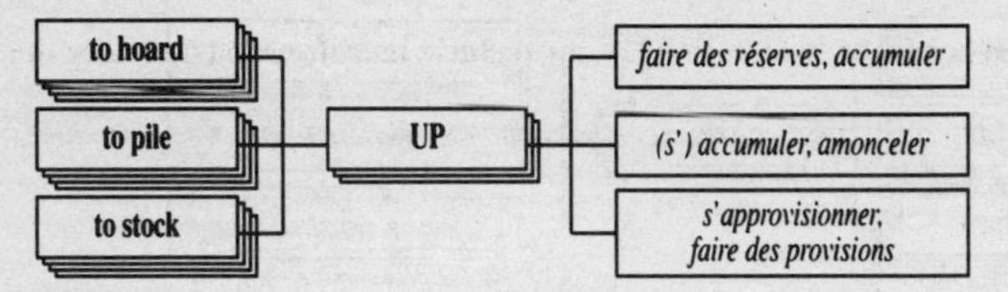

During the strike, people were asked not to stock up petrol in their garages.
Pendant la grève, il était demandé de ne pas faire des réserves d'essence dans les garages individuels.

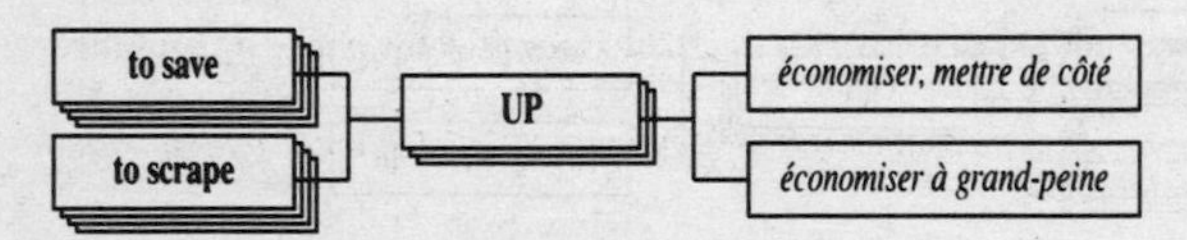

The veteran (US) saved up enough money to travel to France and attend the Normandy celebrations.
L'ancien combattant a économisé assez d'argent pour se rendre en France et assister aux célébrations de Normandie.

9. Replier, enrouler, plisser

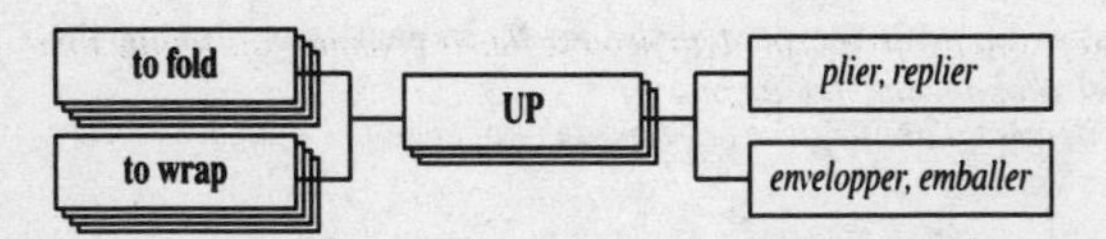

The presents were carefully wrapped up and sent away.
On emballait les cadeaux avec soin avant de les expédier.

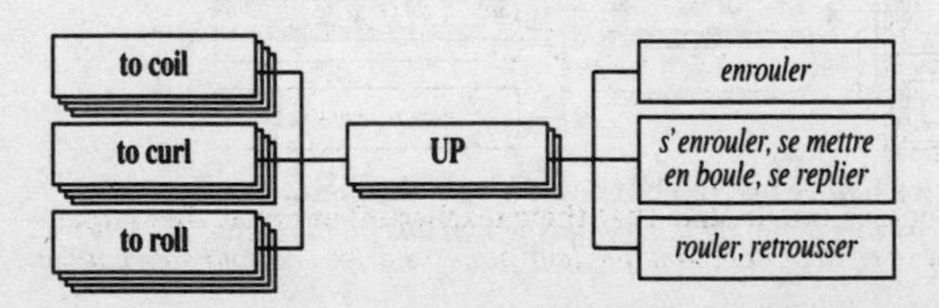

When I came back from holiday, my pictures had all curled up under the sun.
Quand je suis rentré de vacances, mes photos s'étaient toutes recroquevillées sous l'effet du soleil.

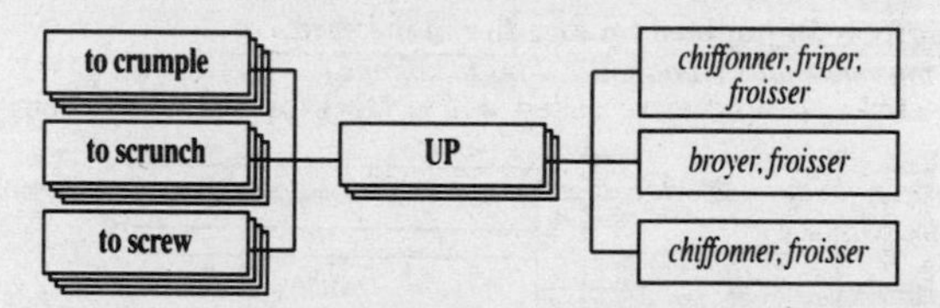

As he was not pleased with his draft, he crumpled his paper up and threw it into the bin.
Comme il n'était pas satisfait de son premier jet, il chiffonna son papier et le jeta à la poubelle.

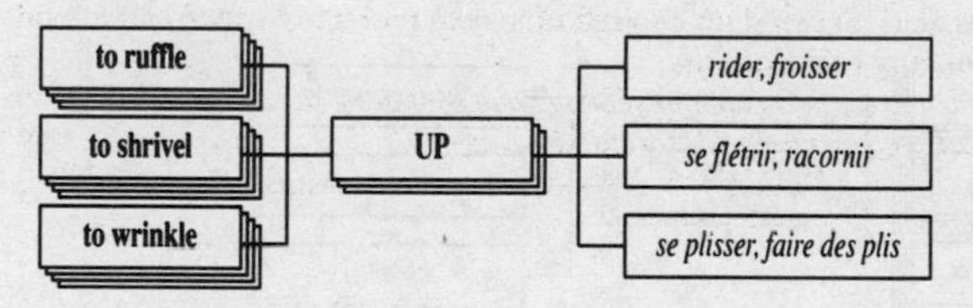

If you stay too long in the sun, your skin will shrivel up like a dead leaf (fallen leaf).
Si tu restes trop longtemps au soleil, ta peau se flétrira comme une feuille tombée de l'arbre (comme une feuille morte).

10. Mélanger, embrouiller

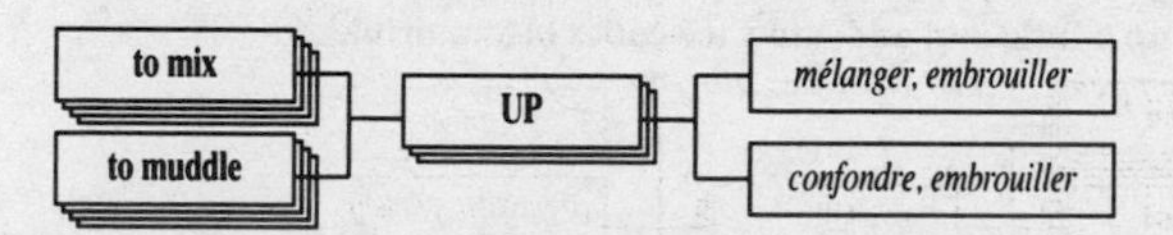

The twins look so much alike that their teacher often mixes them up.
Les jumeaux se ressemblent tant que leur professeur les confond souvent l'un avec l'autre.

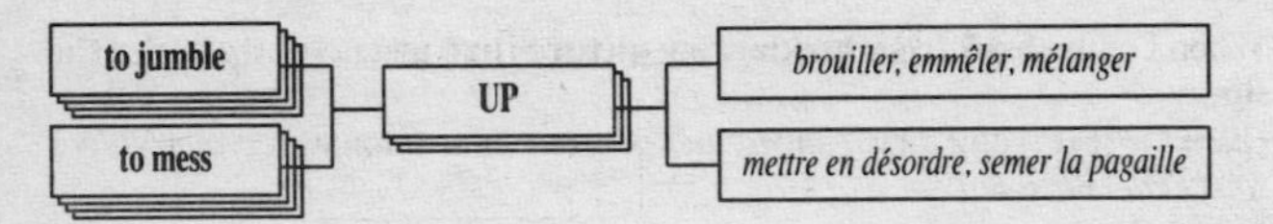

He had left his tools all jumbled up together in the shed.
Il avait laissé tous ses outils en pagaille dans la cabane.

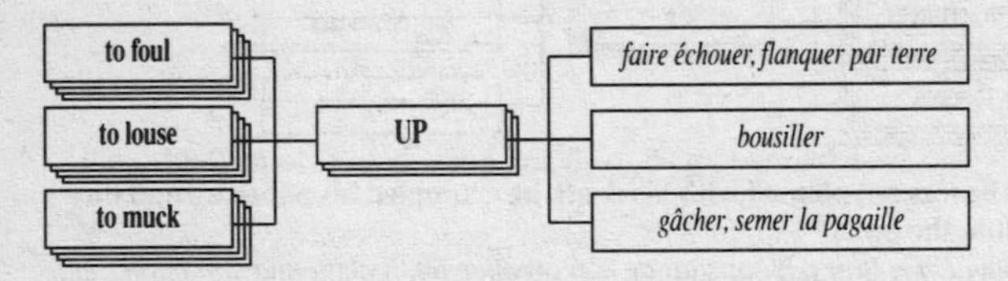

The whole plan was fouled up by his unexpected arrival.
Son arrivée inopinée a fait tout échouer.

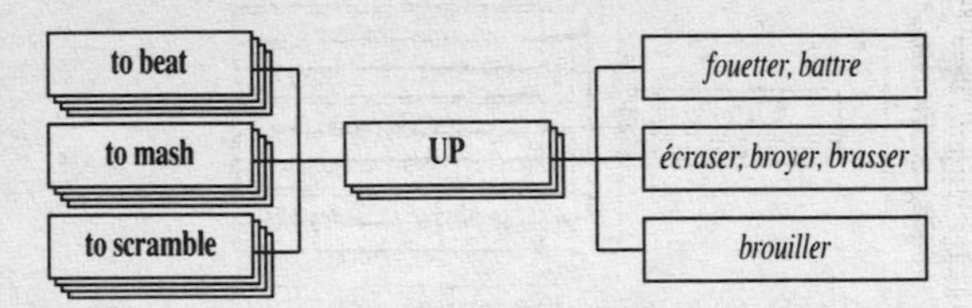

The eggs are already beaten up… just add some cream and sugar.
Les œufs sont déjà battus ; il te suffit d'ajouter un peu de crème et de sucre.

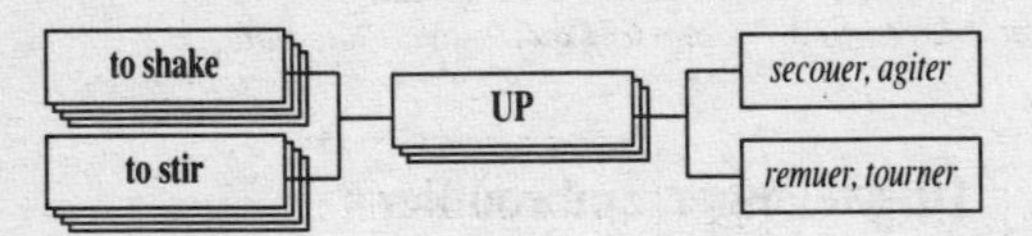

Shake it up a little and add a few ice cubes before drinking.
Secouer un peu et servir avec des glaçons.

11. Bloquer, boucher, fermer

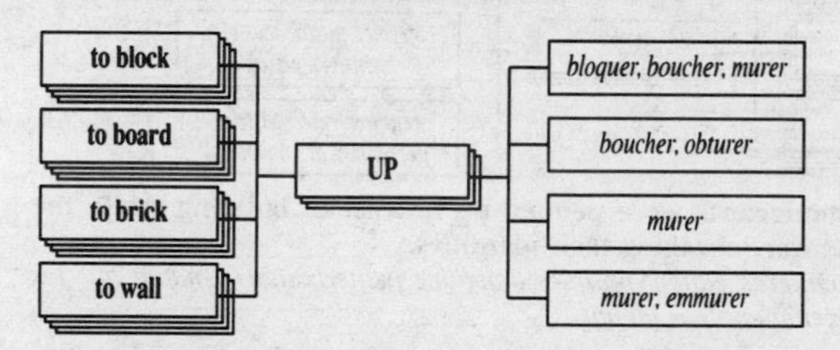

Developers have bricked up all the doors and windows to prevent squatters from entering the house.
Les promoteurs ont muré portes et fenêtres pour empêcher des squatters de pénétrer dans la maison.

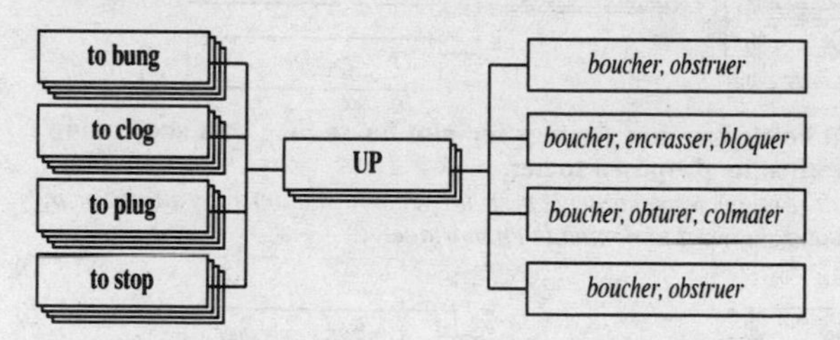

The whole sewage system was clogged up.
Tout le réseau d'évacuation des eaux usées était bouché.

We had to plug up the holes each time there was a leak.
Il nous fallait colmater les trous à chaque fois qu'il y avait une fuite.

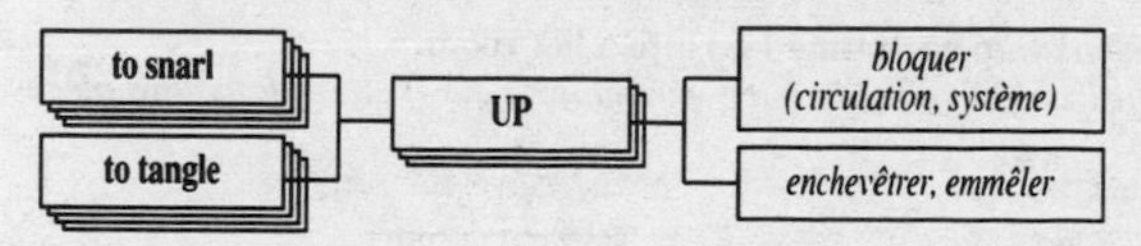

The traffic was snarled up for two hours due to an accident on the motorway.
La circulation a été bloquée pendant deux heures à la suite d'un accident sur l'autoroute.

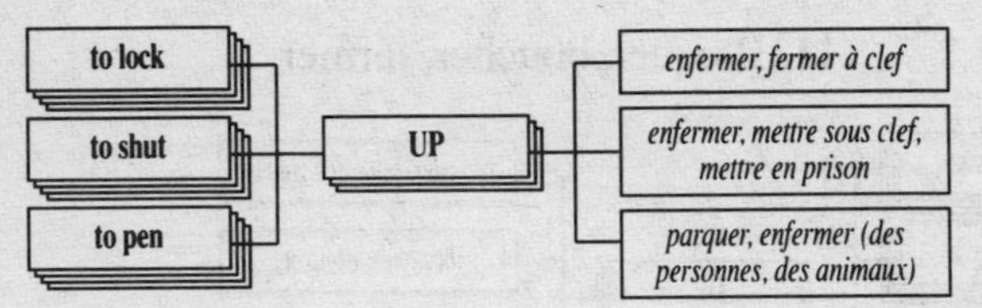

All the immigrants were penned up in a small building while the authorities were checking their identities.
Tous les immigrés étaient parqués dans une petite bâtisse pendant que les autorités vérifiaient leur identité.

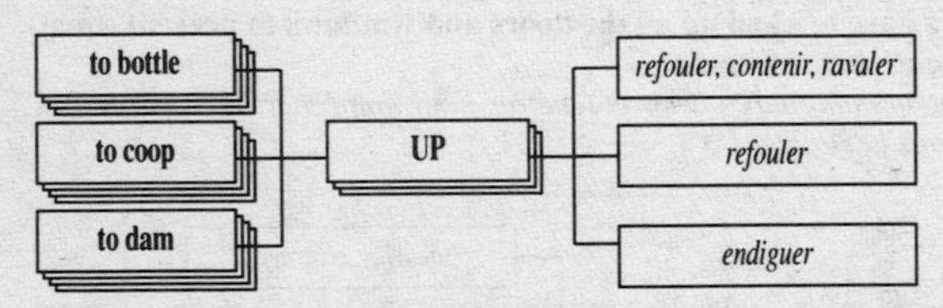

She had bottled up her feelings for him for so long that she couldn't answer when he proposed to her.
Elle avait contenu ses sentiments pour lui pendant si longtemps qu'elle ne put lui répondre quand il la demanda en mariage.

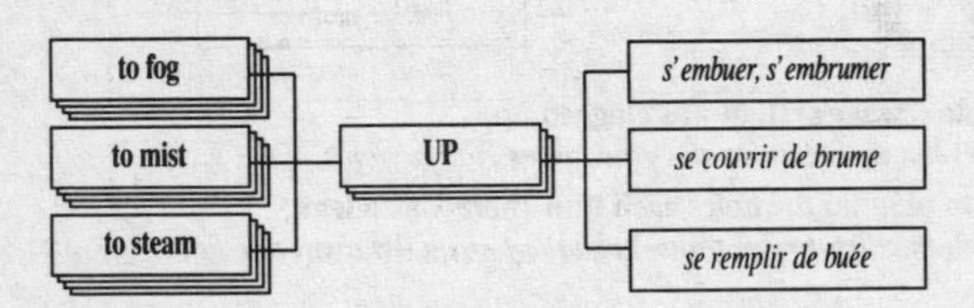

My glasses mist up each time I go into a hot room.
Mes lunettes se couvrent de buée chaque fois que j'entre dans une pièce chaude.

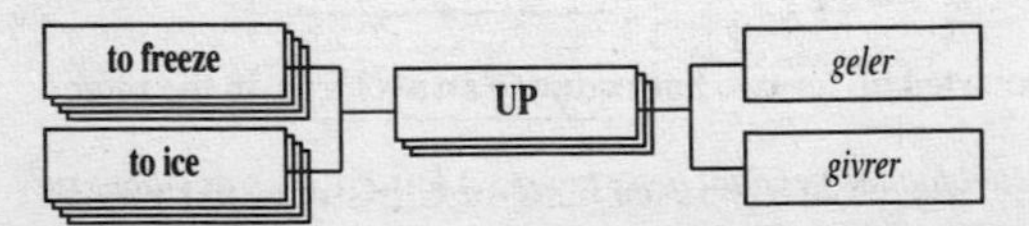

The lake had frozen up and we could go ice-skating on it.
Le lac avait gelé et nous pouvions y aller faire du patin à glace.

12. Briser, morceler, rompre

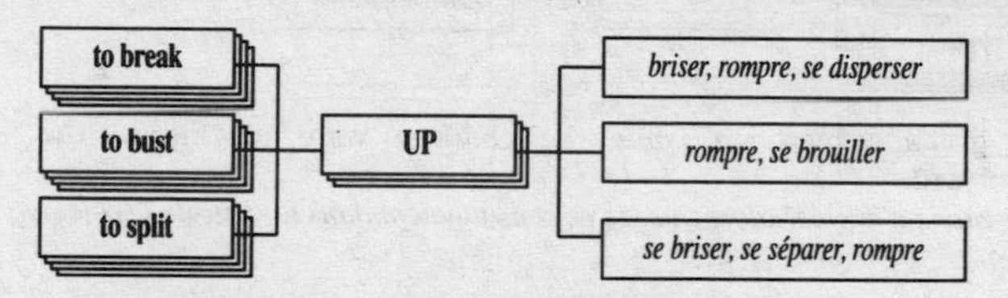

The party split up and rapidly lost momentum.
Le parti s'est scindé en deux et a rapidement perdu du terrain.

His properties were divided up among the five heirs.
Ses biens ont été partagés entre les cinq héritiers.

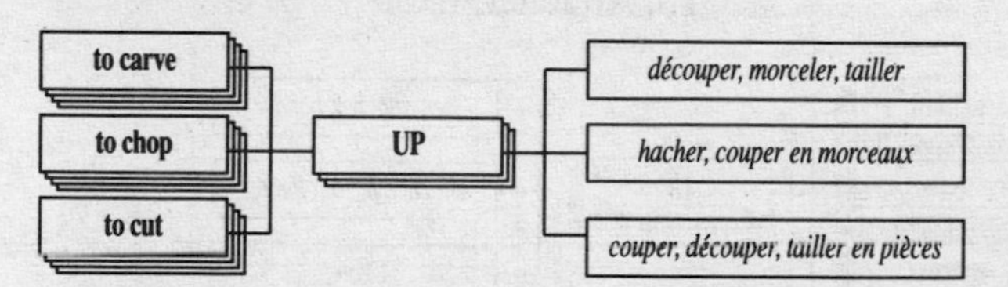

After the war, the country was carved up and many people were displaced.
Après la guerre, le pays fut morcelé et beaucoup de gens furent déplacés.

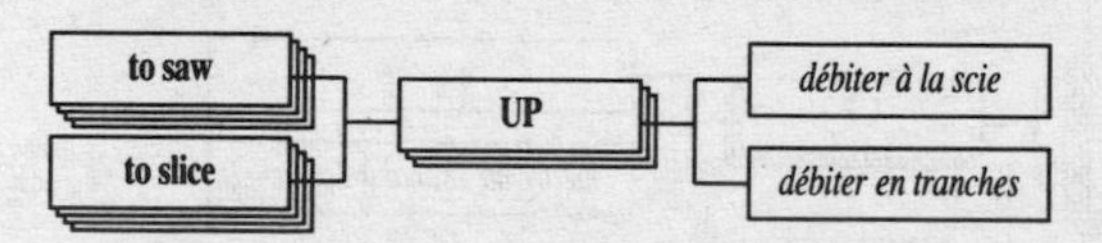

We were given a large piece of smoked ham for Christmas, but we don't know how to slice it up.
On nous a offert un gros jambon fumé pour Noël, mais nous ne savons pas comment le débiter en tranches.

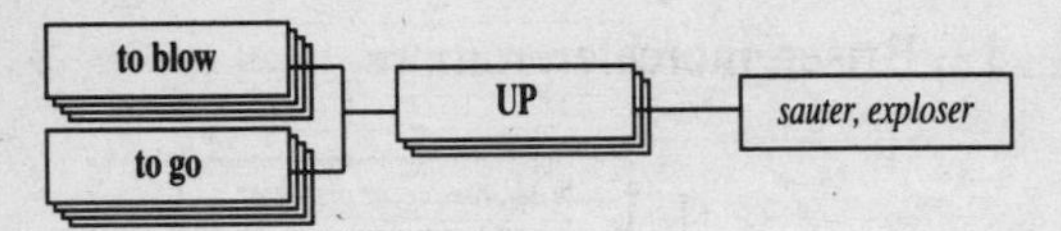

The grenade blew up while the children were playing in the schoolyard.
La grenade a explosé alors que les enfants jouaient dans la cour de l'école.

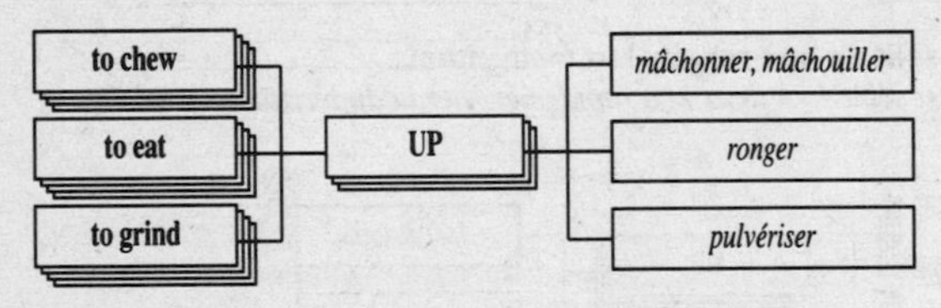

The bodywork of our car has been eaten up by the salt.
La carrosserie de notre voiture a été rongée par le sel.

13. Attacher, fixer

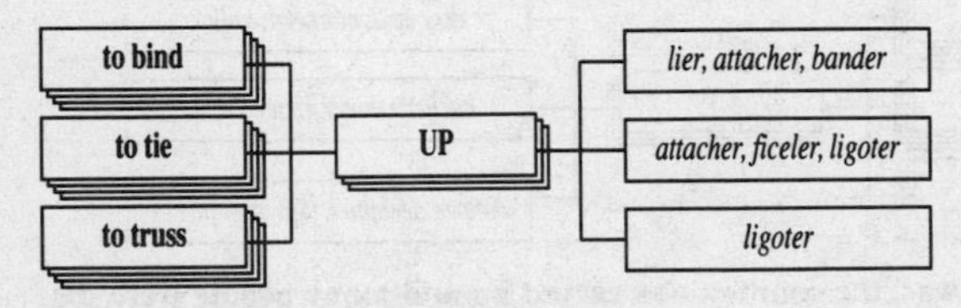

The burglars had left him tied up to a table.
Les cambrioleurs l'avaient ligoté à une table.

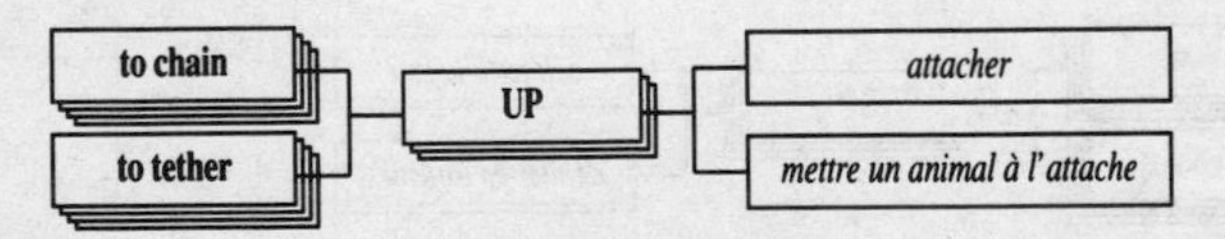

All the bikes were chained up for the night.
Tous les vélos étaient attachés avec des chaînes pour la nuit.

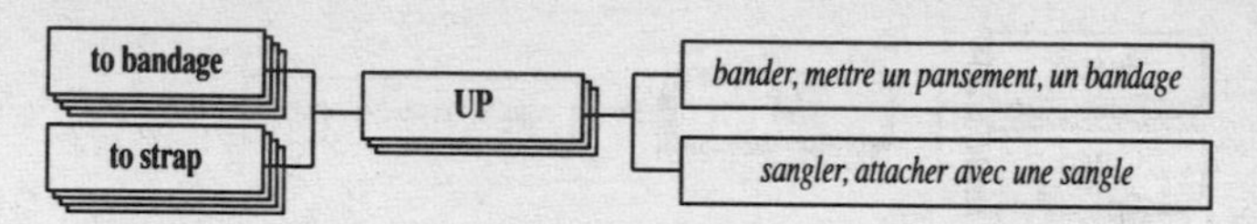

The rescuers strapped his left leg up and drove him to hospital.
Les sauveteurs lui bandèrent la jambe gauche et le conduisirent à l'hôpital.

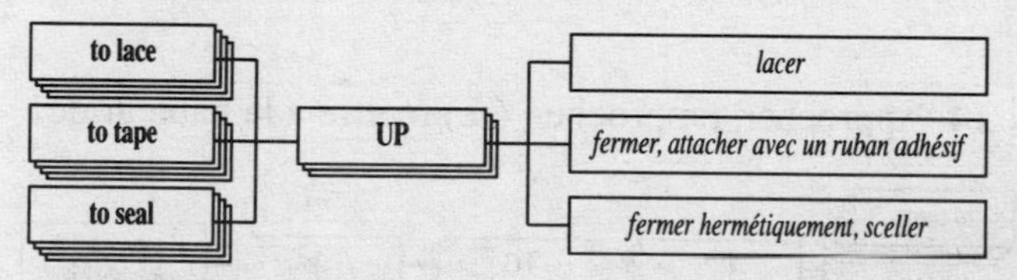

All the windows had to be carefully sealed up when the weather was stormy.
Il fallait fermer toutes les fenêtres hermétiquement quand le temps était orageux.

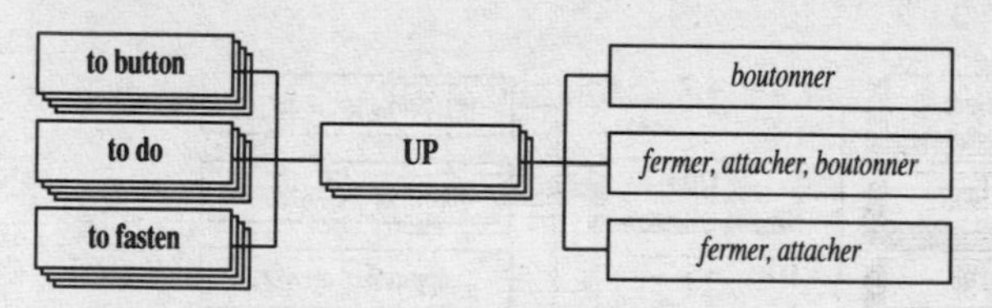

Fasten up your coat properly, you might get a cold.
Ferme bien ton manteau, tu pourrais prendre froid.

His case was not correctly done up and it opened up when he arrived at the station.
Sa valise était mal fermée et elle s'est ouverte comme il arrivait à la gare.

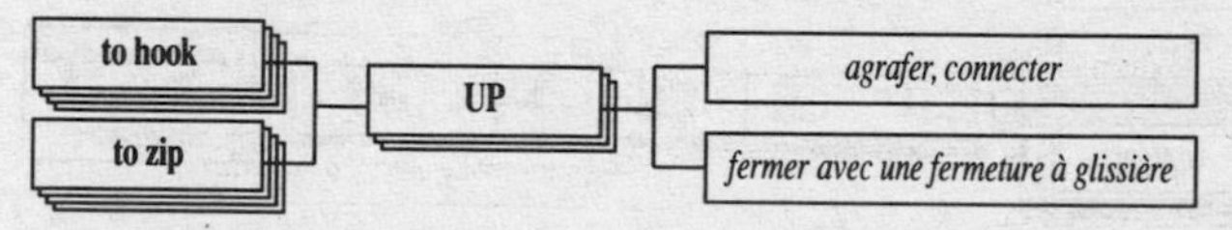

She realized she had put on some weight when she tried to zip up an old dress of hers.
Elle se rendit compte qu'elle avait pris du poids en essayant de fermer une de ses anciennes robes.

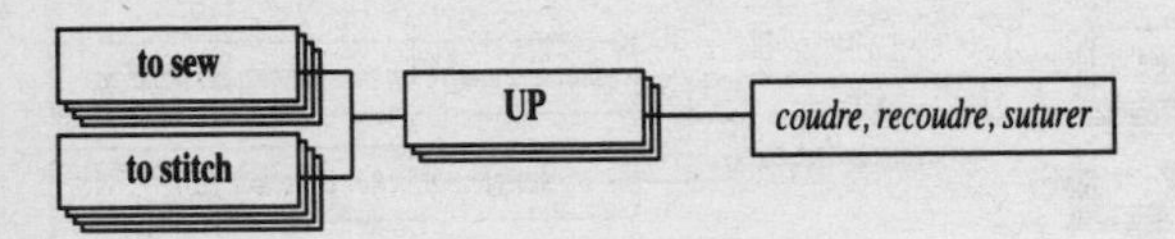

He was all stitched up after his accident.
Il était tout recousu de partout après son accident.

14. Approcher, rapprocher, (se) mettre à la hauteur de

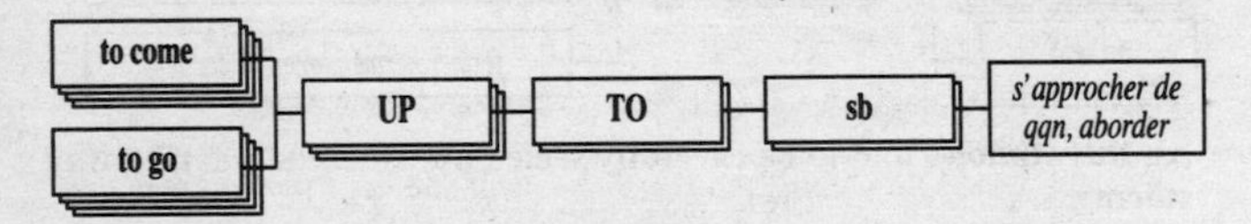

The children came up to me and asked for sweets.
Les enfants s'approchèrent de moi pour me demander des bonbons.

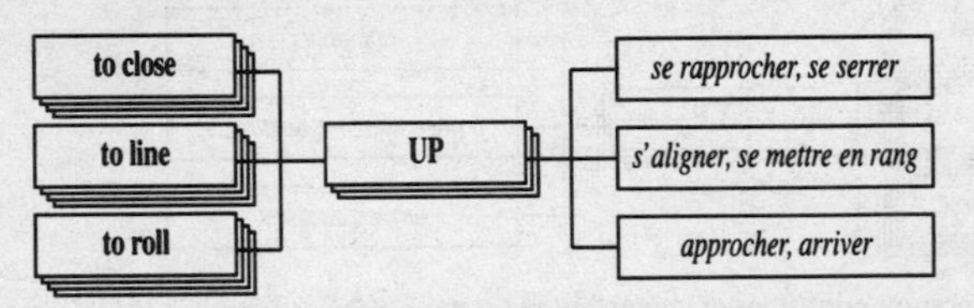

The conjuror asked the children to close up to make sure they could all see the show.
Le prestidigitateur demanda aux enfants de se rapprocher afin qu'ils puissent tous voir le spectacle.

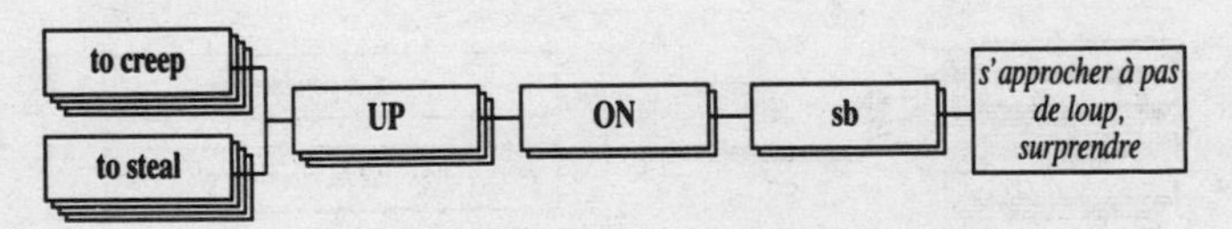

I had the strange feeling that someone was creeping up on me.
J'avais la sensation étrange que quelqu'un s'approchait de moi à pas furtifs.

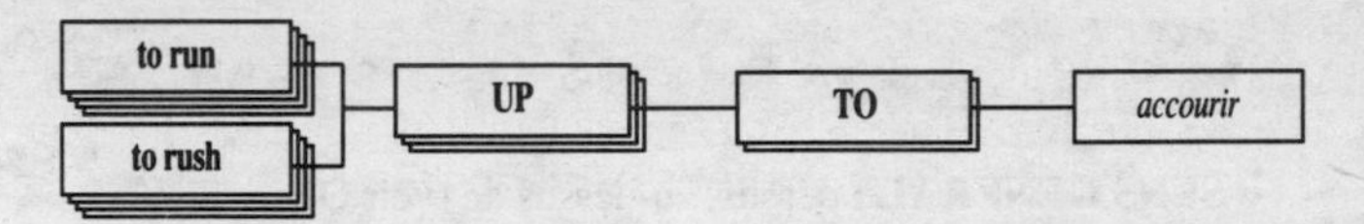

I rushed up to the man when I saw him collapse, but it was too late.
Je me précipitai vers l'homme quand je le vis s'effondrer, mais il était trop tard.

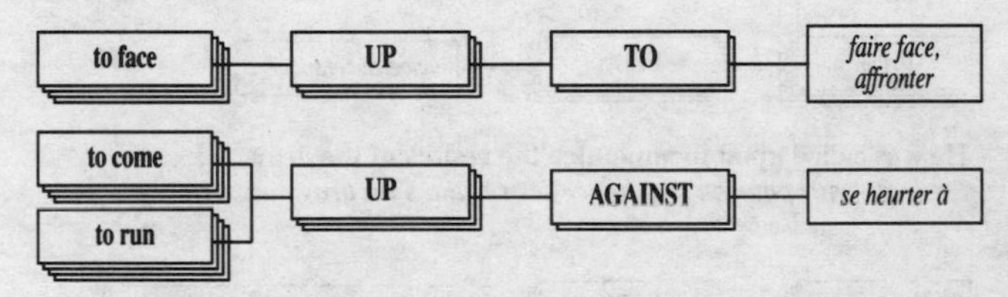

He must realize that he is likely to come up against major difficulties if he keeps on criticizing the government.
Il doit se rendre compte qu'il risque de se heurter à de grosses difficultés s'il continue de critiquer le gouvernement.

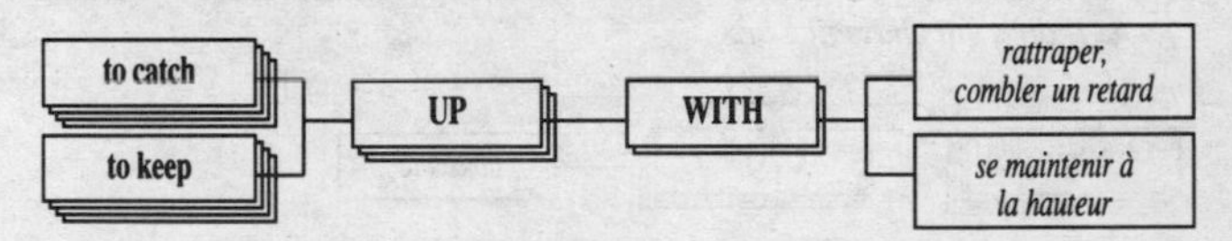

She is remarkably fit and he knows that he won't be able to keep up with her.
Elle est dans une forme remarquable et il sait qu'il ne pourra pas se maintenir à son niveau.

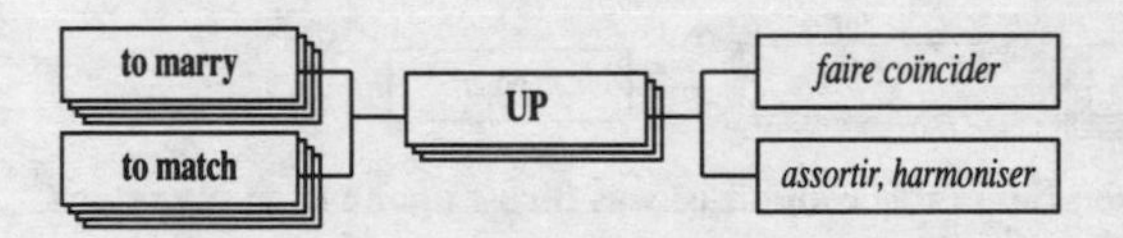

I think these two materials do not match up.
Je trouve que ces deux tissus ne sont pas bien assortis.

UPON

➪ **SENS GÉNÉRAL :** dessus, au-dessus de (voir ON)

A white cloth was put upon the dead man's face.
On mit un drap blanc sur le visage du défunt.

➪ SENS PARTICULIER

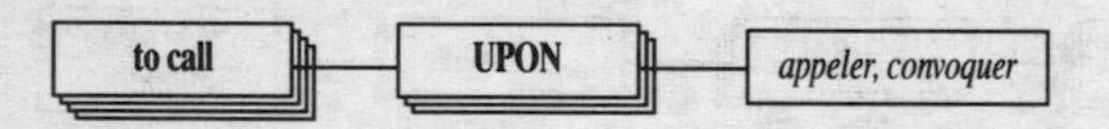

He was called upon to announce the results of the draw.
On le fit venir pour qu'il annonce les résultats du tirage au sort.

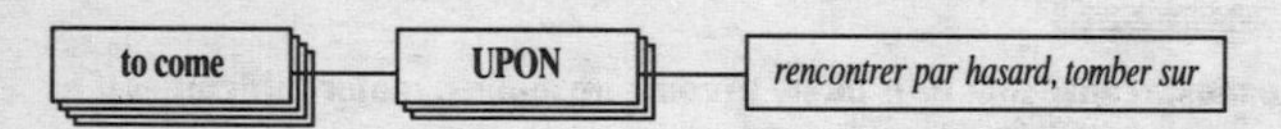

I was walking along a forest trail when I came upon a young native who was hunting macaws.
Je marchais le long d'un chemin forestier lorsque je rencontrai par hasard un jeune Indien qui chassait l'ara.

She is working longer hours than she is paid for; I won't let her be put upon.
Elle fait des heures supplémentaires qui ne lui sont pas payées ; je ne la laisserai pas se faire exploiter.

The chairmanship of this committee was thrust upon me on my return from abroad.
On m'a imposé la présidence de ce comité à mon retour de l'étranger.

WITH

➪ **SENS GÉNÉRAL :** avec

I refuse to stay with him any longer.
Je refuse de rester avec lui une minute de plus.

She left her baby with me and went away.
Elle m'a confié son bébé et elle est partie.

➪ **SENS PARTICULIER :**

1. Relations entre personnes

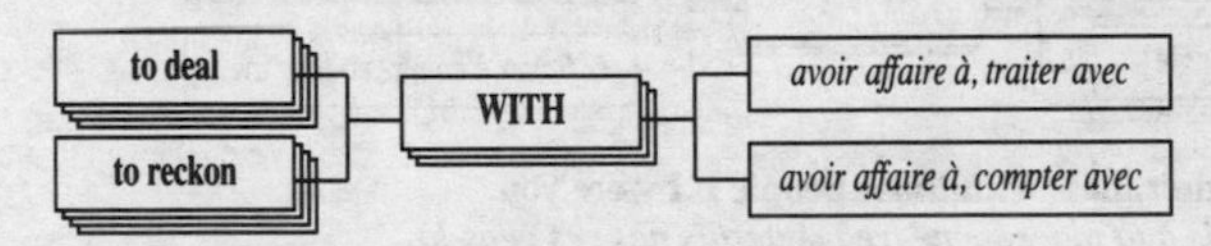

Have you ever dealt with the new mayor ?
Avez-vous déjà eu affaire au nouveau maire ?

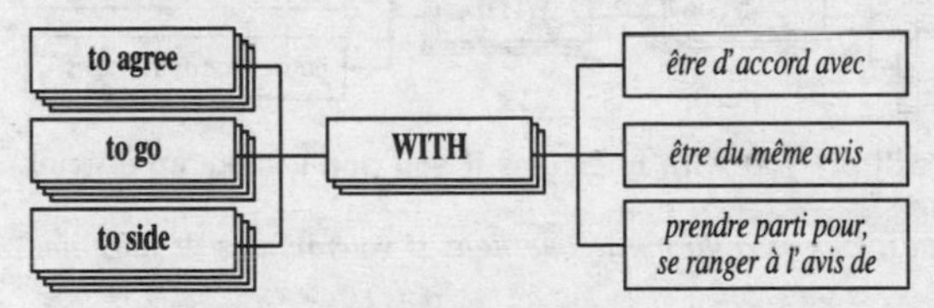

I don't agree with you... you shouldn't have sided with the boss during the negotiations.
Je ne suis pas d'accord avec toi ; tu n'aurais pas dû te ranger dans le camp du patron au cours des négociations.

I got acquainted with them during my stay in Switzerland.
J'ai fait leur connaissance pendant mon séjour en Suisse.

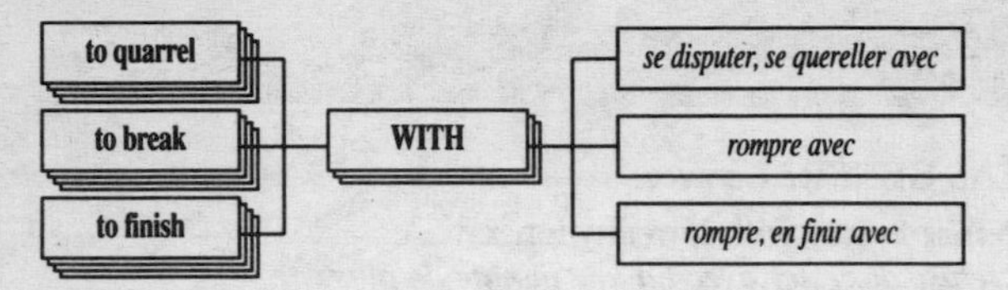

He quarrels a lot with the members of his local party, and has decided to break with the Labour Party after the next general election.
Il se querelle beaucoup avec les membres de sa section, et il a décidé de quitter le parti travailliste après les prochaines élections législatives.

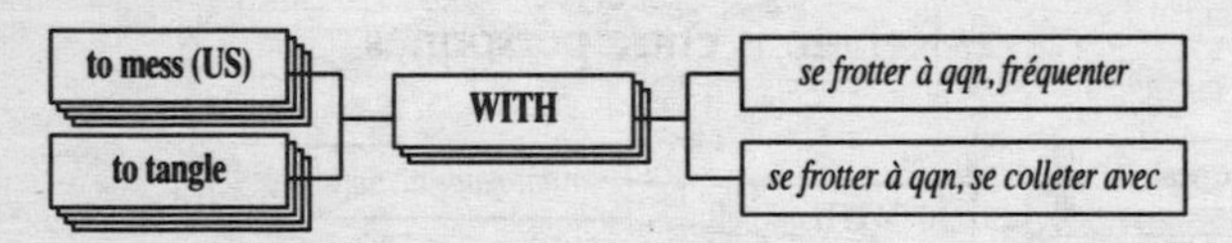

I wouldn't mess with those people if I were you.
Si j'étais à ta place, je ne fréquenterais pas ces gens-là.

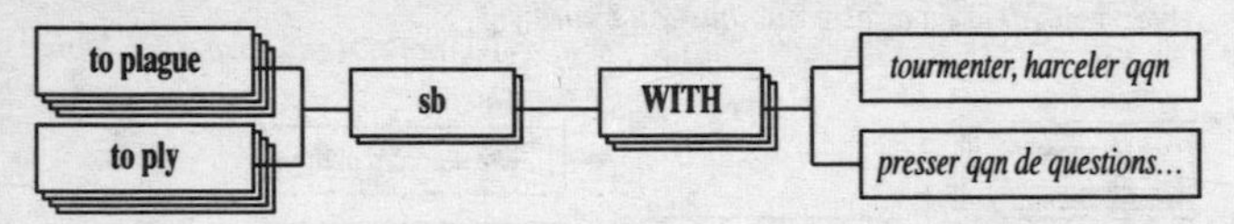

Journalists will ply you with questions if you don't make an official statement.
Les journalistes vous assailliront de questions si vous refusez de faire une déclaration.

I won't vie with her in beauty, but I will vie with her in strength.
Je ne rivaliserai pas avec elle en beauté mais en force.

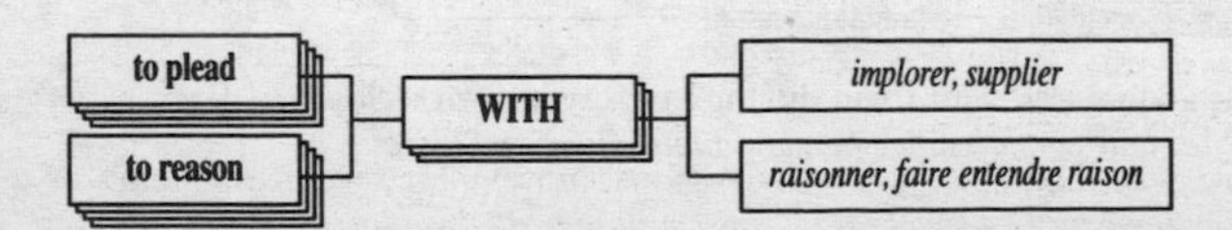

I tried to reason with her but it was all in vain.
J'ai essayé de lui faire entendre raison mais rien n'y fit.

When I arrived there, I was glad to realize that I had been provided with a car and a telephone.
En arrivant sur place, j'ai eu la satisfaction de constater qu'on m'avait fourni une voiture et un téléphone.

2. S'impliquer dans une activité

I have nothing to do with this bankruptcy since I left the firm several years ago.
Je n'ai rien à voir dans cette faillite puisque j'ai quitté l'entreprise il y a plusieurs années.

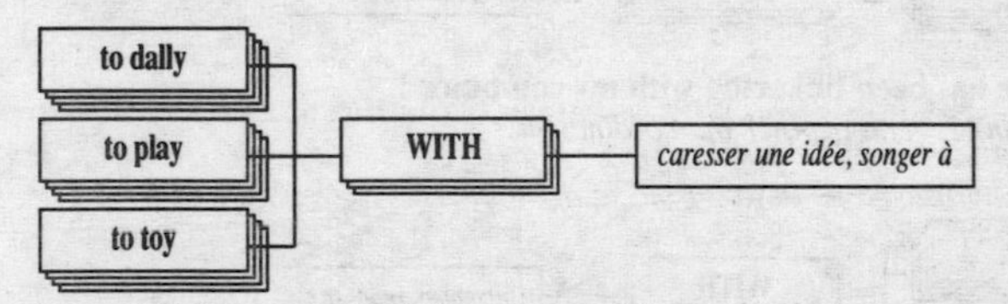

He has been toying with the idea of sailing across the Atlantic for so long !
Cela fait tellement de temps qu'il songe à traverser l'Atlantique à la voile !

I am grappling with the subtleties of international law at the moment.
En ce moment, je me débats avec les subtilités du droit international.

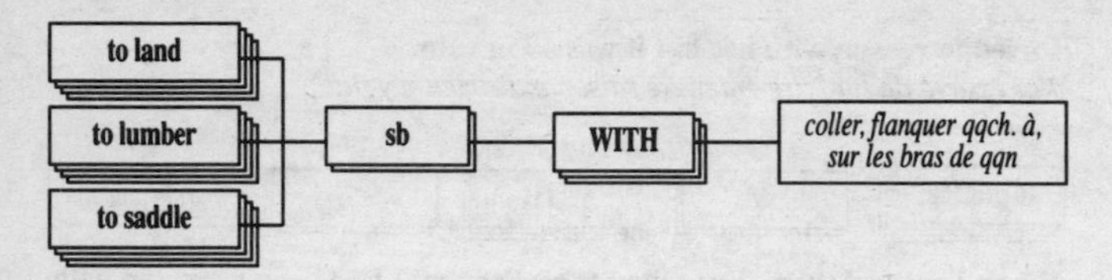

We were saddled with this investigation and couldn't act freely.
Nous avions cette enquête sur les bras et ne pouvions pas agir librement.

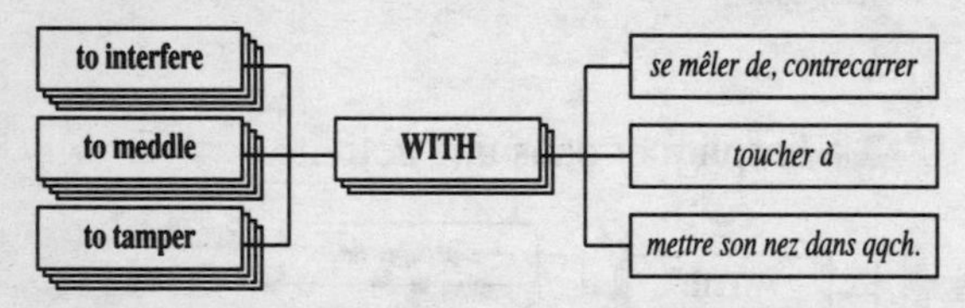

I don't want to interfere with your plans but I think you are being mistaken.
Je ne veux pas me mêler de vos projets mais je pense que vous faites fausse route.

Someone has been tinkering with my computer !
Quelqu'un est venu tripoter mon ordinateur !

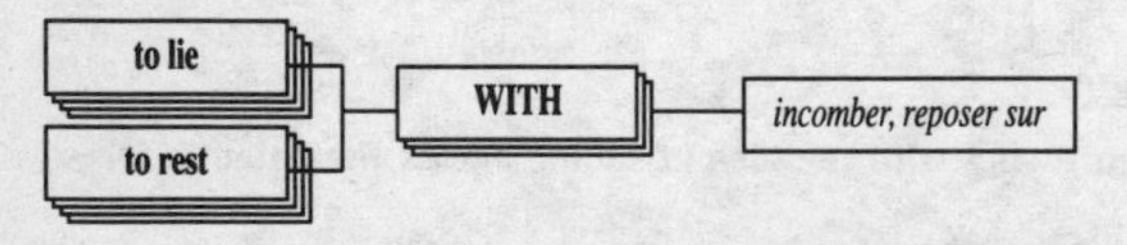

The final decision rests with the Board of Directors.
La décision finale est du ressort du conseil d'administration.

"Men are endowed by their Creator with certain unalienable Rights..."
(Declaration of Independence)
«Les hommes sont dotés par leur Créateur de certains droits inaliénables...»
(Déclaration d'Indépendance)

WITHOUT

➪ SENS GÉNÉRAL : sans

Do you really think you will now be able to do without this book ?
Pensez-vous vraiment que vous allez désormais pouvoir vous passer de ce livre ?

RÉVISION EXERCISES / *EXERCICES DE RÉVISION*

REVISION 1 :
About, Across, After, Against, Ahead

A. *Savez-vous le dire en anglais?*

❑	*flâner*	**1. to go against**
❑	*pourchasser*	**2. to run across**
❑	*aller à l'encontre de*	**3. to idle about**
❑	*traverser en courant*	**4. to pull ahead**
❑	*passer en tête*	**5. to chase after**
❑	*circuler sans but*	**6. to drift about**

B. *Thème*

1. Elle a flâné en ville toute la journée. **2.** Jean traversait le champ en courant lorsqu'ils l'attrapèrent. **3.** Le coureur cycliste passa en tête à mi-course et l'emporta aisément. **4.** A mon arrivée, il y avait des centaines de policiers à la poursuite d'un prisonnier évadé. **5.** Je ne le ferai pas si cela va à l'encontre de mes principes.

C. *Compléter les phrases suivantes :*

putting across ; get ahead ; go against ; fooling about ; looked after

1. They spent the whole afternoon .... (*perdre son temps*) on the beach. **2.** By ...... a bridge ...... (*placer, construire d'un bord à un autre*) the Bosporus they managed to link Europe to Asia. **3.** It is only by working hard that you can ...... (*réussir*) and earn a lot of money. **4.** I ...... (*s'occuper de*) his house while he was away holidaying in Malta. **5.** "When in Rome do as the Romans do." You should never ...... (*agir en violation de, aller contre*) the customs of the country you live in.

D. *Trouver les particules qui manquent :*

against ; across ; after ; ahead ; about

1. John's been *messing* ...... with these documents ! **2.** He *came* ...... to our place for a drink yesterday. **3.** He's the type of person who always *looks* ...... before accepting new responsibilities. **4.** She's *hunting* ...... fame. She wants to become a famous actress. **5.** Before buying software for your computer, you must always *balance* the good points ...... the bad ones.

E. *Trouver les verbes qui manquent :*

made ; scattered ; looking ; ensure ; put

1. The demonstrators ...... *about* when the riot police threw tear gas. **2.** The idea ...... *across* by the government has been turned down by all parties. **3.** ...... *ahead* in the distance, I could see a red dot in the sky – it was a flying saucer ! **4.** The butcher ...... *after* the boy who had stolen a mutton chop. **5.** Before using this machine here, we must ...... *against* a possible power cut.

F. *Trouver les mots ou groupes de mots qui manquent :*

decided ; money ; to stop ; magic wand ; the other day

1. Never leave (any) ...... *lying about* when Jane is at home ! **2.** Here's your grandmother's old rifle I *stumbled across* ...... while I was cleaning up the attic. **3.** *Thinking ahead*, I ...... to accept the new job. **4.** When is he going ...... *chasing after* her ? She loves another man. **5.** This ...... will *protect* you *against* all the evil things around you.

G. *Mettre les phrases suivantes dans le bon ordre :*

1. the house / did you hear / we bought / in the mountains ? / about / How / **2.** in / 'chicfurter' / a newspaper / across / article. / I came / the word / **3.** met to press / states / 12 member / the new legislation. / ahead / The / with. **4.** inquiring / are / the carjack. / The police / case / after/ **5.** the school / If you offend / you will be / against / punished. / rules, /

H. *Trouver les lettres qui manquent (la première et la dernière vous sont données) :*

1. My advice is that he should stop h _ _ _ _ _ _ g his father's money *about.* **2.** They s _ _ t him *across* to the bank and they're worried he hasn't come back yet. **3.** I'm fed up with politics... I've just heard that new elections are l _ _ _ _ _ _ g *ahead* in the coming months. **4.** They all s _ _ _ _ d *after* me as I carried my grandmother's strange bag. **5.** You should never t _ _ n *against* your employer. Remember, he's the hand that feeds you !

REVISION 2 :

Along, Apart, Around, Aside, Away

A. *Savez-vous le dire en anglais?*

❑ *avancer*	**1. to get away (with)**
❑ *arriver*	**2. to throw around**
❑ *se séparer*	**3. to stand aside**
❑ *lancer (mouvement autour de qqch.)*	**4. to come along**
❑ *(se) mettre de côté*	**5. to move along**
❑ *s'échapper*	**6. to drift apart**

B. *Thème*

1. « Circulez, dit le policier, il n'y a rien à voir. » **2.** Nous étions bons amis mais nous nous perdîmes peu à peu de vue après mon mariage. **3.** Il réussit à lancer une corde autour du cou de l'animal. **4.** Nous dûmes nous mettre sur le côté pour laisser passer le cortège. **5.** Il s'est absenté du bureau pendant deux jours.

C. *Compléter les phrases suivantes (attention au temps !) :*

to take aside ; to go along with ; to put away ; to knock around ; to pull apart

1. We decided to . . . . . . *(accompagner)* our parents to Antigua. **2.** They started fighting and we had to . . . . . . them . . . . . . *(sépa-*

rer). **3.** He was . . . . . . *(malmener)* by a group of youngsters on his way back home. **4.** The boss . . . . . . me . . . . . . *(prendre à part)* and asked me not to tell anybody about the transaction. **5.** Could you kindly . . . . . . *(ranger)* the books and dictionaries you're not using.

D. *Trouver les particules qui manquent :*

apart ; aside ; around ; away ; along

1. How are you *getting* . . . . . . in your new job ? **2.** The movers *took* . . . . . . all the pieces of furniture we had and put them together after we moved in. **3.** It all *revolved* . . . . . . accepting or refusing the deal. **4.** She can easily *brush* all her opponents . . . . . . and win the elections. **5.** They're both *working* . . . . . . on the new project which they should submit by the end of next week.

E. *Trouver les lettres qui manquent :*

[ALONG] **1.** to d _ i _ t **2.** to b _ i _ g **3.** to m _ v _ **4.** to h _ p _ _ n
[APART] **5.** to p _ _ l **6.** to t _ _ r **7.** to g _ _ w **8.** to t _ _ e
[AROUND] **9.** to w _ e _ l **10.** to l _ _ k **11.** to s _ a _ d **12.** to t _ n _ er
[ASIDE] **13.** to sw _ _ p **14.** to t _ r _ w **15.** to wa _ e **16.** to ca _ t
[AWAY] **17.** to k _ _ p **18.** to g _ _ e **19.** to h _ m _ er **20.** to s _ o _ e

F. *Trouver la seconde moitié de chaque phrase :*

I.

1. He stopped breathing and heard the footsteps that *passed* **2.** The car was so old that it *fell* **3.** A new generation of computer addicts is *coming* **4.** My father *took* the engine **5.** It was so cold outside that he *put* a scarf **6.** He *showed* his palmtop computer **7.** He's *cast* us all **8.** We were all asked to *step* **9.** What would you do if you were *cast* **10.** He *dreamed*

II.

a) *along.* **b)** *around* his neck. **c)** *apart* after a few kilometres. **d)** *aside* now that he's a rich man. **e)** *away* the hours sitting in his grandfather's armchair. **f)** *apart* and then we cleaned every single part of it. **g)** *around* with pride. **h)** *aside* as the Prince entered the hall. **i)** *along* in the corridor. **j)** *away* on a desert island one day ?

G. *Trouver les lettres qui manquent :*

1. She c _ m _ *along* and j _ in _ d us while we were having a drink and t _ _ k _ _ g about politics. **2.** He a _ w _ ys buys his son toys that can be t _ k _ n *apart* so that he can learn how they work. **3.** The debates c _ _ t _ _ _ d *around* the country's e _ o _ o _ ic situation. **4.** We've got to abide by these rules. We can't t_ r _w them *aside* just b _ c _ u _ e you don't like them. **5.** If foreigners are f _ r _ ed to leave this town, tr _ d _ will certainly g _ ***away.***

H. *Mettre les phrases dans le bon ordre :*

1. please ! / You can't / move along, / stand here... / **2.** know how it / I don't / happened ; / came apart / it up. / it just / I picked / when / **3.** car plant. / around / The Queen / the / was shown / newly-built **4.** book / and started / aside / to snore. / He laid his / **5.** the window, / If you / will fly / open / the bird / away ! /

REVISION 3 :

Aback, Above, Among, As, At

A. *Savez-vous le dire en anglais ?*

❑ *s'entendre avec*	**1. to tower above**
❑ *viser à*	**2. to act as**
❑ *saisir (occasion)*	**3. to be taken aback**
❑ *être interloqué*	**4. to jump at (opportunity)**
❑ *dominer*	**5. to agree among**
❑ *faire office de*	**6. to aim at**

B. *Thème*

1. Nous fûmes déconcertés par son étrange attitude devant tous les hommes d'État. **2.** Notre politique économique vise à réduire le déficit budgétaire. **3.** Il faudrait d'abord vous entendre entre vous avant de critiquer vos adversaires. **4.** Il a décidé de placer l'avenir de sa famille au-dessus de sa carrière. **5.** Ma maison a servi d'hôtel pour ses amis américains et britanniques.

C. *Compléter les phrases suivantes (attention au temps !) :*

be at ; rise above ; take aback ; count among ; be dressed as

1. Last year she . . . . . . *(habiller en)* a princess at Jennifer's fancy dress party. **2.** I admire people who are able . . . . . . *(surmonter)* such difficulties. **3.** I've stopped . . . . . . her . . . . . . *(compter parmi)* my best friends, ever since she played that dirty trick on her fiancé. **4.** Someone . . . . . . *(toucher à)* my books again. How many times have I told you not to touch my things ! **5.** He . . . . . . *(être surpris)* by the sound of his dead father's voice when he listened to the recording.

D. *Mettre les particules qui manquent :*

at ; above ; amongst; as ; aback

1. We were all *taken* . . . . . . by his energy. **2.** If you *put* this picture . . . . . . the other one, no one will ever see it. **3.** She *works* . . . . . . a 'ghost teacher' at university. **4.** He *hid* the money . . . . . . the wine bottles in the cellar. **5.** "A drowning man will *grab* . . . . . . a straw" *(Dicton).*

E. *Mettre les verbes qui manquent :*

towered ; clutch ; taken ; counted ; known

1. He was very much . . . . . . *aback* when we told him that his son had been given 'The Order of the Boot'. **2.** My cousin Slim John was so tall that he . . . *above* all the other members of the family. **3.** He is . . . *as* a talented young writer. **4.** At university, we always . . . her books about the Commonwealth *among* the best she had ever written. **5.** "A drowning man will . . . *at* a straw" *(Dicton).*

F. *Trouver les verbes et les particules qui manquent :*

I. towers ; come ; passes ; classed ; taken
II. *aback* ; *as* ; *among* ; *at* ; *above*

1. They seemed to be somewhat . . . . . . by the sad news. **2.** Hc certainly deserves the job as he . . . . . . all his other colleagues who applied for the same post. **3.** He . . . . . . someone who likes joking a lot. **4.** They were . . . . . . the best European singers at last year's Eurovision Song Contest. **5.** Why did you all . . . . . . 4 o'clock ?

G. *Mettre les mots ou groupes de mots dans le bon ordre :*

1. things. / were all / by / They / his / of doing / taken aback / very peculiar way / **2.** such considerations. / my children / rise above / to remain / I taught / modest and / **3.** served as / during / Nightingale / She / in Scutari / a nurse / Crimean War. / the / with Florence / **4.** is / research work / original / the most / in the / His / academic / ranked among / world. **5.** that / at 8,000 ft / all /not to/the /and asked / business / The / their laptop / pilot / passengers / devices. / present / use / computers / we were flying / and / electronic / announced / other

H. *Mettre les mots suivants dans les cases vides :*

or ; is ; tar ; he ; light ; so ; be ; king ; am ; main ; rod ; arm ; sing ; serve ; play ; red ; man ; he ; bet ; ring ; back

1. I was *taken* a _ _ _ _ by the horr _ _ s I saw in t _ _ film. **2.** He _ _ _ aged to r _ _ e *above* his f _ _ ily problems ; he now has _ _ _ ter results at school. **3.** He _ _ _ _ _ d *as* an _ _ _ y general in Gallipoli. **4.** The book t _ _ y wrote is numbe _ _ _ *amongst* the _ _ st in the do _ _ _ _ of Word Proces _ _ _ _ . **5.** He _ _ _ _ s the gui _ _ _ by pluc _ _ _ _ *at* the st _ _ _ _ s which p _ _ _ uce de _ _ _ _ _ ful _ _ unds.

REVISION 4 :
Before, Behind, Beneath, Between, Beyond, By

A. *Savez-vous le dire en anglais ?*

❑ *devancer*	**1. to go beyond**
❑ *abandonner*	**2. to go by**
❑ *céder sous*	**3. to come between**
❑ *se mettre entre*	**4. to give way beneath**
❑ *outrepasser*	**5. to come before**
❑ *s'écouler*	**6. to leave behind**

B. *Thème*

1. Ils m'ont dit que le tribunal sera saisi de l'affaire le mois prochain. **2.** Je ne sais toujours pas ce qui se cache derrière sa décision de ne pas passer l'examen. **3.** Le sol a-t-il cédé sous son poids ? **4.** La correspondance qu'ils échangèrent dans leurs vieux jours fut publiée à l'automne dernier. **5.** J'ai le sentiment qu'il a outrepassé ses pouvoirs. **6.** Ils ont réussi à se faufiler devant la caissière sans payer.

C. *Compléter les phrases suivantes:*

get beyond ; appeared before ; married beneath ; left behind ; get by ; comes between

1. The unit on "Hacking and Industrial Espionage" . . . . *(se trouver entre)* "The Courier and the Express Service" and "The Future : EDI & ISDN". **2.** "We won't have time to . . . . *(aller au-delà)* Unit 15", the teacher told her class. **3.** They . . . . an hour . . . . *(arriver avant)* the beginning of the show and interviewed us all. **4.** Oh dear ! I've . . . . my diary . . . . *(oublier)* ! I need her phone number and there's no directory around. **5.** She was rejected by all her relatives and friends after she had . . . . *(faire une mésalliance)* her. **6.** I'm afraid our students will have to . . . . *(se débrouiller)* with these rather slow computers until we obtain a grant to buy more powerful ones.

D. *Trouver les particules qui manquent :*

before ; behind ; beneath ; beyond ; by

1. The president *went* .... a minute ago while I was waiting for the bus. **2.** If you *fall* ...., you'll lose the race. **3.** Both sisters have *married* .... themselves – they tend to forget the importance of social rank in our family. **4.** All three teenagers *appeared* .... the judge. **5.** I suppose you'll have to *go* .... what you wrote in the report you sent us yesterday.

E. *Trouver la seconde moitié de chaque phrase:*

I.
1. The director *brushed* .... **2.** As we *went* north .... **3.** The man, *standing* .... **4.** Jenny married above herself, whereas her sister Penny *married* .... **5.** There is only one choice that lies .... **6.** I'm sorry but I can't *stop* ....

II.
a) *beneath* herself. **b)** *between* Mary and Anne in this photograph, is my father. **c)** *by* her in the corridor and went straight to his office. **d)** *before* us all. **e)** *behind* after work – my missus won't like it ! **f)** *beyond* the Green Line, we had the impression we had left democracy behind us.

F. *Mettre les phrases suivantes dans le bon ordre:*

1. so / I /shameful... / feel. by / we / what / did / and / Europeans / to / kill / was / them / other / stand / watch / each. **2.** on obscure points / he had / The / in his work / beyond / doing research / interest / went / of sociolinguistics. **3.** invisible barrier / an / which stands / my generation / There is / and that / between / of my parents. **4.** had / to / They / wanted / why / beneath / all / know / she / married / her(self). **5.** I'm / all my / lagging / other colleagues ! / behind / already / results / handed in / the / They've. **6.** two / tribunal / before the / after / been sacked. / I remember / came / industrial / only / years / she had / that her case.

REVISION 5 :

Down, In, Into, Of, Past, Round

A. *Savez-vous le dire en anglais ?*

❑ *se lier d'amitié*	**1. to squeeze into**
❑ *minimiser*	**2. to push past**
❑ *remettre en mémoire*	**3. to fall in (with)**
❑ *s'entasser dans*	**4. to show round**
❑ *bousculer en passant*	**5. to play down**
❑ *faire visiter*	**6. to remind somebody of**

B. *Thème*

1. Posez les boîtes ici. Je vais appeler le patron. **2.** Une fanfare jouait sur le quai à l'arrivée du train qui amenait les travailleurs immigrés. **3.** Les écoliers voulaient rester ensemble et ils ont réussi à tous s'empiler dans le même bus. **4.** Ils l'ont prévenu de tous les dangers qu'il courrait en quittant ce pays(-là). **5.** Il est passé si vite, m'effleurant à peine, que je ne me suis pas rendu compte qu'il m'avait volé mon portefeuille. **6.** Il est passé à 16 heures pour voir / rencontrer mon cousin américain qui est d'origine africaine.

C. *Compléter les phrases suivantes :*

former tutor ; easily ; a better job ; the matter ; of funds ; off the Sicilian coast

1. The spacecraft *splashed down* in the Mediterranean ...... **2.** He *lives in* hope of ...... and an improved lifestyle. **3.** John had financial problems and his boss promised to *look into* ...... and see if they could help him. **4.** We *ran out* ...... and had to give up the project. **5.** He ran past his ...... without stopping to say 'Hello'. **6.** In Paris, you can *get round* ...... by metro, *RER* and bus.

D. *Trouver les particules qui manquent :*

round ; of ; in ; past ; into ; down

1. Every time I *sit* ...... on this wooden bench, Greedy – that's my cat – starts purring. **2.** Darling, could you get me another

Agatha Christie book when you *stop* . . . . . . at your parents' tomorrow evening ? **3.** It all happened so quickly – Jeff *waded* . . . . . . Mr. Birks and wounded him with a pen-knife. **4.** Why should they ask him to *be in charge* . . . . . . all the supervising while the director is holidaying in the Seychelles ? **5.** He wouldn't *put* it . . . . . . his daughter to give up her job and leave the family house to settle down in New Zealand. **6.** I need you to hand the drinks . . . . . . at next week's party.

E. *Trouver les verbes qui manquent :*

had charge ; beat ; spinning ; walked ; put ; sign

1. If they ask you to pay 500 F for that answering machine (answerer), try to . . . . . . them *down* to 400 F. I don't think it's worth more than that. **2.** If you refuse to . . . . . . *in* your name at the Ministry, you won't be allowed to go up to the Archives. **3.** They . . . . . . a lot of time and energy *into* the project they submitted last year. **4.** After graduating, he found a job in which he . . . . . . *of* all the department. **5.** They . . . . . . *past* the old lady who was trying to cross the street and offered no help. **6.** When you practise karate you are taught how to turn round quickly by . . . . . . your body *round*.

F. *Trouver les verbes et les particules qui manquent :*

coming in ; broke into ; get rid of ; push past ; took down ; crowded round

1. She . . . . . . everything that was said at the meeting and a week later we received the minutes. **2.** News was . . . . . . that they had put off the signing of the peace treaty. **3.** The burglars . . . . . . our house the other day and stole my father's brand new computer. **4.** Have you seen all these ants invading our house ! How can we . . . . . . them ? **5.** People in the underground usually . . . . . . you. I find it terribly rude, especially when they don't excuse themselves. **6.** They all . . . . . . the actress asking her questions about her latest film.

REVISION 6 :
From, In, On, Out, Over, Up

A. *Savez-vous le dire en anglais ?*

❑	*éclater de rire*	**1. to drop in**
❑	*vérifier*	**2. to talk over**
❑	*visiter à l'improviste*	**3. to burst out laughing**
❑	*compter sur*	**4. to hear from**
❑	*discuter*	**5. to check up**
❑	*recevoir des nouvelles de*	**6. to count on**

B. *Thème*

1. Si vous vous retirez maintenant, comment allons-nous terminer le projet ? **2.** Elle a été retardée par la circulation – c'est la raison pour laquelle elle est arrivée en retard. **3.** Nous avons, pour la plupart d'entre nous, été bernés lors de sa réunion concernant la création d'une entreprise de commercialisation. **4.** Il me fut demandé de ne pas révéler à mon personnel que le premier ministre de Ruritanie allait visiter notre usine. **5.** Vous ne devez jamais signer et soumettre un document officiel sans l'avoir vérifié. **6.** Ils sont tous les deux originaires de Sainte-Lucie.

C. *Trouver les particules qui manquent :*

up ; over ; up ; in ; from ; out

1. He wanted to go to the concert with his girlfriend but the tickets were all sold . . . . . . *(épuiser)* **2.** We had a meeting with the manager who told us to keep the prices . . . . . . to the 1993 level until the forthcoming elections. *(maintenir)* **3.** We all have to hand . . . . . . a piece of homework every other week. *(remettre)* **4.** My grandmother is fed . . . . . . with all the door-to-door salespeople who call on her every single day of the week. *(rendre visite)* **5.** Let's go to a café and talk things . . . . . . a cup of tea. *(parler de, discuter de)* **6.** Remember to get in touch with the police if you don't hear . . . . . . me by the end of next week. *(recevoir des nouvelles de)*

D. *Trouver les verbes qui manquent :*

freezes ; be ; keep ; come ; check ; beaten

1. I phoned him twice but he's not at home, he must . . . . . . *out* for the whole afternoon. **2.** Poor Mrs. Murray ! Last night she was . . . . . . *up* by two hooligans on her way home. She's in hospital now. **3.** Remember our flight is at 5 p.m. and we have to . . . . . . *in* at 3 p.m. **4.** . . . . . . *on*, John ! Don't let him beat you ! You can win ! **5.** We live near a lake which . . . . . . over in winter. The children have great fun skating on the ice. **6.** They tried to . . . . . . him *from* sending the letter to the prime minister…

E. *Trouver les verbes et les particules qui manquent :*

turn over ; eat out ; protect from ; took on ; cut in ; draw up

1. They usually . . . . . . when the maid is away as Mary hates cooking. **2.** Make sure the agreement they . . . . . . mentions your wife's maiden name. **3.** It is extremely rude to . . . . . . like that when your parents are talking about important matters. **4.** They . . . . . . three young girls to look after their sextuplets while they were touring Spain. **5.** He decided to . . . . . . the documents . . . . . . to the inspectors who had come from Cambridge to probe him on the matter. **6.** I can lend you my umbrella to . . . . . . you . . . . . . the sun.

F. *Utiliser les verbes et particules suivants pour compléter les phrases :*

I. throw ; try ; read ; suffers ; live ; thought
II. from ; in ; over ; on ; out ; up

1. A bouncer's job is to . . . . . . people who become drunk . . . . . . of the nightclub. **2.** It was my sister who . . . . . . this clever idea. **3.** The job he's got allows him to . . . . He won't need to look for accommodation. **4.** I'd like to . . . . . . the black suit first. **5.** I only have time to . . . . . . this chapter. I'll ask my wife to correct the mistakes. **6.** She . . . . . . persistent tummy trouble.

REVISION 7 :
For, Forth, Forward, From

A. *Savez-vous le dire en anglais ?*

- ❑ *être à la recherche de* — **1. to differ from**
- ❑ *s'aventurer* — **2. to stem from**
- ❑ *attendre avec impatience* — **3. to fall for**
- ❑ *être en désaccord* — **4. to look for**
- ❑ *être attiré par* — **5. to look forward to**
- ❑ *être issu de* — **6. to venture forth**

B. *Thème*

1. Le match de foot était commencé et nous décidâmes de nous diriger vers le terrain sans attendre les enfants. **2.** Son message à la télé a provoqué une avalanche de lettres. **3.** Le conseil des ministres a été avancé à 9 heures parce que le premier ministre devait partir à 11 heures. **4.** Sa peur provient d'un manque de confiance en soi. **5.** Contempler ma collection de vieilles voitures américaines me procure une grande satisfaction. **6.** Elle a craqué pour mon frère dès leur première rencontre.

C. *Compléter les phrases suivantes :*

go away for ; look forward to ; went forth ; came forward ; heard from ; came for

1. She . . . . . . *(venir chercher)* her money twice last week, but you were not there. **2.** The order . . . . . . *(promulguer, décréter)* that all the enemy soldiers had to hand in their weapons. **3.** They all . . . . . . *(offrir [aide])* to help my friends who had just arrived from the war zone. **4.** We haven't . . . . . . *(avoir des nouvelles de)* Mary, lately. Have you ? **5.** How long are you planning to . . . . . . *(s'absenter)* ? **6.** We . . . . . . *(attendre avec impatience)* receiving an early reply.

D. *Trouver la seconde moitié de chaque phrase :*

I.

1. The two politicians are *jockeying* **2.** The US Congressmen have *put* **3.** I suppose your project is *going* **4.** Both girls *come* **5.** The girls hate him because he always *thrusts* himself **6.** Mr. Vowtcher refuses to *vouch*

II.

a) *forth* a bill to ban advertising on tobacco. **b)** *from* extremely wealthy families. **c)** *for* the presidential elections. **d)** *forward* as the best dancer of the group. **e)** *for* his son's behaviour at school. **f)** *forward* all right ?

E. *Trouver les particules qui manquent :*

for ; forth ; for ; forward ; from ; forward

1. The taxi *came* . . . . . . you after you'd left. **2.** You'll have to *set* . . . . . . your arguments in the correct order if you want to be really convincing. **3.** The money he owes my company has been *carried* . . . . . . from month to month. **4.** They have always *shied away* . . . . . . telling their personnel the truth about the company's future ventures in the Bahamas. **5.** Whenever he works late at night, he cannot help *hankering* . . . . . . a banana sandwich. **6.** The meeting time was *brought* . . . . . . to 5 p.m. as 9 p.m. would have been too late for those of us who live in the suburbs.

F. *Trouver les verbes qui manquent :*

make ; pushed ; infer ; reading ; got ; make ; differ ; looking; faxed ; knew ; catch ; came

1. Listen! If you're . . . . . . *for* trouble, you're barking up the wrong tree. **2.** It was the Emperor of Japan who . . . . . . *forth* first when the door was opened. **3.** We all . . . . . . *forward* to . . . . . . a glimpse of the Beatles. **4.** What did your 'dear' boss . . . . . . from the trade figures we . . . . . . him last week? **5.** My two colleagues . . . . . . *from* me on what use to . . . . . . of this second-hand computer. **6.** On Friday afternoons, most Parisians . . . . . . *for* the countryside. **7.** His two brothers are both . .

. . . . *for* a degree in Science and Technology. **8.** I wish I . . . . . . where they . . . . . . that database programme *from*.

REVISION 8 :
Back, Out, Past, Round, Through, To

A. *Savez-vous le dire en anglais ?*

❑	*rapporter*	**1. to agree to**
❑	*quitter (en signe de protestation)*	**2. to read through**
❑	*bousculer en passant*	**3. to call round**
❑	*rendre une courte visite*	**4. to push past**
❑	*lire en entier*	**5. to walk out**
❑	*consentir*	**6. to bring back**

B. *Thème*

1. Cette coutume remonte au XVIe siècle. **2.** Il y a aussi des étudiants qui abandonnent avant la fin de l'année universitaire. **3.** La voiture me dépassa et s'arrêta devant l'église. **4.** Ils se sont tous rassemblés autour de la maîtresse d'école. **5.** La maladie de sa sœur a été une période très difficile à traverser. **6.** Il m'est venu à l'esprit qu'elle pouvait être amoureuse de Hugues.

C. *Compléter les phrases suivantes :*

objected to ; walks past ; moved round ; drive back ; skimmed through ; checked out

1. We had to . . . . . . *(retourner)* to the police station when Stanley discovered he had lost his passport. **2.** The incident at the airport happened after we had . . . . . . *(sortir)* **3.** She always . . . . . . *(dépasser, passer)* me without saying 'Hello'. **4.** He . . . . . . *(parcourir)* the magazine and liked it so much that he decided to buy one for his sister. **5.** He . . . . . . *(contourner)* the obstacle which helped him get the job. **6.** He . . . . . . *(s'opposer à)* my going to the opera with my stepmother !

D. *Trouver les particules qui manquent :*

round ; back ; to ; through ; past ; out

1. If you *phone* me . . . . . . after two, I'll give you her address. **2.** He was *kicked* . . . . . . of his job last autumn. **3.** The student *brushed* . . . . . . the teacher in the corridor. **4.** If you insist on wanting to go to Chile, I shall have to *talk* your father . . . . . . **5.** Just *talk* it . . . . . . with your parents and I'm sure they will help you. **6.** They usually *refer* . . . his books whenever they talk about that topic.

E. *Trouver les verbes qui manquent :*

handed ; pulled ; aspired ; brushed ; went ; rule

1. Now that they have . . . . . . him *back* to health, he will be able to lead a normal life. **2.** We cannot . . . . . . *out* the fact that what was published was really authentic. **3.** The minister . . . . . . *past* the photographers and entered the building. **4.** The teacher . . . . . . *round* the song books before the concert. **5.** He . . . . . . *through* all the titles, but the one which interested him most had not been listed. **6.** He told the press that he . . . . . . *to* strong leadership for the benefit of his country.

F. *Trouver les mots ou groupes de mots qui manquent :*

set to help me ; makes her think back ; pushed past my mother ; Why is he sticking out ; to leaf through the magazines ; ask the Smiths round

1. This storybook . . . . . . to the one she had when she was in Egypt. **2.** . . . . his tongue at you ? Tell him not to do that again. **3.** The young teenager . . . . . . in the crowded department store ; he didn't even stop to apologise. **4.** "Darling, shall we . . . . . . next Saturday ?" **5.** "You're not allowed . . . . here !" **6.** As soon as he arrived home he . . . . . . and this set a good example to his brothers and sisters.

G. *Mettre les phrases suivantes dans le bon ordre :*

1. bounce back / to buy one / This ball will not / made of special rubber. / made of wood. / as it's / You'll have / **2.** tomorrow afternoon. / the report on / please write out / we'll / your word processor… / send it off / Could you / **3.** my cousin / says that / as a hermit. / My father always / he wouldn't put it past / in the mountains / to go and live / **4.** took the documents / before he / the attaché case. / Tim looked round / out of **5.** his secretary / get through to / after telling / the director / for over two hours. / I managed to / that I had been on the phone / **6.** of teaching a week / a decent living. / can run to 30-35 hours / to earn / A 'ghost' teacher's workload / if he / or she wants /

H. *Trouver les mots qui manquent (la première et la dernière lettre vous sont données) :*

1. Now… er… to get b _ _ k to what I r _ _ d in t _ _ s morning's daily… I think that we o _ _ t to send a l _ _ _ _ r to the Editor. **2.** Watch o _ t for our new products i _ your c _ _ _ _ _ y. We're planning to launch t _ _ m sometime in t_e spring. **3.** He brushed p _ _ t me as he went to g _ t himself a d _ _ _ k from the bar. **4.** June 1994 came r _ _ _ d and he still hadn't finished the b _ _ k. **5.** He told me that the money he gave his daughter would see her t _ _ _ _ _ h until the e _ d of the summer holidays. **6.** This train will get you t_ Lille and f _ _ m there you will h _ _ e to take a t _ _ i.

MORE EXERCISES !

A. *Trouver le verbe qui manque (attention au temps !) :*

clear ; end ; hold ; dream ; call ; look ; mix ; stop ; blow ; tie ; get

1. They wanted to . . . . . . *up (faire sauter)* the Sheriff's Office. **2.** The remains of the food had been . . . . . . *away (enlever, débarrasser)* from the kitchen table. **3.** They . . . . . . the black stuff, which looked like chocolate, *into (incorporer à)* the white cream. **4.** I . . . . . . *about (rêver de)* the cake I had eaten at my grandmother's. **5.** We . . . . . . *off (descendre de)* the boat and hailed the first taxi we could spot. **6.** They . . . . . . *up (amarrer)* the boat firmly at the quayside. **7.** She . . . . . . *off (faire un arrêt à)* for a night in Geneva and took the 9 o'clock plane the next day. **8.** . . . . . . *back (repenser à [rétrospectivement])* on all this, I just can't understand how he managed to kill both the horse and the cow. **9.** Please don't . . . . *out (appeler à haute voix)* my name in the street. You may . . . . . . *up (se retrouver en)* in gaol (GB) / jail (US). **10.** . . . . . . the flag *up (lever)* so that the Pope can see it.

B. *Trouver la particule qui manque dans chacune des phrases :*

up ; into ; about ; away ; up ; about ; out ; along ; down ; up

1. He *looked* . . . . . . *(détourner le regard de)* every time her eyes met his. **2.** Every time he *sets* . . . . . . *(poser)* his glass on the table, it just means that he wants another drink. **3.** She always *finished* . . . . . . *(terminer)* first. **4.** Did you *get* . . . . . . *(se lever)* early this morning ? **5.** They went on board the *HMS Centaur* and were entertained by the sailors who were all *dressed* . . . . . . *(se déguiser en)* as pirates. **6.** The boat was sailing . . . . . . *(naviguer le long de)* the coast while we were sunbathing on the beach. **7.** Every morning after a quick shower we would help mother *lay* . . . . . . *(préparer)* breakfast on the dining room table. **8.** My brothers and cousins *piled* . . . . . . *(entrer en se serrant)* the boat and waited for the captain's signal. **9.** They *played* . . . . . .

(s'amuser, jouer) in the sand while I was reading a detective novel. **10.** Stop *messing* . . . . . . *(s'amuser en se salissant)* in the garden and remember to wash your hands before you come in for lunch.

C. *Trouver le verbe et la particule qui manquent pour chacune des phrases :*

took aside ; make up ; go out ; peered into ; peered up ; ties around ; swam off ; take along ; swung round ; clinging to ; drove away

1. The plastic object . . . . . . *(tourner)* the green pole and hit the man's head. **2.** They poured some petrol into the tank and . . . . . . *(démarrer).* **3.** He couldn't . . . . . . his mind *(se décider)* as there were hundreds of toys to choose from in the catalogue. **4.** They . . . . . . *(nager loin des)* the rocks as there were no sandy beaches around the island. **5.** It was so beautiful – I mean – all those plants . . . . *(se coller à)* the rocks. **6.** Next time you . . . . *(aller)* fishing . . . . the boy . . . . *(emmener)* with you. **7.** He . . . . *(regarder à l'intérieur de)* the chimney but the little bird was not there. **8.** The dentist . . . . *(regarder dans)* my mouth before he pulled out my wisdom tooth. **9.** He . . . . him . . . . *(prendre à part)* and gave him a small brown box which had belonged to his wife's cousin. **10.** My mother has an old apron which she . . . . *(attacher autour de)* her neck.

D. *Compléter les verbes à particules suivants en ajoutant des voyelles :*

1. She b _ nt _ v _ r *(se pencher)* and kissed me goodbye. **2.** She was seduced by all the beautiful voices she h _ _ rd _ r _ _ nd *(entendre autour de)* her. **3.** Blood was c _ m _ ng _ _ t _ f *(sortir de)* his wound and the doctor was nowhere to be seen. **4.** They tortured him for over 6 hours until he sp _ t _ _ t *(cracher [le morceau])* the truth. **5.** His mother took him to hospital as he couldn't br _ _ th _ thr _ _ gh *(respirer par)* his nose. **6.** When you l _ _ k _ cr _ ss *(regarder à travers)* the piece of land he bought, you can see some beautiful little houses with gardens around them. **7.** He s _ t _ _ t *(se mettre en route)* early in the morning and reached home at 11 p.m. **8.** I caught my cousin red-handed ! He was pry _ ng _ nt _ *(fouiller, fouiner dans)* my father's desk. **9.** He usually sp _ nds 3 nights a week _ w _ y fr _ m *(passer loin de)* home. **10.** The prisoners d _ s _ mb _ rk _ d _ nt _ *(débarquer sur)* the pier and were led up to the prison which is on top of the hill.

E. *Mettre les mots suivants dans les vides :*

-side; -hen ; -rope- ; loo- ; -as, -own ; pen- ; -cult- ; -or ; -ant ; wind- ; go- ; kiss- ; -stand ; -he ; -rob- ; ask- ; -king ; -at ; -is ; -rid- ; herd- ; pick- ; -way ; for- ; an- ; we- ; hear- ; -witch-

1. He s____ed on *(allumer)* the telly and sat d____ *(s'asseoir)* be____ me. **2.** They decided to give him a____ *(dénoncer)* to the police. **3.** We were all _____ed into *(entasser dans)* a small room by the serge____ major. **4.** He was ____ed to step _____ward *(s'avancer)* ____d admit his crime. **5.** W____ are they ____ing to put out *(éteindre)* t____ lights ? **6.** He w____ having diffi____ies wor____ out *(résoudre)* the p____lem p____rly. **7.** If you ____k out of *(regarder par)* the ____ow, you'll under____ why I want him to stay in *(ne pas sortir)*. **8.** She _____ed up *(ramasser)* the ____cil from the flo____ and gave it to her s____ter. **9.** He s____ up in *(s'asseoir dans)* bed when he ____d his mother's footsteps in the cor____or. **10.** She ____nt over to *(aller vers)* him and ____ed him on both cheeks.

F. *Anagrammes !*

1. She *tog tou fo* (= . . . .) *(sortir de)* the taxi and asked the driver to wait for her. **2.** When the big fish *bogbeld pu* (= . . . .) *(engloutir)* the small fish, all the children watching the video film started crying. **3.** The prime minister shook my father's hand and then *vomed waya ot* (= . . . .) *(s'éloigner pour aller vers)* a group of schoolchildren. **4.** We have a new colleague who likes *preeing revo* (= . . . .) *(regarder par-dessus)* our shoulders whenever he comes to our department. **5.** She was seen *nealing vero* (= . . . .) *(se pencher par-des-*

sus) their shoulders trying to decipher the messages they were keying into the computers. **6.** The minute she *tes foto no* (= . . . .) *(mettre pied sur)* British soil, she knew she was in safe hands. **7.** He had to *porter ot* (= . . . .) *(faire un rapport à, rendre compte à)* the CEO (US) / MD (GB) every other week. **8.** "Rain, rain, *og yawa* (= . . . .) *(s'en aller)*, *omeC kacb* (= . . . .) *(revenir)* another day, Little Johnny wants to play." **9.** She could *teg* (= . . . .) nothing *tuo fo* (= . . . .) *(obtenir de)* the civil servant even though she tried to bribe him. **10.** My grandfather *pottied tou* (= . . . .) *(sortir sur la pointe des pieds)* of his bedroom and went straight to the fridge which was, at the time, in the cellar !

G. *Faire des phrases avec les mots ou expressions suivants tout en gardant l'ordre donné. Certains verbes doivent être conjugués :*

1. He stopped / to whistle / the moment / she walked / of *(quitter)* / main building. **2.** Feeling / little bored, / he set about / to do *(commencer à faire)* / housework. **3.** "You can't get / with *(s'en tirer [à bon compte], en être quitte)* / answer like that. I want / whole truth ! D'you understand ?" **4.** He refused / stop / listen to what I had / say – he just went / with *(continuer)* / work. **5.** He took / knife / sliced / watermelon open *(couper en deux)*. / inside was of / pale red. **6.** /strange smell filtered through *(passer à travers, s'infiltrer)* / opening / wall. **7.** He got / bed / waited for his mother / come and help him put / trousers on *(mettre)*. **8.** He learned how / cope with *(faire face à, affronter)* life / his early days when they / to live / south. **9.** It's not worth / to go / away *(partir)* just for / Christmas holidays. **10.** They all / to start / singing / minute Tommy climbed / *(monter dans)* / car.

H. *Mettre les groupes de mots suivants dans le bon ordre :*

1. the cover / You can fold / it's really practical. / back and forth – *(rabattre en avant et en arrière)* / **2.** into *(aménager, reconvertir en)* a sauna / the kitchen / They converted / for their Nordic guests. / **3.** in the room / with all the presents. / All the children / as Father Xmas / were quivering with *(trembler* *de)* joy / entered the room / **4.** spurred on *(encourager)* / in the stadium. / by the shouts of their fans / They ran faster and faster, / **5.** was catapulted out *(projeter dehors)* / on to the pavement. / who was sitting next to the driver's seat / My father, / **6.** just lean your head back *(pencher [la tête] en arrière)* / bleeds again, / and call me. / If your nose / **7.** by the singer's bodyguards. / but was pinned down *(immobiliser)* / He tried to escape / on the floor / **8.** one of our / screaming speed. / super-high performance RAM cards / Pop in *(mettre, installer)* /and you'll get / (Comput) **9.** and reinstalled / on your hard disk can be loaded off *(désinstaller)* / which you installed / The software programme / on another one. / **10.** don't you call us ?" / Then why / broken down (*tomber en panne*) ? / "Has your computer /

I. *Trouver les lettres qui manquent : chaque tiret correspond à une lettre !*

1. All your pia_ _ sounds will b_ converted in_ _ *(convertir)* electric sig_ _ _ _ which your comp_ _ _ _ understands. (Comput) **2.** Buy our progr_ _ _ _ today and save o_ *(faire des économies)* future increa_ _ _. (Comput) **3.** He uses 'Save-M_', a public doma_ _ programme that c_ _ back up *(sauvegarder)* fil_ _ automatically. (Comput) **4.** My impres_ _ _ _ is that quite a num_ _ _ of readers fell fo_ *(s'enthousiasmer pour)* the font wi_ _ a handwriting-ish feel whi _ _ is also the one I ha_ _ been using a_ home for a ye_ _ . (Comput) **5.** All the peripherals wi_ _ have to b_ hooked u_ *(connecter)* before o_ _ off_ _ _ becomes faxable. (Comput) **6.** Rosette wo_ _ _ like you to pr_ _ _ out *(imprimer)* this scanned ima_ _ ... now th_ _ you've go_ a col_ _ _ printer ! (Comput) **7.** They ha_ _ built i_ *(incorporer)* new feat_ _ _ _ such as automatic hyphenation a_ _ indexing in t_ _ latest vers_ _ _ which w_ _ released last we_ _ . (Comput) **8.** To type capital let_ _ _ _, hold do_ _ *(tenir enfoncé)* the SHIFT key on the com_ _ _ _ _ keyboard. (Comput) **9.** I've tried t_ start u_ (*démarrer*) my co_ _ _ _ _ _ but it won't wo_ _ ; I keep on get_ _ _ _ an error mes_ _ _ _ which reads "I'm sick o_ you and your w_ _ _ !" (Comput)

10. Extension a_ _ Control Panels i_ a computer system c_ _ , most of the ti_ _ , slow down (*ralentir*) th _ hard dis_. (Comput)

J.

a) *Faire correspondre les deux parties I et II pour obtenir une seule phrase ;*
b) *Mettre l'équivalent en français de chacun des verbes à particule dans l'emplacement réservé*

> **transformer en ; comparer les prix ; travailler sur ; guider à travers ; noter ; parler de ; remettre [à plus tard] ; accélérer ; jeter ; désactiver**

I.

1. You can turn off (= ________) the Extension and Control **2.** Every time I use a computer I write down (= ________) the time it has taken me **3.** I've been putting off (= ________) buying more memory **4.** To speed up (= ________) this process, you will **5.** Shop around (= ________) until you find a **6.** What did we talk about (= ________) **7.** Why did you throw your computer away (= ________) ? **8.** They transformed all the B&W printers into (= ________) **9.** Remember to save the file you're working on (= ________) **10.** This programme will take you through (= ________) the process

II.

a) ________ chips for my computer simply because the cost of having them installed is too high. (Comput) **b)** ________ have to get yourself a fast printer. (Comput) **c)** ________ panels which you intend to use at startup by using an Extension Manager programme. (Comput) **d)** ________ last month ? **e)** ________ You could have given it to me even if it didn't work properly. **f)** ________ to use the programme for a particular task. (Comput) **g)** ________ before you leave the computer room for a tea break. (Comput) **h)** ________ of drawing all sorts of shapes. (Comput) **i)** ________ good word processing (WP) programme. (Comput) **j)** ________ colour printers. (Comput)

MATCH UP THE PROVERBS !

Faire correspondre les deux parties (I. et II.) pour obtenir un proverbe.

A.

I.

1. Old age comes on **2.** We must make **3.** A soft answer **4.** Eating brings on **5.** An apple a day **6.** To come to arrangement **7.** An ass is an ass, **8.** Assist him who is carrying his burden **9.** Don't takc the bear **10.** It is easier for a camel to go through the eye of a needle,

II.

a) __ turns away wrath. **b)** __ keeps the doctor away. **c)** __ though laden with gold. **d)** __ by the tooth. **e)** __ allowance for youth. **f)** __ is better than going to law. **g)** __ without our having given it a thought. **h)** __ than for a rich man to enter into the Kingdom of God. **i)** __ appetite. **j)** __ but by no means him who is laying it aside.

B.

I.

1. Don't hold a candle **2.** If the cap fits, **3.** Don't put the cart **4.** When the cat is away, **5.** Don't count your chickens **6.** Keep to the code **7.** It's no use crying over **8.** The culprit must pay for **9.** We must put something by **10.** Holy Water drives away

II.

a) __ the mice will play. **b)** __ and keep alive. **c)** __ the damage. **d)** __ the devil. **e)** __ for a rainy day. **f)** __ put it on. **g)** __ spilt milk. **h)** __ before the horse. **i)** __ before they are hatched. **j)** __ to the sun.

C.

I.

1. Never shrink **2.** He came safe from the West Indies, **3.** Don't put all your eggs **4.** Never fall out with **5.** If you would enjoy the fire, you must **6.** When the fox preaches, **7.** When the fruit is ripe, **8.** We've got to go **9.** Every pretty girl likes **10.** It's easy to say :

II.

a) __ put up with the smoke. **b)** __ it must fall off. **c)** __ through with it. **d)** __ to be flirted with. **e)** __ from duty. **f)** __ "Give it up" **g)** __ and was drowned in the Thames. **h)** __ into one basket. **i)** __ your bread and butter. **j)** __ beware of your geese.

D.

I.

1. Don't live from **2.** When you are hard up, **3.** A good horseman looks **4.** Don't ride your **5.** Always look people **6.** It is love that makes **7.** Give a man luck and **8.** March winds and April showers **9.** March comes like a lion and **10.** I'm from Missouri,

II.

a) __ the world go round. **b)** __ bring forth May flowers. **c)** __ horse to death. **d)** __ after his beast. **e)** __ throw him into the sea. **f)** __ hand to mouth. **g)** __ in the face. **h)** __ people turn away. **i)** __ you've got to show me. **j)** __ goes away like a lamb.

E.

I.

1. It's good to have money **2.** Don't make a mountain out **3.** Pack up your troubles **4.** Patience and time **5.** If you want peace, **6.** Roasted pigeons **7.** When poverty comes in at the door, **8.** Rely on **9.** Out of sight, **10.** Sleep

II.

a) __ love flies out at the window. **b)** __ out of mind. **c)** __ prepare for war. **d)** __ on it. **e)** __ in your old kit-bag. **f)** __ yourself only. **g)** __ to fall back on. **h)** __ don't fly through the air. **i)** __ of a molehill. **j)** __ run through the longest day.

F.

I.

1. Don't give up **2.** Summer fades **3.** There is no accounting **4.** The theory does not always **5.** Don't throw **6.** All threats are **7.** Time slips away **8.** We are always waiting **9.** It's no use trying to put **10.** Weight and measure

II.

a) __ for something to turn up. **b)** __ take away strife. **c)** __ not carried out. **d)** __ when one is busy. **e)** __ a quart into a pint pot. **f)** __ for taste. **g)** __ tally with the facts. **h)** __ the substance for the shadow. **i)** __ away your money. **j)** __ into Autumn.

G.

I.

1. Keep the wolf **2.** Don't put your head **3.** All are not thieves **4.** All's fish that **5.** Birds of a feather **6.** Burn not your house **7.** Constant dripping **8.** Don't cut the bough **9.** Don't empty the baby **10.** Don't pour out the dirty

II.

a) __ out with the bath water. **b)** __ flock together. **c)** __ water before you have clean. **d)** __ you are standing on. **e)** __ into the wolf's mouth. **f)** __ wears away the stone. **g)** __ to fright the mouse away. **h)** __ comes to the net. **i)** __ from the door. **j)** __ that dogs bark at.

H.

I.

1. Do not put new wine **2.** He who goes against the fashion **3.** He who peeps through a hole **4.** A house divided **5.** If one sheep leaps over the ditch, **6.** If you run after two hares, **7.** It is better to wear out **8.** The last drop makes **9.** Let not the sun go

II.

a) __ down on your wrath. – **b)** __ all the rest will follow. **c)** __ the cup run over. **d)** __ is himself its slave. **e)** __ than to rust out. **f)** __ may see what will vex him. **g)** __ you will catch neither. **h)** __ against itself cannot stand. **i)** __ into old bottles.

I.

I.

1. Many kiss the hand **2.** Never put off till tomorrow **3.** One must draw back **4.** Out of debt, **5.** Take care of the pence **6.** A tree is known **7.** What the eye doesn't see **8.** When in doubt **9.** When the wolf comes in at the door, **10.** You cannot get blood

II.

a) __ and the pounds will take care of themselves. **b)** __ out of danger. **c)** __ by its fruit. **d)** __ what may be done today. **e)** __ they wish to cut off. **f)** __ in order to leap better. **g)** __ out of a stone. **h)** __ love creeps out of the window. **i)** __ leave out. **j)** __ the heart doesn't grieve over.

MOTTOES !

A. *Trouver les particules qui manquent :*

for ; to ; from ; at ; for ; through ; for ; to ; with ; for

1. My glory is . . . . God. **2.** Aim . . . . all good. **3.** To provide . . . . everything. **4.** Industry leads . . . . honour. **5.** Let us strive . . . . the heights. **6.** Equip yourself . . . . wings. **7.** Aim . . . . high things. **8.** Look . . . . the end. **9.** He flourishes . . . . the honour of his ancestors. **10.** Prepared . . . . war and peace.

B. *Trouver les verbes qui manquent :*

come ; shall rise ; led ; take ; beware ; look ; come ; be worn ; aimed ; yield

1. . . . . of the dog. **2.** Let us . . . . to love. **3.** To decrease but not to . . . . away by rust. **4.** To accomplish things . . . . at. **5.** Learn or . . . . down. **6.** Learn to . . . . forth. **7.** Do well and do not . . . . round. **8.** . . . . through science. **9.** Our knights . . . . up arms. **10.** I . . . . again from fire.

C. *Trouver les mots qui manquent :*

expel ; God ; things ; sky ; of ; for ; with ; pay ; faith ; mind ; must ; it ; without ; here

1. From . . . . went forth the light. **2.** Do . . . . speaking. **3.** He will . . . . for attacking. **4.** We . . . . see . . . . through. **5.** I labour with . . . . **6.** Wish . . . . a strong . . . . . **7.** . . . . cares for us. **8.** Work . . . . hope. **9.** To . . . . the enemy from the . . . . . **10.** He reaches towards . . . . difficult . . . . attainment.

D. *Trouver les consonnes qui manquent; chaque vide représente une lettre :*

1. Fl_ing into t_e sky, thun_ering in_o the _ea. **2.** Loo_ into _he futu_e. **3.** We _ork to_ards the _uture. **4.** We bui_d on the ro_k. **5.** Seek tru_h amo_g tree_. **6.** To in_ercept a_d blot ou_. **7.** To go a_ai_st ad_ersity. **8.** Kee_ with t_e pack.

9. We _rotect fro_ the s_ies. **10.** Let the more ca_ry o_f the ho_ours.

E. *Trouver les voyelles qui manquent; chaque vide représente une lettre :*

1. I tr_vel acr_ss the inl_nd sea. **2.** It h_lps me to g_ thr_ _gh the deep. **3.** It has dr_ven me _nto a r_ck. **4.** Sink him in the sea, he c_m_s o_t fairer. **5.** I shall not tak_ my ey_s from the go_l. **6.** It harms to p_t _ff things prepared. **7.** All th_ngs sh_ll t_rn out well. **8.** Let pe_ce be mad_ thr_ugh the wat_rs of the r_ver. **9.** I have br_ught f_rth. **10.** I rise thro_gh diffic_lti_s.

F. *Mettre les mots suivants dans le bon ordre :*

1. fly / We / the / through / night. **2.** through / forth / Come / wisdom. **3.** what / We / on / carry / our / began / founder. **4.** I / go / am / on / and / ready. **5.** I / honour / forward / press / to. **6.** are / Things / safe / up / locked. **7.** wise / He / looks / who / forward / is. **8.** stars / He / places / among / himself / the. **9.** rise / over / Our / the / city / wings. **10.** and / pick / arise / up / To.

HIDDEN PHRASAL VERBS

1

S	G	P	L	O	O	K	E	D	U	P	P	H	P	T
E	H	I	U	Y	H	V	R	J	T	U	G	U	U	L
K	N	U	V	T	S	V	S	G	T	U	K	O	W	O
N	J	Q	T	E	U	C	G	O	O	A	E	T	E	O
O	U	M	U	U	U	P	G	R	E	M	B	A	N	K
C	M	Z	F	I	P	P	H	P	A	L	H	G	T	U
K	P	V	S	D	R	T	S	C	U	B	X	A	R	P
E	E	T	Q	T	N	E	W	W	V	C	Z	L	O	F
D	D	D	F	I	P	N	D	R	A	S	X	O	U	R
O	O	H	E	U	O	A	Z	A	I	S	I	N	N	O
N	N	M	T	T	Y	L	X	P	F	T	O	G	D	M
F	A	I	N	R	N	Q	T	Q	M	T	E	V	O	H
C	S	I	F	I	L	L	E	D	I	N	E	O	E	Y
X	O	G	E	T	O	N	W	I	T	H	B	R	U	R
G	C	L	I	M	B	I	N	G	A	B	O	U	T	T

I. *Trouver les 21 verbes à particules cachés*

1. .... **11.** ....
2. .... **12.** ....
3. .... **13.** ....
4. .... **14.** ....
5. .... **15.** ....
6. .... **16.** ....
7. .... **17.** ....
8. .... **18.** ....
9. .... **19.** ....
10. .... **20.** ....
21. ....

II. *Placer les verbes de l'exercice I. dans les phrases suivantes. Les chiffres entre parenthèses indiquent le nombre de lettres de chaque mot qui manque :*

1. Every morning she used to ____ ____ in bed and make a note of her dreams. (3, 2)
2. When your class mistress asks a question, just ____ ____ your hand and wait until she asks you to speak. (3, 2)

3. If you ____ ____ ____ your book again, you will be punished. (4, 2, 4)
4. Tell him to ____ ____ ____ his work! It's got to be finished by tomorrow morning at the latest. (3, 2, 4)
5. The fly ____ ____ ____ the door; it's there on the kitchen wall. (4, 2, 7)
6. I can't hear you very well ; could you ____ ____, please? (5, 2)
7. ____ ____ all the words in your exercise book. That is the only way to learn them. (5, 3)
8. He suddenly stopped reading the article and ____ ____. Jennifer had disappeared. (6, 2)
9. John came round the other day and ____ ____ your sister's health. (8, 5)
10. ____ ____ and do your work ! (4, 2)
11. He ____ ____ the form and sent it to the personnel manager. (6, 2)
12. She ____ ____ from her desk and went to see if she could find the missing files and folders. (3, 2)
13. As soon as the concert ____ ____ they all rushed to the nearest metro station to catch the last train home. (3, 4)
14. He ____ ____ the door and waited… (7, 2)
15. During the party he ____ ____ asking the guests all sorts of ambiguous questions. (4, 5)
16. Tim saw the boy ____ ____ the cave and waited there until he ____ ____ again. (2, 4) - (4, 3)
17. The gangster ____ ____ the policeman with a knife in his hand. (6, 2)
18. We used to ____ ____ with Grandad everywhere he went. (3, 5)
19. The animals we saw were ____ ____ peacefully on the mountains. (8, 5)
20. You must ____ ____ trying to speak to her IMMEDIATELY! (4, 2)

2

C	P	S	H	C	H	A	N	G	E	I	N	T	O	G
A	S	I	E	U	G	O	I	N	G	A	W	A	Y	N
M	U	W	C	N	N	L	A	I	D	O	U	T	O	P
E	M	I	A	K	T	G	L	L	D	X	J	G	U	T
T	M	T	P	L	E	O	U	K	C	I	N	E	U	P
H	O	U	U	W	K	D	N	P	U	A	C	O	H	U
R	N	R	Z	E	W	E	U	N	H	A	B	B	W	T
O	E	N	Z	N	N	A	D	P	L	A	U	P	D	D
U	D	E	L	T	T	R	A	T	G	P	X	H	N	O
G	U	D	E	O	H	Q	T	N	H	D	U	Q	V	W
H	P	A	O	F	Z	A	I	I	Q	R	J	T	G	N
Q	R	W	U	F	K	K	V	R	T	E	O	C	O	A
I	G	A	T	O	L	S	Y	Y	O	B	F	U	J	N
K	B	Y	O	A	P	U	L	L	E	D	U	P	G	P
D	K	L	W	E	S	A	T	A	R	O	U	N	D	H

I. *Trouver les 20 verbes à particules cachés*

1. .... **11.** ....
2. .... **12.** ....
3. .... **13.** ....
4. .... **14.** ....
5. .... **15.** ....
6. .... **16.** ....
7. .... **17.** ....
8. .... **18.** ....
9. .... **19.** ....
10. .... **20.** ....

II. *Placer les verbes de l'exercice I. dans les phrases suivantes. Les chiffres entre parenthèses indiquent le nombre de lettres de chaque mot qui manque :*

1. The workers ____ ____ on the lawn and started singing Greek folksongs. (3, 6)

2. He ____ ____ his pen on the table and started talking to my mother. (3, 4)

3. She ____ ____ the rusty nail and put it on the living room table. (6, 2)

4. She ____ ____ the new table cloth on my sister's bed, so that we could all see it. (4, 3)

5. He still isn't able to ____ ____ his shoes. (4, 2)
6. Last Sunday she ____ ____ the pair of brown shoes her father had bought her, for the first time. (3, 2)
7. Stop ____ ____ in the house with that strange hat on. (7, 5)
8. The yellow suitcase which I reported as lost was ____ ____ to Manchester with yesterday's Air Malta flight. (4, 2)
9. You could see they were strangers in the town as they ____ ____ Republic Street. (6, 7)
10. If they ____ ____ you, just give them a smile. (4, 2)
11. He was ____ ____ to a distant land where there were hunters and traders. (5, 4)
12. He was immediately ____ ____ to the Dean of Faculty's office. (8, 2)
13. You should have ____ ____ your dirty shirt on the red peg. (4, 2)
14. In some Middle Eastern countries it is a custom to ____ ____ houseshoes (slippers) before you enter a house or a flat ; maybe that explains why their carpets are always clean, even in the winter! (6, 4)
15. ____ ____! Don't install off your printer yet. Jeremy wants to print out a file. (4, 2)
16. He ____ ____ his trousers and went out to the zoo. (6, 2)
17. As he ____ ____ to go, Mary, who had just arrived with Theodore, offered to give him a lift to the hotel. (6, 4)
18. He ____ ____ with his family to settle down in a new town called 'MushRoom City'. (4, 3)
19. I could see my students trying to ____ ____ the reasons why their classroom had been vandalised by unknown people. (6, 3)
20. I was sitting in the living room reading *The Sunday Times* (of Malta) when Charles ____ ____ the door with Desmona and asked me what the time was. (4, 7)

3

C	G	T	O	U	C	H	I	N	G	U	P	O	N	N
F	L	E	R	U	S	H	E	D	O	U	T	X	O	P
L	Z	E	T	C	O	O	K	E	D	U	P	G	U	Y
S	E	B	A	O	Q	N	Z	E	G	M	N	S	A	S
T	W	A	U	N	V	T	X	Z	L	I	K	W	G	T
R	R	T	N	B	O	E	T	U	O	O	A	X	T	O
O	O	O	X	O	B	U	R	G	O	G	W	I	E	O
D	T	O	B	M	U	L	T	C	N	F	F	K	S	D
E	E	K	K	H	X	T	I	I	P	D	H	U	T	B
I	D	O	W	B	P	P	G	N	Q	U	W	T	O	A
N	O	U	U	U	U	G	D	E	G	K	L	G	U	C
T	W	T	T	E	O	B	T	E	H	A	M	L	T	K
O	N	I	M	L	Y	G	M	S	F	Y	W	P	U	B
N	L	A	S	Z	P	U	T	I	N	T	O	A	E	P
Q	C	N	U	B	O	U	N	C	E	D	U	P	Y	E

I. *Trouver les 20 verbes à particules cachés*

1. .... **11.** ....
2. .... **12.** ....
3. .... **13.** ....
4. .... **14.** ....
5. .... **15.** ....
6. .... **16.** ....
7. .... **17.** ....
8. .... **18.** ....
9. .... **19.** ....
10. .... **20.** ....

II. *Placer les verbes de l'exercice I. dans les phrases suivantes. Les chiffres entre parenthèses indiquent le nombre de lettres de chaque mot qui manque :*

1. She was promoted for the first time in 1978. She has ______ ______ the ladder ever since, and has now got a top job in the same company. (7, 2)
2. She just can't ______ ______ the shock ... the only person we think can help her out is her grandmother. (3, 4)
3. He ______ ______ his pipe and asked my mother if he could have some of my father's tobacco. (4, 3)

4. The doctor examined his legs before he was allowed to ______ ______ his trousers. (4, 2)
5. Video game manufacturers use teenagers to ______ ______ their new software programmes. (4, 3)
6. He ______ ______ everything that went wrong while testing the product. (5, 4)
7. The two red pots were ______ ______ on the cooker, while my mother was busy feeding my baby brother. (8, 4)
8. My sisters always ______ ______ with interesting ideas whenever we had to remain indoors because of bad weather. (4, 2)
9. She ______ ______ of the building and ran all the way to the bus stop. (6, 3)
10. I am fully aware that every time I say the word 'death' in class I'm ______ ______ a taboo subject. (8, 4)
11. He usually ______ ______ interesting stuff to keep his students awake even when the subject matter is something utterly boring. (5, 2)
12. You may not leave the room while the examination is ______ ______. (5, 2)
13. It was a British spymaster who had ______ ______ the secret meeting between the two presidents during the war. (6, 2)
14. Be careful when you ______ ______ of the window! (4, 3)
15. When he first entered the company he was ______ ______ the Export Department. (3, 4)
16. It took them 5 hours to ______ ______ the kitchen together with the two bedrooms. (5, 3)
17. The prisoners had been ______ ______ washing up the place before the King's visit. (8, 4)
18. The general ______ ______ the building and ordered all the women who were present to leave at once. (6, 4)
19. They ______ ______ while the Prince had a look at the machines. (5, 4)
20. A look of joy ______ ______ his face as we approached the border ; not one soldier was there to block our way. (3, 2)

CROSS PHRASAL VERBS

1

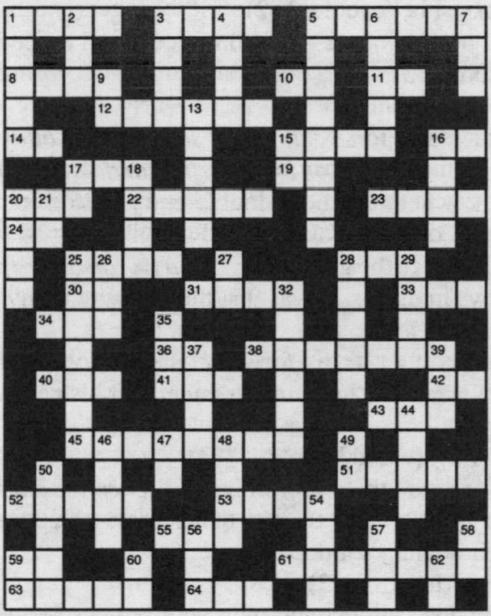

(N.B. Les chiffres entre parenthèses indiquent le nombre de lettres contenues dans le mot.)

Across : ⇨

1. *Une liste* (a ___) (4)
3. *Un visage* (a ___) (4)
5. They all s___d *up (= s'engager)* to spend 2 years with the army. (6)
8. Veterinary surgeons *(Abbr.)* (4)
10. *Je suis* (2)
11. Information Technology (*Abbr.*) (2)
12. She w___d *up (= s'approcher de)* to the general and told him she had decided to leave the army forever. (6)
14. *Se débarrasser de* (to ___ away with) (2)

15. These plastic sleeves can h___d *up to (= contenir)* one hundred and twenty-five postcards. (4)
16. *Je crois* (I believe ___) (2)
17. I ___ *on (= mettre - Prét.)* my coat and tiptoed out of the classroom. (3)
19. Opposite of 'out' (2)
20. He ordered us to ___ *down (= se coucher, s'allonger).* (3)
22. Why did you ___ *for (= poser sa candidature à)* this job if you know nothing about double-entry bookkeeping invented by Lucas de Burgo aka Lucas Pacioli? (5)
23. Nowadays it's the girls who ___ *up (= ramasser [péj.] - fam.)* the boys in discos. It was just the opposite in my time. (4)
24. *Fais ce que je dis* (Do ___ I say). (2)
25. He refused to s___p *forward (= s'avancer, faire un pas en avant)* when the headmaster called out his name. (4)
28. *Mais* (3)
30. *Voilà (Lit.)* (– and behold…) (3)
31. They r___e their motorbikes all *over (= aller partout à motocyclette-Prét.)* the city to celebrate the 20th anniversary of their country's independence. (4)
33. *Utiliser* (to ___) (3)
34. I really don't understand why your parents feel they have to l___y so much emphasis *upon (= mettre l'accent sur)* these futile matters. (3)
36. *Air conditionné (Abbr.)* (US) (2)
38. He used to do crossword puzzles while w___g *away (= tuer le temps- V+ing)* the long winter evenings. (7)
40. In some bookshops you are allowed to d___p *into (= parcourir)* the books you wish to buy. Some people take advantage of this and read the whole book. (3)
41. To be *(Prét.)* (3)
42. Extra Terrestrial *(Abbr.)* (2)
43. She ___ him *through (= rencontrer par l'entremise de - Prét.)* a relation of ours. (3)
45. The crowd which g___d *around (= se rassembler autour de, se regrouper -Prét.)* the old woman soon melted away when they heard the police whistles. (8)
51. *Mettez-vous là!* (Stand ___ !) (5)

52. He joined the army a week after the First World War b___e *out. (= éclater- Prét.)* (5)
53. He is 20 and he still can't l___k *after (= se débrouiller)* himself. (4)
55. *«Tout est bien qui finit bien»* ("___'s well that ends well"). (3)
59. *C'est moi* (It's ___). (2)
61. The red car was w___g *down (= descendre en se faufilant entre [les voitures] - V+ing)* the Champs-Elysées when it was stopped by a policewoman.
63. I was really surprised when she a___d me *out (= inviter quelqu'un à sortir-Prét.)* to dinner last Saturday evening. (5)
64. Ten minus four divided by three (3)

Down : ⇩

1. The men l___d *on (= vivre de - Prét.)* fish which was their staple diet (5)
2. *Se mettre en route* (to ___ forth) (3)
3. To integrate you have to f___l *into (= rentrer dans [une catégorie])* the pattern of the place where you live (4)
4. He has c___e *up with (= trouver)* a few ideas which are most probably going to make him a rich man. (4)
5. He was s___d *back (= reconvoquer)* the next day to the director's office but he refused to go. (8)
6. *Une meule* (a ___ing wheel) (5)
7. To do *(Prét.)* (3)
9. South-West *(Abbr.)* (2)
13. Whenever he goes to cocktail parties he always k___s himself well *apart from (= se mettre à part de, se tenir éloigné de)* his colleagues. (5)
15. *Salut !* (2)
16. *Se faire renvoyer* (to get the ___) (4)
17. Physical Education *(Abbr.)* (2)
18. The thief who was caned last Friday had to t___e his trousers *down (= baisser)* and kneel in front of all the villagers. (4)
20. *Atterrir* (to ___) (4)

21. No news ___ good news *(être)*. (2)
25. They've been s___g away *(=travailler comme des forçats - V+ing)* in the school library making a list of all the books written and published in the 19th century. (7)
26. *Jouet* (3)
27. In 1950, he left Marseilles to ___ *up to (= monter à, aller à)* Paris to make a fortune. (2)
28. A special memory board had been b___t *into (= installer, incorporer)* the generator we bought for our factory. (5)
29. *Se retourner contre* (to ___ against) (4)
32. His voice e___d *through (= résonner à travers - Prét.)* the long corridor whenever he needed his wife to come over. (6)
35. *Patte (de chat)* (3)
37. During the interval she c___e *up to (= venir vers - Prét.)* me and asked me if I had found the time to send her father a copy of the sales contract. (4)
39. As soon as you g___t *off (= descendre de)* phone my sister to tell her that we're all fine over here, and that she needn't worry. (3)
44. *Éternel(le)* (___lasting) (4)
46. Is it the wife or the husband who ___ *for (= demander)* a divorce in your country ? (4)
47. High Explosive *(Abbr.)* (2)
48. Food tasters usually take a bite of whatever they have to taste and r___l it *round (= retourner)* in their mouths. (4)
49. Street *(Abbr.)* (2)
50. *Essayer (3rd pers. sing.)* (5)
54. He usually cooks up interesting stuff to k___p *(garder)* his students awake, even when the subject matter is something utterly boring. (4)
56. *Allons-y !* (___'s go!) (3)
57. *J'ai* (– got a car) (3)
58. *Par exemple* (*Abbr.*) (2)
59. *Maman* (2)
60. If I were you, ___ give up smoking immediately. (2)
62. *Non* (2)

2

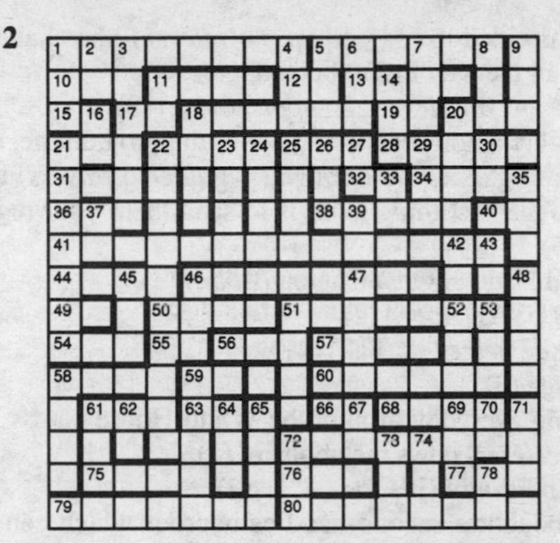

(N.B. Les chiffres entre parenthèses indiquent le nombre de lettres contenues dans le mot.)

Across : ⇨

1. We both think it would be completely unwise to t___n d___n *(= refuser, rejeter)* a job offer in the Bahamas. (4, 4)
5. They s___d us *around (= faire visiter - Prét.)* the factory and we were able to see the computers they use to manufacture their skis. (6)
10. Two hundred and forty-two divided by two minus one hundred and twenty (3)
11. *Héler un taxi* (to f___g *down* a taxi) (4)
12. *Oh !* (___ dear !) (2)
13. *Bombe atomique* (___ bomb) (4)
15. *Ou* (I met him once ___ twice when I was a student at the University of Malta) (2)
17. Los Angeles (USA) *(Abbr.)* (2)
18. Public Domain (PD) software can be s___d *around (= mettre en commun, partager -Prét.)* among all computer users. (6)
19. ___ apple *(art.)* (2)
20. *Ils travaillent pour moi* (They work ____ me). (3)
21. *Acheter* (to ___) (3)

22. She's decided to p___k *up (= relever)* the challenge and drive all the way to Timbuctoo. (4)
25. *Suivre un conseil* (to ___ *upon* advice) (3)
28. If you are a non-registered user of the programme, they will refuse to g___e you *through (= guider à travers)* the maze . . . so the best thing to do is to send them your registration fee. (5)
31. United Nations Organization *(Abbr.)* (3)
32. Ohio (USA) *(Abbr.)* (2)
34. *Boule de neige* (___ball) (4)
36. *Auberge* (3)
38. Jogging everyday around the White House can s___d *up (= accélérer)* one's metabolism. (5)
40. *C'est pour moi* (It's for ___). (2)
41. He's bought a second-hand camcorder which can be fully controlled by l___g t___h *(= regarder à travers)* its view-finder. (7,7)
44. To do, I did, I have ___ (4)
46. The waterfalls we saw were c___g *into (= tomber avec fracas, se précipiter dans)* the valley below. (8)
49. United States *(Abbr.)* (2)
50. *Pomponner quelqu'un* (to d___l *up* somebody) (4)
51. If you need further information just s___d o___f *(= expédier, envoyer, renvoyer)* the reply coupon. (4, 3)
54. He always ___s *off (= remettre qqch. à plus tard)* going to the swimming-pool with his wife and children. (3)
55. Hey look ! ___'s snowing ! (2)
56. *Doigt de pied* (3)
57. *Carte du ciel* (___ chart) (4)
58. *Robe (de juge)* (4)
59. Canada *(Abbr.)* (3)
60. Mars is now m___g *into (= entrer dans)* the sign of Pluto. (6)
61. We had to plan everything extremely carefully before we s___t *out (= commencer à faire)* to convince our fellow countrymen. (3)
63. *En or* (This spoon is made ___ gold) (2)
66. Oxford University *(Abbr.)* (2)
68. Do you need greater accuracy ? Then all you have to do is to

Z___M *in on (= faire un zoom (avant) sur, agrandir)* your drawing with the magnifying-glass tool which is on the left of your computer screen. (4)

72. You need to ___ ___ *(= réserver)* more time to do all the desk research. (3, 5)

75. The HELP file will t____e all computer users *through (= guider à travers)* a series of detailed tutorials. (4)

76. If you save every single file you create onto your hard disk, you will e___d *up (=finir par (ne pas avoir), se retrouver avec)* with no available space for more important data. (3)

77. Limited *(Abbr.)* (3)

79. We give the opportunity to anyone who c___s ___ *(= passer nous voir)* to test drive our new model vehicles. (5, 2)

80. Our new 'POWer SOap POWder' will w___h ___ *(=faire partir, enlever au lavage)* all the oil stains. (4, 4)

Down : ⇩

1. *Trop difficile* (___ hard) (3)

2. *Inconfortable* (___comfortable) (2)

3. They r___y o___ *(= dépendre de)* our technological know-how. (4, 2)

4. This is *neither* good ___ bad. (3)

5. *Elle* (3)

6. *«Si j'avais un marteau…»* ("If I ___ a hammer…" [US folk-song]). (3)

7. *Gagner (Prét.)* (3)

8. A pair (3)

9. *Oui, monsieur...* (Yes, ___) (3)

11. A note in music (2)

14. *Suivre une personne* (to t___g *after* somebody) (3)

16. Ran *(inf.)* (to ___) (2)

18. This feature is extremely useful to s___e *up (= redimensionner)* computer graphics. (4)

20. In this game you have to f___d your way *through (= retrouver son chemin à travers)* the narrow corridors of a haunted castle in Scotland. (4)

21. You can b___d ___ *(= établir, créer)* your own database system with our software programme called 'BIB-LEE-OH'. (5, 2)
22. All the technological innovations have been p___d i___o *(= bourrer, entasser)* this computer. (6, 4)
23. *Tenir le coup* (to keep one's ___ *up*) (4)
24. *Royaume* (___dom) (4)
25. *Personne spécialisée dans le courrier du cœur publié dans les journaux ou hebdomadaires* (agony a___t) (4)
26. Because *(Abbr.)* (3)
27. He has ___ go and see his grandmother who is in an old people's home. (2)
29. *Utiliser* (to ___) (3)
30. "When in Rome do as the Romans ___." (2)
33. *Il* (2)
35. *Mouillé* (3)
37. *Non* (2)
39. Public Relations *(Abbr.)* (2)
42. *Entrer dans* (to___ *into*) (2)
43. *Salut !* (2)
45. 'Note' without an 'e' (3)
46. *Lit de bébé* (3)
47. *Se mettre au lit* (to go ___ bed) (4)
48. Remember to b___k *up (= sauvegarder [les données])* your hard disk on Friday evening before you leave. (4)
51. The software programme Type 'N Type, Version 5.6, will s___l *for (= se vendre pour)* £105 ono. (4)
52. *S'amuser* (to have ___) (3)
53. *Figues sèches* (dried ___s) (3)
58. *Distribuer qqch.* (to ___ sth *out*) (4)
59. She always c___s *up* with jokes which are usually very difficult to understand. (5)
61. *S'asseoir* (to ___) (3)
62. English translation *(Abbr.)* (2)
64. With your computer and ART SPECIAL you can even make a car ___ *across (= voler à travers)* the landscapes you create with the paintbrush tool. (3)
65. *Ville* (4)

67. Utah (USA) *(Abbr.)* (2)
69. *Peinture à l'huile* (a box of___ paints) (3)
70. Managing Director *(Abbr.)* (2)
71. To lead *(Prét.)* (3)
72. *Coudre* (to ___) (3)
73. Action on Smoking and Health (*Abbr.*) *(comité de lutte contre le tabagisme)* (3)
74. *Station thermale* (3)
78. *Merci* (coll.*)* (2)

3

(N.B. Les chiffres entre parenthèses indiquent le nombre de lettres contenues dans le mot.)

Across : ⇨

5. *Céder* (to ____ *down*) (4)
7. They _____ *off (= s'envoler)* to the Seychelles for a week.(4)
9. *From* 1990 ___ 1999 (2)
10. This doll is ____ ____ *(= être fabriqué en)* red and white plasticine. (4, 2)
11. A ___ of tea (3)

14. The fly *came in* ____ *(= entrer par)* the door .... it's there on the kitchen wall. (7)
16. *Je suis* (2)
18. *Éteindre* (TV) (to ____ *off*) (4)
20. He's worked *out* how to ____ *(utiliser)* the word-processing programme all by himself.

Down : ⇩

1. *Paillasson* (3)
2. Okay (*Abbr.*) (2)
3. He's ____ my father's job *(vouloir prendre la place de)* ...I'm sure of that. (5)
4. British English *(Abbr.)* (2)
6. I bought a ______ *(ordinateur)* which was boxed with all the original diskettes. (8)
8. *Nous* (2)
12. My heart *goes* ____ *to (= être de tout cœur avec, plaindre qqn de tout son cœur)* your mother, who spent her holidays in a hotel room all by herself. (3)
13. The burglars *broke* _____ *(= entrer par effraction)* our house by mistake ! (4)
15. *Son ami(e)* (____ friend *ou* her friend) (3)
17. *Hommes* (3)
19. *Personne* (__body) (2)
20. If you *give* _____ *(= abandonner)* during the game too often, you'll be the loser. (2)

4

(N.B. Les chiffres entre parenthèses indiquent le nombre de lettres contenues dans le mot.)

Across : ➪

4. He loves *walking* a___g *(= marcher le long de)* the Seine River in the spring. (5)
6. He never *gave* him b___k *(= rendre)* the book he had borrowed (from him) years ago. (4)
7. Original *(Abbr.)* (2)
9. He usually ___ ___ *(= se lever)* at dawn, but as tomorrow's Sunday, he'll probably get up a bit later. (4, 2)
10. England *(Abbr.)* (3)
13. Henry (King Henry IV) *(Abbr.)* (3)
14. All the files and the books had been t___n *about (= éparpiller)* in the room when I arrived. (6)
18. They all s___d *around (= rester là à faire qqch., traîner)* listening to the priest who was reciting the evening prayers. (5)

Down : ⇩

1. Massachusetts (USA) *(Abbr.)* (2)
2. Once he starts reading an interesting book, he just can't *put* it d___n *(= s'arrêter de lire, s'arracher à).*

3. They c____e *round for (= venir prendre)* tea on Boxing Day. (4)
5. This noise has been g___g *on for (= durer depuis)* the past three months. We can't bear it any more ! (5)
8. She's p___t her heart and soul i___o *(= s'investir dans, s'engager dans, se donner [corps et âme] à qqch.)* painting the whole kitchen, so please don't tell her that we don't like the colour. (3, 4)
9. To give *(Prét.)* (4)
11. He was *knocked* o____r *(= renverser)* by a red car towards midnight and was taken to hospital a quarter of an hour later. (4)
12. *Enfermer qqn* (to ___ sb in) (4)
15. High Density (computer disk) *(Abbr.)* (2)
16. He *gets* ___ very well *with (= s'entendre avec)* Mr. Jerry England, our new 'broom' *(patron, directeur)*. (2)
17. North-East *(Abbr.)* (2)

(N.B. Les chiffres entre parenthèses indiquent le nombre de lettres contenues dans le mot.)

Across : ➪

3. This small corner bookshop has all the literary books you've been l___g *for (= chercher)*. (7)

6. Musical Director *(Abbr.)* (2)
7. The president w___d p___t *(= passer devant)* the prime minister without even saying what he thought about the military intervention which had taken place that very morning. (6, 4)
11. *Honoraires* (3)
12. We interviewed him because his name was p___t *forward (= avancer, présenter qqn comme)* as the best student of the year. (3)
13. He can't speak to you now as he's o___f *(= s'en aller, partir)* home. (3)
15. *Comment oses-tu ?* (How ___ you ?) (4)
17. The nurse w___e *up (réveiller)* Jennifer at 10 o'clock for her injection. (4)

Down : ⇩

1. The prime minister had c___e o___t *of (= se tirer de, se sortir de)* the aeroplane (GB) crash with just a few bruises. (4, 3)
2. Martha's never *flown* ___ *(= voler)* an airplane (US). (2)
4. *Bizarre* (3)
5. He'll have to l___y o___f *(= arrêter)* selling drugs, otherwise the people in this neighbourhood will beat him up. (3, 3)
8. *Look* a___r *(= soigner)* him properly ! He should be back to work by the end of September. (5)
9. South-East *(Abbr.)* (2)
10. We could t___l *from (= voir, lire, reconnaître)* their faces that they were not happy at all ! (4)
14. *S'en tenir à* (to stick ___ sth) (2)
15. Department of Employment *(Abbr.)* (2)
16. The European Union *(Abbr.)* (2)

6

(N.B. Les chiffres entre parenthèses indiquent le nombre de lettres contenues dans le mot.)

Across : ⇨

1. *Il va l'essayer sur moi* (He is going to ___ it on me). (3)
3. She ___ *along (= venir)* and tidies up my messy flat once a week. (5)
6. To run *(Prét.)* (3)
9. He had to sell his old computer to ___ *off (= rembourser)* the new one. (3)
10. *Sieste* (afternoon ___) (3)
12. *Guerre des étoiles* (___ War) (4)
13. *Aide de bureau* (Tom is our man Friday and Sylvie is our ___ Friday) (4)
15. He m___d a___e *(= se déplacer, se pousser)* to make room for the old man. (4, 5)
16. Yesterday morning the plane t___k o___f *(= décoller)* at 10 a.m. (4, 3)

Down : ⇩

1. He's never on time ... he always t___s *up (= arriver)* late whenever he's invited to dinner. (5)
2. *Avoir très envie de qqch.* (to have a ___ for something) (3)

4. *Le jour de Noël* (___ Christmas Day) (2)
5. I'*m* really s___d *at (= être étonné par)* what you've just said about my wife's brother-in-law. (9)
7. "Hi, Steve !" he c___d *out (= appeler, crier)* to me. (6)
8. Just look at what he's doing... he's *putting* i___o practice *(= mettre en pratique)* what his mother taught him the other day. (4)
11. Automobile Association *(Abbr.)* (2)
13. Every Sunday we g___ o___ *for (= aller manger, déjeuner, dîner)* a meal with my in-laws. (2, 3)
14. *A partir de juin…* (a___ o___ June…) (2, 2)

MULTIPLE-CHOICE TESTS

Test 1

1) I'm afraid you have to _____ the Board's decision even if you don't agree with clause 5 of the agreement.
a) *announce to* b) *scatter about* c) *abide by*
d) *be over* e) *provide against*

2) Ask your students to _____ this dialogue in class ; I'm sure you're all going to enjoy it immensely !
a) *tear up* b) *act out* c) *load down*
d) *go on* e) *make for*

3) They decided to _______ the remaining three names; they've now got 30 people on the list.
a) *come to* b) *add on* c) *hurl about*
d) *nibble at* e) *wait in*

4) They must first _____ themselves before we can intervene.
a) *go with* b) *ask for* c) *agree among*
d) *rise about* e) *mull over*

5) Why did they all have to ______ the judge on the same day ?
a) *appear before* b) *take on* c) *wait in*
d) *walk across* e) *work at*

6) After the interview the members of the panel _____ his theories _____ those backed by the administration.
a) *passed by* b) *helped along* c) *got together*
d) *came from* e) *balanced against*

7) I wouldn't be surprised if you _____ him on Wednesday afternoon. That's when he comes in for meetings.
a) *gambled on* b) *took off* c) *banged into*
d) *held onto* e) *grabbed at*

8) She was _____ the university library after they had caught her stealing books and magazines.

a) *barred from* b) *idled about* c) *aimed at*
d) *thrown in* e) *disputed among*

9) They eventually managed to ______ the enemy who had cordoned off the village a week earlier.
a) *pull down* b) *take up* c) *come to*
d) *beat off* e) *felicitate upon*

10) I find that people who ______ different generations get on very well.
a) *guess at* b) *face about* c) *belong to*
d) *feel with* e) *permit of*

Test 2

1) The man *bit* his words _____. He had promised his mother he wouldn't reveal anything to the police.
a) *together* b) *back* c) *by*
d) *against* e) *at*

2) The trees in front of my bedroom *block* _____ the beautiful scenery.
a) *out* b) *off* c) *in*
d) *up* e) *of*

3) He's going to have a real birthday cake with candles, and he will have to *blow* them ______ in front of all the TV cameras !
a) *off* b) *on* c) *out*
d) *open* e) *down*

4) The boy scouts were *boxed* _____ by the girl guides. Do you know how they managed to escape ?
a) *out* b) *in* c) *through*
d) *over* e) *away*

5) We have just been informed that they are planning to *break* _____ economic relations with our country.
a) *of* b) *out* c) *through*
d) *off* e) *over*

6) Were they in India when plague, which is a fatal disease, *broke* ______ ?

a) *through* b) *up* c) *into*
d) *out* e) *off*

7) I'm sure you can *break* that text ______ six different sections ; it will then be easier to move things around on your computer screen using CUT & PASTE.

a) *up* b) *out* c) *off*
d) *into* e) *at*

8) He's been here since 1992 and he still doesn't know if he's entitled to *bring* his wife ______ to live with him.

a) *out* b) *in* c) *over*
d) *through* e) *on*

9) The software they've *brought* _____ has nothing to do with the one we've been trying to market for the past five months.

a) *on* b) *to* c) *out*
d) *together* e) *forward*

10) They *brought* her ______ just five minutes after she was taken to hospital. We're all so happy that she is now fully conscious of what is happening around her.

a) *to* b) *at* c) *about*
d) *across* e) *along*

Test 3

1) Please stop ______ all these things which took place when you lived in Egypt. Let bygones be bygones !

a) *coming out* b) *brooding on* c) *going to*
d) *merging into* e) *sending off*

2) We have decided to buy a new portable computer which means we will have to _____ this unexpected expense.

a) *sit down* b) *get in* c) *leave beneath*
d) *budget for* e) *laugh at*

3) They had a quick bite and ______ to the disco after the evening news.

a) *coiled around* b) *buzzed off* c) *fiddled about*
d) *sailed through* e) *aimed at*

4) They really ______ my husband after he underwent surgery. Every morning they would take him out for a drive.

a) *stripped of* b) *went along* c) *cared for*
d) *rushed through* e) *limped towards*

5) I'm sure they're going to ______ the prime minister's son ______ the best students.

a) *class among* b) *walk along* c) *fool around*
d) *bring about* e) *lumber with*

6) The whole place will have to be washed thoroughly. Shall we start by ______ all the walls ?

a) *taking up* b) *setting off* c) *cleaning down*
d) *putting before* e) *stumbling across*

7) Amy ______ Tommy ______ making less noise in the mornings. She's very good at saying things gently to him.

a) *nailed onto* b) *worked at* c) *coaxed into*
d) *scraped along* e) *hedged against*

8) Are you sure that this method, nowadays used in all modern laboratories, ______ the end of the 18th century ?

a) *dropped round* b) *came before* c) *looked across*
d) *tagged along* e) *proceeded from*

9) The bishop and all the priests ______ to meet the emperor who was riding a white horse.

a) *heard from* b) *lived in* c) *came forth*
d) *got across* e) *brought along*

10) What will ______ him if he doesn't find a job ?

a) *get off* b) *come of* c) *take on*
d) *clutch at* e) *pitch upon*

Test 4

1) Before they *came* ______ office three years ago, they had promised to help all the homeless people.

a) *through* b) *into* c) *at*
d) *along* e) *on*

2) They *came* _____ unknown facts about their uncle's death.

a) *between* b) *round* c) *across*
d) *from* e) *in*

3) He *came* _____ the other day, and we all had tea in the garden.

a) *across* b) *in* c) *by*
d) *to* e) *towards*

4) They both *come* ______ a distant land where rice is the staple food.

a) *among* b) *forth* c) *from*
d) *forward* e) *for*

5) He comes of a wealthy family, and that's the reason why he was able to *come* ______ well in his studies.

a) *off* b) *on* c) *into*
d) *in* e) *upon*

6) He *came* _______ about ten minutes after he had passed out. Quite frankly we all thought he had passed away.

a) *off* b) *at* c) *in*
d) *round* e) *through*

7) The town where I used to work had been *cordoned* ______ by the enemy soldiers.

a) *out* b) *through* c) *off*
d) *in* e) *up*

8) We all *crowded* ______ the room and waited for the personnel manager to start the interviews.

a) *on* b) *at* c) *into*
d) *along* e) *through*

9) What we saw there was really frightful and shocking: there were people lying all around the place *crying* ______ in pain.

a) *out* b) *off* c) *before*
d) *against* e) *in*

10) The people we met told us their parents had to *cut* ______ on spending money to buy meat.

a) *into* b) *back* c) *in*
d) *for* e) *across*

Test **5**

1) If I were you I would ______ his advice in teaching matters.

a) *marvel at* b) *defer to* c) *log in*
d) *pull into* e) *savour of*

2) Beware of people who _____ their principles.

a) *take along* b) *stick by* c) *count in*
d) *depart from* e) *skate over*

3) In some European countries foreigners are _____ certain rights, such as voting or becoming MPs.

a) *made for* b) *looked through* c) *deprived of*
d) *flown from* e) *kicked about*

4) My bank manager told me I was allowed to ______ up to 3,000 francs a week from any of the ATMs which have been installed all over France.

a) *forge ahead* b) *grind on* c) *look into*
d) *draw out* e) *look forward*

5) I could see her standing on the platform and waving a flag just after the train _____ at the station.

a) *refrained from* b) *sailed towards* c) *drew in*
d) *threw out* e) *brushed by*

6) When will he decide to settle down and stop _____ from one country to another ?

a) *opting for* b) *drifting about* c) *setting with*
d) *cutting back* e) *stumbling across*

7) Whenever I go to India, I always _____ my brother's brother-in-law.

a) *settle for* b) *stick into* c) *admit of*
d) *enquire after* e) *spend among*

8) *Things* _____, is a novel written by Chinua Achebe, a well-known Commonwealth author who comes from Nigeria.

a) *Put Forth* b) *Fall Apart* c) *Pass Into*
d) *Brush By* e) *Succeed Beyond*

9) He was trying to tell my wife something but we couldn't _____ what.

a) *ram in* b) *rattle off* c) *figure out*
d) *shoot through* e) *report to*

10) Aid from all parts of the world _____ thanks to the TV commercial.

a) *flooded in* b) *hounded out* c) *slipped by*
d) *ransacked for* e) *muddled along*

Test **6**

1) Tom *focused* all his attention _____ the magician's hands but wasn't able to understand the trick.

a) *at* b) *on* c) *about*
d) *across* e) *in*

2) Stop *following* his idea _____ otherwise you'll end up working the whole weekend.

a) *through* b) *about* c) *across*
d) *down* e) *along*

3) They *forced* food _____ her son the other day and she decided to go and complain to the headmistress.

a) *into* b) *down* c) *on*
d) *at* e) *about*

4) He cannot *get* _____ Stage Three. Something seems to block him from moving any further.

a) *before* b) *beyond* c) *across*
d) *towards* e) *forth*

5) How are they both *getting* ____ in the West Indies ?
a) *by* b) *at* c) *along*
d) *into* e) *ahead*

6) We must make sure this floor won't *give way* ______ us if the piano is left here.
a) *up* b) *down* c) *beneath*
d) *towards* e) *through*

7) *Go* _______ all your mistakes at home and make a note of anything you don't understand.
a) *past* b) *over* c) *round*
d) *into* e) *to*

8) I don't want to *go* ______ all these details, but if I were you I wouldn't sign the contract.
a) *up* b) *down* c) *into*
d) *across* e) *with*

9) The car *went* ______ the crowd without stopping.
a) *through* b) *into* c) *in*
d) *past* e) *before*

10) Policemen should be careful not to *go* _____ the law when they deal with foreigners who have done no wrong.
a) *beyond* b) *forward* c) *to*
d) *about* e) *forth*

Test **7**

1) They both _______ difficult times in the late eighties. Things have brightened up ever since.
a) *blew round* b) *happened along* c) *went through*
d) *spent by* e) *drove at*

2) Their names will ______ to be considered for the Honours List.
a) *lie before* b) *hand down* c) *go beyond*
d) *go forward* e) *bargain for*

3) It's too dangerous here. We'd better _____ a few steps.
a) *push by* b) *drive away* c) *go back*
d) *run after* e) *drift along*

4) They ______ and preached the word of God to the whole nation.
a) *played along* b) *pressed to* c) *went forth*
d) *warmed towards* e) *brought forward*

5) She _____ and arrived an hour before we did.
a) *plugged into* b) *went ahead* c) *chased after*
d) *ticked by* e) *narrowed down*

6) He ______ the book and ran out of the room.
a) *rattled through* b) *delighted in* c) *came to*
d) *grabbed at* e) *hid from*

7) The two couples who had lived together for twenty years _______ further and further _______ after the war.
a) *grew apart* b) *went before* c) *talked round*
d) *stuck with* e) *went towards*

8) It is always very difficult to _____ someone's age.
a) *part from* b) *pull to* c) *guess at*
d) *head towards* e) *flirt with*

9) Would you _______ this invention ______ the most important scientific discovery of 1994 ?
a) *emanate from* b) *hail as* c) *paper over*
d) *lounge about* e) *go towards*

10) The red and blue brochures were ______ a few minutes before the beginning of the meeting.
a) *scared away* b) *handed round* c) *romped through*
d) *cut across* e) *kicked off*

Test **8**

1) He *had* some *time* _____ last weekend and we both went to see his parents who have a house in Nice.
a) *off* b) *about* c) *in*
d) *up* e) *of*

2) They usually *hire* _____ their second car to tourists during the summer months. They use the money to buy books and stationery.

a) *out* b) *in* c) *down*
d) *through* e) *over*

3) Why are they all *hitting* ______ him in such a negative way ?

a) *at* b) *by* c) *with*
d) *round* e) *above*

4) The whole town *held* _____ until the United Nations decided to put an end to the economic embargo.

a) *in* b) *forth* c) *on*
d) *under* e) *over*

5) They eventually managed to *hunt* _____ the man who had killed 5 children and 3 adults. He was found sleeping in a cave.

a) *out* b) *up* c) *in*
d) *along* e) *down*

6) He told Mary to stop *hurling* the money she had inherited _____ and advised her to buy shares.

a) *away* b) *off* c) *forth*
d) *about* e) *against*

7) His right to obtain legal advice has been *infringed* _______ by the government.

a) *at* b) *in* c) *on*
d) *along* e) *after*

8) Have you *insured* your new property _______ fire ?

a) *for* b) *to* c) *with*
d) *against* e) *about*

9) They have no right to *interfere* _____ my job. They'd better mind their own business or else…

a) *about* b) *of* c) *at*
d) *in* e) *over*

10) Have you counted the number of times she *invited* her ______ for a drink ?

a) *in* b) *from* c) *out*
d) *through* e) *by*

Test **9**

1) There are times when you have to _____ your anger ____ if you don't want to get into trouble.

a) *look away* b) *engage in* c) *keep back*
d) *run down* e) *flow from*

2) She ______ the debate by apologizing for being late.

a) *went down* b) *resided in* c) *figured out*
d) *kicked off* e) *dipped into*

3) He said that the only solution was to ______ them ______ of the house.

a) *shop around* b) *kick out* c) *insure against*
d) *give up* e) *bring about*

4) The other day he ______ work early in the afternoon because he had to go and look for a flat.

a) *traded on* b) *logged out* c) *knocked off*
d) *stood over* e) *fell into*

5) Do you _____ anything ____ the introduction of VAT in Malta ?

a) *come to* b) *keep from* c) *know about*
d) *interfere with* e) *root out*

6) Why is he ______ his head ______ of that window ? Tell him it's dangerous !

a) *fixing on* b) *passing over* c) *leaning out*
d) *going to* e) *heading towards*

7) Please don't _____ your daughter ______ . Take her with you !

a) *count on* b) *sweep aside* c) *leave behind*
d) *drop back* e) *fool about*

8) I think you must ______ the dog ______ at least once during the day, otherwise we'll have problems when his owner comes back.

a) *nail down* b) *plod on* c) *let out*
d) *take off* e) *puff up*

9) I am very proud that my brother _____ me _____ on his little secret: he's getting married – but please don't tell anyone !

a) *sent off* b) *broke out* c) *drove along*
d) *took down* e) *let in*

10) Who knows what ______ of us ?

a) *lays before* b) *opts in* c) *lies ahead*
d) *angles for* e) *hungers after*

Test **10**

1) He wants to come and see me immediately ! I wonder what *lies* _____ all this.

a) *ahead* b) *in* c) *behind*
d) *around* e) *down*

2) We're all housed in the same building… there's no reason why we can't learn to *live* _______ .

a) *in* b) *apart* c) *among*
d) *together* e) *to*

3) She *looked* ______ the house but couldn't find the purse Lucy had lost.

a) *up* b) *down* c) *at*
d) *around* e) *away*

4) As a nurse, her main job is to *look* ____ elderly people.

a) *for* b) *after* c) *on*
d) *along* e) *at*

5) Every day Martha *looks* _______ for about twenty minutes, and that makes Tim an extremely happy man ; he likes people to come and pay him a short visit.

a) *out* b) *from* c) *through*
d) *by* e) *in*

6) I am *looking* _____ a cheap computer with an easy-to-use word processing programme.
a) *for* b) *after* c) *with*
d) *forth* e) *in*

7) I'd like to book a room that *looks* _____ on Buckingham Palace !
a) *onto* b) *to* c) *through*
d) *in* e) *out*

8) This is exactly what happens when a girl *marries* _____ herself ; she just can't adapt to her new lifestyle.
a) *on* b) *with* c) *to*
d) *beneath* e) *away*

9) Our local MP would like to *measure* her political strength _____ the opposition leader.
a) *through* b) *against* c) *up*
d) *for* e) *over*

10) The snowman *melted* _____ as soon as the sun started to shine.
a) *in* b) *on* c) *off*
d) *away* e) *around*

Test **11**

1) They _____ him _____ the president of the republic.
a) *made of* b) *slept in* c) *did with*
d) *went round* e) *named after*

2) He is _____ the best authors in our country.
a) *allowed for* b) *numbered among* c) *lied before*
d) *buzzed about* e) *broken with*

3) The Queen's message was _____ to all our colleagues who had four children.
a) *ticked by* b) *wished for* c) *passed on*
d) *moved back* e) *clocked off*

4) The correspondence that ______ the Princess and her "money-grabbing" friend was published in a sensational book dismissed by the Palace as "grubby and worthless".
a) *loafed around* b) *took off* c) *soaked through*
d) *passed between* e) *worked towards*

5) He ______ the other day to tell us that, at long last, he had decided to get married !
a) *stumbled across* b) *brought forth* c) *drilled into*
d) *phoned through* e) *blew over*

6) The police ______ the escapee with gunfire while the prison guards tried to calm down the other prisoners.
a) *visited with* b) *turned off* c) *pinned down*
d) *phoned round* e) *scraped along*

7) She ______ mercy when the prime minister walked past her on his way to the museum.
a) *pleaded for* b) *insured against* c) *fell through*
d) *hurried off* e) *laughed at*

8) During the meeting he ______ all sorts of strange promises which they thought he would never be able to keep.
a) *went off* b) *poured forth* c) *stayed away*
d) *passed along* e) *stepped forward*

9) To ______ your file go to the FILE MENU and click on PRINT.
a) *go off* b) *believe in* c) *live through*
d) *pull apart* e) *print out*

10) While the train ______ through the fields, we spent the time playing cards.
a) *rooted for* b) *came to* c) *marvelled at*
d) *puffed away* e) *chewed over*

Test 12

1) He *pushed* me ______ and when I fell onto the ground, he ran away shouting like a madman.
a) *out* b) *past* c) *through*
d) *over* e) *on*

2) The time has come for you to *push* ______ and finish your doctorate once and for all.
a) *by* b) *ahead* c) *in*
d) *into* e) *aside*

3) They *pushed* the old lady ______ , jumped into the car, and drove away.
a) *forward* b) *past* c) *aside*
d) *into* e) *in*

4) The director is *pushing* ______ a new form of marketing which we think will have no effect whatsoever.
a) *off* b) *against* c) *towards*
d) *across* e) *out*

5) I would strongly advise you to *put* all this _____ on paper and get it stamped by the consular section of our embassy.
a) *off* b) *up* c) *with*
d) *down* e) *along*

6) If adopted, the idea he *put* _____ will be beneficial to all the workers of this plant.
a) *forth* b) *aside* c) *along*
d) *in* e) *by*

7) Workaholics are people who work 18 hours a day and who *put* duty ______ pleasure.
a) *down* b) *across* c) *aside*
d) *before* e) *in*

8) She has problems *putting* herself ____ to her manager as an efficient personal assistant.
a) *forward* b) *into* c) *aside*
d) *across* e) *round*

9) How do they want us to see the notice if they *put* it _____ the painting over there ?

a) *away* b) *up* c) *down*
d) *above* e) *at*

10) No, he's not trying to *put* _____ weight, he just wants to lose those extra kilos he's got.

a) *on* b) *off* c) *up*
d) *down* e) *in*

Test 13

1) The best thing to do would be to try and _____ the different sections _____ once and for all, and to stop taking them apart every three weeks.

a) *come along* b) *put together* c) *go towards*
d) *put upon* e) *tell apart*

2) They've _____ quite a lot of time _____ this project and they feel happy and proud now that it's been completed.

a) *clocked off* b) *started out* c) *put into*
d) *given up* e) *gone on*

3) He _____ large profits after his mother signed the contract with the government of Ruritania.

a) *peeled off* b) *went by* c) *married beneath*
d) *raked in* e) *named after*

4) I had to _____ all the biscuits we had, and I was later told that Peterson was not at all happy with the share he had got.

a) *string along* b) *step forward* c) *slip off*
d) *ration out* e) *walk away*

5) I told her she could always _____ my father if she needed his help one day.

a) *rely on* b) *marvel at* c) *tie in*
d) *hear of* e) *fall for*

6) We all ______ his funny and sometimes strange way of presenting things.

a) *jumped at* b) *kicked about* c) *derive from*
d) *remarked on* e) *answer for*

7) He _____ university in 1994.

a) *looked at* b) *barged in* c) *tore off*
d) *buzzed about* e) *retired from*

8) I am sure he is the type of person who can _____ all difficulties.

a) *bash up* b) *dissuade from* c) *soak through*
d) *rise above* e) *work towards*

9) They broke into the factory and ______ *with* all the precision tools we had imported from Sweden.

a) *scattered about* b) *horsed around* c) *married into*
d) *ran off* e) *changed down*

10) He ____ the garden to the tent to play with his fellow scouts.

a) *lied down* b) *plugged into* c) *fiddled around*
d) *ran across* e) *chased after*

Test 14

1) They immediately *rushed* ______ and carried the dead body away.

a) *out* b) *forward* c) *in*
d) *along* e) *back*

2) I always have to *rush* _______ the two and do my best to find a peaceful solution to their problems.

a) *in* b) *through* c) *across*
d) *between* e) *towards*

3) I'd like to buy a ladder to *see* what there is ______ this wall.

a) *through* b) *round* c) *over*
d) *down* e) *up*

4) The social security people mustn't *see* you ______ this week. Remember you're still on sick leave !

a) *out* b) *through* c) *to*
d) *over* e) *off*

5) I'd like you to *send* them ______ to my office. I must see both of them before Jack sees them off the premises.

a) *off* b) *over* c) *out*
d) *through* e) *forward*

6) Our wine cellar *served* ______ a bomb shelter throughout the war years.

a) *before* b) *as* c) *across*
d) *over* e) *in*

7) He *set* ______ his pen and listened to what my father had to tell him.

a) *off* b) *down* c) *forth*
d) *with* e) *about*

8) Before they sat down she *shook* ______ the piece of cloth and spread it on the floor.

a) *up* b) *down* c) *out*
d) *off* e) *along*

9) I still don't understand why he *shied away* ______ the idea of inserting an ad in the local paper. He's still looking for a job.

a) *by* b) *from* c) *about*
d) *to* e) *through*

10) My grandmother always refused to *sign* the flat ______ to my father's second wife.

a) *on* b) *to* c) *over*
d) *against* e) *up*

Test 15

1) Now that you've ______ in this job centre, you'll have to come and see us every Monday afternoon after 3 p.m.

a) *put out* b) *signed on* c) *kept away*
d) *smoothed over* e) *typed in*

2) Did he tell you what you should do if the animal _____ its claws and teeth ?

a) *sinks in* b) *comes through* c) *carries forward*
d) *slams down* e) *scrapes along*

3) The terrorist managed to slip _____ the customs officials and boarded the plane.

a) *through* b) *to* c) *by*
d) *round* e) *in*

4) We were very happy that they had all _____ the tunnel project.

a) *walked past* b) *spoken for* c) *helped along*
d) *named after* e) *plucked at*

5) They all _____ in front of the tree trunk to watch the ants to-ing and fro-ing.

a) *squatted down* b) *went off* c) *talked through*
d) *brought about* e) *put across*

6) There were 4 people in the lift but the fat lady managed to _____.

a) *brush by* b) *squeeze in* c) *venture forth*
d) *succeed beyond* e) *warm towards*

7) He told me they were all planning to _____ a week before the elections.

a) *partition off* b) *sit by* c) *stand down*
d) *add up* e) *stumble across*

8) We can't _____ all night, it's so cold... I want to go back home !

a) *go back* b) *cool down* c) *glory in*
d) *stay out* e) *leave behind*

9) They usually _____ all day long waiting for the children to come out and play with them.

a) *bang into* b) *hunt down* c) *stick around*
d) *push by* e) *fit in*

10) I'm sure he'll _____ with us if he comes to know that we're going to settle down in Singapore.

a) *build in* b) *wave off* c) *tear up*
d) *string along* e) *bump into*

Test 16

1) I *stumbled* _____ this piece of information while looking for something completely different.

a) *in* b) *at* c) *on*
d) *by* e) *along*

2) Although he was on a hunger strike, he was forced to *swallow* _____ the food which they had brought to his cell the night before.

a) *through* b) *down* c) *up*
d) *by* e) *in*

3) John ...if you're not using the VCR which is in your class-room, could we *swap (swop)* _____ as I want to show my people a business video....

a) *out* b) *forth* c) *up*
d) *in* e) *over*

4) He always *swears* _____ homeopathic medicine while his wife thinks antibiotics are better for a cold.

a) *off* b) *through* c) *in*
d) *by* e) *on*

5) I'm going to a rock concert in the Bahamas and I'm *taking* my guitar _____.

a) *on* b) *round* c) *along*
d) *around* e) *away*

6) He *took* Jeremy _____ and showed him the living room, the study, the bathroom and the kitchen.

a) *back* b) *around* c) *away*
d) *into* e) *to*

7) They *took* him ______ and told him to stop criticising the chairperson all the time.
a) *up* b) *in* c) *aside*
d) *towards* e) *off*

8) Each time I ventured to say something about the bridge they were planning to build, her brother *talked* me _____ ; I finally gave up going to their meetings.
a) *down* b) *off* c) *away*
d) *out* e) *forth*

9) He lives in a country which is *torn* ______ by ethnic problems.
a) *at* b) *from* c) *apart*
d) *out* e) *up*

10) We're having a special meeting to *think* ______ the best measure to take in such circumstances.
a) *up* b) *out* c) *back*
d) *of* e) *off*

Test **17**

1) What do you _____ the present situation ?
a) *think of* b) *spend by* c) *make off*
d) *see over* e) *lock in*

2) The schoolchildren ______ themselves ______ to see their headmaster welcome the Emperor of Japan.
a) *came in* b) *slipped on* c) *thrust forward*
d) *aimed at* e) *broke down*

3) She always ________ her books ______ when she finishes doing her homework.
a) *runs across* b) *gets beyond* c) *tidies away*
d) *splashes down* e) *puzzles over*

4) From the hotel window we could see the mountains _____ the whole village.
a) *militating against* b) *towering above* c) *taking from*
d) *standing down* e) *serving round*

5) If you still have financial problems, you will have to _____ your spending _____ and stop going to expensive restaurants every week.

a) *lift off* b) *romp through* c) *turn away*
d) *trim down* e) *throw aside*

6) He _____ teaching Home Economics when he was laid off.

a) *turned to* b) *looked at* c) *came in*
d) *helped along* e) *mixed up*

7) He was obliged to _____ the weapons they had given him to survive in the jungle.

a) *turn in* b) *go off* c) *walk about*
d) *serve for* e) *push to*

8) They are _____ their newly-bought portable computer _____ an expensive typewriter.

a) *patching together* b) *playing along* c) *interfering with*
d) *using as* e) *abiding by*

9) If she _____ after the meeting, I shall be in a position to give her all the information she requested last week.

a) *calls for* b) *leans on* c) *messes about*
d) *speaks through* e) *waits behind*

10) Whenever he _____ the old building he writes down a number in his notebook.

a) *runs up* b) *slams down* c) *walks past*
d) *sees through* e) *plumbs in*

Test **18**

1) He seemed to *warm* _____ the new project. He was really keen to do the work.

a) *at* b) *off* c) *towards*
d) *from* e) *up*

2) He looked completely *washed* ______ after yesterday's written exam which lasted five hours.

a) *over* b) *out* c) *up*
d) *of* e) *down*

3) Could you please *watch* ______ Tommy while I go and get the drinks ?

a) *out* b) *down* c) *forth*
d) *over* e) *along*

4) The manager *waved* ______ all the proposals of modernizing the plant which had been put to him by the junior executives.

a) *on* b) *by* c) *aside*
d) *off* e) *out*

5) The side effects of this medicine usually *wear* _____ in a week's time. If they don't, you should phone me and I'll prescribe another antibiotic.

a) *off* b) *on* c) *upon*
d) *through* e) *past*

6) The film director told all the extras that he wanted them to *wheel* _____ as soon as they heard the siren. They were given a fraction of a second to turn round.

a) *round* b) *away* c) *along*
d) *through* e) *off*

7) Have you been able to *work* ______ the answer to this very difficult problem ?

a) *off* b) *to* c) *in*
d) *out* e) *forward*

8) "I'*m* not ______ you, Sir, " said the student. "I don't quite understand why A is not equal to C in question number seven."

a) *after* b) *through* c) *with*
d) *over* e) *into*

9) Alex, your fiancée phoned yesterday morning and *asked* ______ your sister's health.

a) *out* b) *over* c) *down*
d) *about* e) *in*

10) Now that he's *come* ______ his senses, tell him Dr Coffin would like to know if he's willing to test the same drug again sometime next week.

a) *to* b) *out* c) *through*
d) *round* e) *with*

Test **19**

1) The nurse waited until he had ______ the mixture. She told us she was going to refill his glass with more of that 'horrible' stuff.

a) *taken off* b) *sent of* c) *drunk up*
d) *pulled through* e) *confided in*

2) While looking through the document I ______ the reason why they had refused to send me the cheque.

a) *showed round* b) *changed over* c) *reasoned with*
d) *counted towards* e) *found out*

3) He ______ this morning at 6 o'clock and returned home just before tea-time.

a) *steamed in* b) *forced back* c) *went out*
d) *looked for* e) *bordered off*

4) The auctioneer ______ the painting so that they could all see it.

a) *admitted of* b) *went on* c) *gunned for*
d) *held up* e) *dropped round*

5) Naughty Noddy ______ the wall and broke his leg.

a) *blended in* b) *bit into* c) *jumped off*
d) *matched against* e) *threw back*

6) Is there anybody here who _____ something _____ the Big Bad Wolf ?

a) *lives with* b) *marks off* c) *knows about*
d) *runs after* e) *fattens up*

7) You will have to ______ your mind very quickly. It's got to be the red car or the blue one.

a) *hurry off* b) *eat in* c) *make up*
d) *plug into* e) *salt away*

8) As soon as my father heard my mother's footsteps in the corridor, he quickly ______ all the files lying on his desk ______.

a) *put on* b) *packed off* c) *tucked in*
d) *put away* e) *heated up*

9) "How can you ______ all this noise ? I find it really very difficult to concentrate even with the windows closed."

a) *put up with* b) *roll into* c) *come across*
d) *go back over* e) *clamp down on*

10) If you are able to ______ about any boring topic for more than thirty minutes, you will certainly get that commentator's job on Channel 2.

a) *give away* b) *rabbit on* c) *take over*
d) *go down* e) *see off*

Test **20**

1) Our cat likes *running* ______ the dogs in the garden.

a) *after* b) *down* c) *up*
d) *back* e) *off*

2) I wish I could *run* ______ her one day. I'd ask her for a pay rise !

a) *up* b) *of* c) *into*
d) *out of* e) *out*

3) "JEREMY, don't lean back on that chair... *sit* ______ properly please !"

a) *down* b) *up* c) *out*
d) *in* e) *over*

4) They all came to *see* us ______ and gave each one of us a present before we boarded the plane.

a) *off* b) *back* c) *out*
d) *up* e) *away*

5) It's my umpteenth visit here and I still have not been *shown* ______ the second floor. I think that's where all the archives are stored.

a) *through* b) *around* c) *off*
d) *out* e) *over*

6) I use the Spreadsheet Module to *sort* ____ the data I key in either alphabetically or alphanumerically.

a) *off* b) *through* c) *out*
d) *across* e) *in*

7) The moment the plane *took* ______ I asked the hostess for a big glass of champagne with ice!

a) *up* b) *off* c) *down*
d) *away* e) *from*

8) A week after the end of the academic year, he *threw* all his exercise books and dictionaries ______ into the Seine River.

a) *off* b) *down* c) *on*
d) *away* e) *over*

9) We all thought that the leather goods he had bought there were genuine, but they *turned* ______ to be fakes.

a) *in* b) *out* c) *up*
d) *for* e) *off*

10) "Please stand in the queue and *wait* ______ your turn to come patiently !"

a) *on* b) *up* c) *around*
d) *of* e) *for*

KEY TO EXERCISES / *CORRIGÉS*

REVISION 1 :

About, Across, After, Against, Ahead

A. *flâner* = **to idle about** / *pourchasser* = **to chase after** / *aller à l'encontre de* = **to go against** / *traverser en courant* = **to run across** / *passer en tête* = **to pull ahead** / *circuler sans but* = **to drift about**

B. 1. She idled about the town all day long. **2.** John was running across the field when they caught him. **3.** The cyclist pulled ahead halfway through the race and easily won. **4.** As I arrived, there were hundreds of policemen chasing after an escaped prisoner. **5.** I won't do it if it goes against my principles. *(Voir différence avec* principal.*)*

C. 1. They spent the whole afternoon fooling about on the beach. **2.** By putting a bridge across the Bosporus, they managed to link Europe to Asia. **3.** It is only by working hard that you can get ahead and earn a lot of money. **4.** I looked after his house while he was away holidaying in Malta (G.C.) **5.** "When in Rome do as the Romans do." You should never go against the customs of the country you live in.

D. 1. John's been messing about with these documents! **2.** He came across to our place for a drink yesterday. **3.** He's the type of person who always looks ahead before accepting new responsibilities. **4.** She's hunting after fame. She wants to become a famous actress. **5.** Before buying (Before you buy) software for your computer, you must always balance the good points against the bad ones.

E. 1. The demonstrators scattered about when the riot police threw tear gas. **2.** The idea put across by the government has been turned down by all parties. **3.** Looking ahead in the distance, I could see a red dot in the sky – it was a flying saucer ! **4.** The butcher made after the boy who had stolen a mutton chop. **5.** Before using this machine here, we must ensure against a possible power cut.

F. 1. Never leave (any) money lying about when Jane is at home ! **2.** Here's your grandmother's old rifle I stumbled across the other day while I was cleaning up the attic. **3.** Thinking ahead, I decided to accept the new job. **4.** When is he going to stop chasing after her ? She loves another man. **5.** This magic wand will protect you against all the evil things around you.

G. 1. How did you hear about the house we bought in the mountains ? **2.** I came across the word 'chicfurter' (i.e. chicken + frankfurter) in a newspaper article. ['chicfurter' is a portemanteau word (*un mot-valise*)] **3.** The 12 member states met to press ahead with the new legislation. **4.** The police are inquiring after the carjack case. **5.** If you offend against the school rules, you will be punished.

H. 1. My advice is that he should stop hurling his father's money about. **2.** They sent him across to the bank and they're worried he hasn't come back yet. **3.** I'm fed up with politics... I've just heard that new elections are looming ahead in the coming months. **4.** They all stared after me as I carried my grandmother's strange bag. **5.** You should never turn against your employer. Remember, he's the hand that feeds you !

REVISION 2 :
Along, Apart, Around, Aside, Away

A. *avancer* = **to move along** / *arriver* = **to come along** / *se séparer* = **to drift apart** / *lancer (mouvement autour de qqch.)* = **to throw around** / *(se) mettre de côté* = **to stand aside** / *s'échapper* = **to get away (with)**

B. 1. "Please move along," said the policeman, "there is nothing to see." **2.** We were good friends but we slowly drifted apart when I got married. **3.** He managed to throw a rope around the beast's neck. **4.** We had to stand aside to let the motorcade (procession) pass by. **5.** He stayed away from work for two days.
C. 1. We decided to go along with our parents to Antigua.

2. They started fighting and we had to pull them apart. **3.** Hc was knocked around by a group of youngsters on his way back home. **4.** The boss took me aside and asked me not to tell anybody about the transaction. **5.** Could you kindly put away the books and dictionaries you're not using.

D. 1. How are you getting along in your new job ? **2.** The movers took apart all the pieces of furniture we had and put them together after we moved in. **3.** It all revolved around accepting or refusing the deal. **4.** She can easily brush all her opponents aside and win the elections. **5.** They're both working away on the new project which they should submit by the end of next week.

E. to drift along; to bring along ; to move along ; to happen along / to pull apart ; to tear apart ; to grow apart ; to take apart / to wheel around ; to look around ; to stand around ; to tinker around / to sweep aside ; to throw aside ; to wave aside ; to cast aside / to keep away ; to give away ; to hammer away ; to store away.

F. 1. He stopped breathing and heard the footsteps that passed along in the corridor. **2.** The car was so old that it fell apart after a few kilometres. **3.** A new generation of computer addicts is coming along. **4.** My father took the engine apart and then we cleaned every single part of it. **5.** It was so cold outside that he put a scarf around his neck. **6.** He showed his palmtop computer around with pride. **7.** He's cast us all aside now that he's a rich man. **8.** We were all asked to step aside as the Prince entered the hall. **9.** What would you do if you were cast away on a desert island one day ? **10.** He dreamed away the hours sitting in his grandfather's armchair.

G. 1. She came along and joined us while we were having a drink and talking about politics. **2.** He always buys his son toys that can be taken apart so that he can learn how they work. **3.** The debates centered around the country's economic situation. **4.** We've got to abide by these rules. We can't throw them aside just because you don't like them. **5.** If foreigners are forced to leave this town, trade will certainly go away.

H. **1.** You can't stand here... move along, please ! **2.** I don't know how it happened ; it just came apart when I picked it up. **3.** The Queen was shown around the newly-built car plant. **4.** He laid his book aside and started to snore. **5.** If you open the window, the bird will fly away !

REVISION 3 :

Aback, Above, Among, As, At

A. *s'entendre avec* = **to agree among** / *viser à* = **to aim at** / *être interloqué* = **to be taken aback** / *saisir (occasion)* = **to jump at (opportunity)** / *dominer* = **to tower above** / *faire office de* = **to act as**

B. **1.** We were all taken aback by his strange behaviour in front of all the foreign statesmen. **2.** Our economic policy is aimed at reducing the budget deficit. **3.** You should first agree among yourselves before criticizing your opponents. **4.** He decided to put his family's future above his own career. **5.** My house served as a hotel for his American and British friends.

C. **1.** Last year she was dressed as a princess at Jennifer's fancy dress party. **2.** I admire people who are able to rise above such difficulties. **3.** I've stopped counting her among my best friends, ever since she played that dirty trick on her fiancé. **4.** Someone's been at my books again. How many times have I told you not to touch my things ! **5.** He was taken aback by the sound of his dead father's voice when he listened to the recording.

D. **1.** We were all taken aback by his energy. **2.** If you put this picture above the other one, no one will ever see it. **3.** She works as a 'ghost teacher'*(enseignant vacataire)* at university. **4.** He hid the money amongst the wine bottles in the cellar. **5.** "A drowning man will grab at a straw" *(Dicton).*

E. **1.** He was very much taken aback when we told him that his son had been given "The Order of the Boot'*(renvoyé de son travail).* **2.** My cousin Slim John was so tall that he towered above all the other members of the family. **3.** He is known as a talented young writer. **4.** At university, we always counted her books about the Commonwealth among the best she had ever written. **5.** "A drowning man will clutch at a straw" *(Dicton).*

F. **1.** They seemed to be somewhat taken aback by the sad news. **2.** He certainly deserves the job as he towers above all his other colleagues who applied for the same post. **3.** He passes as someone who likes joking a lot. **4.** They were classed among the best European singers at last year's Eurovision Song Contest. **5.** Why did you all come at 4 o'clock ?

G. **1.** They were all taken aback by his very peculiar way of doing things. **2.** I taught my children to remain modest and rise above such considerations. **3.** She served as a nurse with Florence Nightingale in Scutari during the Crimean War. **4.** His research work is ranked among the most original in the academic world. **5.** The pilot announced that we were flying at 8,000 ft and asked all the business passengers present, not to use their laptop computers and other electronic devices.

H. **1.** I was taken aback by the horrors I saw in the film. **2.** He managed to rise above his family problems; he now has better results at school. **3.** He served as an army general in Gallipoli. **4.** The book they wrote is numbered amongst the best in the domain of Word Processing. **5.** He plays the guitar by plucking at the strings which produce delightful sounds.

REVISION 4 :

Before, Behind, Beneath, Between, Beyond, By

A. *devancer* = **to come before** / *abandonner* = **to leave behind** / *céder sous* = **to give way beneath** / *se mettre entre* = **to come between** / *outrepasser* = **to go beyond** / *s'écouler* = **to go by**

B. **1.** They told me that the / their case will come before the court next month. **2.** I still don't know what lies behind his/her decision not to take (sit for) the exam. **3.** Did the floor give way beneath him/her ? **4.** The correspondence that passed between them in their old days was published last autumn. **5.** I feel he went beyond his authority. **6.** They managed to slip by the cashier without paying.

C. **1.** The unit on "Hacking and Industrial Espionage" comes between "The Courier and the Express Service" and "The Future : EDI & ISDN". **2.** "We won't have time to get beyond Unit 15," the teacher told her class. **3.** They appeared an hour before the beginning of the show and interviewed us all. **4.** Oh dear ! I've left my diary behind ! I need her phone number and there's no directory around. **5.** She was rejected by all her relatives and friends after she had married beneath her. **6.** I'm afraid our students will have to get by with these rather slow computers until we obtain a grant to buy more powerful ones.

D. **1.** The president went by a minute ago while I was waiting for the bus. **2.** If you fall behind, you'll lose the race. **3.** Both sisters have married beneath themselves – they tend to forget the importance of social rank in our family. **4.** All three teenagers appeared before the judge. **5.** I suppose you'll have to go beyond what you wrote in the report you sent us yesterday.

E. **1.** The director brushed by her in the corridor and went straight to his office. **2.** As we went north beyond the Green Line, we had the impression we had left democracy behind us. **3.** The man, standing between Mary and Anne in this photograph, is my father. **4.** Jenny married above herself, whereas her sister Penny married beneath herself. **5.** There is only one choice that lies before us all. **6.** I'm sorry but I can't stop behind after work – my missus won't like it !

F. **1.** I feel so shameful... what we Europeans did was to stand by and watch them kill each other. **2.** The interest he had in his work went beyond doing research on obscure points of sociolinguistics. **3.** There is an invisible barrier which stands between my generation and that of my parents. **4.** They all wanted to know why she had married beneath her(self). **5.** I'm lagging behind all my other colleagues ! They've already handed in the results. **6.** I remember that her case came before the industrial tribunal only two years after she had been sacked.

REVISION 5 :

Down, In, Into, Of, Past, Round

A. *se lier d'amitié* = **to fall in (with)** / *minimiser* = **to play down** / *remettre en mémoire* = **to remind somebody of** / *s'entasser dans* = **to squeeze into** / *bousculer en passant* = **to push past** / *faire visiter* = **to show round**

B. 1. Put the boxes down here. I'll call the boss. **2.** A band was playing on the platform as the train carrying the immigrant workers (the immigrants) pulled in. **3.** The schoolchildren wanted to stick together, so they all managed to pile into the same bus. **4.** They warned him of all the dangers he would meet if he left the/that country. **5.** He brushed past me so fast that I didn't realize that he had stolen my wallet. **6.** He dropped round at 4 p.m. to see/meet my African American cousin. (*Voir* ***The Official Politically Correct Dictionary & Handbook, Grafton.***)

C. 1. The spacecraft splashed down in the Mediterranean off the Sicilian coast. **2.** He lives in hope of a better job and an improved lifestyle. **3.** John had financial problems and his boss promised to look into the matter and see if they could help him. **4.** We ran out of funds and had to give up the project. **5.** He ran past his former tutor without stopping to say 'Hello'. **6.** In Paris, you can get round easily by metro, *RER* and bus.

D. 1. Every time I sit down on this wooden bench, Greedy – that's my cat – starts purring. **2.** Darling, could you get me another Agatha Christie book when you stop in at your parents' tomorrow evening ? **3.** It all happened so quickly – Jeff waded into Mr. Birks and wounded him with a pen-knife. **4.** Why should they ask him to be in charge of all the supervising while the director is holidaying in the Seychelles ? **5.** He wouldn't put it past his daughter to give up her job and leave the family house to settle down in New Zealand. **6.** I need you to hand the drinks round at next week's party.

E. 1. If they ask you to pay 500F for that answering machine (answerer), try to beat them down to 400F. I don't think it's worth more than that. **2.** If you refuse to sign in your name at the Ministry, you won't be allowed to go up to the Archives. **3.** They put a lot of time and energy into the project they submitted last year. **4.** After graduating, he found a job in which he had charge of all the department. **5.** They walked past the old lady who was trying to cross the street and offered no help. **6.** When you practise karate you are taught how to turn round quickly by spinning your body round.

F. 1. She took down everything that was said at the meeting and a week later we received the minutes. **2.** News was coming in that they had put off the signing of the peace treaty. **3.** The burglars broke into our house the other day and stole my father's brand new computer. **4.** Have you seen all these ants invading our house! How can we get rid of them ? **5.** People in the underground usually push past you. I find it terribly rude, especially when they don't excuse themselves. **6.** They all crowded round the actress asking her questions about her latest film.

REVISION 6 :

From, In, On, Out, Over, Up

A. *éclater de rire* = **to burst out laughing** / *vérifier* = **to check up** / *visiter à l'improviste* = **to drop in** / *compter sur* = **to count on** / *discuter* = **to talk over** / *recevoir des nouvelles de* = **to hear from**

B. 1. If you back out now, how are we going to finish the project ? **2.** She was held up by traffic – that's the reason why she arrived late. **3.** Most of us were taken in with his/her meeting on how to set up a marketing concern. **4.** I was asked not to let on to my staff that the prime minister of Ruritania was going to visit our plant. **5.** You should never sign and submit an official document without looking it over. **6.** They both come from St. Lucia.

C. **1.** He wanted to go to the concert with his girlfriend but the tickets were all sold out. **2.** We had a meeting with the manager who told us to keep the prices up to the 1993 level until the forthcoming elections. **3.** We all have to hand in a piece of homework every other week. **4.** My grandmother is fed up with all the door-to-door salespeople who call on her every single day of the week. **5.** Let's go to a café and talk things over a cup of tea. **6.** Remember to get in touch with the police if you don't hear from me by the end of next week.

D. **1.** I phoned him twice but he's not at home, he must be out for the whole afternoon. **2.** Poor Mrs. Murray ! Last night she was beaten up by two hooligans on her way home. She's in hospital now. **3.** Remember our flight is at 5 p.m. and we have to check in at 3 p.m. **4.** Come on, John ! Don't let him beat you! You can win ! **5.** We live near a lake which freezes over in winter. The children have great fun skating on the ice. **6.** They tried to keep him from sending the letter to the prime minister…

E. **1.** They usually eat out when the maid is away as Mary hates cooking. **2.** Make sure the agreement they draw up mentions your wife's maiden name. **3.** It is extremely rude to cut in like that when your parents are talking about important matters. **4.** They took on three young girls to look after their sextuplets while they were touring Spain. **5.** He decided to turn the documents over to the inspectors who had come from Cambridge to probe him on the matter. **6.** I can lend you my umbrella to protect you from the sun.

F. **1.** A bouncer's job is to throw people who become drunk out of the nightclub. **2.** It was my sister who thought up this clever idea. **3.** The job he's got allows him to live in. He won't need to look for accommodation. **4.** I'd like to try on the black suit first. **5.** I only have time to read over this chapter. I'll ask my wife to correct the mistakes. **6.** She suffers from persistent tummy trouble.

REVISION 7 :

For, Forth, Forward, From

A. *être à la recherche de* = **to look for** / *s'aventurer* = **to venture forth** / *attendre avec impatience* = **to look forward to** / *être en désaccord* = **to differ from** / *être attiré par* = **to fall for** / *être issu de* = **to stem from**

B. 1. The football match had started and we decided to make for the football field without waiting for the children. **2.** His/Her message on TV brought forth an avalanche of letters. **3.** The council of ministers (GB : the cabinet meeting) was brought forward to 9 o'clock because the prime minister had to leave at 11 o'clock. **4.** His/Her fear stems from lack of self-confidence. **5.** I derive great satisfaction from contemplating my collection of old American cars. **6.** She fell for my brother the very first day they met (each other).

C. 1. She came for her money twice last week, but you were not there. **2.** The order went forth that all the enemy soldiers had to hand in their weapons. **3.** They all came forward to help my friends who had just arrived from the war zone. **4.** We haven't heard from Mary, lately. Have you ? **5.** How long are you planning to go away for ? **6.** We look forward to receiving an early reply.

D. 1. The two politicians are jockeying for the presidential elections. **2.** The US Congressmen have put forth a bill to ban advertising on tobacco. **3.** I suppose your project is going forward all right ? **4.** Both girls come from extremely wealthy families. **5.** The girls hate him because he always thrusts himself forward as the best dancer of the group. **6.** Mr. Vowtcher refuses to vouch for his son's behaviour at school.

E. 1. The taxi came for you after you'd left. **2.** You'll have to set forth your arguments in the correct order if you want to be really convincing. **3.** The money he owes my company has been carried forward from month to month. **4.** They have always shied away from telling their personnel the truth about the company's future ventures in the Bahamas. **5.** Whenever he works late at night he cannot help hankering for a banana sandwich. **6.** The meeting time was brought forward to 5 p.m. as 9 p.m. would have been too late for those of us who live in the suburbs.

F. 1. Listen ! If you're looking for trouble, you're barking up the wrong tree. **2.** It was the Emperor of Japan who came forth first when the door was opened. **3.** We all pushed forward to catch a glimpse of the Beatles. **4.** What did your 'dear' boss infer from the trade figures we faxed him last week ? **5.** My two colleagues differ from me on what use to make of this second-hand computer. **6.** On Friday afternoons, most Parisians make for the countryside. **7.** His two brothers are both reading for a degree in Science and Technology. **8.** I wish I knew where they got that database programme from.

REVISION 8 :

Back, Out, Past, Round, Through, To

A. *rapporter* = **to bring back** / *quitter* = **to walk out** / *bousculer en passant* = **to push past** / *rendre une courte visite* = **to call round** / *lire en entier* = **to read through** / *consentir* = **to agree to**

B. 1. This custom dates back to the 16th century. **2.** There are also students who drop out before the end of the academic year. **3.** The car went past me and stopped in front of the church. **4.** They all gathered round the schoolteacher (mistress). **5.** Her sister's illness was a very hard period to live through. **6.** It occurred to me that she might be in love with Hugh.

C. **1.** We had to drive back to the police station when Stanley discovered he had lost his passport. **2.** The incident at the airport happened after we had checked out. **3.** She always walks past me without saying 'Hello' ! **4.** He skimmed through the magazine and liked it so much that he decided to buy one for his sister. **5.** He moved round the obstacle which helped him get the job. **6.** He objected to my going to the opera with my stepmother !

D. **1.** If you phone me back after two, I'll give you her address. **2.** He was kicked out of his job last autumn. **3.** The student brushed past the teacher in the corridor. **4.** If you insist on wanting to go to Chile, I shall have to talk your father round. **5.** Just talk it through with your parents and I'm sure they will help you. **6.** They usually refer to his books whenever they talk about that topic.

E. **1.** Now that they have pulled him back to health, he will be able to lead a normal life. **2.** We cannot rule out the fact that what was published was really authentic. **3.** The minister brushed past the photographers and entered the building. **4.** The teacher handed round the song books before the concert. **5.** He went through all the titles, but the one which interested him most had not been listed. **6.** He told the press that he aspired to strong leadership for the benefit of his country.

F. **1.** This storybook makes her think back to the one she had when she was in Egypt. **2.** Why is he sticking out his tongue at you ? Tell him not to do that again. **3.** The young teenager pushed past my mother in the crowded department store ; he didn't even stop to apologise. **4.** "Darling, shall we ask the Smiths round next Saturday ?" **5.** "You're not allowed to leaf through the magazines here !" **6.** As soon as he arrived home he set to help me and this set a good example to his brothers and sisters.

G. **1.** This ball will not bounce back as it's made of wood. You'll have to buy one made of special rubber. **2.** Could you please write out the report on your word processor ... we'll send it off tomorrow afternoon. **3.** My father always says that he wouldn't put it past my cousin to go and live in the mountains as a hermit. *(je le crois capable de tout)* **4.** Tim looked round before he took the documents out of the attaché case... **5.** I managed to get through to the director after telling his secretary that I had been on the phone for over two hours. **6.** A 'ghost' teacher's workload can run to 30-35 hours of teaching a week if he or she wants to earn a decent living.

II. **1.** Now... er (*euh*)... to get back to what I read in this morning's daily... I think that we ought to send a letter to the Editor. **2.** Watch out for our new products in your country. We're planning to launch them sometime in the spring. **3.** He brushed past me as he went to get himself a drink from the bar. **4.** June 1994 came round and he still hadn't finished the book. **5.** He told me that the money he gave his daughter would see her through until the end of the summer holidays. **6.** This train will get you to Lille and from there you will have to take a taxi.

MORE EXERCISES !

A. **1.** They wanted to blow up the Sheriff's Office. **2.** The remains of the food had been cleared away from the kitchen table. **3.** They mixed the black stuff, which looked like chocolate, into the white cream. **4.** I dreamed about the cake I had eaten at my grandmother's. **5.** We got off the boat and hailed the first taxi we could spot. **6.** They tied up the boat firmly at the quayside. **7.** She stopped off for a night in Geneva and took the 9 o'clock plane the next day. **8.** Looking back on all this, I just can't understand how he managed to kill both the horse and the cow. **9.** Please don't call out my name in the street. You may end up in gaol. **10.** Hold the flag up so that the Pope can see it.

B. **1.** He looked away every time her eyes met his. **2.** Every time he sets down his glass on the table, it just means that he wants another drink. **3.** She always finished up first. **4.** Did you get up early this morning ? **5.** They went on board the *HMS Centaur* and were entertained by the sailors who were all dressed up as pirates. **6.** The boat was sailing along the coast while we were sunbathing on the beach. **7.** Every morning after a quick shower we would help mother lay out breakfast on the dining room table. **8.** My brothers and cousins piled into the boat and waited for the captain's signal. **9.** They played about in the sand while I was reading a detective novel. **10.** Stop messing about in the garden and remember to wash your hands before you come in for lunch.

C. 1. The plastic object swung round the green pole and hit the man's head. **2.** They poured some petrol into the tank and drove away. **3.** He couldn't make up his mind as there were hundreds of toys to choose from in the catalogue. **4.** They swam off the rocks as there were no sandy beaches around the island. **5.** It was so beautiful – I mean – all those plants clinging to the rocks. **6.** Next time you go out fishing take the boy along with you. **7.** He peered up the chimney but the little bird was not there. **8.** The dentist peered into my mouth before he pulled out my wisdom tooth. **9.** He took him aside and gave him a small brown box which had belonged to his wife's cousin. **10.** My mother has an old apron which she ties around her neck.

D. 1. She bent over and kissed me goodbye. **2.** She was seduced by all the beautiful voices she heard around her. **3.** Blood was coming out of his wound and the doctor was nowhere to be seen. **4.** They tortured him for over 6 hours until he spat out the truth. **5.** His mother took him to hospital as he couldn't breathe through his nose. **6.** When you look across the piece of land he bought, you can see some beautiful little houses with gardens around them. **7.** He set out early in the morning and reached home at 11 p.m. **8.** I caught my cousin red-handed ! He was prying into my father's desk. **9.** He usually spends 3 nights a week away from home. **10.** The prisoners disembarked onto the pier and were led up to the prison which is on top of the hill.

E. **1.** He switched on the telly and sat down beside me. **2.** They decided to give him away to the police. **3.** We were all herded into a small room by the sergeant major. **4.** He was asked to step forward and admit his crime. **5.** When are they going to put out the lights ? **6.** He was having difficulties working out the problem properly. **7.** If you look out of the window, you'll understand why I want him to stay in. **8.** She picked up the pencil from the floor and gave it to her sister. **9.** He sat up in bed when he heard his mother's footsteps in the corridor. **10.** She went over to him and kissed him on both cheeks.

F. **1.** She got out of the taxi and asked the driver to wait for her. **2.** When the big fish gobbled up the small fish, all the children watching the video film started crying. **3.** The prime minister shook my father's hand and then moved away to a group of schoolchildren. **4.** We have a new colleague who likes peering over our shoulders whenever he comes to our department. **5.** She was seen leaning over their shoulders trying to decipher the messages they were keying into the computers. **6.** The minute she set foot on British soil, she knew she was in safe hands. **7.** He had to report to the CEO (US) / MD (GB) every other week. **8.** "Rain, rain, go away, Come back another day, Little Johnny wants to play." **9.** She could get nothing out of the civil servant even though she tried to bribe him. **10.** My grandfather tiptoed out of his bedroom and went straight to the fridge which was, at the time, in the cellar !

G. **1.** He stopped whistling the moment she walked out of the main building. **2.** Feeling a little bored, he set about doing some housework. **3.** "You can't get away with an answer like that. I want the whole truth ! D'you understand ?" **4.** He refused to stop and listen to what I had to say – he just went on with his work. **5.** He took a knife and sliced the watermelon open. The inside was of a pale red. **6.** The strange smell filtered through the opening in the wall. **7.** He got on the bed and waited for his mother to come and help him put his trousers on. **8.** He learned how to cope with life in his early days when they lived in the south. **9.** It's not worth going away just for the Christmas holidays. **10.** They all started singing the minute Tommy climbed into the car.

H. 1. You can fold the cover back and forth – it's really practical. **2.** They converted the kitchen into a sauna for their Nordic guests. **3.** All the children in the room were quivering with joy as Father Xmas entered the room with all the presents. **4.** They ran faster and faster, spurred on by the shouts of their fans in the stadium. **5.** My father, who was sitting next to the driver's seat was catapulted out on to the pavement. **6.** If your nose bleeds again, just lean your head back and call me. **7.** He tried to escape but was pinned down on the floor by the singer's bodyguards. **8.** Pop in one of our super-high performance RAM cards and you'll get screaming speed. **9.** The software programme which you installed on your hard disk can be loaded off and reinstalled on another one. **10.** "Has your computer broken down ? Then why don't you call us ?"

I. 1. All your piano sounds will be converted into electric signals which your computer understands. **2.** Buy our programme today and save on future increases. **3.** He uses "Save-Me", a public domain programme that can back up files automatically. **4.** My impression is that quite a number of readers fell for the font with a handwriting-ish feel which is also the one I have been using at home for a year. **5.** All the peripherals will have to be hooked up before our office becomes faxable. **6.** Rosette would like you to print out this scanned image ... now that you've got a colour printer ! **7.** They have built in new features such as automatic hyphenation and indexing in the latest version which was released last week. **8.** To type capital letters, hold down the SHIFT key on the computer keyboard. **9.** I've tried to start up my computer but it won't work ; I keep on getting an error message which reads "I'm sick of you and your work !" **10.** Extension and Control Panels in a computer system can, most of the time, slow down the hard disc (GB) / disk (US).

J. 1. You can turn off *(désactiver)* the Extension and Control Panels which you intend to use at startup by using an Extension

Manager programme. **2.** Every time I use a computer I write down *(noter)* the time it has taken me to use the programme for a particular task. **3.** I've been putting off *(remettre)* buying more memory chips for my computer simply because the cost of having them installed is too high. **4.** To speed up *(accélérer)* this process, you will have to get yourself a fast printer. **5.** Shop around *(comparer les prix)* until you find a good word processing (WP) programme. **6.** What did we talk about *(parler de)* last month ? **7.** Why did you throw your computer away *(jeter)* ? You could have given it to me even if it didn't work properly. **8.** They transformed all the B&W printers into *(transformer en)* colour printers. **9.** Remember to save the file you're working on *(travailler sur)* before you leave the computer room for a tea break. **10.** This programme will take you through *(guider à travers)* the process of drawing all sorts of shapes.

MATCH UP THE PROVERBS !

A. 1. Old age comes on without our having given it a thought. **2.** We must make allowance for youth. **3.** A soft answer turns away wrath. **4.** Eating brings on appetite. **5.** An apple a day keeps the doctor away. **6.** To come to arrangement is better than going to law. **7.** An ass is an ass, though laden with gold. **8.** Assist him who is carrying his burden but by no means him who is laying it aside. **9.** Don't take the bear by the tooth. **10.** It is easier for a camel to go through the eye of a needle, than for a rich man to enter into the Kingdom of God.

B. 1. Don't hold a candle to the sun. **2.** If the cap fits, put it on. **3.** Don't put the cart before the horse. **4.** When the cat is away, the mice will play. **5.** Don't count your chickens before they are hatched. **6.** Keep to the code and keep alive. **7.** It's no use crying over spilt milk. **8.** The culprit must pay for the damage. **9.** We must put something by for a rainy day. **10.** Holy Water drives away the devil.

C. 1. Never shrink from duty. **2.** He came safe from the West Indies, and was drowned in the Thames. **3.** Don't put all your eggs into one basket. **4.** Never fall out with your bread and butter. **5.** If you would enjoy the fire, you must put up with the smoke. **6.** When the fox preaches, beware of your geese. **7.** When the fruit is ripe, it must fall off. **8.** We've got to go through with it. **9.** Every pretty girl likes to be flirted with. **10.** It's easy to say : "Give it up."

D. 1. Don't live from hand to mouth. **2.** When you are hard up, people turn away. **3.** A good horseman looks after his beast. **4.** Don't ride your horse to death. **5.** Always look people in the face. **6.** It is love that makes the world go round. **7.** Give a man luck and throw him into the sea. **8.** March winds and April showers bring forth May flowers. **9.** March comes like a lion and goes away like a lamb. **10.** I'm from Missouri, you've got to show me.

E. 1. It's good to have money to fall back on. **2.** Don't make a mountain out of a molehill. **3.** Pack up your troubles in your old kit-bag. **4.** Patience and time run through the longest day. **5.** If you want peace, prepare for war. **6.** Roasted pigeons don't fly through the air. **7.** When poverty comes in at the door, love flies out at the window. **8.** Rely on yourself only. **9.** Out of sight, out of mind. **10.** Sleep on it.

F. 1. Don't give up the substance for the shadow. **2.** Summer fades into Autumn. **3.** There is no accounting for taste. **4.** The theory does not always tally with the facts. **5.** Don't throw away your money. **6.** All threats are not carried out. **7.** Time slips away when one is busy. **8.** We are always waiting for something to turn up. **9.** It's no use trying to put a quart into a pint pot. **10.** Weight and measure take away strife.

G. 1. Keep the wolf from the door. **2.** Don't put your head into the wolf's mouth. **3.** All are not thieves that dogs bark at. **4.** All's fish that comes to the net **5.** Birds of a feather flock together. **6.** Burn not your house to fright the mouse away. **7.** Constant dripping wears away the stone. **8.** Don't cut the bough you are standing on. **9.** Don't empty the baby out with the bath water. **10.** Don't pour out the dirty water before you have clean (i.e. water).

H. **1.** Do not put new wine into old bottles. **2.** He who goes against the fashion is himself its slave. **3.** He who peeps through a hole may see what will vex him. **4.** A house divided against itself cannot stand. **5.** If one sheep leaps over the ditch, all the rest will follow. **6.** If you run after two hares, you will catch neither. **7.** It is better to wear out than to rust out. **8.** The last drop makes the cup run over. **9.** Let not the sun go down on your wrath.

I. **1.** Many kiss the hand they wish to cut off. **2.** Never put off till tomorrow what may be done today. **3.** One must draw back in order to leap better. **4.** Out of debt, out of danger. **5.** Take care of the pence and the pounds will take care of themselves. **6.** A tree is known by its fruit. **7.** What the eye doesn't see the heart doesn't grieve over. **8.** When in doubt, leave out. **9.** When the wolf comes in at the door, love creeps out of the window. **10.** You cannot get blood out of a stone.

MOTTOES !

A. **1.** My glory is from God. **2.** Aim for all good. **3.** To provide for everything. **4.** Industry leads to honour. **5.** Let us strive for the heights. **6.** Equip yourself with wings. **7.** Aim at high things. **8.** Look to the end. **9.** He flourishes through the honour of his ancestors. **10.** Prepared for war and peace.

B. **1.** Beware of the dog. **2.** Let us yield to love. **3.** To decrease but not to be worn away by rust. **4.** To accomplish things aimed at. **5.** Learn or come down. **6.** Learn to come forth. **7.** Do well and do not look round. **8.** Led through science. **9.** Our knights take up arms. **10.** I shall rise again from fire.

C. 1. From here went forth the light. **2.** Do without speaking. **3.** He will pay for attacking. **4.** We must see it through. **5.** I labour with faith. **6.** Wish for a strong mind. **7.** God cares for us. **8.** Work with hope. **9.** To expel the enemy from the sky. **10.** He reaches towards things difficult of attainment.

D. 1. Flying into the sky, thundering into the sea. **2.** Look into the future. **3.** We work towards the future. **4.** We build on the rock. **5.** Seek truth among trees. **6.** To intercept and blot out. **7.** To go against adversity. **8.** Keep with the pack. **9.** We protect from the skies. **10.** Let the more carry off the honours.

E. 1. I travel across the inland sea. **2.** It helps me to go through the deep. **3.** It has driven me onto a rock. **4.** Sink him in the sea, he comes out fairer. **5.** I shall not take my eyes from the goal. **6.** It harms to put off things prepared. **7.** All things shall turn out well. **8.** Let peace be made through the waters of the river. **9.** I have brought forth. **10.** I rise through difficulties.

F. 1. We fly through the night. **2.** Come forth through wisdom. **3.** We carry on what our founder began. **4.** I am ready and go on. **5.** I press forward to honour. **6.** Things locked up are safe. – 7. He is wise who looks forward. **8.** He places himself among the stars. **9.** Our wings rise over the city. **10.** To arise and pick up.

HIDDEN PHRASAL VERBS

Mots cachés **1 : 1.** sit up **2.** put up **3.** look up from **4.** get on with **5.** came in through **6.** speak up **7.** write out **8.** looked up **9.** enquired after **10.** shut up **11.** filled in **12.** got up **13.** was over **14.** knocked on **15.** went round **16.** go into / came out **17.** jumped on **18.** tag along **19.** climbing about **20.** give up.

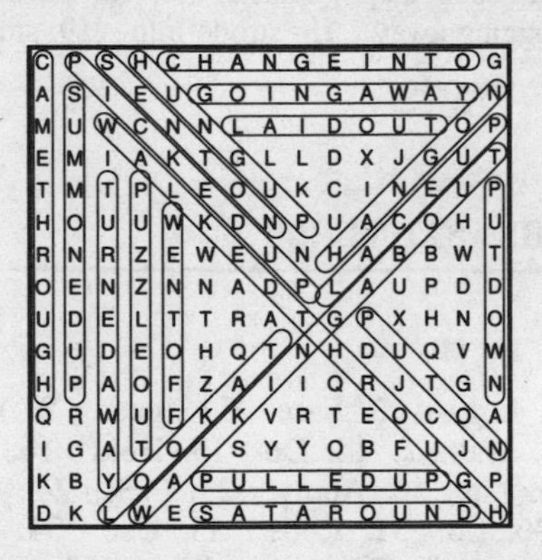

Mots cachés **2 : 1.** sat around **2.** put down **3.** picked up **4.** laid out **5.** lace up **6.** put on **7.** walking about **8.** sent on

9. walked through **10.** look at **11.** going away **12.** summoned up **13.** hung up **14.** change into **15.** hang on **16.** pulled up **17.** turned away **18.** went off **19.** puzzle out **20.** came through

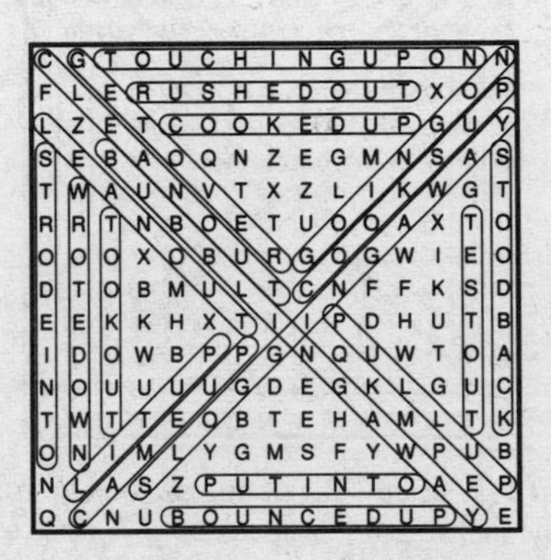

Mots cachés **3 : 1.** bounced up **2.** get over **3.** took out **4.** pull up **5.** test out **6.** wrote down **7.** bubbling away **8.** came up **9.** rushed out **10.** touching upon **11.** cooks up **12.** going on **13.** cooked up **14.** lean out **15.** put into **16.** clean out **17.** slogging away **18.** strode into **19.** stood back **20.** lit up.

CROSS PHRASAL VERBS

Mots croisés **1**

ACROSS : **1.** List **3.** Face **5.** Signed **8.** Vets **10.** I'm **11.** IT **12.** Walked **14.** Do **15.** Hold **16.** So **17.** Put **19.** In **20.** Lie **22.** Apply **23.** Pick **24.** As **25.** Step **28.** But **30.** Lo **31.** Rode **33.** Use **34.** Lay **36.** ac **38.** Whiling **40.** Dip **41.** Was **42.** ET **43.** Met **45.** Gathered **51.** There **52.** Broke **53.** Look **55.** All

59. Me **61.** Weaving **63.** Asked **64.** Two.

DOWN : **1.** Lived **2.** Set **3.** Fall **4.** Come **5.** Summoned **6.** Grind **7.** Did **9.** S.W. **13.** Keeps **15** Hi ! **16.** Sack **17.** PE **18.** Take **20.** Land **21.** Is **25.** Slaving **26.** Toy **27.** Go **28.** Built **29.** Turn **32.** Echoed **35.** Paw **37.** Came **39.** Get **44.** Ever **46.** Asks **47.** HE **48.** Roll **49.** St. **50.** Tries **54.** Keep **56.** Let **57.** I've **58.** e.g. **59.** Ma **60.** I'd **62.** No.

Mots croisés **2**

ACROSS : **1.** Turn down **5.** Showed **10.** One **11.** Flag **12.** Oh ! **13.** Atom **15.** Or **17.** L.A. **18.** Shared **19.** An **20.** For **21.** Buy **22.** Pick **25.** Act **28.** Guide **31.** UNO **32.** Oh **34.** Snow **36.** Inn **38.** Speed **40.** Me **41.** Looking through **44.** Done **46.** Crashing **49.** US **50.** Doll **51.** Send off **54.** Put **55.** It **56.** Toe **57.** Star **58.** Gown **59.** Can **60.** Moving **61.** Set **63.** Of **66.** O.U. **68.** Zoom **72.** Set aside **75.** Take **76.** End **77.** Ltd **79.** Calls in **80.** Wash away.

DOWN : **1.** Too **2.** Un- **3.** Rely on **4.** Nor **5.** She **6.** Had **7.** Won **8.** Duo **9.** Sir **11.** Fa **14.** Tag **16.** Run **18.** Size **20.** Find **21.** Build up **22.** Packed into **23.** Chin **24.** King **25.** Aunt **26.** 'Cos **27.** To **29.** Use **30.** Do **33.** He **35.** Wet **37.** No **39.** PR **42.** Go **43.** Hi ! **45.** Not **46.** Cot **47.** Into **48.** Back **51.** Sell **52.** Fun **53.** Fig **58.** Give **59.** Comes **61.** Sit **62.** Et **64.** Fly **65.** Town **67.** Ut **69.** Oil **70.** MD **71.** Led **72.** Sew **73.** ASH **74.** Spa **78.** Ta.

Mots croisés **3**

ACROSS : **5.** Back **7.** Flew **9.** To **10.** Made of **11.** Cup **14.** Through **16.** I'm **18.** Turn **20.** Use.

DOWN : **1.** Mat **2.** OK **3.** After **4.** BE **6.** Computer **8.** We **12.** Out **13.** Into **15.** His **17.** Men **19.** No **20.** Up.

Mots croisés **4**

ACROSS : **4.** Along **6.** Back **7.** Or **9.** Gets up **10.** Eng. **13.** Hen **14.** Thrown **18.** Stood.

DOWN : **1.** MA **2.** Down **3.** Came **5.** Going **8.** Put into **9.** Gave **11.** Over **12.** Shut **15.** HD **16.** On **17.** N.E.

Mots croisés **5**

ACROSS : **3.** Looking **6.** M.D. **7.** Walked past **11.** Fee **12.** Put **13.** Off **15.** Dare **17.** Woke.

DOWN : **1.** Come out **2.** In **4.** Odd **5.** Lay off **8.** After **9.** S.E. **10.** Tell **14.** To **15.** D.E. **16.** E.U.

Mots croisés **6**

ACROSS : **1.** Try **3.** Comes **6.** Ran **9.** Pay **10.** Nap **12.** Star **13.** girl **15.** Moved aside **16.** Took off.

DOWN : **1.** Turns **2.** Yen **4.** On **5.** Surprised **7.** Called **8.** Into **11.** A.A. **13.** Go out **14.** As of.

MULTIPLE-CHOICE TESTS

1. **1.** to abide by **2.** to act out **3.** to add on **4.** to agree among **5.** to appear before **6.** to balance against **7.** to bang into **8.** to bar somebody from **9.** to beat off **10.** to belong to.

2. **1.** to bite back **2.** to block out **3.** to blow out **4.** to box in **5.** to break off **6.** to break out **7.** to break into **8.** to bring over **9.** to bring out **10.** to bring somebody to.

3. **1.** to brood on **2.** to budget for **3.** to buzz off **4.** to care for **5.** to class among **6.** to clean down **7.** to coax into **8.** to

come before **9.** to come forth **10.** to come of.
4. **1.** to come into **2.** to come across **3.** to come by **4.** to come from **5.** to come off **6.** to come round **7.** to cordon off **8.** to crowd into **9.** to cry out **10.** to cut back.

5. **1.** to defer to **2.** to depart from **3.** to deprive of **4.** to draw out **5.** to draw in **6.** to drift about **7.** to enquire after **8.** to fall apart **9.** to figure out **10.** to flood in.

6. **1.** to focus on **2.** to follow through **3.** to force something on somebody **4.** to get beyond **5.** to get along **6.** to give way beneath **7.** to go over **8.** to go into **9.** to go past **10.** to go beyond.

7. **1.** to go through **2.** to go forward **3.** to go back **4.** to go forth **5.** to go ahead **6.** to grab at **7.** to grow apart **8.** to guess at **9.** to hail as **10.** to hand round.

8. **1.** to have time off **2.** to hire out **3.** to hit at **4.** to hold on **5.** to hunt down **6.** to hurl about **7.** to infringe on **8.** to insure against **9.** to interfere in **10.** to invite somebody out.

9. **1.** to keep back **2.** to kick off **3.** to kick out **4.** to knock off **5.** to know about **6.** to lean out **7.** to leave behind **8.** to let out **9.** to let someone in on something **10.** to lie ahead.

10. **1.** to lie behind **2.** to live together **3.** to look around **4.** to look after **5.** to look in **6.** to look for **7.** to look out **8.** to marry beneath oneself **9.** to measure against **10.** to melt away.

11. **1.** to name after **2.** to number among **3.** to pass on **4.** to pass between **5.** to phone through **6.** to pin down **7.** to plead for **8.** to pour forth **9.** to print out **10.** to puff away.

12. **1.** to push over **2.** to push ahead **3.** to push aside **4.** to push towards **5.** to put down **6.** to put forth **7.** to put before

8. to put across **9.** to put above **10.** to put on.
13. 1. to put together **2.** to put into **3.** to rake in **4.** to ration out **5.** to rely on **6.** to remark on **7.** to retire from **8.** to rise above **9.** to run off with **10.** to run across.

14. 1. to rush forward **2.** to rush between **3.** to see over **4.** to see out **5.** to send over **6.** to serve as **7.** to set down **8.** to shake out **9.** to shy away from **10.** to sign over.

15. 1. to sign on **2.** to sink in **3.** to slip by **4.** to speak for **5.** to squat down **6.** to squeeze in **7.** to stand down **8.** to stay out **9.** to stick around **10.** to string along.

16. 1. to stumble on **2.** to swallow down **3.** to swap over **4.** to swear by **5.** to take along **6.** to take around **7.** to take aside **8.** to talk someone down **9.** to tear apart **10.** to think out.

17. 1. to think of **2.** to thrust forward **3.** to tidy away **4.** to tower above **5.** to trim down **6.** to turn to **7.** to turn in **8.** to use as **9.** to wait behind **10.** to walk past.

18. 1. to warm towards **2.** to wash out **3.** to watch over **4.** to wave aside **5.** to wear off **6.** to wheel round **7.** to work out **8.** to be with **9.** to ask about **10.** to come to.

19. 1. to drink up **2.** to find out **3.** to go out **4.** to hold up **5.** to jump off **6.** to know about **7.** to make up **8.** to put away **9.** to put up with **10.** to rabbit on.

20. 1. to run after **2.** to run into **3.** to sit up **4.** to see off **5.** to show around **6.** to sort out **7.** to take off **8.** to throw away **9.** to turn out **10.** to wait for.

GLOSSARY / GLOSSAIRE

Nous vous conseillons d'utiliser ce glossaire comme un outil de référence pour trouver rapidement le(s) verbes(s) désiré(s) dans la partie théorique, et non pas comme un dictionnaire. Les chiffres renvoient aux pages.

A

abide by sth	*respecter, se plier à*	58
abstain from doing sth	*s'abstenir de*	89
accede to	*accéder à, faire droit à*	215
account for	*rendre compte de, expliquer*	80
act as	*faire office de*	34
act on	*agir selon, suivre*	148
act out	*exprimer (en mimant)*	180
add in	*inclure, ajouter*	98
add on	*attacher, boucler, fixer*	149
add up	*additionner*	230
adhere to	*adhérer à, tenir (une promesse), s'en tenir à (une opinion, un projet...)*	216
admit of	*admettre, autoriser, permettre*	121,122
agree among	*s'entendre entre*	26
agree to	*consentir, accepter*	215
agree with	*être d'accord avec*	259
aim at	*viser à*	37
allow for	*faire la part de, prévoir*	80
allow sb in	*faire, laisser entrer qqn*	94
allude to	*faire allusion, référence à, se rapporter à*	217
angle for (compliments)	*aller à la pêche (aux compliments)*	75
answer back	*répondre (méchamment, avec impertinence)*	50
answer for	*se porter garant (de), répondre de qqn, de qqch.*	77
appear before	*comparaître*	52
apply for	*postuler*	78
apprise sb of sth	*aviser, instruire, prévenir qqn de qqch.*	119
approve of	*approuver*	119

argue sb down	*faire taire, réduire au silence par des arguments*	66
argue out	*débattre, discuter*	168
arise from	*provenir, découler de*	87
ask after	*s'enquérir*	18
ask around	*demander autour de soi*	29
ask for	*demander*	78
ask sb in	*faire, laisser entrer qqn, inviter qqn à entrer*	94
ask into	*prier qqn d'entrer*	108
ask sb out	*inviter qqn à sortir, au restaurant*	160
aspire to	*aspirer, viser à*	213
attend to	*s'occuper de qqn, qqch.*	215

B

back away from	*s'éloigner, prendre ses distances*	90
back down on (sth)	*renoncer, reconsidérer des sanctions*	67
back off	*se retirer, reculer*	131
back out	*se retirer, se dérober*	164
back up	*appuyer, soutenir, épauler*	234
bag up	*mettre en sac*	246
balance against	*soupeser, mesurer*	21
balance out	*(se) contrebalancer, compenser*	176
band together	*(se) réunir, se liguer*	219
bandage up	*bander, mettre un pansement, un bandage*	255
bandy about	*jeter (des mots à la face de)*	15
bang sb around	*frapper, attaquer qqn*	34
bang into	*rencontrer qqn par hasard*	112
bang out	*taper (un air sur un piano)*	181
bank on	*compter, miser sur*	150
bar sb from doing sth	*exclure (qqn) de*	88
bargain for	*faire la part de, prévoir*	80
bargain on	*s'attendre à, compter, tabler sur*	151

barge in	*faire irruption*	94
barge into	*entrer en courant, faire irruption*	107
bark out	*crier, vociférer, aboyer*	180
base on	*fonder qqch. sur*	148
bash sb around	*frapper, attaquer qqn*	34
bash in	*briser, défoncer*	105
bash on with	*poursuivre*	142
bash up	*tabasser*	243
batten down	*fixer (des panneaux)*	69
batter down	*abattre, renverser*	64
bawl out	*brailler, (en)gueuler*	180
be at	*s'attaquer à une tâche, y mettre du sien*	38
be at sb	*harceler qqn*	39
be away	*être absent*	41
be down	*être fatigué, déprimé*	68
be cast down	*être fatigué, déprimé*	68
be run down	*être fatigué, déprimé*	68
be starved for	*être affamé de*	76
be starving for	*être affamé de*	76
be sprung from	*descendre de*	87, 88
be in	*être, rester à la maison*	91
be off	*partir, s'en aller*	122
be on	*être membre de*	151
be engaged on	*être occupé à*	154
be struck on sb (GB)	*s'enticher de, avoir le béguin pour*	153
be out	*être sorti*	156
be over	*être terminé*	196
be given over to	*être consacré à*	197
be snowed under with	*être surchargé, submergé de*	225
be acquainted with	*connaître*	259
beat down	*pleuvoir, tomber à verse*	60
beat off	*repousser, retarder*	130
beat on	*tomber sur, se retourner contre, attaquer*	146
beat out	*éteindre (en tapant)*	166

beat out	*marteler, battre la mesure* 181
beat up	*fouetter, battre, passer à tabac* . . 243, 250
become of	*advenir, devenir* 122
bed out	*planter, mettre à terre* 162
beef up	*étoffer, renforcer* 234
bellow out	*brailler, hurler* 179, 180
belly out	*se gonfler, enfler* 187
belong to	*appartenir, être propre à* 217
belt out	*chanter fort, à pleins poumons* . . 181
bend down	*se baisser* 61
bend over	*se pencher* 192
bet on	*compter, miser sur, jouer, parier* 150, 151
bind up	*lier, attacher, bander* 254
bite back	*retenir une parole,* *ravaler une réplique* 50
bite into	*mordre, attaquer* 111
black out	*retenir (sentiment, idée)* 163
black out	*perdre connaissance* 168
blare out	*faire du vacarme* 180
blast away	*brûler, mitrailler* 46
blast out	*brailler, faire brailler* 180
blaze away	*flamber* 46
blaze up	*s'enflammer, s'embraser* 232
blend in (with)	*se fondre, s'intégrer* 98
blend into	*(se) fondre, mêler, mélanger* 117
block in	*remplir (un dessin) avec de la* *couleur, du crayon, de l'encre;* *colorer, foncer, esquisser, ombrer* . . 104
block off	*fermer, barrer, obstruer* 129
block out	*supprimer, retenir* *(information, idée)* 163
block up	*bloquer, boucher, murer* 251
blot out	*effacer (mémoire, pensée)* 163
blow down	*abattre (par le vent), détruire* *(par le feu)* 64
blow in (on sb, at a place)	*rendre visite, passer voir,* *passer à l'improviste* 95

blow out	*éteindre (en soufflant)*	166
blow over	*s'envoler*	190
blow over	*se calmer, s'apaiser*	196
blow up	*gonfler, agrandir, exagérer*	231
blow up	*sauter, exploser*	254
blunder through	*réussir à faire qqch. à l'aveuglette, au petit bonheur, sc débrouiller*	211
blurt out	*lâcher, laisser échapper*	178
board up	*boucher, obturer*	251
bog down	*s'empêtrer, s'embourber*	63
boil over	*déborder, se répandre, se déverser*	192
boil up	*faire bouillir*	232
bolster up	*soutenir*	234
bolt down	*expédier un repas*	73
bone up	*bûcher, potasser*	239
book in	*se faire enregistrer en arrivant (hôtel...)*	93
book into	*signer à l'arrivée, arriver (hôtel)*	110
boom out	*tonner, gronder, brailler, (faire) retentir*	180
border on	*toucher à, être voisin de, approcher*	155
boss sb around	*maltraiter, régenter, donner des ordres, jouer au petit chef, houspiller*	33
bottle out	*se dégonfler, se dérober*	164
bottle up	*refouler, contenir, ravaler*	252
bottom out	*atteindre son plus bas niveau*	176
bow back	*rendre son salut à qqn*	50
bow out	*s'excuser, prendre congé, laisser la place*	164
bow to	*s'incliner, se plier à*	216
bowl over	*renverser, faire tomber*	193
bowl over	*stupéfier, sidérer, bouleverser*	200
box in	*enfermer, coincer*	103
box off	*cloisonner, diviser en compartiments*	128

brace up	*revigorer, remonter*	234
brave out	*faire face (avec courage)*	188
break away from	*s'éloigner, prendre ses distances*	90
break down	*abattre, renverser*	64
break down	*échouer (négociations)*	68
break down	*tomber en panne*	241
break in	*entrer par effraction*	94
break in	*intervenir, s'immiscer dans une conversation, interrompre une conversation*	100
break into	*entrer par effraction*	108
break into	*se mettre à (courir, chanter...), éclater en (sanglots)*	114
break into	*entamer (des réserves, des économies)*	117
break into	*diviser*	118
break off	*détacher, casser, séparer*	128
break off	*rompre*	132
break out	*s'échapper, s'évader*	157
break out	*éclater, se déclarer*	177
break through	*traverser, parcourir*	209
break up	*briser, rompre, se disperser*	253
break with	*rompre avec*	260
breeze in	*entrer en coup de vent*	94
brew up	*couver, se tramer*	236, 237
brick up	*murer*	251
brighten up	*(s')éclaircir, (s')éclairer*	232
brim over	*déborder, se répandre, se déverser*	192
bring about	*provoquer (action, changement)*	15
bring along	*venir avec, emmener*	25
bring back	*rapporter, rendre*	50
bring (prices, taxes, expenses..) down	*réduire, faire baisser (prix, impôts, dépenses...)*	62
bring sb down	*décourager, briser le moral à qqn*	68
bring forth	*provoquer*	82, 83

bring forward	*reporter*	84
bring forward	*avancer, déplacer, proposer (idée*	85
bring sb into	*impliquer, entraîner (qqn)*	115
bring off	*conduire à bien, faire aboutir*	136
bring on	*être la cause de, être à l'origine de*	140
bring out	*publier, lancer, mettre en valeur*	177
bring over	*apporter*	190
bring over	*convertir (personne)*	197
bring round	*persuader, convaincre qqn de changer d'avis*	207
bring sb round	*ramener qqn à la vie*	207
bring sb to	*faire reprendre connaissance à qqn*	219
bring up	*introduire, soulever (une question)*	237
broaden out	*(s')élargir*	186
brood on	*ressasser, ruminer (une idée)*	138
brood over	*ruminer, remâcher*	194
brush aside	*ignorer, repousser (idée, sentiment)*	36
brush by	*frôler (qqn) en passant*	56
brush down	*brosser, épousseter*	72
brush off	*rembarrer, rabrouer qqn, rejeter qqn*	129
brush out	*brosser à fond*	174
brush past	*frôler, effleurer qqn en passant*	203
brush up	*se remettre à, revoir, réviser*	240
brush up	*ramasser*	244
buck up	*remonter le moral, ravigoter*	235
buckle down to	*s'installer, se mettre au travail, s'atteler à une tâche*	69
buckle in	*attacher*	103
buckle into	*attacher*	113
buckle on	*attacher, boucler, fixer*	149
buckle under	*céder, se soumettre*	224
budget for	*inscrire au budget*	80

build in	*intégrer, encastrer* 97
build on	*fonder qqch. sur* 148
build up	*monter, augmenter, croître* 229
bump into	*heurter, percuter,* *rencontrer qqn par hasard* 112
bump up	*faire grimper* 230
bunch up	*(s')entasser, mettre en tas* 246
bundle up	*mettre en paquet, empaqueter* . . 246
bung up	*boucher, obstruer* 251
burn down	*abattre (par le vent),* *détruire (par le feu)* 64
burn out	*s'éteindre* 166
burn up	*brûler, flamber jusqu'au bout* . . . 242
burst in	*faire irruption* 94
burst into	*se mettre à (rire),* *éclater en (sanglots)* 114
burst out	*s'exclamer, s'écrier,* *se mettre à (chanter....)* 179
bust up	*rompre, se brouiller* 253
bustle about	*s'affairer* 13
butt in	*intervenir, s'immiscer dans* *une conversation,* *interrompre une conversation* . . . 100
button up	*boutonner* 255
buy in	*faire provision de,* *s' approvisionner en* 104
buy out	*racheter la part de* 185
buy over	*acheter, corrompre* 198
buy up	*acheter en totalité, rafler* 244
buzz about	*s'agiter, s'activer* 13
buzz off (coll.)	*se tirer, décamper (fam.)* 123

C

call after	*donner, porter (le nom de)* 18
call back	*rappeler au téléphone* 49
call by	*passer, voir qqn, qqch.* 57

call for	*aller, venir, chercher qqn, qqch.* . . 74
call forth	*forcer, provoquer* 82, 83
call in (on sb, at a place)	*rendre visite, passer voir, passer à l'improviste* 95
call off	*annuler, décommander* 33
call on sb	*rendre visite* 154
call out	*pousser des cris, héler, appeler* . . 179
call over	*appeler* 191
call round	*rendre une courte visite* 206
call up (US)	*donner un coup de téléphone* . . . 247
call upon	*appeler, convoquer* 258
cancel out	*s'annuler, se détruire* 163
care for	*désirer* 75
care for	*s'occuper de, soigner* 76
carry back	*faire revenir à la mémoire* 48
carry forward	*reporter* 84
carry off	*s'en sortir, (bien) s'en tirer* 136
carry on	*continuer, ne pas cesser de* 142
carry out	*exécuter, mener à bien, réaliser* . 173
carry over	*reporter (d'une année, une page) sur l'autre* 200
carry through	*accomplir, faire aboutir* 210
cart sb off	*expédier qqn, embarquer qqn* . . . 124
carve out	*découper, tailler* 176
carve up	*découper, morceler, tailler* 253
cash in	*échanger qqch. pour de l'argent, tirer profit de* 105
cast around (for)	*bourlinguer, courir les femmes/les hommes* . . . 33
cast aside	*rejeter, repousser (qqn, qqch.)* . . . 37
cast away	*jeter au loin, bannir* 42
cast back	*faire un retour sur le passé, se reporter en arrière* 48
cast off	*rejeter, se débarrasser de* 129
cast out	*mettre dehors, chasser* 159
catch on	*prendre, devenir populaire* 141
catch up	*rattraper, se remettre à niveau* . . 240

catch up with	*rattraper, combler un retard*	257
cater for	*pourvoir aux besoins de qqn*	76, 77
cater to sb's needs, tastes...	*pourvoir (aux besoins, aux goûts de qqn)*	215
cave in	*céder, capituler, s'effondrer, s'affaisser*	105
centre around	*se porter sur*	30
centre on	*centrer, concentrer (sur)*	155
chain up	*attacher*	254
chance on	*trouver, rencontrer (par hasard)*	147
change down	*freiner, ralentir*	63
change into	*transformer*	116
change over	*changer, échanger*	197
chart out	*dresser une carte*	170
chase after	*poursuivre, pourchasser*	17
chase sb off	*faire partir, éloigner, chasser qqn*	124
cheat on sb	*tromper qqn*	154
check in	*se faire enregistrer en arrivant (hôtel...)*	93
check into	*arriver (hôtel)*	110
check out	*régler sa note d'hôtel en partant*	158
check out	*contrôler, vérifier, se faire une idée sur*	171
check over	*examiner, vérifier*	195
check up	*se renseigner, vérifier*	239
cheer on	*encourager*	144
cheer up	*remonter le moral, réconforter*	235
chew on	*méditer, ruminer (une idée)*	138, 139
chew over	*réfléchir, tourner dans sa tête*	194
chew up	*mâchonner, mâchouiller*	254
chicken out	*se dégonfler, se dérober*	164
chime in	*intervenir, s'immiscer dans une conversation, interrompre une conversation*	100
chip in	*intervenir, s'immiscer dans une conversation, interrompre une conversation*	100

chivvy up	*activer* 233
choke back	*retenir un sentiment* 50
chop up	*hacher, couper en morceaux* 253
chuck out	*flanquer à la porte* 159
churn out	*produire en masse, en série* 182
clamp down on sb	*réprimer, s'attaquer à* 67
clap out	*taper des mains,* *battre la mesure (avec les mains)* 181
class sb among	*classer qqn parmi* 26
claw at	*s'accrocher, s'agripper à* *(avec des griffes, des ongles)* 40
clean down	*laver* 71
clean out	*nettoyer à fond* 173
clean up	*nettoyer, mettre de l'ordre* . . . 52, 244
clear away	*enlever, ranger* 44
clear off (coll.)	*se tirer, décamper (fam.)* . . . 123, 124
clear out	*partir, décamper* 157
clear out	*vider, débarrasser* 174
clear up	*mettre de l'ordre, ranger* 244
climb down	*descendre, dégringoler* 59
clock off	*pointer (en quittant son travail)* . 126
clock on	*pointer à l'arrivée* 141, 152
clock out	*pointer (à la sortie du travail)* . . 158
clog up	*boucher, encrasser, bloquer* 251
close in on	*entourer, menacer* 103
close off	*fermer, barrer, obstruer* 129
close on	*menacer, attaquer violemment,* *se rapprocher d'une manière* *menaçante* 147
close up	*se rapprocher, se serrer* 256
cloud over	*s'assombrir (air, visage),* *se couvrir de nuages, s'assombrir* . . 199
club together	*réunir des personnes, des fonds,* *se cotiser* 221
cluster around	*se rassembler,* *se grouper autour de* 30
clutch at	*se cramponner à, s'attacher à* . 40, 41

coax sb into doing sth	*cajoler, mystifier qqn*	113
cobble together	*assembler, joindre à la hâte, de façon imparfaite*	221
coil up	*enrouler*	248
collect up	*ramasser, rassembler*	245
colour in	*remplir (un dessin) avec de la couleur, du crayon, de l'encre; colorer, foncer, esquisser, ombrer*	104
comb out	*peigner*	174
come about	*arriver, survenir (événement)*	15
come across	*rencontrer par hasard, traverser*	16
come across	*passer (idée, message)*	17
come after	*poursuivre*	17
come along	*arriver, se produire, avancer, aller dans une certaine direction*	24
come along (with)	*accompagner, emmener*	25
come apart	*se défaire, se décoller*	28
come at sb	*se jeter sur qqn*	39, 40
come back	*revenir*	47, 249
come before	*devancer*	51
come before	*prendre le pas sur, précéder, passer avant, comparaître (tribunal)*	52
come between	*s'interposer, venir se mettre entre*	55
come by (US)	*passer, voir qqn, qqch.*	57
come down	*descendre, dégringoler*	59
come down upon sb	*s'en prendre à qqn*	66
come for	*aller, venir chercher qqn, qqch.*	74
come forth	*sortir, s'avancer*	81, 82
come forward	*s'avancer*	84
come forward	*s'offrir à (faire qqch.)*	86
come forward with	*émettre (des suggestions)*	85
come from	*être originaire de, venir, provenir de*	86, 87
come in	*arriver (train, bus, bateau ...)*	92, 93
come in	*entrer*	93

come in	*se joindre à, prendre part à*	100
come into	*entrer*	106
come into (office)	*arriver au pouvoir*	110
come into (being, use, force...)	*venir*	116
come of	*advenir, devenir*	121
come off	*s'enlever, se détacher, se décoller*	127
come off	*se réaliser*	132
come off	*réussir, être réussi, se dérouler (bien, mal), marcher*	136
come on	*commencer, arriver*	141
come on	*progresser*	142
come on !	*allons ! allez !*	144
come on	*trouver, rencontrer (par hasard)*	147
come out	*sortir*	156
come out	*paraître, se montrer*	177
come over	*venir*	190, 191
come over	*faire, donner impression*	201
come round	*faire le tour, contourner*	204
come round	*courir, (faire) circuler*	205
come round	*rendre une courte visite*	206
come round	*se ranger à l'avis de*	207
come round	*revenir à soi, se remettre*	208
come through	*traverser, parcourir*	209
come through	*survivre à*	211
come to	*revenir à soi*	219
come under	*tomber sous l'autorité de, subir*	224
come under	*être classé sous*	225
come up	*monter, se lever*	226
come up	*venir, se poser*	236
come up against	*se heurter à*	257
come up to (sb)	*s'approcher de (qqn), aborder*	256
come up with	*proposer, suggérer*	237
come upon	*rencontrer par hasard, tomber sur*	258
conjure up	*faire apparaître, évoquer, rappeler*	237

conk out	*rendre l'âme*	167
contract in	*se lancer dans une activité, s'engager par contrat*	100
contract out	*sous-traiter*	185
cook up	*inventer, fabriquer, concocter*	238
cool off	*diminuer, tiédir, se refroidir*	134
coop up	*refouler (sentiments)*	252
cop out	*se dégonfler, se dérober*	164, 165
copy out	*copier, transcrire*	170
cordon off	*fermer, barrer, obstruer*	129
count against	*jouer contre, compromettre qqn*	21
count sb among	*compter qqn parmi*	26
count in	*inclure, prendre en compte*	97
count on	*compter, miser sur*	150
count out	*laisser dehors, exclure*	160
count up	*faire le compte, additionner*	230
cover over	*recouvrir*	198
crack down on	*réprimer, s'attaquer à*	67
crash into	*heurter, percuter*	112
crave for	*désirer*	76
creep into	*se glisser*	107
creep up on (sb)	*s'approcher à pas de loup, surprendre*	256
crop up	*surgir, survenir*	236
cross off	*radier qqn, rayer, biffer un nom*	128
cross out	*rayer, biffer, barrer*	162
cross over	*traverser*	191
crowd into	*se serrer, s'entasser dans*	107
crowd round	*se presser autour de*	205
crumple up	*chiffonner, friper, froisser*	249
crunch up	*broyer*	243
cry off	*se récuser, annuler*	133
cry out	*pousser un cri, s'écrier*	179
cry out for	*réclamer*	79
cuddle up	*se pelotonner*	246
curl up	*s'enrouler, se mettre en boule, se replier*	248, 249

curtain off	*séparer, diviser (par des rideaux)*	129
cut across	*traverser (champ)*	16
cut back	*rebrousser chemin*	47
cut down	*réduire, diminuer, abaisser, faire des coupes dans*	62
cut in	*intervenir, s'immiscer dans une conversation, interrompre une conversation*	100
cut into	*couper, inciser, entamer*	111
cut off	*couper, trancher*	127
cut off	*détacher, casser, séparer*	128
cut off	*interrompre*	132
cut out	*enlever, retirer*	162
cut out	*arrêter, supprimer*	164
cut up	*couper, découper, tailler en pièces*	253

D

dally with	*caresser (une idée), songer à*	261
dam up	*endiguer*	252
date back	*remonter dans le temps, remonter (à)*	48
deal in	*s'occuper de, se livrer à, s'adonner à*	101
deal out	*distribuer*	182
deal with	*avoir affaire à, traiter avec*	259
deal with	*s'occuper de*	261
debar sb from doing sth	*interdire*	88
decide on	*(se) décider, fixer*	140
defer to	*se soumettre à, se rendre à l'avis de*	216
delve into	*fouiller dans*	111
depart from	*quitter, partir, se départir de*	89, 90
depend on	*dépendre de*	150
deprive sb of	*débarrasser, dépouiller (qqn) de*	120
derive from	*tirer de*	87
descend on	*s'abattre sur*	147

despair of	*désespérer de*	120
deter sb from doing sth	*dissuader, décourager*	89
detract from sth	*rabaisser, nuire à*	91
deviate from	*s'écarter de*	89
devolve on	*tomber (sur), incomber, échoir*	146
die away	*s'effacer*	43
die off	*s'éteindre, mourir*	134
die out	*disparaître*	167
differ from	*différer, être en désaccord*	89
differentiate sb, sth from	*différencier*	90
dig in	*ajouter, mélanger (en profondeur), enterrer (compost)*	99
dig into	*fouiller dans*	111
dig out	*extraire, déterrer*	163
dig up	*arracher, déterrer*	228
din sth into	*entrer, faire entrer qqch. dans la tête de qqn*	111
dine out	*dîner en ville, au restaurant*	161
dip into	*entamer (des réserves), tirer sur (des économies)*	117
disapprove of	*désapprouver, trouver à redire*	119
discharge from	*libérer, congédier qqn de*	90
discourse on	*discourir, traiter de*	139
dish out	*servir, distribuer*	182, 183
dispose of sb/sth	*disposer de, se défaire de, expédier*	120
dispute among	*se disputer entre*	26
dissociate sb, sth from	*dissocier qqn, qqch.*	90
dissuade sb from doing sth	*dissuader, décourager*	89
distinguish sb, sth from	*distinguer*	90
dive in	*se précipiter*	101
dive into	*fouiller dans, plonger (la main) dans*	111
dive into	*s'attaquer à, se lancer dans*	115
divest sb of	*débarrasser, dépouiller (qqn) de*	120

divide into	*diviser*	118
divide up	*(se) diviser*	253
do sb down	*rabaisser, diminuer qqn*	65
do for	*servir de*	79
do for sb	*régler son compte à qqn*	79
do out	*nettoyer*	173
do over	*refaire, redécorer*	199
do up	*refaire, remettre à neuf*	239
do up	*remettre à neuf, refaire, rafraîchir*	245
do up	*fermer, attacher, boutonner*	255
do with	*être impliqué dans*	261
do without	*se passer de*	263
dole out	*servir, distribuer*	182
doll up	*se bichonner, se mettre sur son trente et un*	241
dote on sb	*aimer à la folie, être fou de, adorer qqn*	153
doze off	*s'assoupir, s'endormir*	135
drag sb into	*impliquer, entraîner (qqn)*	115
drag on	*se prolonger, s'éterniser*	143
drag out	*faire traîner*	188
draw in	*arriver (train, bus, bateau ...)*	92
draw sb into	*impliquer, entraîner (qqn)*	115
draw on	*tirer profit de*	148
draw out	*s'ébranler, démarrer (train ...)*	157
draw out	*rallonger, étirer, faire traîner*	188
draw up	*établir, dresser, élaborer*	238
dream of	*rêver, s'aviser de*	119
dream up	*imaginer, concevoir*	237
dress as	*habiller en*	35
dress up	*s'habiller, s'endimancher*	241
drift about	*errer, traîner*	13
drift along	*flâner, aller, être en route, aller son bonhomme de chemin*	24
drift apart	*se séparer*	27
drift off	*s'assoupir, s'endormir*	135

drill sth into	*entrer, faire entrer qqch. dans la tête de qqn*	111
drink down	*boire, boire d'un trait*	73
drink in	*être pris par qqch., s'absorber dans qqch.*	97
drink up	*boire, vider son verre*	243
drive at	*en venir à, atteindre*	38
drive away	*chasser, repousser, démarrer*	42
drive back	*retourner (en voiture)*	47
drive out	*sortir (en voiture)*	158
drive out	*chasser, faire sortir*	159
drive past	*passer, dépasser (en voiture)*	202
drive sb off	*faire partir, éloigner, chasser qqn*	124
drive sth through	*enfoncer qqch. à travers, transpercer*	209
drone on	*débiter d'une manière monotone (un discours rasant)*	139
drool over	*s'extasier devant*	200
drop by	*passer voir (qqn, qqch.)*	57
drop in (on sb, at a place)	*rendre visite, passer voir, passer à l'improviste*	95
drop off	*s'effondrer*	134
drop off	*s'assoupir, s'endormir*	135
drop out	*quitter, se retirer*	157
drop round	*rendre une courte visite*	206
drum out	*expulser*	159
drum sth into	*entrer, faire entrer qqch. dans la tête de qqn*	111, 112
drum up	*rassembler, battre le rappel*	234
dry up	*sécher, s'assécher, se tarir*	242
dry off	*s'assécher, s'évaporer*	134
duck out	*se retirer, se dérober*	164
dust down	*brosser, épousseter*	72
dwell on	*s'étendre sur, s'appesantir sur*	138

E

ease off	*ralentir, (se) détendre*	134
eat away	*éroder, miner, ronger*	46
eat in	*dîner chez soi*	92
eat into	*ronger*	111
eat out	*dîner en ville, au restaurant*	161
eat up	*dévorer, finir son plat*	243
eat up	*ronger*	254
ebb away	*décliner*	43
egg on	*pousser, inciter, stimuler*	144
eke out	*économiser, faire durer, subsister*	189
emanate from	*émaner*	87
embark on	*se lancer dans*	154
empty out	*vider*	174
encroach on	*empiéter*	145
end up	*finir, se terminer, s'achever*	241
endow with	*doter de*	263
engage in	*se lancer dans une activité*	100, 101
enlarge on	*s'étendre sur, développer une idée*	139
enter for (a race, an exam)	*participer à une épreuve*	78
enter into	*entamer (relations...), contracter (obligations...)*	114
enter up	*inscrire, tenir un registre à jour*	238
enthuse over	*porter qqn aux nues, être emballé par*	200
escape from	*s'échapper de*	90
even out	*niveler, aplanir, égaliser*	175
expand on	*discourir longuement sur*	139

F

face about	*faire demi-tour*	15
face sb down	*dévisager, intimider qqn*	65
face out	*faire face à*	188

face up to	*faire face, affronter*	257
fade away	*s'atténuer, mourir*	43
fade out	*s'estomper, disparaître*	167
fag out	*épuiser, exténuer, éreinter*	168
fall apart	*se défaire, se décoller, tomber en pièces*	28
fall back	*opérer un retrait (armée)*	48
fall behind	*se faire distancer, prendre du retard*	53
fall for	*être attiré par*	76
fall in	*s'effondrer, s'affaisser*	105
fall in (with)	*se lier d'amitié*	102
fall into	*se mettre à*	114
fall off	*ralentir, fléchir*	134
fall on	*tomber (sur), incomber, échoir, se retourner contre, attaquer*	146
fall out	*se brouiller, se fâcher*	169
fall over	*tomber à terre*	193
fall through	*échouer*	213
fall to (doing) sth	*se mettre à prendre l'habitude de*	214
fall under	*être classé sous*	225
fan out	*se déployer*	186
fasten on	*attacher, boucler, fixer*	149
fasten up	*fermer, attacher*	255
fathom out	*découvrir, pénétrer (un mystère)*	172
fatten up	*engraisser, gaver*	231
feed up	*engraisser, gaver*	231
feel out	*sonder qqn*	171
fence in	*enceindre, entourer d'une clôture, parquer (animaux)*	103
fence off	*clôturer*	128
fend off	*parer, détourner, esquiver*	131
ferret out	*dénicher, découvrir*	172
fiddle around	*ne rien faire de bien, s'amuser, traîner*	32
fight back	*retenir, refouler une peur*	51
fight off	*résister, juguler, refouler*	130

fight on	*continuer à se battre*	131
fight out	*se battre (jusqu'à une décision)*	169
figure on	*s'attendre à, compter, tabler sur*	151
figure out	*arriver à comprendre*	171
figure out	*calculer*	169
fill in	*remplir un document, un dessin (avec de la couleur, du crayon, de l'encre), colorer, foncer, esquisser, ombrer*	104
fill out	*remplir (un formulaire)*	170
fill out	*grossir, s'enfler, étoffer*	187
film over	*se voiler, s'embuer*	199
find for (Jur.)	*rendre un verdict (favorable)*	81
find out	*découvrir, trouver, démasquer, se renseigner*	171
finish off	*achever, terminer*	132
finish up	*finir, se retrouver, terminer*	241
finish with	*rompre, en finir avec*	260
fish for (compliments)	*aller à la pêche (aux compliments)*	75
fit in (with)	*se fondre, s'intégrer*	98
fit out	*équiper*	174
fit up	*équiper, pourvoir*	239
fix on	*(se) décider, fixer*	140
fix up	*mettre, installer, arranger*	239
fizzle out	*faire long feu, finir en eau de boudin*	167
flare out	*(s')évaser*	186
flare up	*s'enflammer, s'embraser*	232
flash back	*se rappeler soudainement, faire un retour en arrière*	49
flatten out	*(s')aplanir, (s')aplatir*	175
flesh out	*donner du corps, étoffer*	187
flick through	*parcourir, feuilleter*	212
flood in	*arriver en masse, en grand nombre*	93
flood into	*arriver en masse*	110

flow from	*provenir, découler de*	87
fluff out	*donner du volume, faire bouffer*	187
fly at sb	*s'élancer sur qqn*	39
fly into	*se mettre en (colère)*	114
fly round	*tournoyer autour*	203
focus on	*centrer, concentrer (sur)*	155
fog up	*s'embuer, s'embrumer*	252
foist sth on sb	*imposer, refiler qqch. à qqn*	145
fold in	*ajouter, incorporer, mélanger*	99
fold up	*échouer, faire un four, faire fiasco*	242
fold up	*plier, replier*	248
follow through	*suivre jusqu'au bout*	210
fool about	*s'amuser, perdre son temps*	14
fool around	*faire le clown, rôder, ne rien faire de bien, s'amuser, traîner*	32
fool around (with)	*faire l'imbécile (avec), s'amuser (avec un jouet)*	32
force back	*retenir, refouler un désir*	51
force sb into doing sth	*presser, forcer qqn à faire qqch.*	113
force sth on sb	*imposer qqch. à qqn*	145
forge ahead	*pousser, aller de l'avant*	22
fork out	*payer, casquer*	184
foul up	*faire échouer, flanquer par terre*	250
freeze over	*geler, se prendre*	198
freeze up	*geler*	252
freshen up	*rafraîchir (une pièce)*	245
frost over	*geler, glacer*	198
fuss over	*être aux petits soins, ennuyer qqn*	200

G

gad around	*faire le clown, vadrouiller*	32
gamble on	*jouer, parier*	151
gather around	*se rassembler autour de*	30, 205
gather in	*rassembler*	104

gather round	*se rassembler autour de*	30, 205
gather up	*rassembler*	245
gear towards	*organiser, concevoir dans le but de*	223
get about	*se déplacer, courir (bruits, nouvelles, rumeurs)*	13
get above oneself	*se mettre au-dessus des autres*	16
get across	*transmettre (idée, message)*	17
get after	*poursuivre*	17
get ahead	*réussir*	23
get along	*partir, s'en aller*	24
get along	*s'entendre avec, se débrouiller, s'en tirer*	25
get at	*en venir à, atteindre*	38
get at sb	*s'en prendre à qqn*	39
get away	*s'échaper*	42
get away from	*s'éloigner, prendre ses distances*	90
get back	*reculer*	48
get behind	*se faire distancer, prendre du retard*	53
get beyond	*aller au-delà de, dépasser*	55
get by	*passer*	56
get by	*s'en sortir*	57
get down	*descendre, dégringoler*	59
get down	*coucher par écrit, inscrire, noter*	70
get down	*avaler, ingurgiter*	73
get down to	*s'installer, se mettre au travail, s'atteler à une tâche*	69
get sb down	*décourager, briser le moral à qqn.*	68
get forward (with one's work)	*progresser, avancer (dans son travail)*	84
get in	*arriver (chez soi), arriver (train, bus, bateau...)*	92
get in	*entrer*	93
get in (on)	*empiéter sur*	99
get in (on) sth	*s'imposer, faire partie du coup*	102

get in (with)	*s'assurer les bonnes grâces de*	102
get into	*entrer dans, monter dans (voiture)*	106, 107
get into	*acquérir*	114
get off	*envoyer (lettre, personne...)*	124
get off (a bus, a train ...)	*descendre, partir (avion)*	125
get (time, a day...) off	*obtenir un jour de repos, de congé*	126
get off	*ôter, enlever*	127
get off (to sleep)	*s'endormir*	135
get sb off	*accompagner, reconduire qqn*	124
get on	*mettre qqch.*	138
get on at sb	*tracasser, harceler*	153
get on with	*poursuivre (travail)*	142
get on with sb	*s'entendre avec*	152
get out	*sortir, partir, s'échapper*	156
get out	*faire, laisser sortir*	158
get out	*se répandre, s'ébruiter, sortir, publier*	177
get out (of)	*se libérer de*	165
get over	*transmettre, faire comprendre (idée, opinion)*	197
get over with	*surmonter, venir à bout de, en finir avec*	196
get round	*contourner, éviter (un sujet)*	205
get round	*persuader, convaincre qqn changer d'avis*	207
get sb round	*ramener qqn à la vie*	207
get struck on sb	*s'enticher de, avoir le béguin pour*	153
get through	*faire voter (passer) un projet de loi (à la hâte), accomplir, faire aboutir*	210
get through	*traverser de rudes épreuves*	211
get through to sb	*joindre qqn par téléphone*	212
get to	*arriver*	214
get to (doing) sth	*se mettre à, prendre l'habitude de*	214

get together	*(se) réunir, (se) rassembler* . . 219, 220
get together	*rassembler (ex. : des fonds)* 221
get oneself together	*se remettre, reprendre ses esprits* 222
get up	*se lever, se mettre debout* 226
ginger up	*mettre de la vie, de l'entrain* 235
give away	*se débarrasser de, trahir* 42
give back	*redonner* 49
give forth	*émettre (un son), répandre, déverser* 83
give in	*céder, capituler, donner, rendre (devoir)* 105, 106
give (time, a day...) off	*donner un jour de repos, de congé* 126
give off	*dégager, émettre* 136
give out	*être épuisé, s'épuiser, tomber en panne* 167
give out	*annoncer* 177
give out	*distribuer* 182
give over	*cesser de, arrêter de, donner, transmettre* 196
give up	*abandonner, renoncer* 242
give way beneath sth	*céder sous* 54
glaze over	*devenir vitreux, terne (yeux)* 199
gloss over	*atténuer, glisser sur, dissimuler* . . 202
glue on	*coller, fixer* 149
go about	*sortir, être capable de faire, s'y prendre* 13
go after	*poursuivre* 17
go after	*désirer, convoiter (une personne), rechercher* 18
go against	*aller à l'encontre de* 19
go ahead	*passer devant* 21, 22
go ahead with	*continuer* 22
go along	*avancer, aller dans une certaine direction, flâner, être en route, aller son bonhomme de chemin* . . . 24

go around	*faire le tour de, tourner*	29
go around	*courir (rumeurs), faire le tour de*	30
go at	*s'attaquer à une tâche, y mettre du sien*	38
go away	*partir*	42, 259
go back	*retourner*	47
go back	*remonter dans le passé*	49
go before	*précéder (dans le temps)*	51
go beyond	*outrepasser (autorité)*	55
go by	*passer, s'écouler, voir qqn, qqch.*	56, 57
go by	*fonder sur, se fier à*	59
go down	*se laisser boire*	73
go for	*prendre à partie*	80
go forth	*se mettre en route*	82
go forward (with one's work)	*progresser, avancer (dans son travail)*	84
go forward	*recommander, proposer*	86
go in	*entrer*	93, 94
go in for	*faire le choix de, se consacrer à*	81
go into	*entrer*	106
go into	*heurter, percuter*	112
go into	*procéder à, se lancer dans*	115
go off	*partir, s'en aller*	122
go off	*quitter sa famille pour qqn*	125
go off	*cesser de fonctionner*	133
go off (to sleep)	*s'endormir*	135
go off	*se dérouler (bien, mal), marcher*	136
go off with sth	*voler, dérober en partant*	125
go on	*continuer, ne pas cesser de*	142
go out	*sortir, quitter, partir, aller au restaurant*	156
go out	*s'éteindre*	166
go over	*aller*	190, 191
go over	*examiner, reconnaître*	195
go over	*revoir, repasser, répéter*	199

go past	*passer, dépasser*	203
go round	*faire un détour, un circuit, tourner*	204
go round	*courir, circuler*	205
go round	*rendre une courte visite*	206
go through	*traverser, parcourir*	209
go through	*traverser de rudes épreuves*	211
go together (US)	*aller ensemble, s'accorder, sortir avec*	220
go under	*sombrer, s'enfoncer sous l'eau*	224
go under	*succomber, disparaître, faire faillite*	225
go up	*monter, s'élever, se lever*	226
go up	*monter, être en hausse, s'élever*	229
go up	*sauter, exploser*	254
go up to (sb)	*s'approcher de (qqn), aborder*	256
go with	*être du même avis*	259
go without	*se passer de*	263
goad sb into doing sth	*presser, forcer qqn à faire qqch.*	113
goad on	*pousser, inciter, stimuler*	144
gobble down	*dévorer*	73
grab at	*s'agripper à qqn, saisir qqch., s'agripper à, se jeter sur*	40, 41
grapple with	*s'atteler à, se colleter avec, se débattre avec*	261
grasp at	*chercher à atteindre, à saisir*	40
grass over	*recouvrir de gazon*	198
grind sb down	*assujettir, opprimer*	67
grind on	*continuer de façon ennuyeuse*	143
grind out	*éteindre (une cigarette)*	166
grind up	*pulvériser*	254
grow apart	*se séparer*	27
grow on sb	*plaire*	152
grow up	*grandir, devenir adulte*	231
guard against	*parer à un danger, protéger*	20
guess at	*estimer, deviner*	38
gulp down	*avaler, ingurgiter*	73

gun down	*abattre, tuer*	64
gun for	*pourchasser (qqn)*	80

H

hack at	*écharper qqn*	40
hail as	*acclamer comme*	35
hail from	*venir de*	87
hammer away	*travailler avec acharnement*	46
hammer out	*aboutir (après une rude discussion)*	168
hand back	*rendre*	49
hand down	*transmettre*	61
hand in	*donner, rendre, remettre (devoir)*	106
hand on to	*transmettre*	154, 155
hand out	*distribuer*	182
hand over	*transmettre, passer le relais à*	196
hand round	*faire passer, faire circuler*	206
hand sth to sb	*reconnaître (les qualités de)*	218
hang about	*rôder, traîner*	14
hang around	*être oisif, paresser*	31
hang on	*dépendre de, tourner autour de, s'accrocher, se cramponner*	150
hang out	*faire sécher, traînasser, ne rien faire*	161
hang round	*rester à ne rien faire*	208
hang together	*rester unis, faire bloc, se serrer les coudes*	220
hang up	*accrocher, pendre*	228
hang up	*raccrocher, mettre fin à une conversation*	242
hanker after	*désirer ardemment*	18
hanker for	*convoiter*	75
happen along	*arriver, se produire*	24
happen before	*se passer auparavant*	51
happen on	*trouver, rencontrer (par hasard)*	147
harp on	*rabâcher*	139

hash over	*discuter ferme de*	195
hasten back	*retourner en toute hâte*	48
haul in	*arrêter (police)*	104
have (time, a day...) off	*avoir un jour de repos, de congé*	126
have on	*porter (un vêtement)*	137
have on	*laisser allumé*	141
have out	*s'engueuler, s' expliquer*	169
head for	*se diriger vers*	74
head off	*détourner, couper court à, éviter*	131
head towards	*avancer, aller tout droit vers*	222
heal up	*se cicatriser, guérir*	242
heap on	*entasser, accumuler*	155
heap up	*entasser, accumuler, empiler*	231
hear about	*entendre parler de*	15
hear from	*avoir des nouvelles de*	88
hear of	*entendre parler de (qqn, qqch.)*	119
hear out	*écouter jusqu'au bout*	176
heat up	*chauffer, (se) réchauffer*	232
hedge against	*parer à un danger, protéger*	20
hedge in	*enclore*	103
heel over	*gîter, donner de la bande*	192
help along	*aider, faire avancer, progresser (projet)*	25
help out	*donner un coup de main*	176
help sb to sth	*servir qqn*	215
hem in	*entourer, cerner*	103
herd together	*vivre en troupeau, (se) rassembler, entasser*	220
herd up	*rassembler, regrouper, mener*	246
hew out	*tailler*	176
hide away	*dissimuler*	44
hide behind	*se retrancher (derrière qqch.)*	53
hide sth from	*cacher, dissimuler*	91
hide out	*se cacher, se planquer*	161
hinge on	*dépendre de, tourner autour de*	150
hire out	*donner en location*	184
hit at sb	*frapper, attaquer qqn*	39, 40

hit back	*rendre coup pour coup* 50
hit on	*découvrir, trouver, rencontrer (par hasard)* 147
hoard up	*faire des réserves, accumuler* . . . 248
hold back	*retenir (larmes), refouler (émotions)* 50
hold down	*maintenir* 70
hold sb down	*assujettir, opprimer* 67
hold forth	*disserter* .83
hold in	*retenir* 103
hold off	*repousser, retarder* 130
hold off	*(se) tenir à distance* 131
hold on	*tenir bon* 143
hold on	*s'accrocher, se cramponner* 150
hold out	*tendre* 185
hold out	*durer, tenir bon, tenir le coup* . . . 188
hold out for	*réclamer* 79
hold out for	*tenir bon, s'obstiner, revendiquer* 189
hold over	*remettre à plus tard* 200
hold to	*tenir (une promesse), s'en tenir à (une opinion, un projet...)* 216
hold together	*rester unis, faire bloc, se serrer les coudes* 220
hold up	*lever, élever* 227
hollow out	*creuser, évider* 176
home in on	*se diriger sur (cible)* 93
hook on	*accrocher* 149
hook up	*agrafer, connecter* 255
hoot sb down	*faire taire par des huées* 66
hope for	*espérer* 7 5
horn in (on) sth (US)	*s'imposer, mettre son grain de sel* . . 102
horse around	*ne rien faire de bien, s'amuser, chahuter* 32
hose down	*nettoyer à grande eau* 71, 72
hose out	*laver au jet* 174
hound out	*chasser* 159

howl sb down	*faire taire, empêcher qqn de parler (par des cris, des huées)* . . 66
huddle together	*(s')entasser, (se) serrer les uns contre les autres* 220
huddle up	*se blottir, se pelotonner* 246
hunger after	*désirer ardemment* 18
hunger for	*avoir envie de* 75
hunt down	*dépister* 65
hunt out	*trouver, dénicher à force de recherches* 171
hurl about	*jeter (en tous sens)* 15
hurry off	*partir en toute hâte, en courant* 123
hurry on	*se dépêcher* 142
hurry up	*se dépêcher, se presser* 233

I

ice over	*givrer, se couvrir de glace* 198
ice up	*givrer* 252
idle about	*flâner, traîner, rôder* 14
impinge on	*empiéter* 145
impose sth on sb	*imposer qqch. à qqn* 145
include in	*inclure, comprendre* 97
indulge in	*s'occuper de, se livrer à, s'adonner à* 101
infer from	*déduire* 88
inform on sb	*dénoncer, cafarder* 153
infringe on	*empiéter* 145
inquire after	*se renseigner* 18
insist on	*insister, tenir à* 140
insure against	*parer à un danger, protéger* 20
interfere in	*s'immiscer, s'ingérer dans* 99
interfere with	*se mêler de, contrecarrer* 262
intrude sth on sb	*imposer, refiler qqch. à qqn* 145
inveigh against	*invectiver* 19

invite sb in — *faire, laisser entrer qqn, inviter qqn à entrer* 94
invite sb out — *inviter qqn à sortir, au restaurant* . . 160
iron out — *aplanir, trouver une solution à une difficulté, un problème* . . . 169
itch for — *démanger* 76

J

jab at — *lancer un coup sec à* 40
jack up — *faire grimper* 230
jerk out — *bafouiller, dire (d'un ton bref)* . . . 180
jockey for — *manœuvrer, intriguer pour obtenir qqch.* 74
join in — *se joindre à, prendre part à* 100
join up — *joindre, assembler, connecter* . . . 247
jot down — *noter, prendre note de* 71
jumble up — *brouiller, emmêler, mélanger* . . . 250
jump at — *saisir une occasion* 38
jump in — *intervenir, s'immiscer dans une conversation, interrompre une conversation* . . .100
jump on — *s'en prendre à, se jeter sur, sauter sur* 146
jump out at — *sauter aux yeux* 187
jut out — *faire saillie, dépasser* 186

K

keel over — *chavirer, se trouver mal* 193
keep away — *se tenir à l'écart* 41
keep away — *tenir éloigné* 42
keep back — *retenir, refouler une émotion* 51
keep (prices, taxes, expenses...) down — *réduire, faire baisser (prix, impôts, dépenses...)* 62

keep sb down	*assujettir, opprimer*	67
keep sb from doing sth	*empêcher, interdire*	88
keep sth from	*cacher, dissimuler*	91
keep in	*retenir à la maison, enfermer*	102
keep in (with)	*rester en bons termes*	102
keep off	*défense de (marcher sur la pelouse)*	122
keep off	*éloigner, écarter*	131
keep on	*garder (un vêtement) sur soi*	137
keep on	*continuer, ne pas cesser de*	142
keep on at sb	*tracasser, harceler*	153
keep out	*empêcher d'entrer, exclure*	160
keep out	*rester à l'écart de*	165
keep to	*tenir (une promesse), s'en tenir à (une opinion, un projet...)*	216
keep under	*dominer, soumettre, mater*	224
keep up	*se maintenir à niveau*	240
keep up with	*se maintenir à la hauteur*	257
key in	*entrer, introduire une donnée informatique*	95
kick about	*traîner (objets)*	14, 15
kick against	*se rebiffer contre*	19
kick around	*s'amuser, traîner*	32
kick around	*discuter, parler de*	34
kick around (with)	*bourlinguer, courir les femmes/les hommes*	32
kick sb around	*maltraiter, régenter, donner des ordres, jouer au petit chef, houspiller*	33
kick down	*abattre, renverser*	64
kick in	*briser, défoncer*	105
kick off	*donner le coup d'envoi (foot)*	135
kick out	*renvoyer, chasser (à coups de pied)*	159
kick over	*renverser, faire tomber*	193
kit out	*équiper*	174
kneel down	*s'agenouiller*	61

knit together	*(se) lier, (s')unir*	221
knock around	*traîner, vagabonder*	30
knock around	*discuter, parler de*	34
knock sb around	*frapper, attaquer qqn*	34
knock back	*boire rapidement, faire cul sec*	51
knock off	*cesser le travail*	126
knock off	*achever, expédier une besogne*	132
knock out	*éliminer, détruire*	163
knock over	*renverser, faire tomber*	193
knock together	*assembler, joindre à la hâte, de façon imparfaite*	221, 222
know about	*avoir entendu parler de*	15
know as	*connaître sous le nom de, connaître comme*	35
know of	*entendre parler de (qqn, qqch.)*	119
knuckle down to	*s'installer, se mettre au travail, s'atteler à une tâche*	69
knuckle under	*céder, se soumettre*	224

L

lace up	*lacer*	255
ladle out	*servir (à la louche, en quantité)*	183
lag behind	*se faire distancer, prendre du retard*	53, 54
lam into	*attaquer, taper, rentrer dans (personne), rosser qqn*	112
land sb with	*coller, flanquer qqch. à, sur les bras de qqn*	262
lark about	*faire l'idiot, faire le petit fou*	14
lash out	*débourser, faire une folie (dépense)*	184
last out	*durer, tenir bon, tenir le coup*	188
laugh at	*se moquer de, critiquer qqn*	39
laugh off	*écarter*	130

launch into	*procéder à, se lancer dans*	115
lay aside	*ignorer, repousser (sentiment, idée), poser (provisoirement)*	36
lay before	*soumettre*	52
lay (sth) by	*mettre en réserve, économiser*	58
lay down	*placer, poser*	60
lay down	*stipuler, enregistrer*	71
lay in	*faire provision de*	104, 105
lay into	*attaquer, taper, rosser, bourrer de coups*	112
lay sb off	*licencier qqn*	126
lay on	*mettre en place, organiser*	141
lay out	*mettre, déposer dehors*	160
lay out	*disposer, arranger*	170
lay out	*débourser*	184
laze about	*flâner, paresser*	14
laze around	*être oisif, paresser*	31
lead off	*commencer, lancer*	135
lead on sb	*tromper qqn*	154
leaf through	*parcourir, feuilleter*	212
leak out	*divulguer*	178
lean on	*compter, se reposer sur*	151
lean out	*pencher*	185
lean over	*se courber*	192
leap at	*saisir une occasion, sauter sur une occasion*	38
leap on	*s'en prendre à, se jeter sur, sauter sur*	146
leap out at	*sauter aux yeux*	187
leave behind	*laisser, abandonner, oublier, se faire distancer, prendre du retard*	53, 54
leave sb behind	*semer, lâcher qqn*	54
leave on	*laisser allumé*	141
leave out	*laisser dehors, exclure*	160
leave with	*confier*	259
lend out	*prêter*	183

let sb down	*laisser tomber qqn* 61
let sb in	*faire, laisser entrer qqn* 94
let sb in for sth	*impliquer, embarquer qqn dans qqch.* 101
let sb in on sth	*mettre qqn dans le secret* 101
let into	*laisser entrer* 108
let off	*laisser échapper, lâcher* 136
let on	*révéler, divulguer* 153
let out	*faire, laisser sortir* 158
let out	*révéler* 178
let out	*donner en location* 184
level at	*lancer des accusations contre qqn* 39
level out	*niveler, égaliser* 175
level out	*se stabiliser* 176
lie about	*traîner partout (objets, papiers)* . . 14
lie ahead	*être à venir* 23
lie around	*être oisif, paresser* 31
lie before	*être à venir* 52
lie behind	*être sous-jacent* 53
lie down	*s'allonger* 61
lie down	*se laisser faire, se soumettre* 67
lie in	*faire la grasse matinée* 92
lie with	*incomber, reposer sur* 262
lift off	*décoller (hélicoptère, fusée)* 125
lift up	*soulever, lever, élever* 227
light up	*(s')allumer, (s')éclairer* 232
limber up	*se préparer, se dégourdir* 240
line up	*s'aligner, se mettre en rang* 256
linger on	*subsister* 143
link up	*relier, (se) rejoindre* 247
listen for	*être à la recherche, à l'écoute de, guetter* 75
listen out for	*tendre l'oreille, guetter* 190
live by sth	*respecter, se plier à* 58
live in	*vivre à demeure* 92
live on	*subsister* 143

live out	*accomplir, réaliser, mettre en pratique* 173
live out	*passer* 188
live through	*survivre à, traverser de rudes épreuves* 211
live together	*habiter ensemble, vivre ensemble, en ménage* . . 219, 220
liven up	*(s')animer, (s')égayer* 235
live up to	*se montrer à la hauteur, l'égal de, digne de* 240
load down	*(sur)charger* 60
loaf about	*flâner, traînasser* 14
loaf around	*être oisif, paresser* 31
lock away	*mettre sous clef* 44
lock in	*retenir à la maison, enfermer* . . . 102
lock out	*empêcher d'entrer, exclure* 160
lock up	*enfermer, fermer à clef* 252
log in	*entrer un système informatique* . . 95
log on	*(se) brancher, connecter (Inf.)* . . 141
log on	*entrer (dans un système informatique)* 152
log out	*sortir, fermer, terminer une session, se déconnecter (Inf.)* 158
loll about	*flâner, traîner sans rien faire* 14
loll around	*être oisif, paresser* 31
long for	*avoir envie de, désirer* 75, 76
look after	*prendre soin de, s'occuper de, se débrouiller* 19
look ahead	*être tourné vers l'avenir, planifier* 23
look around	*regarder autour de, faire le tour de* 29
look around (for)	*chercher, rechercher, fureter* 33
look at	*regarder, examiner* 38
look back	*se tourner vers le passé* 49
look down on sb	*regarder qqn de haut, mépriser* . . 65
look for	*chercher, rechercher* 74

look for	*être à la recherche, à l'écoute de, guetter* 75
look forward to	*attendre avec impatience* 85
look in (on sb, at a place)	*rendre visite, passer voir, passer à l'improviste* 95
look into	*examiner* 116
look on	*considérer* 138
look out	*faire attention, prendre garde* . . . 190
look over	*examiner, parcourir, inspecter* . . 195
look round	*se retourner, tourner la tête, regarder autour de soi, faire le tour de* 204, 205
look through	*regarder par* 208
look to	*s'occuper de qqn, qqch.* 215
look to sb	*compter sur qqn, faire confiance* . . 218
look up	*regarder en haut, lever les yeux* . . 227
look up	*chercher, vérifier* 239
loom ahead	*menacer* 23
loom up	*arriver, apparaître* 236
loosen up	*faire des exercices d'assouplissement* 240
lord it over sb	*prendre qqn de haut* 201
lose out	*échouer* 165
lose out to	*subir la concurrence de* . . . 165, 166
lounge about	*paresser* 14
lounge around	*être oisif, paresser* 31
louse up	*bousiller* 250
lumber sb with	*coller, flanquer qqch. à, sur les bras de qqn* 262
lump together	*mettre en tas, en bloc* 221
lust after	*désirer, convoiter (une personne)* 18
lust for	*être attiré par* 76

M

make after	*pourchasser*	17
make for	*se diriger vers*	74
make into	*transformer*	116
make of	*penser, juger de (qqn, qqch.*	118
make off	*décamper, déguerpir*	123
make off with sth	*voler, dérober en partant*	125
make out	*rédiger, dresser, établir (un rapport)*	170, 222
make out	*se débrouiller, s'en sortir, se tirer d'affaire, comprendre*	171, 189
make over	*céder, transférer*	196, 197
make up	*faire, préparer, composer, inventer, fabriquer (histoire)*	238
make up	*se maquiller*	241
make up	*mettre fin à une querelle*	242
make up for	*compenser*	79
map out	*tracer*	175
mark as	*considérer comme*	35
mark (prices, taxes, expenses...) down	*réduire, faire baisser (prix, impôts, dépenses...)*	62
mark down	*noter, prendre note de*	71
mark sb down as	*juger, considérer, prendre qqn pour*	65
mark out	*délimiter, jalonner, border*	175
mark up	*hausser, majorer*	230
marry beneath oneself	*se marier en dessous de son rang*	54
marry into a family	*entrer dans une famille (mariage)*	108
marry up	*faire coïncider, assembler avec*	257
marvel at	*s'émerveiller*	38
mash up	*écraser, broyer, brasser*	243, 250
match against	*opposer*	21
match up	*assortir, harmoniser*	257
measure against	*comparer*	21
measure out	*mesurer*	175

measure up to	*se montrer à la hauteur, l'égal de, digne de*	240
meddle in	*s'immiscer, s'ingérer dans*	99
meddle with	*toucher à*	262
meet up	*rejoindre, retrouver, revoir*	247
melt away	*fondre*	43
melt into	*(se) fondre, mêler, mélanger*	117
merge into	*(se) fondre, mêler, mélanger*	117
mess about	*s'amuser, faire l'imbécile*	14
mess around	*ne rien faire de bien, s'amuser, traîner*	32
mess around (with)	*courir les jupons*	32
mess with (US)	*se frotter à qqn, fréquenter*	260
mess up	*mettre en désordre, semer la pagaille*	250
militate against	*jouer contre, compromettre qqch*	21
mind out	*faire attention, prendre garde*	190
minister to	*soigner*	215
miss out	*manquer, rater*	165
mist over	*se couvrir de brume, s'embuer*	199
mist up	*se couvrir de brume*	252
mix in	*ajouter, mélanger*	99
mix in	*se joindre à, prendre part à*	100
mix into	*(se) fondre, mêler, mélanger*	117
mix up	*mélanger, embrouiller*	249
model on	*modeler, imiter*	148
monkey around	*faire le clown, l'idiot*	32
mooch about	*traîner*	14
mop up	*essuyer, éponger, absorber*	244, 245
moulder away	*s'effriter*	43
mount up	*monter, s'élever*	229
move about	*aller et venir, remuer, changer (emploi ...), déplacer (meubles)*	13
move along	*avancer, aller dans une certaine direction*	24
move apart	*se séparer*	27
move around	*remuer, bouger, déplacer*	31

move away	*s'écarter, partir, déménager*	42
move away	*écarter*	43
move back	*reculer*	46, 48
move forward	*se porter en avant, s'avancer*	84
move into a place	*emménager*	108
move off	*partir, se mettre en mouvement*	123
move out	*déménager*	158
move over	*s'écarter, se déplacer*	191
move round	*contourner*	204
move towards	*se diriger, s'acheminer vers, se préparer à*	222
move up	*monter, se déplacer*	226
move up	*monter, augmenter, avancer*	229
mow down	*abattre, tuer*	64
muck around	*ne rien faire de bien, s'amuser, traîner*	32
muck in	*donner un coup de main, s'y mettre, mettre la main à la pâte*	101
muck up	*gâcher, semer la pagaille*	250
muddle along	*se débrouiller, s'en tirer*	25
muddle through	*faire qqch. péniblement, laborieusement*	211
muddle up	*confondre, embrouiller*	249
mug up	*bûcher, réviser, préparer (un examen)*	239
mull over	*ruminer*	194
muscle in (on)	*empiéter sur, piétiner*	99
muster up	*rassembler, réunir ,rassembler (force, courage)*	234, 235, 246

N

nail down	*clouer*	69
nail sb down	*obliger qqn à faire qqch.*	66
name after	*donner, porter (le nom de)*	18
nibble at	*grignoter, picoter, ergoter*	39

nod off	*s'assoupir, s'endormir* 135
nose around	*chercher, rechercher, fureter* 33
nose out	*découvrir, éventer (un secret)* . . . 172
note down	*noter, prendre note de* 71
number sb among	*compter parmi, être parmi* 26

O

object to	*s'opposer à, trouver à redire* 218
occur to	*se présenter à l'esprit,* *venir à l'idée* 217
offend (the law) against	*violer (la loi)* 19
oppose (to be opposed) to	*s'opposer à, trouver à redire* 218
opt for	*opter pour* 81
opt out	*se retirer* 165
order sb around	*maltraiter, régenter,* *donner des ordres,* *jouer au petit chef, houspiller* 33

P

pace out	*mesurer au pas* 175
pack away	*emballer* 45
pack sb off	*expédier qqn, embarquer qqn* . . . 124
pack up	*plier bagage, arrêter,* *laisser tomber* 242
pack up	*faire sa valise, emballer* 246
pad out	*remplir, rembourrer, étoffer,* *gonfler* 187
pair up	*se mettre à deux* 247
pan out	*se passer* 172
paper over	*recouvrir de papier* 198
paper over	*passer sur, arranger les choses,* *ignorer* 202
parcel out	*diviser, partager* 183
parcel up	*diviser, partager* 253

pare down	*réduire, diminuer, abaisser, faire des coupes dans*	62
part from	*(se) séparer*	89
partake of	*partager, participer à, prendre part à*	122
partition off	*cloisonner, diviser en compartiments*	128
pass along	*avancer, aller dans une certaine direction*	24
pass around	*repasser, faire passer (un plat), faire circuler*	31
pass as	*passer pour*	35
pass away	*trépasser, décéder*	43
pass between	*échanger, passer entre*	55
pass by	*passer, défiler*	56
pass down	*transmettre*	61
pass into	*entrer, passer*	106
pass off	*(se) passer, se terminer*	132
pass off	*se dérouler (bien, mal), marcher*	136
pass on to	*transmettre*	154
pass out	*perdre connaissance*	168
pass out	*distribuer*	182
pass over	*survoler*	190
pass over	*passer sous silence, ne pas relever*	202
pass round	*faire passer, faire circuler*	206
pass through	*traverser de rudes épreuves*	211
patch together	*assembler, joindre à la hâte, de façon imparfaite*	221, 222
patch up	*rapiécer, rafistoler*	245
pattern on	*modeler, imiter*	148
pave over	*carreler, paver*	198
paw at	*donner des coups de patte*	40
pay back	*rembourser*	49
pay sb off	*renvoyer qqn*	126
pay out	*débourser, payer*	184
pay up	*rafler, s'acquitter de*	244

peal out	*carillonner, sonner, gronder* 181
peck at	*grignoter, picoter, ergoter* 39
peel off	*peler, (s')écailler* 127
peg out	*faire sécher* 161
pelt down	*pleuvoir, tomber à verse* 60
pen in	*parquer (des animaux)* 102
pen up	*parquer, enfermer (des personnes, des animaux)* ... 252
pension sb off	*mettre qqn à la retraite* 126
pep up	*ragaillardir, s'animer* 235
perk up	*(se) ragaillardir, (se) retaper* ... 235
permit of	*autoriser, permettre* 121
pertain to	*appartenir, concerner* 217
peter out	*s'amenuiser, disparaître (enthousiasme, ravitaillement)* .. 167
phase into	*introduire* 109
phase out	*supprimer progressivement* 163
phone back	*rappeler au téléphone* 49
phone through	*appeler au téléphone* 212
phone up (GB)	*donner un coup de téléphone* ... 247
pick on sb	*critiquer, chercher querelle* 153
pick out	*choisir, désigner* 183
pick over	*examiner, trier* 195
pick up	*ramasser* 228
pick up	*remonter, reprendre, augmenter* .. 229
pick up with	*faire la connaissance de, se lier d'amitié* 247
piece together	*joindre, unir, associer* 221
pile into	*se serrer, s'entasser dans* 107
pile on	*entasser, accumuler* 155
pile up	*(s') amonceler, (s') accumuler* 231, 248
pin down	*maintenir* 70
pin on	*épingler* 149
pin up	*fixer, afficher, épingler* 228
pine away	*dépérir* 44
pipe up	*se faire entendre* 233

pitch in	*donner un coup de main, s'y mettre* 101
pitch into	*attaquer, taper, rosser qqn* 112
pitch into	*s'attaquer à, se lancer dans* 115
pivot on	*dépendre de, tourner autour de* . . 150
plague sb with	*tourmenter, harceler qqn de* 260
plan ahead	*être tourné vers l'avenir, planifier, prévoir* 23
plan out	*établir un plan, planifier* 169
plant out	*planter, mettre en terre* 162
play around	*coucher à droite et à gauche (mœurs légères)* 30
play around (with)	*coucher à droite et à gauche, jouer avec* 32
play at	*jouer à qqch.* 38
play down	*minimiser* 63
play out	*épuiser, exténuer, éreinter* 168
play out	*jouer, s'exprimer en jouant, par des gestes* 180
play with	*caresser (une idée), songer à* . . . 261
plead for	*intercéder* 77
plead for	*demander* 78
plead with	*implorer, supplier* 260
plod on	*poursuivre son chemin, continuer, persévérer* 143, 144
plot against	*conspirer* 20
plot out	*organiser, planifier* 169
plough into	*enfouir, enterrer* 110
plough into	*heurter, percuter* 112
plough into	*investir (argent) dans* 118
plough on	*poursuivre avec peine* 142
plough through	*faire qqch. péniblement, laborieusement* 211
pluck at	*tirer par, tirailler* 41
plug in	*brancher (électricité)* 96
plug into	*brancher, connecter* 110, 114
plug up	*boucher, obturer, bloquer* 251

plumb in	*brancher (plomberie*	96
plumb into	*connecter*	114
plump for	*choisir*	81
plunge into	*s'attaquer à, se lancer dans*	115
plunge sb into	*impliquer, entraîner (qqn)*	115
ply sb with	*presser qqn (de questions)*	260
point out	*signaler, faire remarquer*	177
point to	*faire ressortir qqch., laisser présager*	213
point to	*laisser présumer, faire prévoir*	217
poke around	*fouiller partout*	33
poke at	*pousser (avec le bout d'un parapluie, d'un bâton)*	40
poke into	*fourrer, enfoncer*	111
poke out	*être protubérant, proéminent*	186
poke sth through	*enfoncer qqch. à travers, transpercer*	209
polish off	*terminer à la hâte, expédier*	132
polish up	*perfectionner*	240
polish up	*astiquer, faire briller*	245
pop in (on sb, at a place)	*rendre visite, passer voir, passer à l'improviste*	95
pop out	*surgir, sauter*	187
pop up	*surgir, apparaître*	236
pore over	*être plongé, absorbé dans*	195
portion out	*répartir, partager*	183
potter around	*ne rien faire de bien, s'amuser, traîner*	32
pounce on	*s'en prendre à, se jeter sur, sauter sur*	146
pour down	*pleuvoir, tomber à verse*	60
pour forth	*sortir (en foule), se répandre*	82
pour forth	*émettre (un son), répandre, déverser*	83
pour in	*arriver en masse, en grand nombre*	93
pour into	*arriver en masse*	110

pour out	*se déverser*	158
preclude sb from doing sth	*empêcher*	88
press ahead with	*poursuivre avec acharnement*	22
press for	*faire pression, insister*	78, 79
press sb into doing sth	*presser, forcer qqn à faire qqch.*	113
press on	*s'activer à, persévérer*	154
prevent sb from doing sth	*empêcher, interdire*	88
print out	*tirer, imprimer*	170
print over	*recouvrir de peinture*	198
prise (prize) out	*arracher, faire sauter*	172
proceed against	*intenter un procès*	20
proceed from	*provenir, découler de*	87
prod at	*pousser (avec le bout d'un parapluie, d'un bâton)*	40
pronounce on	*(se) prononcer, statuer sur une question*	139
prop up	*étayer, soutenir, renflouer*	234
protect against	*parer à un danger, protéger*	20
provide against	*parer à un danger, protéger*	20, 21
provide for	*subvenir aux besoins de qqn*	76
provide for	*faire la part de, prévoir*	80
provide sb with sth	*fournir, pourvoir*	261
puff away	*fumer sans arrêt, tirer des bouffées de*	46
puff out	*se gonfler*	187
puff up	*enfler, (se) gonfler*	231
pull ahead	*passer en tête, prendre de l'avance sur*	22
pull apart	*séparer (en deux)*	27
pull apart	*déchirer, démolir, se défaire, se décoller*	28
pull sb aside	*prendre quelqu'un à part*	37
pull at	*tirer sur, tirailler*	41
pull for	*soutenir (qqn), encourager un candidat*	77
pull in	*arriver (train, bus, bateau ...)*	92

pull into	*arriver*	110
pull sb into	*impliquer, entraîner (qqn)*	115
pull off	*enlever, retirer, arracher*	127
pull off	*décrocher, réussir qqch. de difficile*	136
pull on	*enfiler*	138
pull out	*s'ébranler, démarrer (train ...)*	157
pull out	*se retirer, se dérober*	164
pull over	*se ranger, se mettre sur le côté*	191
pull round	*revenir à soi, se remettre*	208
pull sb round	*ramener qqn à la vie*	207
pull through	*retrouver la santé, rétablir*	211
pull to	*tirer, fermer*	219
pull together	*s'entendre, s'accorder*	219
pull oneself together	*se remettre de, reprendre ses esprits*	222
pull under	*tirer vers le fond, faire sombrer*	224
pull up	*arracher, extirper*	228
pull up	*remonter, améliorer*	240
pump (money) in	*injecter, mettre de l'argent dans qqch.*	96
pump out	*pondre, produire en masse*	182
pump up	*gonfler*	231
punch out	*pointer (à la sortie du travail)*	158
push ahead with	*poursuivre avec acharnement*	22
push along	*partir, s'en aller*	24
push around	*bousculer*	31
push sb around	*maltraiter, régenter, donner des ordres, jouer au petit chef, houspiller*	33
push aside	*ignorer, repousser (idée, sentiment)*	36
push aside	*repousser (quelqu'un, quelquc chose)*	37
push by	*bousculer (qqn) en passant*	56
push for	*faire pression, insister*	78
push forward	*pousser en avant*	85

push oneself forward	*se faire valoir*	86
push in	*s'immiscer, s'ingérer dans, s'introduire dans*	99
push into	*entrer en courant, faire irruption*	107
push sb into doing sth	*presser, forcer qqn à faire qqch.*	113
push off (coll.)	*se tirer, décamper (fam.)*	123
push on	*poursuivre son chemin, continuer, persévérer*	143
push out	*pousser dehors, expulser*	159
push over	*pousser, faire tomber*	193
push past	*bousculer, en passant*	203
push through	*faire voter (passer) un projet de loi (à la hâte), mener à bien, terminer*	210
push to	*tirer, fermer*	219
push towards	*faire pression pour*	223
push up	*relever, augmenter*	229
put above	*placer au-dessus de (carrière)*	15
put across	*communiquer, transmettre (idée, message)*	17
put around	*mettre autour*	29
put aside	*mettre de côté (temps, argent), poser (provisoirement), se défaire de, repousser (idée, sentiment)*	36
put away	*ranger*	44, 45
put back	*remettre en place*	47
put back	*boire rapidement, faire cul sec*	51
put before	*faire prévaloir, présenter*	52
put behind	*oublier*	53
put (sth) by	*mettre en réserve, économiser*	58
put down	*placer, poser*	60
put (prices, taxes, expenses...) down	*réduire, faire baisser (prix, impôts, dépenses...)*	62
put down	*coucher par écrit, inscrire*	70
put sb down	*rabaisser, diminuer qqn*	65

put sb down as	*juger, considérer, prendre qqn pour*	65
put forth	*exposer (une idée, une théorie)*	83
put forward	*avancer, déplacer, présenter (proposition)*	85
put forward a name, a candidate	*recommander, proposer*	86
put (money) in	*injecter, mettre de l'argent dans qqch.*	96
put in for (membership)	*faire une demande (d'adhésion)*	78
put into	*mettre*	109
put into	*transformer*	116
put (money) into	*mettre de l'argent, investir*	117
put off	*repousser, retarder*	130
put off	*éteindre*	133
put sb off	*décourager, rebuter qqn*	130
put on	*mettre sur*	137
put on	*enfiler (un vêtement)*	138
put on	*brancher, allumer, mettre en place, organiser*	140, 141
put out	*prendre le large, quitter le port*	157
put out	*mettre, déposer dehors*	160
put out	*éteindre*	166
put out	*disposer, arranger*	170
put out	*annoncer, publier, faire circuler*	177
put out	*allonger, étendre*	185
put over	*faire comprendre, faire accepter*	197
put sth past sb	*croire qqn capable de faire qqch.*	203
put round	*mettre autour*	203
put round	*courir, circuler*	205
put through	*accomplir, faire aboutir*	210
put through	*passer (qqn, message) au téléphone*	212
put together	*joindre, unir, associer*	221
put up	*lever, hisser, remonter*	227
put up	*augmenter, faire monter*	230
put upon	*abuser de, mettre sur, couvrir*	258

puzzle out	*résoudre, élucider*	172
puzzle over	*se demander, essayer de comprendre*	194

Q

quarrel among	*se disputer entre*	26
quarrel with	*se disputer, se quereller avec*	260
queen it over sb	*prendre des airs*	201
quicken up	*accélérer, (se) presser, (se) hâter*	233

R

rabbit on	*parler sans cesse*	139
rage against	*tempêter contre*	20
rail against	*s'en prendre à qqn*	20
rake in	*amasser de l'argent*	1 05
rake over	*remuer*	194
rake up	*ramasser, ratisser*	245
rally round	*se grouper autour de*	205
ram in	*enfoncer, fourrer*	96
ram sth into	*entrer, faire entrer qqch. dans la tête de qqn*	111
ramble on	*divaguer, passer d'un sujet à l'autre*	139
ran away	*s'enfuir*	41
rank among	*se classer parmi*	27
rank sb among	*classer qqn parmi*	26
rap out	*dire, lâcher brusquement, lancer un ordre*	180
ration out	*distribuer, rationner*	183
rattle off	*expédier (un travail), débiter (un texte)*	132
rattle on	*bavarder, jacasser*	139

rattle through	*faire voter (passer) un projet de loi (à la hâte), expédier*	210
reach out	*étirer, étendre*	185
read for (a university degree in)	*préparer un diplôme de*	78
read into	*interpréter (essayer de comprendre)*	116
read out	*lire à haute voix*	180
read over	*relire, contrôler*	195, 199
read through	*lire en entier*	212
read up	*étudier, potasser*	239
reason out	*calculer*	169
reason with	*raisonner, faire entendre raison*	260, 261
reckon in	*inclure, prendre en compte*	97
reckon on	*s'attendre à, compter, tabler sur*	151
reckon up	*calculer, ajouter, additionner*	230
reckon with	*avoir affaire à, compter avec*	259
reek of (sth)	*sentir, empester, puer*	121
reel off	*débiter, réciter d'un trait*	132
refer to	*faire allusion, référence à, se rapporter à*	217
refer to	*en référer à*	218
reflect on	*méditer, réfléchir à*	138
refrain from doing sth	*s'abstenir de*	89
rein in	*maîtriser, contenir, retenir*	103
relate to	*se rapporter, avoir trait à*	217
relieve sb of	*soulager, débarrasser qqn de, relever, destituer qqn*	120, 121
rely on	*compter, se reposer sur*	151
remain in	*être, rester à la maison*	91
remark on	*faire des remarques, des observations*	139
remind sb of	*remettre en mémoire*	121
rent out	*donner en location*	184
rest with	*incomber, reposer sur*	262
retire from	*se retirer, se démettre*	90

return to	*repartir dans*	213
rev up	*(s')emballer (moteur)*	233
revert to	*revenir à*	213
revolve around	*être axé sur*	30
rid sb of	*débarrasser, dépouiller (qqn) de*	120
ride back	*retourner (à bicyclette ou à cheval)*	47
ride out	*surmonter (une crise), s'en tirer*	189
rig out	*habiller (personne)*	174
rig up	*monter, installer*	239
ring back	*rappeler au téléphone*	49
ring off	*raccrocher, interrompre une conversation téléphonique*	133
ring out	*sonner, retentir, éclater*	181
ring up (GB)	*donner un coup de téléphone*	247
rinse out	*rincer, faire partir à l'eau*	174
rip up	*déchirer, mettre en pièces*	242
rise above difficulties	*surmonter des difficultés*	16
rise up	*se lever, se mettre debout*	226
rise up	*se lever, se soulever*	236
roll in	*couler à flots (argent)*	105
roll up	*rouler, retrousser*	248
roll up	*approcher, arriver*	256
roof over	*recouvrir d'un toit*	198
root for (US)	*soutenir qqn, encourager un candidat*	77
root out	*déraciner, extirper*	163
root up	*déraciner, extirper*	228
rot away	*tomber en pourriture*	44
rough out	*ébaucher*	170
round off	*achever, terminer*	132
round on	*menacer, attaquer violemment, se rapprocher d'une manière menaçante*	147
round up	*rassembler, réunir*	246
rub down	*gratter, poncer, frotter, récurer*	72
rub sb down	*frotter, frictionner qqn*	72

rub off	*couper, trancher*	127
rub out	*effacer, essuyer*	162
ruffle up	*rider, froisser*	249
rule out	*écarter (qqch.), rayer, biffer, barrer*	162, 163
rumble on	*continuer de façon ennuyeuse*	143
run across	*traverser en courant*	16
run after	*poursuivre, pourchasser*	17
run after	*désirer, convoiter (une personne)*	18
run around	*courir (partout)*	30
run around (with)	*bourlinguer, courir les femmes/les hommes*	32
run away	*s'enfuir*	41
run down	*réduire, ralentir*	63
run down	*abattre, renverser*	64
run into	*entrer en courant, faire irruption*	107
run into	*rencontrer qqn par hasard, tomber sur*	112
run into	*(se) fondre, mêler, mélanger*	117
run off	*partir en toute hâte, en courant*	123
run off with sb	*quitter sa famille pour qqn*	125
run off with sth	*voler, dérober en partant*	125
run on	*fonctionner*	148
run out	*sortir, partir en courant*	156
run out	*expirer, se terminer*	167
run over	*passer, faire un saut*	191
run over	*déborder, se répandre, se déverser*	192
run over	*renverser, écraser*	193
run over	*parcourir, revoir*	195
run over	*revoir, repasser, répéter*	199
run past	*passer, dépasser en courant*	203
run sth through	*enfoncer qqch. à travers, transpercer*	209
run through	*traverser, parcourir*	209
run to	*se précipiter vers*	213
run up against	*se heurter à*	257

run up to	*accourir*	257
rush between	*foncer, se précipiter, entre*	55
rush forward	*se précipiter*	84
rush in	*se précipiter*	101
rush into	*entrer en courant, faire irruption*	107
rush into	*s'attaquer à, se lancer dans*	115
rush out	*se précipiter au-dehors*	156
rush through	*faire voter (passer) un projet de loi (à la hâte)*	210
rush up to	*accourir*	257

S

saddle sb with	*coller, flanquer qqch. à, sur les bras de qqn*	262
sail back	*retourner (à la voile)*	47
sail out	*prendre le large, quitter le port*	157
sally forth	*se mettre en route, se risquer, s'aventurer*	82
salt away	*mettre des valeurs, de l'argent en lieu sûr, économiser*	45
save up	*économiser, mettre de côté*	248
savour of	*rappeler, suggérer, sentir*	121
saw up	*débiter à la scie*	253
scale down	*réduire, diminuer, abaisser, faire des coupes dans*	62
scare sb off	*faire partir, éloigner, chasser qqn*	124
scatter about	*éparpiller, répandre, disperser*	14
scatter around	*éparpiller (papiers)*	31
scoop out	*écoper, vider*	176
scoop up	*ramasser*	228
score off	*radier qqn, rayer, biffer un nom*	128
score out	*rayer, biffer, barrer*	162
scramble up	*brouiller*	250
scrape along	*se débrouiller, s'en tirer*	25
scrape by	*s'en sortir*	57

scrape through	*réussir de justesse*	211
scrape together	*amasser, rassembler (ex. : de l'argent) petit à petit*	221
scrape up	*économiser à grand-peine*	248
scream out	*crier, hurler*	179
screen off	*séparer (par des écrans, des paravents)*	129
screw up	*chiffonner, froisser*	249
scribble down	*noter, griffonner*	71
scrub down	*gratter, poncer, frotter, récurer*	72
scrub out	*nettoyer à fond (en frottant)*	173
scrunch up	*broyer, froisser*	249
seal off	*fermer, barrer, obstruer*	129
seal up	*fermer hermétiquement, sceller*	255
search around (for)	*chercher, rechercher, fureter*	33
search out	*trouver, dénicher à force de recherches*	171
see as	*considérer comme*	35
see into	*faire entrer, accompagner*	108
see into	*examiner*	116
see sb off	*accompagner, reconduire qqn*	124
see out	*faire, laisser sortir*	158
see out	*durer, passer*	188
see over	*visiter*	202
see through	*achever, conclure*	210
see to	*s'occuper de qqn, de qqch.*	215
seek out	*trouver, dénicher à force de recherches*	171
select out	*choisir, sélectionner*	183
sell out	*être épuisé, ne plus se trouver sur le marché*	167
send away	*renvoyer*	43
send back	*renvoyer*	50
send for	*aller, venir chercher qqn, qqch.*	74
send forth	*émettre (un son), répandre, déverser*	83
send off	*envoyer*	124

send sb off *accompagner, reconduire qqn,*
expédier qqn, embarquer qqn . . . 124
send out *envoyer, expédier, dépêcher* . . 178, 182
send round *faire passer, faire circuler* 206
separate out *séparer, trier* 183
serve as *servir de, en tant que* 34
serve for *servir de* 79
serve on *être membre de* 151
serve out *servir, distribuer* 183
serve round *faire passer, faire circuler* 206
set against *soupeser, mesurer* 21
set sb against sb *monter contre* 20
set apart *mettre à part, de côté* 27
set sb, sth apart from *isoler, mettre à part* 90
set aside *laisser de côté, mettre de côté,*
conserver (argent, temps),
écarter, poser (provisoirement) . . . 36
set by *faire cas de* 59
set (sth) by *mettre en réserve, économiser* . . . 58
set down *atterrir* 59
set down *placer, poser* 60
set down *stipuler, enregistrer* 71
set sb down as *juger, considérer,*
prendre qqn pour 65
set forth *se mettre en route* 82
set forth *exposer (une idée, une théorie)* . . . 83
set off *partir, s'en aller* 122, 123
set off *provoquer, déclencher* 135
set off *mettre en valeur* 137
set on *tomber sur, se retourner contre,*
attaquer 146
set out *se mettre en route, partir* 156
set to *se mettre au travail, s'y mettre* . . 214
set up *placer, mettre en place,*
(s')installer 238
settle down to *s'installer, se mettre au travail,*
s'atteler à une tâche 69

settle for	*se contenter de*	81
settle on	*(se) décider, fixer*	140
settle up	*régler (tout ce que l'on doit)*	244
sew up	*coudre, recoudre, suturer*	256
shade in	*remplir (un dessin) avec de la couleur, du crayon, de l'encre; colorer, foncer, esquisser, ombrer*	104
shade into	*(se) fondre, mêler, mélanger*	117
shake out	*bien secouer*	176
shake up	*secouer, agiter*	250
share out	*partager, répartir*	183
shell out	*casquer*	184
shin down	*descendre, dégringoler*	59
shoot down	*abattre, tuer*	64
shoot out	*tirer, avancer*	185
shoot sth through	*enfoncer qqch. à travers, transpercer*	209
shoot up	*jaillir, monter en flèche*	229
shop around	*faire le tour des magasins (comparer les prix)*	30
shore up	*consolider*	234
shout sb down	*faire taire, empêcher qqn de parler (par des cris, des huées)*	66
shout out	*pousser un cri, s'écrier*	179
shove sb around	*maltraiter, régenter, donner des ordres, jouer au petit chef, houspiller*	33
show around	*faire le tour de (maison, usine...)*	29
show forth	*annoncer, proclamer*	83
show sb in	*faire entrer qqn*	94
show into	*introduire*	108
show off	*se vanter, faire le beau*	137
show out	*faire, laisser sortir*	158
show round	*faire visiter, montrer*	206
show up	*arriver, apparaître*	236
shrink from doing sth	*éviter de, répugner à*	89
shrivel up	*se flétrir, se racornir*	249

shrug off	*dédaigner*	129
shuffle off	*écarter*	130
shut away	*enfermer*	45
shut in	*retenir à la maison, enfermer*	102
shut off	*éteindre*	133
shut out	*empêcher d'entrer, exclure*	160
shut up	*enfermer, mettre sous clef, mettre en prison*	252
shy away from doing sth	*éviter de, répugner à*	89
side against	*se liguer contre, à l'encontre de*	19, 20
side with	*prendre parti pour, se ranger à l'avis de*	259
sign in	*se faire enregistrer en arrivant (hôtel...)*	93
sign on	*signer, se faire enregistrer, embaucher*	141
sign on	*(s') embaucher, (s') engager, pointer à l'arrivée*	152
sign over	*céder (par écrit)*	196
sing out	*chanter fort, à pleins poumons*	181
sing up	*chanter haut, fort*	233
single out	*choisir, distinguer*	183
sink in	*enfoncer, pénétrer*	95
sink (money) in	*injecter, mettre de l'argent dans qqch.*	96
sink in	*être pris par qqch., s'absorber dans qqch.*	97
sink into	*investir (argent) dans*	118
sit around	*être oisif, paresser*	31
sit back	*se caler dans son siège*	47, 48
sit by	*s'asseoir près de, à côté de*	56
sit by	*ne rien faire*	57
sit down	*s'asseoir*	61
sit down to	*s'installer, se mettre au travail, s'atteler à une tâche*	69
sit for (an examination)	*passer un examen*	78
sit on	*être membre de*	151

sit out	*s'asseoir dehors, rester au soleil*	161
sit out	*ne pas participer*	165
sit out	*attendre la fin de, patienter*	189
sit over	*être sur le dos de*	201
sit round	*rester à ne rien faire*	208
sit up	*se relever, se redresser, se tenir droit*	226
sit up	*rester debout, se coucher tard, ne pas se coucher*	227
skate over	*esquiver*	202
sketch out	*tracer sommairement*	170
skim through	*parcourir, feuilleter*	212
skirt around	*contourner*	29
skirt round	*contourner, éviter (un sujet)*	205
slacken off	*relâcher, diminuer*	134
slam down	*poser avec force, flanquer*	60
slap down	*poser avec force, flanquer*	60
slave away	*travailler avec acharnement, trimer*	46
sleep around	*coucher à droite et à gauche*	30
sleep in	*faire la grasse matinée*	92
sleep out	*dormir à l'extérieur, découcher*	161
sleep together	*dormir ensemble, avoir une relation*	220
slice up	*débiter en tranches*	2 53
slick down	*lisser, aplanir*	70
slip away	*s' éclipser, partir discrètement*	42
slip by	*passer en douce devant (qqn, qqch.), s'écouler*	56
slip down	*descendre, dégringoler, glisser, tomber*	59
slip down	*se laisser boire*	73
slip into	*se glisser à l' intérieur de*	108
slip into	*glisser*	109
slip off	*filer*	123
slip off	*se déshabiller, se dénuder, retirer ses vêtements*	127

slip on	*passer (un vêtement)*	138
slip out	*sortir discrètement, s'esquiver*	156, 157
slip out	*laisser échapper*	178
slog away	*travailler avec acharnement, travailler dur*	46
slop over	*déborder, se répandre, se déverser*	192
slope off	*décamper, se sauver*	123
slot into	*placer, s'adapter, s'encastrer, s'insérer dans*	109
slouch about	*traîner à ne rien faire*	14
slow down	*freiner, ralentir*	63
smack of	*rappeler, sentir*	121
smarten up	*(s')arranger, devenir plus élégant, soigné*	241
smash down	*abattre, renverser*	64
smash in	*briser, défoncer*	105
smell of	*sentir (racisme...)*	121
smooth down	*lisser, aplanir*	70
smooth out	*aplanir, faire disparaître*	175
smooth over	*aplanir, arrondir les angles*	202
snap out	*dire (répondre d'un ton cassant)*	180
snarl up	*bloquer (circulation, système)*	251
snuff out	*écraser*	164
snuggle down	*se blottir, s'accroupir*	62
soak (oneself) in	*être pris par qqch., s'absorber dans qqch.*	97
soak through	*pénétrer, tremper (pluie)*	209
sober up	*désenivrer, dessoûler*	243
soldier on	*persévérer*	142
sop up	*essuyer, éponger, absorber*	244
sort out	*arranger, mettre de l'ordre, régler*	173
sort out	*trier, ranger*	183
sound out	*sonder qqn*	171
sound out	*sonner, retentir*	181

space out	*espacer, échelonner*	186
spark off	*provoquer, déclencher*	135
speak (up) for	*intervenir en faveur (de)*	77
speak out	*parler franchement, ne pas mâcher ses mots*	178, 179
speak up	*parler haut, fort, parler en faveur de*	233
speed up	*activer, aller plus vite*	233
spell out	*épeler, expliquer, mettre les points sur les i*	179
spend among	*passer au milieu de, parmi*	26
spend by	*passer près de*	56
spice up	*relever, pimenter, rendre plus attrayant*	235
spill out	*se répandre, sortir en masse*	158
spill out	*révéler*	178
spill over	*déborder, se répandre, se déverser*	192
spin around	*se retourner rapidement, pivoter, pirouetter*	29
spin out	*délayer*	188
spin round	*tournoyer*	204
spit out	*cracher, vider son sac*	179
splash down	*amerrir*	59
splash out	*faire une folie (dépense)*	184
split off	*détacher, casser, séparer*	128
split on sb	*dénoncer, cafarder*	153
split up	*se briser, se séparer, rompre*	253
sponge sb down	*frotter, frictionner qqn*	72
sponge up	*essuyer, éponger, absorber*	244
spout out	*débiter, déclamer*	178
sprawl out	*s'étaler, se vautrer*	185, 186
spread out	*s'étendre, s'élargir, s'éparpiller*	186
spring from	*descendre de, provenir, découler de*	87, 88
spring up	*surgir, apparaître brusquement*	236
sprout up	*surgir de terre, pousser*	236

spur on	*pousser, inciter, stimuler* . . . 144, 145
sputter out	*s'éteindre, s'arrêter de fonctionner (en grésillant)* 167
square up	*régler (ses dettes)* 244
squash into	*se serrer, s'entasser dans* 1 07
squat down	*se blottir, s'accroupir* 62
squeeze in	*introduire, (se) glisser* 98
squeeze into	*se serrer, s'entasser dans* 107
stake on	*parier sur* 140
stake out	*marquer, délimiter* 175
stammer out	*bégayer, balbutier* 179
stamp down	*tasser* 70
stamp on	*piétiner* 155
stamp out	*juguler, mettre fin à* 164
stand about	*faire le pied de grue* 14
stand around	*rester là* 31
stand aside	*se mettre de côté* 35
stand aside	*s'écarter* 37
stand back	*se tenir à l'écart* 47
stand before	*se tenir devant* 51
stand between	*s'opposer à* 55
stand by	*ne rien faire* 57
stand by	*se tenir prêt à agir* 58
stand by (sb)	*ne pas laisser tomber (qqn)* 58
stand down	*se retirer, se démettre* 68
stand off	*(se) tenir éloigné, à l'écart* 131
stand out	*se tenir à l'écart, s'écarter* 165
stand out	*ressortir, être en relief* 186
stand out for	*tenir bon, s'obstiner, revendiquer* 189
stand over	*rester en suspens* 200
stand over	*surveiller* 201
stand round	*rester à ne rien faire* 208
stand up	*se lever, se mettre debout* 226
stand up for	*soutenir qqn, encourager un candidat* 77
stare sb down	*dévisager, intimider qqn* 65
start off	*partir, se mettre en mouvement* . . 123

start out	*démarrer, se mettre en route*	156
start over	*recommencer*	199, 200
stash away	*mettre des valeurs, de l'argent en lieu sûr, planquer qqch.*	45
stay ahead of	*rester en tête de*	22
stay away	*s'abstenir*	41
stay back	*rester à l'arrière*	47
stay behind	*rester en dernier (après que tout le monde est parti)*	52, 53
stay in	*être, rester à la maison*	91
stay on	*rester, demeurer sur place*	144
stay out	*ne pas rentrer*	161
stay out	*rester à l'écart de*	165
stay over	*rester, prolonger un séjour*	202
stay up	*rester debout, se coucher tard, ne pas se coucher*	227
stay with	*rester avec*	259
steal up on (sb)	*s'approcher à pas de loup, surprendre*	256
steam in	*arriver (train, bus, bateau ...)*	92
steam up	*se remplir de buée*	252
stem from	*être issu de*	87
step aside	*s'écarter*	37
step back	*reculer d'un pas*	48
step down	*se retirer, se démettre*	68
step forward	*faire un pas en avant*	84
step on	*marcher sur*	155
step up	*augmenter, accroître*	229, 230
stick around	*rester là, attendre*	31
stick by (sb)	*ne pas laisser tomber (qqn)*	58
stick down	*fixer, coller*	69
stick down	*noter, griffonner*	71
stick in	*enfoncer, fourrer*	96
stick into	*enfoncer, piquer, planter (couteau)*	111
stick on	*coller, fixer*	149
stick out	*sortir, faire avancer*	185

stick out	*dépasser, sortir, faire saillie* 96, 186, 187
stick out (for)	*tenir bon, s'obstiner, revendiquer* 189
stick out for	*réclamer* 79
stick to	*tenir (une promesse), s'en tenir à (une opinion, un projet...)* 216
stick together	*rester unis, faire bloc, se serrer les coudes, s'entraider* 220
stick up	*dépasser, sortir* 226, 227
stick up	*afficher* 228
stick up for	*prendre le parti de qqn* 77
stir in	*ajouter, incorporer, mélanger* 99
stir up	*remuer, tourner* 250
stitch up	*coudre, recoudre, suturer* 256
stock up	*s'approvisionner, faire des provisions* 248
stoke up	*alimenter la chaudière, alimenter le feu, attiser* 232
stoop down	*se baisser* 61
stop behind	*rester en dernier (après que tout le monde est parti)* 53
stop by (US)	*passer, voir qqn, qqch.* 57
stop sb from doing sth	*empêcher, interdire* 88
stop in	*être, rester à la maison* 91
stop out	*rentrer tard* 161
stop over	*faire une halte* 202
stop up	*rester debout, se coucher tard, ne pas se coucher* 227
stop up	*boucher, obstruer* 251
store away	*emmagasiner* 45
storm into	*entrer en courant, faire irruption, entrer avec fracas* 107
storm out	*sortir avec éclat* 157
stow away	*ranger soigneusement* 45
straighten out	*mettre de l'ordre, débrouiller* . . . 173
straighten up	*se redresser* 226

strap in	*attacher*	103
strap into	*attacher*	113
strap on	*attacher, boucler, fixer*	149
strap up	*sangler, attacher avec une sangle*	255
stretch out	*(s')étirer*	185
strike at sb	*attaquer qqn*	39
strike back	*rendre coup pour coup*	50
strike down	*abattre, renverser*	64
strike off	*radier qqn, rayer, biffer un nom*	128
strike on	*découvrir, trouver, rencontrer (par hasard)*	147
strike out	*partir, s'élancer*	156
strike out	*supprimer*	162
string along (with)	*accompagner, emmener*	25
string out	*s'espacer, s'échelonner*	186
string together	*enfiler, mettre bout à bout*	221
string up	*pendre, suspendre*	228
strip off	*arracher, se déshabiller, se dénuder, retirer ses vêtements*	127
strip sb of	*débarrasser, dépouiller (qqn) de*	120
struggle on	*poursuivre péniblement*	142
stub out	*éteindre (une cigarette)*	166
stumble across	*rencontrer par hasard*	16
stumble on	*découvrir, trouver, rencontrer (par hasard)*	147
subscribe to	*souscrire à*	216
succeed beyond	*réussir au-delà de*	55
summon up	*rassembler, faire appel à*	234
summon up	*évoquer, suggérer*	237
summon up	*réunir, rassembler (force, courage)*	246
suss out	*piger, comprendre*	172
swab (GB) down	*nettoyer à grande eau*	71
swab out	*nettoyer, essuyer*	173
swallow down	*avaler, ingurgiter*	73
swallow up	*engloutir, tout avaler*	243

swap over	*échanger* 197
swear by	*ne jurer que par (qqn)* 59
sweat out	*attendre la fin de, patienter* 189
sweep aside	*repousser, rejeter (idée)* 36
sweep aside	*repousser (qqn, qqch.)* 37
sweep out	*nettoyer, balayer* 173
sweep up	*balayer à fond* 244
swell up	*enfler, (se) gonfler* 231
swill down	*engloutir* 73
swing around	*se retourner brusquement* 29
swing round	*faire volte-face* 204
switch off	*éteindre* 133
switch on	*brancher, allumer* 140
switch over	*changer (de chaîne, de station)* . . 197
swivel around	*pivoter (fauteuil)* 29
swivel round	*pivoter* 204
swob (US) down	*nettoyer à grande eau* 71
swot up	*bûcher, bosser* 239

T

tack down	*clouer (avec de la semence de tapissier)* 69
tack on	*attacher, ajouter, joindre* 149
tag along (with)	*accompagner, emmener* 25
tag on	*attacher, ajouter, joindre* 149
take after	*tenir de* 19
take against	*prendre en grippe* 20
take along	*emmener* 25
take apart	*déchirer, démolir, démonter* 28
take sb apart	*prendre qqn à part, de côté* 27
take around	*faire faire le tour de* 29
take sb aside	*prendre quelqu'un à part* 37
take away	*retirer* 43
take sb away from	*séparer (qqn) de* 89
take back	*rapporter (livres), reconduire* 50

take down	*coucher par écrit, inscrire, noter* . . 70
take sb down	*décourager, briser le moral à qqn* . . 68
take from	*tirer de* 87
take in	*être pris par qqch., s'absorber dans qqch., inclure, comprendre* 97
take sb in	*faire, laisser entrer qqn* 94
take into	*faire entrer, accompagner* 108
take off	*décoller (avion)* 125
take (time, a day...) off	*prendre un jour de repos, de congé* 126
take off	*ôter, enlever* 127
take on	*embaucher, engager* 152
take sb out	*inviter qqn à sortir, au restaurant* 160, 161
take over	*prendre le pouvoir, le relais* 197
take round	*faire visiter, montrer* 206
take to	*prendre (une direction)* 213
take to (doing) sth	*se mettre à, prendre l'habitude de* . . 214
take to sb, sth	*se mettre à aimer qqn, à apprécier qqch.* 214
take up	*ramasser* 228
take up	*aborder (une question)* 237
take up with	*faire la connaissance de, se lier d'amitié* 247
talk around	*tourner autour de (sujet)* 29
talk away	*parler sans arrêt* 46
talk sb down	*faire taire en parlant plus haut* . . . 66
talk sb into doing sth	*convaincre* 113
talk out	*débattre, discuter* 168
talk over	*discuter, débattre* 195
talk round	*contourner, éviter (un sujet)* 205
talk round	*persuader, convaincre qqn de changer d'avis* 207
tamp down	*tasser* 70
tamper with	*mettre son nez dans qqch.* 262
tangle up	*enchevêtrer, emmêler* 251

tangle with	*se frotter à, se colleter avec*	260
tap in	*enfoncer, taper (Inf.), entrer, introduire une donnée informatique*	95, 96
tap out	*pianoter, taper (un message)*	181
tape up	*fermer, attacher avec un ruban adhésif*	255
taper off	*(s')effiler, (s')amincir*	134
tart up	*se faire beau, (trop) se maquiller*	241
taste of	*goûter*	121
team up	*faire équipe, s'allier*	247
tear apart	*déchirer, démolir*	28
tear at	*arracher, tirer de toutes ses forces sur qqch.*	40
tear off	*arracher*	127
tear up	*déchirer, mettre en pièces*	242
tease out	*obtenir, démêler*	172
tell apart	*(se) distinguer*	27, 28
tell off	*gronder, réprimander*	130
tell on sb	*dénoncer, cafarder*	153
tend towards	*tendre à, pencher vers*	223
tether up	*mettre un animal à l'attache*	254
thaw out	*dégeler*	176
think about	*réfléchir*	101
think ahead	*être tourné vers l'avenir, planifier*	23
think back	*repenser à*	49
think of	*penser, juger de (qqn, qqch.)*	118
think out	*bien réfléchir à*	169
think over	*réfléchir, peser*	194
think up	*avoir l'idée de, trouver, inventer*	237
thirst for	*avoir soif de*	76
thrash out	*débattre, discuter*	168
throttle down	*freiner, ralentir*	63
throw about	*éparpiller, lancer au hasard*	15
throw around	*lancer autour*	28, 29
throw aside	*ignorer, repousser (idée, sentiment)*	36

throw aside	*rejeter, repousser (qqn, qqch.)*	37
throw at	*lancer (contre)*	40
throw away	*rejeter, gaspiller*	43
throw back	*répondre, renvoyer, relancer, refléter*	50
throw back	*boire rapidement, faire cul sec*	51
throw in	*enfoncer, fourrer*	96
throw in	*introduire, glisser*	98
throw out	*écarter, repousser*	159, 160
throw out	*laisser tomber, lancer (idée...)*	178
throw together	*assembler, joindre à la hâte, de façon imparfaite*	221
throw up	*jeter, lancer en l'air*	225, 228
thrust oneself forward	*se faire valoir*	86
thrust upon	*imposer à*	258
thumb through	*parcourir, feuilleter*	212
thump out	*marteler un air (au piano)*	181
tick by	*s'écouler*	56
tick off	*gronder, réprimander*	130
tidy away	*mettre en ordre*	45
tidy out	*ranger, mettre de l'ordre*	173
tidy up	*ranger*	244
tie down	*maintenir*	70
tie in (with)	*se fondre, s'intégrer, relier avec, combiner avec*	98
tie up	*attacher, ficeler, ligoter*	254
tinker around	*rôder, ne rien faire de bien, s'amuser, traîner*	32
tinker with	*remanier, tripoter*	262
tip over	*basculer*	193
tire of	*se fatiguer de*	120
tire out	*épuiser, exténuer, éreinter*	168
tog out	*habiller, fringuer*	174, 175
toil away	*travailler avec acharnement, peiner*	46
tone in (with)	*se fondre, s'intégrer, s'harmoniser avec*	98

tone up	*tonifier*	240
top off	*achever, terminer*	132
topple over	*tomber, se renverser*	193
toss back	*boire rapidement, faire cul sec*	51
toss down	*avaler une boisson d'une seule gorgée*	73
toss in	*introduire, glisser, ajouter*	98
toss out	*lancer*	178
toss up	*lancer, jeter, jouer à pile ou face*	228
tot up	*additionner, faire le total de*	230
total up	*totaliser, faire le total de*	230
touch on	*mentionner*	139
toughen up	*renforcer, (s')endurcir*	234
towel sb down	*frotter, frictionner qqn*	72
tower above sth	*dominer*	16
tower over sb	*dominer*	201
toy with	*caresser (une idée), songer à*	261
trace out	*esquisser*	170
track down	*dépister*	65
trade on	*tirer profit de*	148
trample on	*piétiner, écraser*	155
trap sb into doing sth	*cajoler, mystifier qqn*	113
travel around	*parcourir*	30
trick sb into doing sth	*cajoler, mystifier qqn*	113
trigger off	*provoquer, déclencher*	135
trim down	*réduire, diminuer, abaisser, faire des coupes dans*	62
trip over	*faire un faux pas*	193
trot out	*débiter (explication), réciter*	178
trump up	*forger, inventer de toutes pièces*	238
truss up	*ligoter*	254
trust to sth, sb	*se confier à, s'en remettre à*	218
try on	*essayer (un habit)*	138
try it on with sb	*tromper qqn*	154
try out	*essayer, faire l'essai, mettre à l'essai*	176
try out for	*passer une audition, un test*	78

tuck away	*mettre des valeurs, de l'argent en lieu sûr, économiser* 45
tuck in	*enfoncer, rentrer (chemise), border* 95
tug at	*tirer sur, tirailler* 41
tumble over	*culbuter, (se) renverser* 193,194
turf out	*flanquer qqn dehors* 159
turn about	*faire demi-tour* 15
turn against	*se retourner contre qqn* 20
turn around	*se retourner, faire demi-tour* 29
turn aside	*écarter (quelqu'un, quelque chose)* 37
turn in	*donner, rendre (devoir), rapporter (bénéfice), livrer (un suspect)* 106
turn into	*transformer* 116
turn off	*éteindre* 133
turn on	*brancher, allumer* 140, 141
turn on	*tomber sur, se retourner contre, attaquer* 146
turn out	*jeter à la porte, congédier* 159
turn out	*éteindre* 166
turn out	*se révéler, s'avérer* 172, 173
turn out	*fabriquer, produire* 182
turn over	*tourner, se retourner* 191
turn over	*ressasser* 194
turn over	*rendre, livrer* 196
turn round	*se tourner, se retourner* 204
turn to	*se mettre au travail, s'y mettre* . . 214
turn to (doing) sth	*se mettre à, prendre l'habitude de* 214
turn to sb	*compter sur qqn, faire confiance* 218
turn up	*monter, augmenter* 229
turn up	*arriver, apparaître* 236
type in	*entrer, introduire une donnée informatique* 95
type into	*entrer (dans un ordinateur)* 109

type out	*dactylographier, taper à la machine*	170

U – V – W

urge on	*pousser, inciter, stimuler*	144
use as	*se servir comme*	35
use up	*épuiser*	241
venture forth	*se risquer, s'aventurer*	82
verge on	*toucher à, être voisin de, approcher*	155
vie with	*rivaliser*	260
vouch for	*se porter garant (de), répondre de qqn, qqch.*	77
wait around	*rester (dans un endroit), attendre*	31
wait behind	*rester en dernier (après que tout le monde est parti)*	53
wait in	*être, rester à la maison*	91
wait on sb	*servir, s'occuper de qqn*	154
wait out	*attendre la fin de, patienter*	189
wait up	*rester debout, se coucher tard, ne pas se coucher*	227
wake up	*(se) réveiller*	227
walk along	*marcher le long de*	23
walk away	*s'éloigner, fuir*	42
walk back	*retourner (à pied)*	47, 168
walk into	*entrer dans*	106
walk off with sth	*voler, dérober en partant*	125
walk on	*poursuivre son chemin, continuer, persévérer*	143
walk out	*sortir, quitter (une séance en signe de protestation)*	157
walk over sb	*marcher sur les pieds de qqn*	201
walk past	*passer, dépasser en marchant*	203
walk towards	*avancer, marcher vers*	222

walk under	*passer sous* 223
wall in	*emmurer, entourer de* 103
wall off	*murer* 129
wall up	*murer, emmurer* 251
want in	*se lancer dans une activité, vouloir être dans le coup, vouloir participer* 100
want out	*se désister* 164
ward off	*parer, écarter* 131
warm to sb, sth	*se mettre à aimer qqn, à apprécier qqch.* 214
warm towards	*s'intéresser à, se sentir attiré par* . . 223
warm up	*s'échauffer, réchauffer, faire chauffer* 232
warm up	*chauffer (ex. : un auditoire), mettre de l'entrain* 235
warn off	*signifier à qqn de se retirer* 131
warn sb of sth	*aviser, prévenir qqn de qqch.* . . . 119
wash down	*laver, lessiver (à grande eau)* 71
wash down	*emporter, entraîner* 72
wash out	*épuiser, exténuer, éreinter* 168
wash out	*laver, faire partir à l'eau, au lavage* 174
wash up (GB)	*faire la vaisselle* 245
waste away	*s'affaiblir, dépérir, maigrir (maladie)* 44
watch for	*être à la recherche, à l'écoute de, guetter* 75
watch out	*faire attention, prendre garde* . . . 190
watch over	*garder* 201
wave aside	*rejeter, repousser qqch. d'un geste* . . 36
wave at	*faire un signe* 202
wave sb off	*accompagner, reconduire qqn* . . . 124
wave to	*faire un signe* 202
wear away	*(s')effacer* 44
wear off	*disparaître, faire partir (peinture), effacer* 134

wear on	*s'écouler lentement*	143
wear out	*épuiser, exténuer, éreinter*	168
weary of	*se fatiguer de*	120
weigh against	*soupeser, mesurer*	21
weigh down	*(sur)charger*	60
wheel around	*tournoyer*	29
wheel round	*faire demi-tour*	204
while away	*tuer le temps*	44
whip out	*apparaître brusquement*	187
wimp out	*se dégonfler, se dérober*	164
win over	*convaincre, persuader*	197
win round	*persuader, convaincre qqn de changer d'avis*	207
wind down	*réduire, ralentir*	63
wind up	*se terminer, finir*	241
wipe down	*essayer*	72
wipe out	*effacer, essuyer*	162
wipe up	*essuyer*	244
wish for	*espérer*	75
withdraw from	*écarter, soustraire de, se retirer*	90, 91
wither away	*se faner*	44
wolf down	*engloutir*	73
work as	*travailler comme, en tant que*	34
work at	*s'attaquer à une tâche, y mettre du sien*	38
work away	*travailler avec acharnement*	46
work in	*introduire, glisser, incorporer*	98
work into	*introduire*	109
work on	*influencer*	145
work on	*travailler sur*	164
work out	*calculer*	169
work out	*marcher, se passer, résoudre, comprendre*	172
work towards	*travailler en faveur de*	223
worm out	*soutirer*	172
worry at	*se tourmenter*	38, 39

wrap up	*envelopper, emballer* 248
wrestle with	*s'atteler à, se colleter avec, se débattre avec* 261
wriggle out (of)	*se tirer, s'extraire de* 1 65
wrinkle up	*se plisser, faire des plis* 249
write back	*répondre (lettre)* 49
write down	*coucher par écrit, inscrire, noter* 70, 71
write into	*entrer (dans un ordinateur)* 109
write out	*écrire en toutes lettres* 170
write up	*mettre à jour, rédiger, consigner* .. 238

Y – Z

yell out	*hurler, crier* 179
yield to	*céder* 216
zero in on	*se diriger sur, viser, foncer droit sur (cible)* 93
zip up	*fermer avec une fermeture à glissière* 255

IMPRIMÉ EN FRANCE PAR BRODARD ET TAUPIN
Usine de La Flèche (Sarthe).
LIBRAIRIE GÉNÉRALE FRANÇAISE - 43, quai de Grenelle - 75015 Paris.
ISBN : 2 - 253 - 09997 - X 30/8584/2